ISBN 978-1-332-36906-5
PIBN 10356518

English
Français
Deutsche
Italiano
Español
Português

www.forgottenbooks.com

Mythology Photography **Fiction**
Fishing Christianity **Art** Cooking
Essays Buddhism Freemasonry
Medicine **Biology** Music **Ancient**
Egypt Evolution Carpentry Physics
Dance Geology **Mathematics** Fitness
Shakespeare **Folklore** Yoga Marketing
Confidence Immortality Biographies
Poetry **Psychology** Witchcraft
Electronics Chemistry History **Law**
Accounting **Philosophy** Anthropology
Alchemy Drama Quantum Mechanics
Atheism Sexual Health **Ancient History**
Entrepreneurship Languages Sport
Paleontology Needlework Islam
Metaphysics Investment Archaeology
Parenting Statistics Criminology
Motivational

Baumann

DAS

EBEN RAPHAEL'S

VON

HERMAN *Friedrich* GRIMM.

ZWEITE AUSGABE DES ERSTEN BANDES UND ABSCHLUSS

IN EINEM BANDE.

BERLIN

VERLAG VON WILHELM HERTZ

(BESSERSCHE BUCHHANDLUNG)

1886.

Das Recht der Uebersetzung in fremde Sprachen wird vorbehalten.

Weimar. — Hof-Buchdruckerei.

1 88⌣.

DER ERINNERUNG GEWEIHT

AN DEN

HUNDERTJÄHRIGEN GEBURTSTAG

MEINES VATERS

WILHELM GRIMM

GEBOREN DEN 24. FEBRUAR 1786.

Das Buch, das ich als LEBEN RAPHAEL'S darbiete, beginnt mit einer Geschichte des Ruhmes Raphael's von seinem Tode bis heute. Ich zeige darin, wie in verschiedenen Jahrhunderten verschieden über Raphael geurtheilt worden ist und wie die Verehrung seiner Person und die Bewunderung seiner Werke sich langsam erst zu dem Umfange ausdehnten, den sie heute einnehmen. Schuld an diesen Wechselfällen war die Natur der Quellen, aus denen anfänglich und später die Nachrichten über Raphael's Leben geschöpft wurden, sowie das Schicksal seiner Werke, die dem Publikum nicht immer offen standen wie heute. Auch die Persönlichkeiten derer, die sich litterarisch mit Raphael beschäftigt haben, ist in Anschlag zu bringen. Meinem Wunsche nach soll als Resultat dieses einleitenden Kapitels hervortreten, dass die Abfassung eines Lebens Raphael's in der Art, wie ich ein Leben Michelangelo's und ein Leben Goethe's zu schreiben versucht habe, der Beschaffenheit des vorliegenden Materiales wegen nicht möglich sei. Der geringe Umfang der eigenen Schriftstücke Raphael's sowohl als der Erwähnungen seiner Person lässt uns über den Verlauf seines Lebens im Dunkeln.

Die Frage aber ist nicht allein, welche Schicksalsumschwünge durch zufälliges Zugrundegehen handschriftlichen Materiales unserer Kenntniss so sich etwa entzogen haben, sondern, ob überhaupt solche Umschwünge bei Raphael eingetreten seien. Hier

muss in Betracht kommen, dass Künstlernaturen ersten Ranges
wohl denkbar sind, deren äusseres Dasein ohne Verbindung mit
der öffentlichen Geschichtsentwicklung verläuft, und von denen,
wenn ihre Werke nicht daständen, nichts als Geburtstag und
Tod zu verzeichnen wären. Ich habe mich über Raphael, was
dies anlangt, im Leben Michelangelo's schon dahin ausgesprochen,
dass wahrscheinlich wenig an sichtbaren Ereignissen sich darbieten würde, auch wenn wir sein Leben genau kennten. Ob
diese Annahme richtig sei, lässt sich einstweilen nicht beweisen;
fest steht nur, dass die von Vasari in den beiden Redactionen
der Vita di Raffaello, sowie an anderen Stellen seiner Lebens-
beschreibungen der Florentiner Künstler gegebenen Mittheilungen,
obwohl sie beglaubigender Unterlagen entbehren, so tief eingedrungen sind, dass man sie nicht umgehen kann, und als
Resultat meiner Raphael gewidmeten Arbeit hat sich ergeben,
dass der heute einzige Weg, zu einem Leben Raphael's zu gelangen, nur der sein könne, dass Vasari's Nachrichten mitgetheilt
werden wie sie vorliegen, indem man unter stetem Hinweis auf
sie das neben sie stelle, was aus dem eignen Studium entweder
an Einspruch oder an Zustimmung hervorging.

Diesen Weg innehaltend, lasse ich auf den den Ruhm Raphael's
behandelnden Bericht Vasari's Vita di Raffaello in beiden Texten
und eine Uebersetzung des zweiten (von 1568) folgen. Letzterer
ist in der heute für die Litteratur des Cinquecento üblichen
Druckweise gegeben, bei deren Feststellung für die erste Auflage
A. Tobler mir behülflich war, der Druck von 1550 wiederholt
wie die Originalausgabe ihn giebt. Die Kapiteleintheilung
rührt insofern von mir her, als ich die vorhandenen Absätze
numerirt habe. Niemand wird sich dem Reiz der Darstellung
Vasari's verschliessen, welchem das Verdienst, die Nachrichten
über Raphael zusammengestellt zu haben, heute höher an-

gerechnet wird, als die massenhafte Production eigner Gemälde, unter denen wenige nur als erträglich gelten dürfen, während seine Bauten ihn bedeutender erscheinen lassen.

An Vasari's Erzählung schliesst sich das an, was die eigentliche Masse des Buches bildet: eine Geschichte der Thätigkeit Raphael's in seinen Hauptwerken. Für sie lag umfangreiches Material an Handzeichnungen und Gemälden vor. Ich habe nicht jedes Stück selbst gesehen, eine Kenntniss, die nur durch Reisen zu erlangen gewesen wäre, die zu machen ich mir in manchen Fällen versagen musste. Doch hat die Photographie das der eignen Anschauung Fremde dann so genügend geliefert, dass ich auch bei beschränkteren Mitteln mich aussprechen zu dürfen glaubte. In fünf Kapiteln werden die grossen Entwicklungsstufen des Künstlers behandelt. Ich habe mir zur Pflicht gemacht, da das zu betretende Gebiet so unsicher ist, nichts zu geben, als wofür ich einstehen kann, und bin zugleich bestrebt gewesen, mich auf das Unentbehrliche zu beschränken. Wollte man z. B., was Raphael's früheste Zeiten anlangt, das in der ersten Auflage dieses Buches Enthaltene, sodann den in meine Essays aufgenommenen, die Conjecturen der hauptsächlichsten Forscher auf diesem Gebiete vergleichenden Aufsatz, und endlich die im Jahrbuche der preuss. Kunstanstalten von mir veröffentlichten Urkunden zusammennehmen, so würde ein Ueberblick über das an dieser Stelle eingreifende Material sich bilden und zugleich hervortreten, wie sorgfältig ich im vorliegenden Buche die Dinge in wenige Sätze zusammen zu drängen bestrebt war. Die kritische Behandlung des gesammten Materiales wird, als zweite Hälfte der zu leistenden Arbeit, nicht in einem zweiten Theile des vorliegenden Buches, sondern in besonderer Publication unter dem Titel ‚Ausführungen zum Leben Raphael's‘ hoffentlich vor Ende 1887 erscheinen.

Zum Theil ist der Inhalt dieses zweiten Buches bereits in dem gegeben, was, wie bei dem eben erwähnten ‚Anfangszeiten Raphael's‘, der erste Theil der ersten Ausgabe, sowie das Jahrbuch der preuss. Kunstsammlungen unter dem Titel ‚Zu Raphael‘ enthalten. Eine dritte Partie liegt in verschiedenen Aufsätzen, die der Mehrzahl nach in meine Essays aufgenommen wurden, vor. Hinzutreten wird manches, das, in meinen Vorlesungen ausgesprochen, noch unpublicirt blieb. Ich beabsichtige dieses gesammte Material als eine Reihe längerer oder kürzerer Monographien zu geben. Es wird in den ‚Ausführungen‘ auch das in Zeitschriften über Raphael Veröffentlichte Berücksichtigung finden, besonders aber eine eingehende Besprechung derjenigen Meinungen vorgenommen werden, die in den neuesten Büchern über Raphael aufgestellt worden sind. Was im vorliegenden Bande in den Anmerkungen gegeben worden ist, soll nicht etwa das Belegmaterial der besprochenen Dinge repräsentiren, sondern weist nur deshalb zumeist auf meine eignen, Raphael betreffenden Arbeiten hin, weil dieselben das von mir hier Gesagte ausführlicher enthalten oder ihm widersprechen.

Ueber diese erste Ausgabe von 1872 sei noch Folgendes bemerkt.

Der allein erschienene erste Band derselben enthält als Einleitung die Geschichte des Ruhmes Raphael's, die im vorliegenden Buche neu gearbeitet vorliegt. Es folgt Vasari's Vita di Raffaello von 1568, ohne den Text von 1550, sowie ohne Uebersetzung im Ganzen. Dann beginnt der Commentar dieser Vita kapitelweise mit vorgedruckter Uebersetzung der einzelnen Kapitelabschnitte satzweise bis Kap. XII. Der zweite Band (der nicht erschienen ist), sollte den Schluss dieses Commentars und ein Leben Raphael's enthalten. Ich war dabei, diesen zweiten Band im Manuscripte zu vollenden, als sich herausstellte, dass eine neue Auflage des ersten nöthig sei. Nun zeige sich, dass das Ganze umgestaltet werden müsse, und es lagen (1876) bereits ein Dutzend Bogen der neuen Auflage **ausgedruckt** vor, (— beide Bände sollten zu gleicher Zeit im Drucke vorschreiten —) als äussere Umstände mich die Arbeit abzubrechen nöthigten. Heute erst, wo ein längerer Urlaub mich frei machte, kann ich die zweite Ausgabe und den Abschluss in ganz neuer Form geben, bei der die schon gedruckten Bogen einer zweiten Auflage vernichtet werden mussten. Am liebsten hätte ich das Buch als ein neues erscheinen lassen, hätte nicht der Umstand, dass mehr als die Hälfte seines Inhalts, wenn auch anders gefasst, im ersten Bande der früheren Arbeit vorlag, mich genöthigt, ihm auf dem Titel zum Theil den Character einer zweiten Auflage zuzusprechen. Die ‚Ausführungen‘ als zweiten Theil erscheinen zu lassen, war deshalb unmöglich, weil sie als solcher zu dem früheren ‚ersten Theile‘ nicht gepasst haben würden. —

Wie das Buch jetzt vor mir liegt, darf ich es als etwas beurtheilen, das meinen Wünschen besser entsprochen haben würde, wenn ich den Druck durchweg von Italien aus hätte besorgen können. Denn sobald ich mich wieder in Florenz und Rom fühlte, nahm ich was an ungedrucktem Manuscripte übrig war, noch einmal in Arbeit, indem ich es, nach soviel Versuchen, die Dinge recht einfach vorzutragen, zum letztenmale umschrieb. Ich hoffe, dass es ihm nicht zum Schaden gereichte. —

Ich beendige diese Arbeit unter Eindrücken, die zu empfangen eine der traurigsten Erfahrungen meines Lebens ist. Das den zu einem mächtigen Volke vereinten Italiänern in die Hände gegebene Rom wird unter meinen Augen heute zur Hauptstadt des Königreiches umgeformt. Kahle Häusermassen, bei deren

Erbauung nur die Gewinnantheile der Terrainverkäufer und der Arbeitgeber iu Frage zu stehen scheinen, fangen an die Stadt zu erfüllen oder sich von aussen an sie heranzudrängen. Die Gleichgültigkeit die bei diesem Vorgehen, dessen unausbleibliche Folgen wohl nur einer ganz schwachen Minorität der römischen Bevölkcrung vor Augen stehen, zum Ausbruche kommt, ist eben so niederschlagend als der Anblick der Dinge selbst. Die Zerstörung geschichtlicher Monumente, wo sie im Wege stehen, gehört hier jetzt zum Alltäglichen und die niedergesunkenen Lorbeerbäume und der zu Kohlenmeilern aufgeschichtete Pinienwald der Ludovisischen Gärten sind die neuesten Opfer dieser Verwüstung, der kein Ziel gesetzt werden kann.

Zu erleben, dass der Segen lang ersehnter Freiheit nun darin ein Symbol findet, dass man sich in Rom wie in einer eroberten Stadt einrichtet, hat etwas, das den erschüttern muss, dem der Ruhm und die Würde und die Schönheit Roms als etwas Unantastbares in die Seele geprägt waren.

Rom, im Februar 1886.

H. G.

I.

RAPHAEL'S RUHM

IN

VIER JAHRHUNDERTEN.

Grimm, Leben Raphael's. 2. Aufl.

IM EIGNEN JAHRHUNDERT.

Raphael starb den 6. April 1520. Am nächsten Tage berichtet der mantuanische Gesandte über den Fall nach Hause. ‚Von nichts Anderem ist hier die Rede‘, schreibt er der Herzogin, ‚als von dem Verluste dieses Mannes, der mit dem Schlusse seines dreiunddreissigsten Jahres nun sein erstes Leben beschlossen hat. Sein zweites, das des Nachruhmes, wird, unabhängig von Tod und Zeitlichkeit, in seinen Werken und in dem, was die Gelehrten zu seinem Lobe schreiben werden, ewige Dauer haben.‘

Was der Briefsteller mit dem ‚Lobe der Gelehrten‘ im Sinne gehabt, ist nicht klar. Schon seit einem Jahrhundert hatten florentinische Federn mit Aufzeichnungen über Künstler und Kunstwerke begonnen, schwerlich aber wurden deren Notizen damals für Gelehrtenarbeit gehalten. Vielleicht dachte der mantuanische Gesandte nur an lateinische Distichen, in denen man Raphael's Hingang betrauern werde. Von solchen Gedichten sind auch eine Anzahl erhalten geblieben. Hätte er in der That aber eine Biographie, wie sie von Vasari später geliefert worden ist, vorausgesehen, so würde er deren Antheil an der Dauer des Raphael zufallenden Nachruhmes nicht überschätzt haben. Diesen von den Gelehrten geschaffenen Ruhm als ‚zweites Leben‘ zu bezeichnen, war ein glücklicher Gedanke. Beim Tode von

1*

IM EIGNEN JAHRHUNDERT.

Raphael starb den 6. April 1520. Am nächsten Tage berichtet der mantuanische Gesandte über den Fall nach Hause. ‚Von nichts Anderem ist hier die Rede‘, schreibt er der Herzogin, ‚als von dem Verluste dieses Mannes, der mit dem Schlusse seines dreiunddreissigsten Jahres nun sein erstes Leben beschlossen hat. Sein zweites, das des Nachruhmes, wird, unabhängig von Tod und Zeitlichkeit, in seinen Werken und in dem, was die Gelehrten zu seinem Lobe schreiben werden, ewige Dauer haben.‘

Was der Briefsteller mit dem ‚Lobe der Gelehrten‘ im Sinne gehabt, ist nicht klar. Schon seit einem Jahrhundert hatten florentinische Federn mit Aufzeichnungen über Künstler und Kunstwerke begonnen, schwerlich aber wurden deren Notizen damals für Gelehrtenarbeit gehalten. Vielleicht dachte der mantuanische Gesandte nur an lateinische Distichen, in denen man Raphael's Hingang betrauern werde. Von solchen Gedichten sind auch eine Anzahl erhalten geblieben. Hätte er in der That aber eine Biographie, wie sie von Vasari später geliefert worden ist, vorausgesehen, so würde er deren Antheil an der Dauer des Raphael zufallenden Nachruhmes nicht überschätzt haben. Diesen von den Gelehrten geschaffenen Ruhm als ‚zweites Leben‘ zu bezeichnen, war ein glücklicher Gedanke. Beim Tode von

1*

Männern ersten Ranges habe ich eine bestimmte Wendung der Dinge sich mehr als einmal wiederholen sehen. Im Augenblicke des Verlustes scheint eine unausfüllbare Lücke für immer offen bleiben zu wollen. Nach wenig Tagen dagegen schon schliesst sie sich und die Welt geht weiter als habe der, den sie eben als unersetzlich betrauerte, nie gelebt. Nach einer Reihe von Jahren giebt irgend ein Ereigniss dann den Anstoss, sich des Mannes wieder zu erinnern. Nun wird von solchen, die ihn kaum oder nie gesehen, sein Bild neu geformt, sein Schatten taucht, wie mit frischem Leben erfüllt, wieder empor und es beginnt ein zweites Leben, das durch Jahrhunderte nun fortläuft. —

Als frühestes Zeugniss für Raphael's Stellung zum römischen Publicum ist der Anstellungserlass Leo's X. anzusehen, durch welchen der Papst ihn, im zweiten Jahre seiner Regierung, zum Architekten der Peterskirche erhob. Das Breve beginnt mit dem Satze, dass die ausgezeichneten Leistungen Raphael's als Malers allen Menschen bekannt seien. An sich kein übermässiges Lob: waren diese Leistungen derart jedoch, dass auf sie hin Raphael zum Nachfolger Bramante's, des ersten Architekten der Welt, ernannt werden konnte, so gewinnen die einfachen Worte damit den umfassendsten Inhalt. Das zweite Zeugniss für Raphael ist der oft abgedruckte Brief des Celio Calcagnini. Hier lesen wir ein Urtheil über seine Person und seine öffentliche Stellung, das etwas Ueberzeugendes hat und uns das Gefühl giebt, die ausserordentliche von ihm ausgehende Wirkung sei nicht bloss seinen Werken entsprungen. Celio Calcagnini sagt nichts, was darauf hindeutete, Raphael sei das Haupt einer Partei gewesen, mancherlei Briefe aber von verschiedenen Personen, die in Leo's X. letzten Zeiten geschrieben worden sind, lassen dies erkennen,

ohne uns jedoch Sicherheit darüber zu geben, ob Raphael
diese Partei organisirte, oder ob sich, da er neben Michelangelo der erste Künstler in Rom war, unter Raphael's
Namen die Gegner Michelangelo's zusammengefunden hatte.
Leo X., der Raphael entschieden ebenso bevorzugte wie er
Michelangelo von sich fern hielt, erkannte beider Stellung
zu einander doch mit richtigem Blicke an. Er sprach aus,
Raphael habe, nachdem er in Rom Michelangelo's Werke
gesehen, die Manier des Perugino verlassen und die Michelangelo's angenommen. Wichtig ist, dem gegenüber Michelangelo's Meinung und Verhalten zu Raphael festzustellen.
Condivi's Angaben dürfen hier als zuverlässig angesehen
werden, denn, um dies beiläufig zu erwähnen; keiner von
denen die Condivi's Autorität neuerdings herabzumindern
suchen, hat stichhaltige Gründe, oder überhaupt nur Gründe
vorgebracht. Condivi erzählt, Michelangelo habe, als ihm 1508
die Ausmalung der sistinischen Kapelle zugemuthet wurde und
er sie ablehnte, Raphael vorgeschlagen. Damals war Raphael
in Rom noch ein Anfänger und kaum bekannt. Wir wissen,
mit welcher Schärfe Michelangelo die Künstler neben sich
beurtheilte: er also wäre der erste gewesen, Raphael's Talent
anzuerkennen und ihm eine grossartige Aufgabe zuzuweisen.
Und ferner: als nach Raphael's Tode die römische Partei
Michelangelo's in diesen drang, er möge nun doch die Vaticanischen Wandflächen, auf denen die Schüler Raphael's
nach dessen Zeichnungen fortarbeiteten, für sich und die
Seinigen fordern, setzte er den Briefen, mit denen in diesem
Sinne in ihn gedrungen wurde, — Michelangelo war in
Florenz — Stillschweigen entgegen. Und als er in hohem
Alter auf Raphael zu sprechen kam, sagte er, nicht Raphael's
Genie, sondern sein Fleiss sei die Ursache seiner Erfolge:
für den, der Michelangelo's Sprache versteht, das höchste
Lob aus seinem Munde. Wären beide grosse Künstler im

Leben länger neben einander hergegangen, so ist wohl denkbar, dass sie im Gefühle der Vereinsamung, in die ausserordentliche Gaben Jeden versetzen, dem sie vom Schicksale
verliehen worden sind, sich gefunden und aneinander ge-
schlossen haben könnten.

Der früheste Versuch, über Raphael eine biographische
Notiz zu geben, ist der Giovio's. Doch blieb das Schriftstück
ungedruckt und ist erst von Tiraboschi neuerer Zeit an's
Licht gezogen worden. Ich bin weder ganz sicher, ob Giovio
die kurze Vita schrieb, noch, wann er sie schrieb: jedenfalls rührt sie von Jemand her, der Raphael persönlich gekannt hat. Drei kurze Characteristiken: die Michelangelo's,
Lionardo's und Raphael's, in vortrefflichem Latein verfasst,
finden wir hier zusammen. Ich weiss nicht, wann es zuerst
aufkam, diese drei besonders hervorzuheben. Raphael wird
hier neben den beiden anderen die ‚dritte Stelle' angewiesen.
So ist allgemein damals wohl geurtheilt worden[1]).

Giovio sagt, Raphael's künstlerischer Ruf sei, als er die
Camera della Segnatura zu malen unternahm (1508 oder
1509), noch kein festbegründeter gewesen. Ein neuer Beweis dafür also, dass seine Glanzperiode erst unter Leo X.
begann. Auffallend ist, wie Giovio die Werke neben dem
Persönlichen fast als unerheblich ansieht. Er spricht von
Raphael's vorzüglicher Liebenswürdigkeit, die ihm die Gunst
des Mächtigen gewonnen. Von seinem Glücke, das ihm Gelegenheit geboten, im günstigsten Momente immer seine Kunst
zu zeigen. Von der Anmuth, grazia, die seinen Werken eigen
sei. Dieser selbst jedoch scheint er sich kaum zu erinnern.
Aus der Camera della Segnatura erwähnt er nur den Parnass,
‚wo die neun Musen dem singenden Apollo Beifall klatschen'!
Aus dem zweiten Zimmer erwähnt er eine ‚Auferstehung

---

[1]) Ariost, Francesco da Ollanda, an bekannten Stellen.

Christi': als solche nämlich stand ihm die ‚Befreiung Petri‘ vor den Augen.‘ Aus dem dritten die ‚unmenschliche Wildheit des Totila‘, mit Totila nämlich bringt er den Burgbrand in Verbindung. Die Niederlage des Maxentius giebt er dann richtig an und zum Schlusse die ‚Verklärung Christi‘, die Raphael's letzte und höchste Leistung sei, das Bewunderungswürdigste darauf — recht ein Urtheil des immer realistisch gesinnten Dilettanten — der vom bösen Geiste geplagte Knabe. Der Ton, in dem Giovio von Raphael spricht, zeigt, dass er in ihm den jungen Mann sah, dessen Laufbahn bei seinem Tode erst hätte beginnen müssen. Giovio sah Raphael in Rom am Hofe Leo's. Sein Lob bestätigt Calcagnini's begeisterte Aeusserungen. Raphael scheint Vorzüge, die die Natur dem jugendlichen Alter zutheilt, bis zu seinem Tode behalten zu haben. Den Anschein von Lebensunschuld, entspringend dem überschüssigen Reichthume seines Geistes. Die neidlose Freude am Dasein. Den Wunsch, Andern dienstlich zu sein. Das freiwillige Zurücktreten, damit Schwächeren Gelegenheit bleibe, ihr Können zu zeigen. Das Gefühl, das er denen mittheilte, die mit ihm verkehrten: es überbiete für ihn der Genuss an der eignen Arbeit jeden andern. Raphael's Werke bestätigen diesen Zug seiner Natur. Es kann nicht bloss Gewissenhaftigkeit gewesen sein, die ihn antrieb, immer von Neuem zu beginnen. Es war ihm eine Wonne, das vorgesetzte Ziel erst dann für erreicht zu nehmen, wenn er alle Wege, die zu ihm führen konnten, vorher begangen hatte, um den besten herauszuwählen. Seine Werke haben bei alledem etwas Objectives. Sie sind nicht die Hüllen hineinversteckter persönlicher Empfindung. In wie hohem Maasse stehen Michelangelo's Schöpfungen nicht als Producte einer besonderen, über die Welt erhabenen Kraft vor uns: denen Raphael's wohnen solche Geheimnisse nicht inne. Er besass die Macht, Alles zu sagen, ohne deshalb

zu viel zu sagen. Seine Schöpfungen sollten den Anschein
von Blumen haben, deren Schönheit sich von selbst versteht
und bei denen wir nicht nach besonderen Absichten ihres
Schöpfers fragen. Diese Wirkung, dass das Kunstwerk als
ein Theil der schaffenden Natur erscheint, ist der höchste
Erfolg künstlerischer Arbeit. Wir lassen den, der sie that,
bei Seite und suchen uns zu den Werken, als existirten sie
für sich und uns allein, in ein intimes Verhältniss zu setzen.

Ich bezweifle freilich, ob das, was ich als das Resultat
vielfacher Erfahrungen so ausspreche, einem von denen, die
Raphael's Umgebung bildeten, gleichlautend auf der Zunge
gelegen habe. Ob einer seiner Freunde oder Schüler einen
Ueberblick der gesammten Entwickelung Raphael's gehabt.
Giovio schwerlich. Dergleichen braucht Jahrhunderte, um
unbefangen in Worte gefasst werden zu können.

Dreissig Jahre waren nach Raphael's Tode vergangen,
als Vasari's ,Lebensbeschreibungen der berühmtesten Florentiner Maler, Bildhauer und Architekten' erschienen, in denen
die Viten Michelangelo's und Raphael's die wichtigsten Stücke
sind. In der Zeit, wo Vasari, der noch ein Kind war als
Raphael starb, zuerst nach Rom kam, bot dieses nur wenig
noch dar, was an die Tage Leo's X. erinnerte. Nach dessen
Tode hatte der unglückselige Clemens VII. regiert, unter
dem (1527) die Eroberung der Stadt und die Zerstörung
ihres Daseins erfolgte, das ungeheure Unheil, das in Jahr-
zehnten nicht zu verwinden war. Unter Paul III. (Farnese) hatten sich neue Kreise gebildet, denen Kunst und
Wissenschaft am Herzen lag. Innerhalb ihrer war Giovio eine
Autorität. Von ihm zumal ermuntert verfasste Vasari das
Buch, dem er seinen heutigen Ruhm verdankt, denn was
er gemalt hat ist meist nicht mehr anzusehen. Iulius III.
sass auf dem päpstlichen Stuhle als es (1550) herauskam.

Vasari scheint bei der Herstellung seiner Biographie Raphael's folgendermaassen zu Werke gegangen zu sein. Er legte ein Verzeichniss der Werke an, ordnete diese, so gut er vermochte, chronologisch und ging von der Annahme aus, Raphael habe die Gemälde da geschaffen, wo sie sich befanden. Damit waren eine Reihe von Punkten als zeitweilige Aufenthaltsorte Raphael's gewonnen: Perugia, Siena, Florenz, Rom. An den verschiedenen Orten treten bedeutende Personen als die hervor, für die Raphael arbeitete. Selbst schaffender Künstler, verlangte Vasari Licht und Schatten für seine Erzählung und vertheilt sie nach bestem Ermessen. Er behauptet Briefe von Raphael's Hand und sonst Schriftliches von ihm benutzt zu haben: nirgends aber tritt es hervor. Die heute bekannten Briefe und Actenstücke kannte er sämmtlich nicht. Nicht einmal jenes 1538 schon gedruckte Breve Leo's X. Trotzdem aber müssen wir immer wieder zu Vasari zurückkehren, da er der Einzige ist, der uns über Vieles überhaupt Nachricht giebt und da wir an den Stellen, die wir zu controliren ausser Stande sind, nicht wissen können, ob er die Dinge erfand, oder ob er auf Grund sicherer Nachrichten schrieb.

Bedenklich allerdings muss uns machen, was sich herausstellt wenn wir Vasari's zweite Auflage (1568) schärfer in's Auge fassen. Drei Jahre nach Erscheinen der ersten (1550) schon hatte Michelangelo, was seine eigne darin enthaltene Lebensgeschichte anlangt, gegen Vasari's Darstellung Protest erhoben. Der bei ihm im Hause wohnende Condivi gab (1553) ein Leben Michelangelo's heraus, neben dem Vasari's Arbeit als durchaus unzuverlässig erscheinen musste. Verstehen wir Condivi's Vorrede recht, so hätte er, lange Jahre schon mit dieser Arbeit beschäftigt, Vasari sogar seine Papiere zur Verfügung gestellt, der in der That nichts damit anzufangen gewusst hätte. Ein Vergleich der Vita des Condivi mit der des Vasari

zeigt, wie schlecht der letztere unterrichtet war. Da nun
drängt sich der Gedanke auf, Raphael's Leben würde anders
aussehen, wenn Raphael selbst das Erscheinen des Buches
erlebt und wie Michelangelo die falschen Angaben hätte be-
richtigen lassen dürfen. Vasari, obgleich er Raphael's Leben
1568 in verbesserter und zum Theil vervollständigter Form
erscheinen liess, war dennoch so wenig litterarisch geschult,
dass er eine Menge neuer Angaben, die sein Buch nun bringt,
nicht in Raphael's Biographie hineinzuarbeiten verstand, sondern an vielen Stellen zerstreut mittheilt. Vergleichen wir
Vasari's Biographie Michelangelo's in ihren beiden Redactionen und gewahren, eine wie gründliche Umgestaltuug eintrat, nachdem Michelangelo durch Condivi sich selbst hatte
vernehmen lassen, so dürfen wir das Urtheil fällen, bei eignen
Aeusserungen Raphael's würde dessen Biographie in zweiter
Gestalt sich in ähnlicher Weise als etwas ganz Verschiedenes
dargestellt haben. Das besonders tritt in Michelangelo's
Leben, wie Condivi es erzählt, hervor, dass nun die allgemeinen Massen sich zeigen, in die Michelangelo's Lebens-
führung zerfällt. Man sieht, wie die Epochen sich folgen,
die Hauptwerke erscheinen als das Maassgebende, der Charakter greift ein und hindert oder fördert die Arbeit, der
Antheil der Päpste lässt sich beurtheilen. Wenig von alledem enthielt die erste Auflage und wenig auch von Raphael
weiss Vasari in dieser Richtung mitzutheilen. Uns heute
belehren hier nur geringfügige Actenstücke, in deren Benutzung wir vorsichtig verfahren müssen und die nebenbei
fast immer, wo sie eintreten, bestätigen, wie gering Vasari's
Kenntniss war.

Sei dem nun aber wie ihm wolle, genug lässt sich sagen,
um Vasari's Unentbehrlichkeit darzuthun. Mag er unsichere
Gerüchte geben, mag er uns mit Erfindungen abspeisen:
Raphael's Persönlichkeit hatte nun einmal die Eigenheit,

Fabeln hervorzurufen. Es giebt Menschen, die stets einen
täuschenden Schimmer um sich haben, der das Richtige zu
erkennen verhindert. Am Abschlusse des dreiunddreissigsten
Jahres lässt der mantuanische Gesandte Raphael sterben: er
ist vier Jahre älter gewesen. Der Irrthum war damals allgemein. Siebenunddreissig Jahre stimmten nicht zu Raphael,
das an ihn zurückdenkende Publicum wollte nicht, dass er
die Grenze einer gewissen Jugendlichkeit überschritten habe.
Vielleicht war Rom, als Vasari zu sammeln begann, voll von
Legenden über Raphael, aus denen er noch die solidesten
auswählte. Und nun erzählt Vasari so voll guten Glaubens
an die Dinge, beurtheilt das Künstlerische mit soviel Menschen-
verstand, reiht seine Daten so geschickt aneinander, dass
diese Eigenschaften seiner Schriftstellerei genügen werden
um ihr stets von neuem zuwachsendes Vertrauen zu schaffen.
Anschauliche Darstellung der Dinge pflegt, ganz abgesehen
von ihrer Zuverlässigkeit, den Büchern immer wieder Leser
zuzuführen. Vasari's Buch ist gut wie es ist. Die ‚Lebens-
beschreibungen der Florentiner Künstler‘ gewähren den Einblick in die Entwicklung eines Phaenomens, das zu den
wichtigsten der neueren Historie gehört. Ohne Vasari würde
die Geschichte der toscanischen Kunst im Nebel stecken.
Die besten archivalischen Hilfsmittel werden das von Vasari
gebotene Spiegelbild der Dinge nie entbehrlich machen, wie
sie sich, beleuchtet von fröhlichem Tageslichte, vor uns ausbreiten. Er hatte ein Gefühl des Geschehenen. Im Ganzen
und Grossen ist wahr was er vorbringt. Deshalb muss auch
als ein Zeichen gesunder historischer Anschauung bei ihm
erscheinen, dass er gleich Giovio die Persönlichkeit Raphael's
als das hinstellt, worauf es ankommt. Raphael's Liebenswürdigkeit, sein jugendliches Wesen, seine Art, die ihn umgebenden Schüler emporzuziehen und zu beleben, sollte dem
nachfolgenden Geschlechte als Beispiel aufgestellt werden.

dei Medici gewesen, wo er, jung und von Arbeitskraft erfüllt, den Launen und Wünschen seines Herrn unermüdet genügt hatte. Diese Rolle sollte, Vasari's Auffassung nach,
unter idealeren Verhältnissen Raphael am Hofe Leo's gespielt
haben. Immer auf dem Platze. Immer neue Erfindungen.
Immer ausgiebiger als alle Andern zusammen. Unbefangen
die Dinge nehmend und instinctmässig sie da anfassend, wo
sie sich am leichtesten greifen liessen. Vasari weiss nichts
von Raphael's häuslichen einsamen Studien. Er lässt ihn
als eine mit unerschöpflichem Reichthume ausgestattete Natur
erscheinen, die, allezeit freudig und in vollem Lebensgenusse
fortschreitend, mühelos producirt. Von Jugend auf ist Raphael die ‚gentilezza‘ eigen — die vornehme, wohlthuende
Haltung —, die im Vorrathe der von Vasari den Künstlern
hergegebenen Lobesworte eine so grosse Rolle spielt. Vasari
hatte die schwierige Aufgabe, neben Michelangelo, mit dem
selbstverständlich doch kein Zweiter rivalisiren durfte, einen
andern Künstler trotzdem auftreten zu lassen, den er noch
höher stellen sollte: dies war nur möglich, indem er, von
den Arbeiten absehend, Raphael persönlich als die Verkörperung beinahe übermenschlicher Vortrefflichkeiten erscheinen liess [1]).

Diese Auffassung ist maassgebend für die Zukunft geblieben. Vasari hat den unverwüstlichen historischen Raphael hervorgebracht. So bedeutend wirkt seine Darstellung
heute noch, dass mir der einzige Weg, Raphael's Thätigkeit
nachzugehen, der zu sein scheint, Schritt vor Schritt Vasari's
Erzählung zu folgen und zu untersuchen, ob an ihr festgehalten werden dürfe. Zu prüfen ist dabei, wieweit wir
selbst, ohne darum zu wissen, von Vasari's Anschauung be-

---

[1]) Er gebraucht das Wort ‚Halbgott‘.

herrscht werden. Seiner Erzählung von Raphael's Kinderzeiten wohnt eine gewisse dichterische Kraft inne, die, entgegen meinen früheren Ueberzeugungen, doch wieder Macht
über mich gewonnen hat.

Es scheint, dass die in Rom fortbestehende Verehrung
für Raphael's Person in bedeutendem Maasse auf Vasari's Buch
zurückzuführen sei. Denn Raphaels künstlerischer Einfluss
war bald verschwunden. Seine Schüler hatten in Rom nur
wenige Jahre nach seinem Tode im alten Sinne noch fortgearbeitet. Sie wandten sich dahin und dorthin. Michelangelo's
Formen beherrschten die letzten Jahre des Cinquecento.
Giulio Romano, Raphael's Lieblingsgehilfe und, nach seinem
Tode, anfänglich vornehmster Anhänger, nachdem er eine
Zeit lang in den Formen seines Meisters fortgearbeitet hatte,
war zur Nachahmung Michelangelo's übergegangen. In dieser
neuen Manier sind von Giulio die mantuanischen Päläste
mit Malereien erfüllt worden, neben denen seine ehemalige
römische Thätigkeit, wo er als Amanuensis Raphael's nach
dessen Cartons zu malen hatte, nicht mehr in Betracht kam.
Allerdings gehörten Raphael's vaticanische Stanzen zu den
Sehenswürdigkeiten Roms, seine Madonnen wurden copirt,
seine mythologischen Compositionen gewannen als Verzie-
rungen von Majoliken Verbreitung, die Gestalten seiner Gemälde waren bekannt und wurden nachgeahmt: in welch
anderem Massstabe aber wurden zu gleicher Zeit die Figuren
Michelangelo's zu Urtypen umfangreicher Geschlechter, denen
die Herrschaft über die Phantasie der Epoche anheimfiel!
Vasari selbst stand als Nachahmer (so gut er vermochte)
unter dem Banne Michelangelo's. Raphael's sanfte Verherr-
lichungen der Natur waren nicht mehr kräftig genug, um
sich als Muster aufzudrängen. So wenig wie Vasari Bedenken
trug, Werke Masaccio's, den er als Kunsthistoriker für den
verehrungswürdigen Schöpfer der Kunst des Quattrocento

erklärte, mit eigenen Gemälden zuzudecken, als es sich darum
handelte, diesen einen guten Platz zu verschaffen, so wenig
dachte Zuccaro daran, dessen Verehrung Raphael's in begeisterten Versen ausbrach, Raphael's Werke ernstlich in
sich aufzunehmen. Taddeo Zuccaro zeichnet nach Handzeichnungen Raphael's, die sein Lehrer besass, er studirt in
der Farnesina, in deren Loggia er über Nacht schläft: seine
eigenen Hervorbringungen aber lassen nichts von dieser
Schülerschaft gewahren. Lomazzo behauptete, die ersten
Maler der Welt hätten Raphael's Manier innegehalten, hütete
sich aber wohl, zu sagen, welche. Armenini führte in seinen
‚Wahrhaftigen Vorschriften der Malerei‘ Raphael's Namen
oft im Munde: sobald es sich um praktische Winke handelt,
wie Künstler zu verfahren hätten, verweist er auf Michelangelo, Bandinelli und dergleichen. Die sistinische Capelle
mit den Gemälden Michelangelo's, die Capelle von San
Lorenzo in Florenz mit den medicäischen Gräbern waren
die Stellen, wo die jungen Künstler sassen und zeichneten.
Raphael's Compositionen lehrten nicht die Geheimnisse raf-
finirter Flächenbenutzung, denen man jetzt nachstrebte, zeigten
weder die gekünstelten Umrisse, noch die zarten Schatten,
die nun das Publicum entzückten, waren zu wenig umfangreich und zu einfach für die ungeheuren Wandflächen, die
es nun zu bedecken galt.

Wenn sich im Beginn der zweiten Hälfte des Cinquecento
noch einzelne Stimmen erheben, die Raphael über Michelangelo setzen wollen, so sind es die von Parteileuten, denen
weniger die Liebe zu Raphael, als der Hass gegen Michelangelo das Urtheil bestimmte. Pietro Aretino, der mächtige
Venetianer Literat, war von Michelangelo geringschätzig behandelt worden und wollte ihn das büssen lassen. Als Charakter wie als Künstler sollte Michelangelo herabgesetzt
werden. Unter Aretin's Einflusse liess Lodovico Dolce jetzt

die ‚Aretino‘ betitelten Gespräche erscheinen, in denen der
Beweis geführt wird, wie weit Raphael als Maler Michelangelo
übertreffe. Dolce lässt Aretin selber, der als Mitredender
eintritt, eine treffende Charakteristik Raphael’s geben. Auch
in Dolce’s Briefen wird die Frage behandelt. Aber Dolce’s
Begeisterung für Raphael war eine akademische, künstlich
gemachte, so gut wie zum Theil die Vasari’s. Von Raphael
galt der grosse Name. Die meisten seiner Werke, von denen
Vasari spricht, standen dem Publicum nicht vor Augen,
während man denen Michelangelo’s oder seiner Nachahmer
überall begegnete. Es suchte auch kaum Jemand danach.
Anderes wurde von den Malern verlangt als hundert Jahre
früher. Die Kreise, für die jetzt von den Künstlern gearbeitet wurde, waren anders geartet als diejenigen, denen
Raphael einst zu genügen hatte.

Bald genug war nun aber auch Michelangelo’s Name
schon zu einem blossen historischen Begriff geworden. Man
verlangte nach Neuem. Schüler der Schüler Michelangelo’s
traten ein, die den grossen Meister dem Glauben des Publicums nach weit überboten. Als in der ersten Hälfte des an-
brechenden Jahrhunderts des dreissigjährigen Krieges Donatus
Rom verherrlichte, waren für ihn Raphael und Michelangelo
die beiden Meister, die einträchtig nebeneinander arbeitend
in den um hundert Jahre zurückliegenden goldenen Zeiten
Giulio’s II. gelebt hatten. Niemand mehr aber hatte diese
Zeiten selbst gesehen. Niemand mehr, der als Künstler jetzt
emporkommen wollte, wandte sich mit seinen Studien direct
weder an den einen noch an den anderen. Damals hatte
sich ein gewisser Niccolò dell’ Abbate so sehr in Raphael’s
Auffassung hineingearbeitet, dass ihm allen Ernstes der Ehren-
name des ‚verbesserten Raphael‘ verliehen wurde, während
ein gewisser Tibaldi als ‚Michelagnolo riformato‘ galt. Die
grossen Meister selbst erscheinen beide nun den Leuten als

zu einfach. Den Künstlern müssen sie als seltsam bescheidene, übelberathene Sonderlinge vorgekommen sein, die sich von der wahren Ausbeutung ihres Talentes durch falsche Rücksichten abhalten liessen. Es fehlte nur noch, dass vor der Nachahmung Raphael's direct gewarnt wurde, wie von Bernini, dem künstlerischen Despoten des 17. Jahrhunderts in Rom, bald genug geschah. Damals schien es, als habe Raphael's Mission in Rom ihr Ende erreicht.

Als an ganz anderer Stelle nun sein Ruhm sich wieder erhob und diejenigen Anschauungen über ihn in ihren ersten Anfängen vorbereitet wurden, die heute die unsrigen sind.

II.
IM SIEBZEHNTEN UND ACHTZEHNTEN JAHRHUNDERT.

Frankreich hatte zu der Zeit, wo Italien, Spanien, Deutschland und Burgund auf dem Felde der künstlerischen Production schon volle Erträge geliefert hatten, noch wenig gethan. Aber es gehörte zu den eifrigsten Consumenten toscanischer Kunst. In einem 1508 aus Florenz geschriebenen Briefe erwähnt Raphael Aufträge, die er ‚für Frankreich‘ habe. (Wir wissen nicht, ob er sie ausgeführt hat.) Zu den frühesten Bestellungen, die Michelangelo zu Theil wurden, gehörte eine Statue, die nach Frankreich gehen sollte. Lionardo wurde nach Frankreich berufen und starb dort in den Diensten König Franz I. Andrea del Sarto wollte der König dahin ziehen, Benvenuto Cellini arbeitete in seinen Diensten in Paris, Rosso endlich, ein Schüler Michelangelo's, gründete in Frankreich die ‚Schule von Fontainebleau'. Selbst Michelangelo zu gewinnen hatte der König eine Zeit lang Aussicht gehabt, musste sich aber mit den Abgüssen seiner Werke begnügen[1]. Florenz hatte ein natürliches Verwandtschaftsgefühl zu Frankreich.

Als vornehmstes Resultat der Bemühungen des Königs um florentinische Kunstwerke darf der Erwerb der Gemälde gelten, die er aus Raphael's Atelier empfing. 1515, als dieser Leo X. nach Bologna folgte, entwarf er vielleicht nach der Natur dort das Porträt, nach dem er in der Camera des Burgbrandes Franz I. dann in der Gestalt Karl's des Grossen darstellte, dem Leo die Kaiserkrone aufsetzt. 1517, als Cardinal Bibbiena päpstlicher Gesandter am königlichen Hofe war, schickte Raphael das Bildniss der schönen Giovanna von Aragonien nach Frankreich (an dem er selber freilich nicht viel gethan), das wir heute im Louvre sehen. Im gleichen Jahre ging ebendahin der Erzengel Michael, der den Satan unter seine Füsse stösst, und die heilige Margaretha, die so vornehm und mit gelinden Tritten über den getödteten Drachen dahingeht (vielleicht für Margaretha, die Schwester des Königs, bestimmt). Nach Frankreich gelangte ausserdem die Grosse heilige Familie des Louvre und Raphael's letztes Werk, die Transfiguration, sollte dahin kommen[2].

Wieweit diese Gemälde nun, die in den königlichen Schlössern hingen, als Totalität oder auch nur einzeln dem

---

[1] Michelangelo's erstes durchschlagendes Werk war für einen französischen Cardinal gearbeitet worden. Die beiden Sklaven für Giulio's II. Denkmal gingen als Geschenk nach Frankreich. Dem Könige versprach er eine Statue auf dem Platze der Signori in Florenz, wenn er der Stadt die Freiheit wiedergegeben hätte. Es liesse sich noch viel Anderes hier anführen.

[2] Die Franzosen, als sie das Gemälde 1797 nach Paris entführten, beriefen sich darauf.

französischen Publicum bekannt waren, wüsste ich nicht zu
sagen, auch nicht, welchen Einfluss sie auf die im Cinquecento sich selbständig entwickelnde französische Kunst gehabt: ein Verhältniss zu Raphael aber scheint bestanden zu
haben. 1607 erschien in Paris die erste französische Uebersetzung des Leben Raphael's von Vasari[1]) und in Paris war
es, dass Angesichts raphaelischer Werke, die freilich nur in
Stichen geboten wurden, Poussin die entscheidende Anregung
empfing, aus allgemein wissenschaftlichen Bestrebungen heraus sich der Malerei zu widmen. Poussin wandte sich nach
Rom. Er war der erste, der sich offen dort als Schüler oder
Nachahmer Raphael's bekannte, aus dessen Compositionen
er Figuren in die seinigen aufnahm. Poussin auch war der
erste unabhängige Meister im Sinne der heutigen Zeit. Er
war eine heroische Natur. Er construirte sich seine eigene geschichtliche Welt. Er sah eine grosse Tragödie im Zusammenhange der Begebenheiten und erlebte was die Vergangenheit
gethan um so leidenschaftlicher mit, als ihm selber in den
Gang der Dinge einzugreifen nie vergönnt worden war. Er
muss neben Corneille betrachtet werden: das gleiche Element
ritterlicher Freiheit war die treibende Kraft bei ihm. Gleich
Corneille versenkt er sich in die römische Geschichte. In
die verlassenen Gefilde der Campagna hinein träumte er die
Thaten einer unwiederbringlichen Vergangenheit. Düstere,
schwere Wolkenzüge ziehen über seine Landschaften dahin.
Wie wenig glich er Raphael hier, der in der eigenen Zeit
die Fortsetzung all dessen zu geniessen glaubte oder erwartete, was dem Alterthume gewährt gewesen sei. Gleichwohl standen in Poussin's Augen Raphael's Werke und die
Antike als höchste Muster gleichwerthig nebeneinander da,
und es kümmerte ihn nicht, wie anders das römische Publicum

---

[1]) Von Daret. Zweite Auflage 1709.

um ihn her urtheilte. Rom war ihm der liebste Boden, und
in Paris, wohin man ihn zurückzuziehen suchte, hielt er
nicht aus.

Noch bedeutender tritt Raphael's Einfluss bei Le Sueur
hervor, der neben Poussin als der grösste französische Meister
gilt und der, obgleich er nie nach Italien gelangte, den Bei-
namen des französischen Raphael empfing. Auch ihm hatten
in Paris die Stiche nach Raphael, die er bei dortigen Sammlern
fand, die entscheidende Richtung gegeben. Auch Le Sueur
dringt in die Tiefe der Dinge ein, um seine Darstellungen
zu geschichtlichen Denkmalen zu erheben. Das vielleicht
zog ihn am nächsten zu Raphael hin. Hier, sehen wir,
handelt es sich um die reinste Wirkung, die ein Künstler
auf den anderen haben kann: Marcanton's Stiche, die zumeist doch in Frage kamen, gaben nicht die Gemälde,
sondern die dafür gezeichneten ersten Skizzen wieder: so
gross war die Wirkung, die diesen Blättern innewohnte.

Nun aber sollten die raphaelischen Gemälde, die man in
Frankreich besass, in ganz anderem Umfange die Schicksale
der französischen Kunst bestimmen.

Frankreich war im Jahrhundert des dreissigjährigen
Krieges die wider die Uebermacht des Hauses Habsburg
emporstrebende junge Monarchie. Ludwig XIV. fühlte sich
Spanien gegenüber, wo der Sitz des Europa überspannenden
Kaiserreiches war, etwa so wie Friedrich der Grosse hundert Jahre später in seinem Verhältnisse zu Wien. Frankreich
musste all seine Kräfte anspannen: und dies Gefühl, dass
es aller Kräfte eben bedürfe, liessen den König und Colbert
die Pläne fassen, die die Nation umgestalteten und in Stand
setzten, siegreich aus dem gefährlichen Wettstreite hervor-
zugehen. Zu dem was entstehen sollte — nur ein Glied
in der grossen Kette — gehörte eine ‚nationale französische‘
Kunst und so energisch wurde auch hier vorgegangen, dass,

2*

wenn man diesen Punkt allein in's Auge fasst, es den Anschein gewinnt, als habe der König nur dieses einzige Lebens-
interesse gehabt. Als sei sein Lieblingsgedanke gewesen,
Raphael wieder emporzubringen. Ludwig aber war an Raphael
kaum mehr gelegen als an anderen Künstlern, auch verstand
er von Kunst schwerlich soviel, um eine solche Vorliebe hegen
zu dürfen: was geschah aber, hatte diesen Erfolg. Sein
Wille, dass eine nationale Kunst erstehen müsse, führte zur
Aufrichtung der zwei bewunderungswürdigen Institute Frankreichs: der Pariser Kunstakademie und der Gemäldesammlung
des Louvre. Die nach veraltetem Muster sich selbst ver-
waltende zunftmässig eingerichtete Akademie wurde zu einem
freien, auf den Ehrgeiz der Mitglieder basirten Collegium
erhoben; für die Gemäldesammlung alles zusammengebracht,
was bis dahin, in den königlichen Schlössern zerstreut, dem
Publicum kaum sichtbar gewesen war. In einer Reihe von
Sälen des Louvre und des daran stossenden Hôtel Grammont
hingen 2500 Gemälde nun beieinander; sechzehn darunter
von Raphael[1]). Nur Lionardo vielleicht wäre mit seinen zehn
Gemälden damals neben ihm aufgekommen; von Michelangelo,
der Oelgemälde kaum geschaffen hatte, konnte überhaupt
nicht die Rede sein. Raphael aber trug über alle Meister
jetzt den Sieg davon. Die Stimme der Akademiker, wie die
des Publicums, proclamirte ihn als den grössten Künstler der
je gelebt. Handzeichnungen von ihm, die in umfangreicher Art
gleichfalls zusammengebracht worden waren, bestätigten von
anderer Seite her dies Urtheil. Eine Sammlung der Stiche
Marcanton's und anderer Meister nach ihm kam hinzu. Raphael und die Antike werden, wie Poussin schon empfunden, als

---

[1]) Die Aufzählung der damals vorhandenen Gemälde Raphael's
(die ihm fälschlich zugeschriebenen miteingerechnet) in Félibien's
Entretiens.

die beiden Ausgangspunkte alles künstlerischen Studiums in
Frankreich jetzt aufgestellt, und bis auf den heutigen Tag
ist hieran festgehalten worden. Fragen wir, im Anblicke
des jetzigen, scheinbar principienlosen europäischen Kunst-
treibens, wie es. möglich sei, dass gerade in Frankreich
immer wieder Meister erstehen, die in völlig solider Weise
arbeiten, so ist der Grund der, dass in der Stille unentwegt
an den alten Principien dort festgehalten wird und alle Unterweisung von Raphael und der Antike ausgeht.

Der König (oder Colbert, deren beide Namen hier nicht
zu trennen sind) fühlte, dass, wenn seinen Absichten die letzte
Wirkung verliehen werden solle, die Pariser Akademie hierfür
nicht ausreiche, und neben oder über ihr wurde dasjenige
Institut nun geschaffen, dessen Errichtung als die genialste
Maassregel anzusehen ist, die zum Besten des öffentlichen
Kunstunterrichts überhaupt jemals getroffen worden ist: die
französische Akademie in Rom. Die Hauptaufgabe der Pariser
Akademie war jetzt die, aus der Klasse aller darin Unter-
weisung Suchenden einige wenige so weit zu fördern, dass
sie auf Staatskosten in Rom ihre Studien fortsetzen könnten.
In der französisch-römischen Akademie wurde ein Stück
Frankreich auf römischem Boden constituirt, eine unter
ihrem Director abgeschlossene Künstlercolonie, die, was die
Malerei anlangt, in erster Linie auf Raphael hingewiesen, in
den vaticanischen Stanzen zu copiren begann. Die officielle
Correspondenz der Directoren liegt heute gedruckt vor: wir
lesen da, wie über die Arbeiten der Eleven nach Hause berichtet wird. Wie Lionardo längst schon, wurde nun auch Raphael fast als französischer Künstler angesehen. Dieselbe
politische Phantasie, die den Franzosen Karl den Grossen als
einen ihrer nationalen Helden und Herrscher erscheinen lässt,
stempelte Raphael, der Karl's Krönung und Papst Leo's III.
Reinigungseid vor Karl im Vatican gemalt hatte, zu einem

Künstler um, auf den Frankreich vielleicht noch besser be-
gründetes Anrecht hätte als Italien.

So hoch wir all dies aber anschlagen, so wenig dürfen
wir diesen Complex grossartiger Einrichtungen zu Schaffung
einer nationalen Kunst doch höher schätzen als sie verdienen.
Genies zu erwecken war dem König und seinen Beamten
nicht gegeben, ja, nicht einmal so viel wussten sie zu erreichen, dass Paris zu dem Boden werde, auf dem ausserordentliche Talente zur höchsten Entfaltung sich erhoben
hätten. Poussin gestand ein, das habe ihn zumeist von dort
wieder vertrieben, dass er immer nur zum Fertigwerden gedrängt worden sei und dass man gute und schlechte Malerei
im Grunde nicht zu unterscheiden gewusst. Voltaire bemerkt gelegentlich, von den Stichen nach Lebrun (dem Hofmaler des Königs) und nach Raphael hätten die ersteren
grössere Nachfrage gefunden. Das Publicum überhaupt stellte
Lebrun höher als Raphael. Auch wäre es gegen den Lauf
der Natur gewesen, mit energischer Macht hier das zu erreichen, was immer doch nur dem freiwilligen Walten des
Schicksals zu verdanken war: das Aufspriessen wirklich ori-
ginaler Männer. Weder Corneille, noch Racine oder Molière
waren Creaturen des Königs: die beiden ersten würden ohne
den Zwang, den die Nähe und die Wohlthaten Ludwig's
ihnen auflegten, vielleicht inhaltreichere, mannigfaltigere
Werke hervorgebracht haben. Die eigentlichen Erfolge der
Bemühungen des Königs und Colbert's lagen denn auch nicht
auf dem Gebiete der höchsten Kunst, sondern auf dem des
höheren Handwerks, und von dieser Stelle aus kamen sie
dem Ruhme Raphael's in bedeutenderem Maasse zu Gute als
von dem, was direct und officiell für ihn geschehen war. Das
reinste Product nationaler künstlerischer Arbeit, das in Frankreich damals sich bildete, war die Kupferstichkunst. Hier
sind originale Meister mit überraschenden Leistungen einge-

treten und haben unabhängig von der wechselnden Stimmung
der Pariser öffentlichen Meinung ein mächtiges, auf sich
selbst und auf der Meinung des europäischen Publicums be-
ruhendes Element geschaffen.

Der Kupferstich nöthigt zu einer Steigerung in der Wahl
der Meister, nach denen man arbeitet. Ein Kupferstecher
ersten Ranges wird nichts unternehmen, das ihm nicht innere
Befriedigung verspricht. Er geht mit dem Werke, das er
reproduciren will, gleichsam ein Ehe ein und hat sich wohl
vorzusehen, welche Wahl er treffe. Je mehr seine Fähigkeit
sich entwickelt, um so höher werden seine Ansprüche an
das, dem er einen Theil seiner Lebenskraft widmen will,
sich steigern. Lebrun wird heute nur deshalb noch so hoch
geschätzt[1]), weil der vornehmste unter den Stechern seiner
Zeit, Edelinck, so vorzügliche Platten nach Gemälden von
ihm geliefert hat. Das Beste aber, was Edelinck hervorgebracht hat, sind seine Stiche nach Raphael.

Die Anfänge der französischen Kupferstecherei hatten
sich aus eigener Kraft entwickelt, und zwar in Rom. Vor
dem Eingreifen Colbert's bereits haben französische Stecher
in Italien nach Raphael gearbeitet und sich über die einheimischen erhoben. Edelinck war de Poilly's Schüler, der
Raphael's Vierge au berceau und die au linge gestochen hatte
Edelinck stach in Paris Raphael's grosse heilige Familie
und, nach einer angeblich von Rubens stammenden Zeichnung,
Lionardo's Reiterschlacht. Gèrard Audran stach die römischen
Fresken und die Teppiche. Das Grösste aber zu Ehren
Raphael's und Frankreichs hat Dorigny dann geleistet, der
aus Edelinck's Schule hervorging. Er begann mit den (gegen

---

[1]) Lebrun steht in Deutschland in hoher Achtung, weil das, wie
man behauptet, beste seiner Werke: die Familie seines Freundes Jabach
(des Kölner Banquiers, dessen Sammlungen nach Paris verkauft wurden)
im Berliner Museum steht.

Ende des Jahrhunderts erscheinenden) Fresken der Farnesina,
liess die Transfiguration folgen, die besser ausfiel, und unternahm endlich, durch englische Kunstfreunde nach London
gebracht, den Stich der Cartons, die Raphael zu den Teppichen
gezeichnet hatte und die, der Mehrzahl nach in den Niederlanden zurückgeblieben und 1630 durch Rubens' Vermitte-
lung nach England verkauft, als Raphael's werthvollste
Schöpfung dort in hoher Verehrung gehalten wurden. Von
Gemälden Raphael's war nach der Enthauptung König
Karl's in England kaum etwas zurückgeblieben: wir wissen,
zu welch heute unbegreiflich niedrigen Preisen sie nach
Frankreich verhandelt wurden: die Cartons zu den Teppichen
aber schienen selbst den Puritanern ein kostbarer Besitz.
Sie zu stechen wurde Dorigny berufen. Eine Nationalsub-
scription deckte die Kosten. Fast zehn Jahre (1711—1719)
arbeitete Dorigny und der Erfolg war ein grossartiger. Un-
übertroffen, was die Energie der Durchführung und der Auffassung anlangt, stehen diese Blätter heute noch da, in denen,
man kann wohl sagen, Europa etwas geboten wurde, das
Raphael von einer Seite zeigte, von der er, soviel wir wissen,
bis dahin noch Niemandem erschienen war.

An diesem Triumphe französischer Arbeit für englisches
Geld[1]) waren Ludwig mit Colbert und deren Nachfolger
unbetheiligt. In Paris war Raphael immer nur der ‚Maler
der Grazie‘ gewesen. Gerade die im Louvre von ihm vereinigten Werke bestätigten diese Auffassung. Die für Franz I.
von Raphael gelieferten Gemälde sind die am wenigsten rein
natürlichen, die er hervorgebracht hat. Sie streifen an's
Affectirte. Mir ist der Gedanke gekommen, ob Raphael,
indem er bei jenen drei Stücken, die nach Frankreich gingen
und von Anfang an dafür bestimmt waren, das Element der

---

[1]) Dorigny empfing nicht nur Geld. Es wurde ihm in England der
Adel verliehen.

Grazie bis zur Eleganz steigerte, dem französischen Geschmacke ·habe entsprechen wollen. Es ist diesen Gemälden
ein gewisses höfisches Wesen eigen, das zwar auch aus anderen Werken seiner letzten Jahre uns anspricht, nirgends
aber in so auffallendem Maasse hervortritt als hier, und das
seltsamer Weise auch dem, wie oben gesagt worden ist,
gleichfalls für Frankreich bestimmten Porträt der Johanna
von Aragonien nicht fremd ist. Gewiss haben das Meiste
an diesen Gemälden seine Schüler gethan[1]). Keines seiner
Werke dagegen ist so frei davon wie die Cartons für die
Teppiche, aus denen Wahrheit und Charakter uns entgegen-
leuchten und deren Anblick in Dorigny's kraftvollen Blättern
Raphael als Darsteller der wichtigsten Begebenheiten des
Neuen Testamentes Lionardo und Michelangelo nicht nur als
ebenbürtig, sondern, weil Raphael die Natur in beinahe zu-
satzloser Reinheit gibt, ihn Beiden nun fast als überlegen
zeigt. Hatte Raphael bis dahin in erster Linie als Vertreter
des Madonnencultus gegolten, hatte kein anderer Meister die
Verbindung irdischer und überirdischer Schönheit, die die
katholische Kirche den ihre Lehre verherrlichenden Künstlern
in die Bilder der heil. Jungfrau hineinzulegen erlaubt, so
überzeugend darzustellen vermocht, so erhob er sich durch
die Teppiche nun auch in den Augen protestantischer Völker
zur Würde eines Meisters, der tiefer und ergreifender als
alle andern im Geiste des über die Confessionen erhabenen
Christenthums die Ereignisse des Neuen Testamentes vor-
führte.

Ehe wir jedoch in Betracht ziehen, wie von dieser Seite
her Raphael die Blicke der germanischen Welt auf sich zog,
sehen wir, wie Italien sich im 18. Jahrhundert zu ihm verhalten hat.

---

[1]) In dem Porträt der Vicekönigin stammt sogar die Zeichnung
nach der Natur nicht von ihm.

Wir bemerken, dass zu Anfang des neuen Jahrhunderts, als Dorigny's Stiche so grosse Wirkung thaten, Frankreich künstlerisch in Bahnen einlenkt, die es weiter und weiter von Raphael fortführen, dass zu gleicher Zeit aber das eingeborene römische Publicum sich Raphael wieder zuzuwenden beginnt.

Bernini hatte mit seinem unerschöpflichen Talente in Rom eine bombastische neue Architektur und Sculptur geschaffen, deren Formen, die Michelangelo's überbietend, den Geschmack des Jahrhunderts beherrschten, das er mit seinen Lebensjahren beinahe ausfüllte. Bernini war einer von den künstlerischen Weltbeherrschern, die seine Zeit nicht in ihm allein hervorbrachte. Wie Rubens umfasste er Alles. Das einfachste sanfte Lächeln der Natur wusste er süss zu wiederholen und zugleich die barocksten Ungeheuerlichkeiten glaubwürdig emporzubauen. Seine Nachahmer sind armselige Stümper neben ihm, dem übermächtigen Zauberer, dem das Gewaltigste ein Spiel zu sein schien, der mühelos die Oberfläche Roms mit seinen Schöpfungen bedeckte und so viel Erstaunen erweckte, dass ihm allein schliesslich noch gegeben schien, Dinge zu erfinden, die die ermüdeten Augen der Generationen, die er, gleich Michelangelo, eine auf die andere sich folgen sah, und die er, eine nach der andern, vor seinen Triumphwagen spannte, zu reizen wussten. 1598 geboren und als Kind schon den Meissel führend, hielt Bernini seine Herrschaft bis 1680 kraftvoll aufrecht. Seinem Blicke konnte nicht entgehen, wie gross Raphael sei, bei der Unterweisung junger Künstler aber wollte er ihn ausgeschlossen wissen. Bernini musste empfinden, dass er sich selbst verneint haben würde, wenn er Raphael als Muster hätte gelten lassen wollen. Bei seinem Tode aber fand sich, dass in der Richtung, die er mit so ungeheurem Erfolge bis zum letzten Schritte innegehalten, nun kein Schritt mehr zu thun sei. Poussin war

neben ihm mit seiner Raphaelverehrung eben nur geduldet
worden, Sacchi, der bedeutendste einheimische Meister, hatte
nicht wagen dürfen, sich zu Raphael zu bekennen: endlich
aber war Bernini's Reich zu Ende und Maratta, Sacchi's
Schüler, trat für Raphael ein, während im Einverständnisse
mit ihm der erste Kunstgelehrte der Stadt, Bellori, litterarisch
die gleiche Richtung vertrat. Als, in den neunziger Jahren
noch, Dorigny's Stiche nach den Gemälden der Farnesina
erschienen, schrieb Bellori einen erklärenden Text dazu.
Nicht lange darauf liess er die Beschreibung der vaticanischen
Stanzen Raphael's folgen (deren Autorität heute noch fort-
dauert) und lenkte die Aufmerksamkeit auf ihren Zustand.
Schon ein halbes Jahrhundert früher hatte ein niederländi-
scher Künstler ausgesprochen, es werde bald nichts mehr
von ihnen zu sehen sein. Bereits Ende der achtziger Jahre
hatte Maratta die Gemälde wenigstens zu schützen gesucht:
jetzt endlich brachen bessere Tage an. Der Cardinal Albani,
der mit Beginn des 18. Jahrhunderts Papst wurde, theilte
Bellori's und Maratta's Begeisterung für Raphael. Unter
dem Widerspruche der Meisten, die mit dreinzureden hatten,
wurde die Erlaubniss erwirkt, vorerst nur ein kleines Stück
auf einer der Fresken der Camera della Segnatura mit grie-
chischem Weine abwaschen zu dürfen. Der Auftrag, das
Ganze zu reinigen, war die Folge. Es war ein grosser Moment, als der Papst die neugeborenen Wände zum ersten
Male besichtigte.

Maratta kam in seiner Nachahmung Raphael's diesem
so nahe, dass Werke seiner Hand Raphael zugeschrieben
worden sind. Auf Maratta's Veranlassung wurde nun auch
Raphael's Büste angefertigt, die, Anfangs auf dessen Grabe
im Pantheon stehend, zuletzt aber in das Museum des Capitols versetzt, den Typus für die in den folgenden Zeiten bis
auf heute ausgeführten zahlreichen Raphaelbildnisse abge-

geben hat, die Raphael's wirklichem Aussehen nicht entsprechen. Während die Vorliebe der französischen Kunst
für Raphael derart heruntergegangen war, dass der Papst
den Schülern der römisch-französischen Akademie den vaticanischen Palast verschloss, innerhalb dessen sie sich den
Fresken Raphael's gegenüber unerträglich benommen hatten [1]),
begann das römische Publicum wieder zu fühlen, was es an
ihm besass. So langsam aber blieb trotz allem diese Bewegung, dass die beiden Deutschen erst, Mengs und Winckelmann, die für unsere Augen den römischen Dingen des vorigen
Jahrhunderts Licht und Schatten verleihen, in Rom auftreten
mussten, um Raphael die Autorität zu erringen, die seitdem
nicht wieder erschüttert worden ist. Allerdings war Corregio
Mengs' eigentliches Ideal, und was Winckelmann anlangt, so
stellte dieser seinen Freund Mengs selbst ebenso unbedenklich
neben oder über Raphael, wie Bellori dies bei Sacchi und
Maratta gethan: Thatsache aber bleibt, dass von der Zeit ab,
wo Mengs Schüler unterrichtete, Raphael in seinem Atelier
die höchste Stelle als Muster und Vorbild eingeräumt wurde
und dass die Deutschen Künstler in Rom dies Datum im Gedächtnisse hielten. Die Jüngeren unter ihnen begannen sich
nun wieder mit Raphael zu beschäftigen als sei es unum-
gänglich. Der Streit, ob Raphael oder Michelangelo der
Grössere sei, entbrannte und wurde in unendlichen Disputen
stets von Neuem erhoben. Raphael trug im Allgemeinen den
Sieg davon, denn Mengs und Winckelmann hassten Michelangelo (von Lionardo war schon längst nicht mehr die Rede,
der in Rom ja so gut wie nichts gearbeitet hatte und dessen
Mailänder Abendmahl kaum noch zu erkennen war). Winckelmann's letztes Wort über Raphael haben wir nicht. In einem
seiner Briefe gibt er als Hauptinhalt einer Schrift an, deren

---

[1]) 1708. Schon 1702 hatte der Papst den Unfug nicht länger mit
ansehen wollen.

Herausgabe er vorbereite: die an's Licht zu bringende Vor-
züglichkeit der Antiken und Raphael's, den noch Niemand bisher gekannt habe. Was meint er damit? Was
war es, das Winckelmann dazu brachte, überhaupt Raphael
so neben der Antike zu nennen? Eine Erklärung dieser
Stelle würde auch deshalb von Wichtigkeit sein, weil sich
zugleich vielleicht zeigen würde, wie Winckelmann die innere
Zusammengehörigkeit der Geschichte der antiken und der
modernen Kunst als etwas Nothwendiges und Natürliches
ansah.

Als Archäologe war Winckelmann auf Raphael kaum
hingewiesen. Aber wie er aus der Anschauung der Kunstentwicklung der alten Völker zu den Griechen geleitet worden
und wie ein Lobgesang auf die griechische Welt das gewesen
war, was ihm ‚Freiheit, Ruhm und Italien‘ verschafft hatte,
so musste ihm auch aufgehen, dass Raphael der frische Quell
sei, ohne den das Cinquecento künstlerisch betrachtet dürre
daliegen würde wie das folgende Jahrhundert. Er empfand,
dass Raphael aus der eigenen Natur heraus producirt habe
wie die Griechen gethan. Er empfand die Vermählung des
durch Fleiss ausgebildeten Schönheitsgefühles mit kindlich
zweckloser Freude an der Natur in seinen Werken, die den
Griechen eigen gewesen. Das vielleicht war seinen Gedanken
nach das, was noch Niemand in Raphael erkannt habe.
Winckelmann producirte Raphael als den ‚grossen Meister‘
und fand in der von Jugendkraft und Erwartung hoher geistiger Entwicklungen erfüllten jüngeren Generation begeisterte
Aufnahme. Ein seltsames Phänomen beobachten wir nun:
Raphael, von dessen eigenen Werken man in Deutschland
so gut wie nichts vor Augen hatte, wird auf die Autorität
eines Schriftstellers hin als Maler über allen Malern erkannt
und verehrt. In der Mitte des vorigen Jahrhunderts begann
die wissenschaftliche Kritik bei uns ihre Wirkung zu äussern

und zwar nicht allein auf das Publicum, sondern auch auf
die schaffenden Künstler. Nicht aus der Anschauung der
Werke heraus, von denen man in Deutschland nichts kannte,
als was, für unsere heutigen Augen, ungenügende Stiche
vermittelten, sondern auf die Autorität einiger Gelehrten hin,
denen man unbedingt glaubte, wurde Raphael als der Genius,
als der erhabene Interpret der Natur, deren Geheimnisse er
kannte, von dessen Hand jeder Strich segenbringend sei und
dem näher zu dringen zu den höchsten menschlichen Pflichten
gehöre, anerkannt, und zu den Priestern dieses Cultus gehörte
der junge Goethe. Winckelmann hatte die Stimmung vorbereitet, in der der in's Leben frisch eintretende Jüngling
das Publicum Raphael gegenüber fand.

Deutschland bot in der Mitte des achtzehnten Jahrhunderts für Raphael fast jungfräulichen Boden dar. Man war,
ehe Winckelmann auftrat, über einen dunkeln historischen
Begriff nicht hinausgekommen. Dürer hatte auf eine von
Raphael ihm zum Gruss geschickte vorzügliche Zeichnung [1])
aufnotirt, dass sie von Raphael, ,der so hoch geachtet sei
beim Papste' ihm zugesandt worden sei. Im Tagebuche
der niederländischen Reise erwähnt er Raphael's Tod. Er
lässt sich von einem seiner Schüler erzählen, was aus der
Hinterlassenschaft geworden sei. Vielleicht hat Dürer in
den Niederlanden die Cartons gesehen, nach denen dort die
Teppiche eben vollendet worden waren: in seinen Notizen
findet sich nichts darüber.

Sandrart spricht in der ,Deutschen Akademie' mit
schuldiger Hochachtung von Raphael und benutzt Vasari für
seine Mittheilungen über ihn: besondere Gefühle aber waren

---

[1]) Zwei nackte Männer, Studien zu einem nicht ausgeführten Werke,
das wahrscheinlich die Verleihung des Feldherrnstabes der Kirche an
Giuliano dei Medici vorstellen sollte und zu dem die Skizze sich in der
Ambrosiana zu Mailand findet.

weder ihm noch anderen Deutschen, scheint es, bis dahin
vor Raphael's Werken aufgestiegen. Noch in den Anfängen
des 18. Jahrhunderts hatte sich darin nichts bei uns geändert.
Knobelsdorf, Friedrich's des Grossen (solange dieser jung
war[1]) künstlerischer guter Genius, schreibt (1736) fast iro-
nisch über Raphael's Transfiguration, ,wo der Heiland in
einer sibirisch kalten Luft gen Himmel fährt, während im
Vordergrunde die Menge über die Capriolen eines vom Teufel
Besessenen sich verwundert'. Die Gebildeten der Deutschen
Nation standen damals bedingungslos unter dem Commando
Frankreichs, dessen ästhetische Anschauungen Europa be-
herrschten. Voltaire weiss so gut wie nichts von Raphael,
dessen Namen sich in seinen Schriften kaum genannt findet.
Raphael und Michelangelo waren Worte, die man im Munde
führte, ohne Anschauungen fester Art mit ihnen zu verbinden.
Wenn Montesquieu, am Ende des Esprit des lois, sie in
Gegensatz zu einander gestellt einmal als Beispiel gebraucht,
so war eigne Beobachtung dabei gewiss nicht im Spiele.
Was konnte Raphael dieser Epoche sein? Boucher, der vornehmste unter den Pariser Meistern, le peintre des délices,
gab einem seiner Schüler, einem Deutschen, der mit dem
ersten Preise der französischen Akademie nach Italien ab-
ging[2]), die Weisung, nicht zu lange in Rom zu bleiben, wo
er Guido Reni's und Albani's Werke allein des Studiums
werth finden werde, während Raphael, trotz seines Rufes,
un peintre bien triste sei. Was auch hatte Boucher seiner
Zeit selber von Raphael in Rom gehabt? 1725 war er dort,
in jenen Jahren, wo der Vatican den Schülern der französisch-
römischen Akademie so gut wie verschlossen war.

---

[1]) In seinen alten Tagen wurde er rücksichtslos und grausam vom
Könige behandelt, dessen Geschmacklosigkeiten er nicht anerkennen
wollte.
[2]) Christoph von Manlich.

Wurden solche gute Lehren den in Paris studirenden
Deutschen zu Theil, so hatten sie von Hause aus nichts
Besseres mitbekommen. Das protestantische, wie Goethe
sagt: gestaltlose Deutschland schätzte nur die Gemälde der
Niederländer. Das norddeutsche kirchliche Leben hatte das
durchweg an ihm theilnehmende Publicum so sehr der Wür-
digung der italienischen Kunst, die ja vorwiegend als eine
kirchliche erscheinen musste, entwöhnt, dass der Besuch
Italiens selber an den empfangenen ersten Eindrücken später
nichts zu ändern vermochte. Von Goethe's Vater war die
Reise unternommen worden. Das Entzücken an dem Erlebten
hatte so stark vorgehalten, dass seines Sohnes Sehnsucht nach
Italien auf des Vaters Erzählungen und Tagebücher zurückzuführen ist, aus denen den Kindern die Ahnung eines alle
ästhetische Sehnsucht befriedigenden Landes aufstieg. Von
Goethe's Vater stammte der Ausspruch: wer einmal in Rom
gewesen sei, könne nie wieder ganz unglücklich werden. Im
elterlichen Hause zu Frankfurt hingen auch Piranesi's grosse
dunkelkräftige Stiche vor den Augen der Kinder, die immer
noch das beste Bild der Stadt gewähren, des romantischen
neueren Roms, das heute erst umgeschaffen und zerstört
wird. Von Raphael und der Antike aber scheint in des
Vaters Mittheilungen wenig die Rede gewesen zu sein. Das
Maassgebende für die Familie war, wo es sich um praktisch
bethätigte Kunstliebe handelte, der französisch-niederländische
Geschmack. In dieser Richtung machte der alte Goethe
Ankäufe und Bestellungen, in ihr erzog er seinen Sohn. Wir
gewahren, wie fest die einmal eingeprägten Eindrücke bei
diesem haften. Als Leipziger Studenten kam ihm Lessing's
Laokoon in die Hände, Winckelmann's Freund, der Kupferstecher Oeser, begann Einfluss auf ihn zu haben: das Verlangen nach dem Anblicke von Werken echter Kunst wurde
so mächtig in ihm, dass er die aus Dichtung und Wahrheit

so schön bekannte heimliche Fahrt nach Dresden unternahm. In der dortigen Gallerie offenbarte sich an ihm die Machtlosigkeit bloss theoretischer Begeisterung. Goethe hatte weniger für die classischen Werke selbst, als für Lessing's und Winckelmann's Aussprüche darüber geschwärmt: den Dingen gegenüber, wie sie nun vor ihm standen, war er rathlos. Die italienischen Meisterschöpfungen liess er links liegen, um die realistischen Niederländer und die Italiener des Verfalls zu bewundern, für deren Verständniss er zu Hause vorgebildet worden war. Raphael's Sistinische Madonna hätte ihn wie eine Sonne anscheinen müssen: er übergeht sie in seinem Reiseberichte.

Diese Madonna, ist überhaupt die Meinung, habe wie eine siegreiche Armee ihrer Zeit Deutschland für Raphael erobert. Die laue ·Aufnahme vielmehr, die sie in Dresden fand, zeigt, wie man sich damals bei uns zu Raphael stellte. In Dresden herrschten die Niederländer. Vielleicht war man auch deshalb dem Gemälde übelgesinnt, weil die gereizten Gegner, die Winckelmann bei seinem Abgange nach Italien zu Hause zurückgelassen hatte, seiner Bewunderung Raphael's eine anderslautende Meinung entgegensetzen wollten. Die Dresdener Autoritäten sprachen aus, das Kind auf dem Arme der Madonna sei gemeiner Natur und sein Ausdruck verdriesslich. Die beiden Engel unten scheine ein Schüler hinzugefügt zu haben. Behauptet wurde sogar, die Madonna selber sei von einem Gehilfen Raphael's untermalt worden, oder, noch schlimmer, sie rühre ganz und gar nicht von Raphael her. Möglich, dass Goethe durch Galleriebeamte, deren Bekanntschaft er in Dresden damals machte, in diese Stimmung mit hineingerissen, die Kraft nicht besass, sein besseres Gefühl aufrecht zu erhalten.

Diese persönliche Erfahrung jedoch that seiner litterarischen Begeisterung für Raphael wiederum keinen Schaden.

Als er 1775 für Lavater's Physiognomik einige Köpfe Raphael's aus den vaticanischen Wandgemälden besprach[1]), hatte er kein Material vor Augen als die von Fidanza herausgegebenen Umrisse, die heute Niemand ansehen mag[2]). Goethe liest das Erhabenste aus ihren Linien heraus. Er hatte sein Frankfurter Dachstübchen mit diesen ‚glücklichsten Bildern ausgeziert‘, die ihm ‚freundlichen Guten Morgen sagen‘. ‚Sieben Köpfe von Raphael, eingegeben vom heiligen Geiste‘ nennt er sie in einem Briefe an Kestner. ‚Einen davon hab' ich nachgezeichnet und bin zufrieden mit‘, fährt er fort. Goethe war inzwischen in Strassburg gewesen. Möglich wäre, dass der erste Anstoss zu diesem traumhaften Verkehre mit Raphael von Herder ausging, dem Goethe zumeist ja die historische Begeisterung verdankte, von der wir ihn in und nach der Strassburger Zeit erleuchtet sehen. Im Briefwechsel mit Herder wendet Goethe zum ersten Male ein vielleicht auf Raphael zielendes Bild an. Ende 1771 schreibt er an Herder, dessen scharfe, ihm wohlthätige Kritik er symbolisirt: er vergleicht sich mit dem auf dem Boden liegenden gepeitschten Heliodor, den die rächenden Geister umfliegen[3]). Die Darstellung des vertriebenen Heliodor im Vatican konnte ihm aus Stichen bekannt sein, schon Maratta hatte sie radirt. Raphael ist für Goethe zu jener Zeit der Repräsentant der höchsten Kunstwirkung, er stellt ihn mit Homer und Shakespeare auf gleiche Höhe.

In Weimar macht er Frau von Stein zur Genossin dieser Lehre, auch auf den Herzog verpflanzt er sie. 1781 zeichnet er nach den ‚Raphaels‘ des Herzogs. Im Sommer des folgenden Jahres sendet Tischbein aus Rom ‚Raphaelköpfe‘, die zu

---

[1]) Zween Köpfe nach Raphael. S. 398.
[2]) 144 Köpfe, 1757—1763 in vier Bänden erscheinend.
[3]) Düntzer hat die Stelle missverstanden. Herder's Nachlass I, 35.

copiren ihm wohl in Bestellung gegeben waren[1]). Im Frühling desselben Jahres schon hatte Goethe in Gotha ‚ein köstlich illuminirt Kupfer von Raphael beim Herzoge gesehen‘. ‚Durch diese immer sehr unvollkommene Nachbildung‘, heisst es im Briefe an Frau von Stein[2]), ‚sind mir wieder ganz neue Gedanken aufgeschlossen‘. Als Goethe 1786 Rom endlich erreichte, fand er in Raphael einen Freund gleichsam, der ihm längst bekannt war und mit dem er von nun an bis zu seinem Tode in ununterbrochenem Verkehre stand. Alles Andere betreibt Goethe stossweise: Raphael steht ihm immer gleich nah. Auf ihn ist er immer hungrig. Die Ankunft eines neuen Stiches nach einem Werke Raphael's würde ihn in jeder Arbeit unterbrochen haben, in der ihn nichts Anderes hätte stören dürfen[3]).

Man könnte — in der Uebertreibung zu reden, aber nicht unwahr — von Goethe's italienischer Reise sagen, sie sei unternommen worden, um Raphael und die Antike zu studiren. Wie in alle anderen Wissenschaften, denen Goethe sich hingab, ist er auch in die neuere Kunstgeschichte als begeisterter Dilettant eingetreten. Von einem festen, aber vom Zufall gegebenen Punkte, wo er eben eingefangen worden war, ausgehend, suchte er den Meister in seiner Gesammtheit sich anzueignen. Goethe's Italienische Reise ist der in Gestalt von Briefen gegebene Bericht über den Weg, den er Raphael und der Antike sich entgegenarbeitend eingeschlagen hatte. Schritt für Schritt begleiten wir ihn hier und empfangen zum Abschluss das Gefühl, dass Alles endlich von ihm bemeistert worden war. Goethe hat gewisse

---

[1]) An Frau von Stein, den 17. Juli 1782. Tischbein's Leben von v. Alten. S. 34.

[2]) 2. April 1782 von Eisenach. Noch andere Stellen liessen sich hersetzen, welche die fortwährende Beschäftigung mit diesen Dingen bezeugen.

[3]) Vgl. Eckermann III, 40.

Begriffe, mit denen er operirt: die Totalität der sichtbaren
Erscheinungen nennt er ,die Natur'. Auf diese Totalität
geht er los. Sein Bestreben aber ist, überall jedem Einzelnen
den Raum zuzutheilen, der ihm neben dem Uebrigen gebührt.
Auch Raphael fasst er so. Er sucht sich klar zu werden,
was Raphael ihm persönlich gewähre, was er Anderen, was er
sich selbst gewesen sei. Von allen Seiten zugleich fasst er ihn
an. Er erkennt seine ungemeine Wichtigkeit in der Entwicklungsgeschichte
des menschlichen Geistes. Er sucht sich
Raphael gegenüber — wie wir heute bei Goethe selbst —
über jeden Irrthum zu erheben. Daher die glückliche, lichte
Atmosphäre, in die er seine Werke zu versetzen weiss, und
daher die Wichtigkeit seines Urtheiles auch für uns heute
noch, die wir sehr wohl zu ermessen im Stande sind, worin
wir uns Goethe an Kenntniss und Urtheil für überlegen
halten dürfen [1]).

Gleich Goethe's erste Aeusserung über ein Werk Raphael's,
noch ehe er Rom erreichte, zeigt seine Gesichtspunkte.
In Bologna sah er die heil. Cäcilia, am 18. October
1786 schreibt er darüber nach Hause. Das Reisehandbuch,
nach dem damals gereist wurde und das auch Goethe mit
Anerkennung benutzt, war von Volkmann verfasst, der nur
wiederholt, was Cochin, der Autor eines ähnlichen, zu Grunde
liegenden französischen Buches gesagt hatte. Nun war schon
von Albani der Vorwurf erhoben worden, dass Personen, die
nicht zu gleicher Zeit gelebt hätten, auf dem Gemälde der
heil. Cäcilia zusammengebracht worden seien, Cochin nahm
das auf und Volkmann schreibt es von diesem ab. Ein Vor-

---

[1]) Hier ist zugleich aber auch zu beachten, was Goethe seiner Zeit
gewusst habe und wir heute nicht mehr wissen. Ich werde in der Folge
bei Besprechung einzelner Werke Raphael's öfter darauf zurückkommen,
denn die Einseitigkeit, mit der wir heute urtheilen, ist ärmlicher in
mancher Beziehung als wir ahnen.

wurf, der thörichter nicht ausgesprochen werden konnte, denn
die willkürlichen Zusammenstellungen zeitlich weit auseinander
liegender Persönlichkeiten, die auch auf den verschiedensten
Altersstufen zusammengebracht werden[1]) (die sogenannten
,heiligen Unterhaltungen' ,conversazioni sante') gehören zum
Alltäglichen, was den Malern der Cinque- und Seicento zu
malen aufgegeben ward. Ich wiederhole Goethe's Briefseite,
um zu zeigen, wie selbständig er sich über dieses Urtheil
erhob. ,Zuerst also die heil. Cäcilia von Raphael!' schreibt
er. ,Es ist, was ich zum Voraus wusste, nun aber mit
Augen sah: er hat eben immer gemacht, was Andere zu
machen wünschten, und ich möchte jetzt nichts darüber
sagen, als dass es von ihm ist. Fünf Heilige nebeneinander.
die uns alle nichts angehen, deren Existenz aber so vollkommen dasteht, dass man dem Bilde eine Dauer für die
Ewigkeit wünscht, wenn man gleich zufrieden ist, selbst
aufgelöst zu werden. Um ihn aber recht zu erkennen, ihn
recht zu schätzen, und ihn wieder auch nicht ganz als einen
Gott zu preisen, der, wie Melchisedek, ohne Vater und Mutter
erschienen wäre, muss man seine Vorgänger, seine Muster
ansehen. Diese haben auf dem festen Boden der Wahrheit
Grund gefasst, sie haben die breiten Fundamente emsig, ja
ängstlich gelegt, und miteinander wetteifernd die Pyramide
stufenweis in die Höhe gebaut, bis er zuletzt, von allen diesen
Vortheilen unterstützt, von dem himmlischen Genius erleuchtet,
den letzten Stein des Gipfels auflegte, über und neben dem
kein anderer stehen kann.' Und nun geht Goethe auf Perugino und Francia zurück. Es ist ihm unmöglich, sich dem
Werke gegenüber auf den gegebenen Fall zu beschränken:
er fasst das Gemälde als historische Erscheinung, will wissen,

---

[1]) So reicht auf einem solchen Gemälde z. B. das Christuskind vom
Arme der Madonna herab dem in Greisengestalt nebenstehenden Apostel
Petrus den Schlüssel der Kirche.

woher es gekommen sei und was zusammenwirken musste,
damit es entstehen könnte. Die vergleichende Methode war
Goethe angeboren. Er behandelt Kunstgeschichte wie er Ana-
tomie und Botanik behandelte. Allerdings erlangte er beinahe
zwanzig Jahre später erst die Kenntniss der leitenden Gesichtspunkte für die Neuere Kunstgeschichte als Ganzes: in sich
trug er ein Gefühl dieser Lehre jedoch von Anfang an.

Wir verfolgen im weiteren Verlaufe der Reise nun, wie
er in Rom die Werke Raphael's in sich aufnimmt. Wir
lernen aus seinen Briefen nicht nur sein Verhältniss, sondern das der ganzen Epoche zu Raphael, zur Antike und zu
der Blüthezeit der Renaissance kennen. Der von Winckelmann und Mengs, die beide nicht mehr lebten, vorbereitete
Umschwung bietet sich als vollendete Thatsache dar. Nicht
nur Goethe's Freunde in Rom, sondern Alles was sich dort
begegnete, hegten diese Anschauungen.

Endlich waren für Raphael günstige Zeiten wieder eingetreten. Die Entwicklung des Kunstlebens hatte vom Beginn des Cinquecento ab eine grosse Bogenlinie beschrieben,
die Anfangs immer weiter von ihm abführte und nun wieder
bei ihm angelangt zu sein schien. Die Gebildeten aller
Völker trafen zusammen in der Sehnsucht nach dem Reinmenschlichen, Naturgemässen. Das Einfache sollte an die
Stelle des Ueberladenen und Verschnörkelten treten. Nicht
nur in Deutschland dachte man so. Um Goethe bewegte sich
eine frische jugendliche Welt, die in diesem Sinne Neues
zu schaffen trachtete. David repräsentirt die französische
Künstlerjugend jener Tage, Canova die italienische, Angelica
Kaufmann die Deutsche. Auch beschränkt sich diese neue
Anschauung nicht auf die bildenden Künste, sondern das ge-
sammte geistige Schaffen bewegt sich auf gleicher Bahn.
Gluck's Iphigenien zeigen diese Stimmung in der Musik,
Goethe's Iphigenie in der Dichtkunst.

Es sind nicht mehr Einzelne, die sich Raphael zuwenden, sondern die Beschäftigung mit ihm ist zu einem gemeinsamen Interesse geworden. Die Litteratur der vier Nationen, die in Europa jetzt schriftstellerisch jede für sich wirken und weniger als früher ineinander verfliessen, behandelt Raphael als ein historisches Element, dessen Kenntniss vorausgesetzt wird. Ausgezeichnete Stecher machen seine Werke in immer weiterem Umfange erreichbar und lassen die vaticanischen Stanzen nun als das Wichtigste darunter hervortreten, von denen das grosse Publicum funfzig Jahre früher kaum noch gewusst hatte. Man trennt in Raphael den Madonnenmaler, den Darsteller der Ereignisse des Alten und Neuen Testamentes und den Schöpfer historischer Compositionen. Man vergleicht sein Verfahren in den verschiedenen Epochen seiner Entwicklung. Man fängt endlich auch an, sich mit den persönlichen Schicksalen zu beschäftigen. An eine Geschichte Raphael's und seiner Werke dachte noch keiner, im Anschlusse an Vasari aber sucht man seine Biographie durch umlaufende Anekdoten zu verbreitern und die vielfachen, Raphael's Namen tragenden, von Vasari aber nicht erwähnten Werke im Allgemeinen chronologisch unterzubringen. Von einzelnen Erscheinungen wird später noch die Rede sein. Besonders werthvoll ist für uns neben Goethe's Schriften das, was Moritz und was Fernow damals geschrieben haben. Den Abschluss dieser Bewegung bildet die in den Propyläen abgedruckte systematische Beurtheilung Raphael's, die Meyer, Goethe's kunstgelehrter Freund, zusammengearbeitet hat und die den Umfang dessen etwa repräsentirt, was Goethe bis zum Beginne des neuen Jahrhunderts sich in Betreff Raphael's angeeignet hatte. Goethe wuchs bald über diese anfänglichen Anschauungen hinaus. Denn die Umwälzung des politischen und geistigen Lebens der europäischen Völker, die weniger durch die französische Revolution, als durch das

gewaltsame Eingreifen der napoleonischen Energie hervorgebracht wurde, sollte, ohne dass dabei an Raphael gedacht
worden war, für Raphael's Verhältniss, man kann nun wohl
sagen, zur Menschheit entscheidende Folgen haben.

III.

IM NEUNZEHNTEN JAHRHUNDERT.

Die französische Revolution bietet das Schauspiel, dass
das erste künstlerische Talent der Epoche bei der Umgestaltung der Dinge betheiligt war. In den Anfängen der Bewegung, als die Nation noch mit dem Könige auskommen
wollte, war Louis David der emporstrebende Künstler, der
bereits die Blicke auf sich zog: damals malte er den ‚Schwur
im Ballhause‘. In der Schreckenszeit gehörte er zu den
tollen Anhängern Robespierre's: jetzt malte er den ermor-
deten Marat und auf seinen Betrieb wurde die französische
Akademie der Künste aufgehoben[1]). Unter Napoleon war
derselbe David als erster Hofmaler des Kaisers schaffend,
wie organisatorisch eingreifend die maassgebende Persönlichkeit. David hatte die ungeheure Zerstörung aller auf das
Königthum bezüglichen Monumente theils veranlasst, theils
gutgeheissen, die unter der Schreckensherrschaft über Frankreich hereinbrach und sich zum Theil auf Italien und die
Rheinlande ausdehnte: hernach diente er als Darsteller des

[1]) Nach der Erstürmung der Tuilerien suchte David die schönsten
Körper der gefallenen Schweizer aus und liess sie in sein Atelier bringen.
Bächtold: Joh. Caspar Schweitzer. S. 29.

napoleonischen Ruhmes dem Manne, der die grenzenlose Verwirrung wieder in Ordnung umschuf.

Eins hatte ausserhalb der Zerstörungsmacht des französischen Volkes gelegen: dessen eigner Charakter. Wie
Ludwig XIV. einst, gründete Napoleon jetzt darauf sein
Reich. So wenig wie dieser protegirte er sich selbst zum
besondern Genusse etwa die Künstler oder vereinte aus persönlicher Liebhaberei im Musèe Napolèon was die Kunst
aller Zeiten Grosses hervorgebracht hatte, sondern der Betrieb dieser Dinge gehörte zu Napoleon's allgemeinem Plane.
Sollte Frankreich sich neu constituiren, um die Weltherrschaft
anzutreten, zu der es abermals berufen schien, so mussten
die sämmtlichen Fähigkeiten der Nation herausgefordert und
allen Talenten freie Bahn eröffnet werden. Wiederum sollte
eine eigene national-napoleonische Kunst entstehen, die in
Paris ihr Centrum fände. Ehedem hatte Ludwig dem römischen Kunstleben sich untergeordnet: Napoleon beschloss,
Rom nach Paris zu transportiren. Paris sollte auch, was
das Material anlangt, Alles in sich schliessen. Ebensogut
wie Napoleon David unterjochte, der nicht als erkaufte Be-
rühmtheit, sondern in offener Begeisterung zu ihm überging,
machte er dem Papste Canova abtrünnig. Durch Canova
schien das Verständniss der Antike nun erst sich neu zu
eröffnen: er stand als der grösste Bildhauer Europa's da.
Canova und David haben alle Jüngern damals zu Schülern
gehabt.

David hatte in Italien Raphael studirt. Man sieht Gestalten hier und da in seinen Compositionen, die an Raphael
erinnern. Als dessen geistiger Schüler aber kann er nicht
bezeichnet werden. Auch war er schon zu sehr ein fertiger
Meister als Raphael's Gemälde nun im Museum des Louvre zu-
sammenstanden, um nachträglich sich beeinflussen zu lassen.
Hätte der Kaiser erlangen können, was Europa überhaupt

an Werken raphaelischer Kunst beherbergte, so würde freilich
eine ganz andere Reihe sich dargeboten haben; aber die Gemälde, die Italien und Spanien hatten hergeben müssen,
genügten neben dem bereits Vorhandenen, um eine über-
wältigende Wirkung zu thun[1]). Nie wieder sind so viel
Werke Raphael's an einer Stelle vereinigt gewesen, und ihr
Anblick wird nur dann einmal überboten werden, wenn eine
allgemeine Weltausstellung die Arbeit Raphael's im vollen
Umfange zeigen wird, eine Unternehmung, die früher oder
später durchgeführt werden muss, und für die, der nicht fort-
zuschaffenden Fresken wegen, Rom den geeignetsten Stand-
ort bietet.

Beabsichtigt war dieser neue Sieg Raphael's so wenig
als 150 Jahre früher. Die Gemälde standen da und wurden
betrachtet. Der Erfolg ergab sich von selbst. David fühlte
es[2]). Vom Erscheinen Raphael's im Louvre datirt David's
Herabkommen, während Ingres, der nach ihm lange Jahre die
Oberherrschaft über die französische Kunst inne hatte, sich
als junger Mensch, der nur auf die eigne Leitung angewiesen
ist, Raphael damals mit einer Energie hingab, die sein ganzes
langes Leben aushielt und die Raphael innerhalb der frau-
zösischen Kunst die höchste Geltung verlieh. Heute erst,
wo Ingres' intime Aeusserungen gedruckt worden sind, lässt
sich die Geschichte seiner Leidenschaft für Raphael verfolgen. Im Anblick der Gemälde des Musèe Napolèon empfing er den entscheidenden Anstoss. Als zwölfjähriger
Knabe war er ,auf Raphael losgestürzt wie ein Raubthier
auf seine Beute'. Den ersten durchschlagenden Erfolg ver-

---

[1]) Eine Aufzählung der überhaupt damals nach Frankreich entführten Werke bei Fiorillo.

[2]) Ueber diese Bewegungen ist viel gedruckt worden. Wichtig
ist David's neuerdings erschienenes Leben mit Actenstücken, das sein
Enkel in splendidem Drucke zusammengestellt hat.

dankte er seinem grossen Gemälde ‚Der Schwur Ludwig's XIII.,
der sich und sein Land der Madonna weiht'. Dem im Krö-
nungsornate knienden Könige (das Werk entstand zu der
Zeit, wo wieder ein französischer König in Rheims gekrönt
werden konnte) erscheint die Madonna selber, in Formen,
als habe Raphael sie, in Frankreich neu auf die Welt
kommend, gezeichnet. Ingres nennt in seinen schriftlichen
Aeusserungen Raphael ein vom Himmel herabgestiegenes
geistiges Wesen, das Strahlen der Schönheit aussendend als
Schutzgeist aller Nationen über Rom walte. ‚Raphael', ruft
Ingres aus, ‚war nicht nur der grösste unter den Malern: er
war die Schönheit selbst, er war gut, er war Alles!' Ingres
wurde später zum Director der französischen Akademie in
Rom ernannt: nie hat Raphael in der öffentlichen Meinung
eine so triumphirende Stellung eingenommen, als während
der Jahre dieser Amtsführung. Ingres hat seine Verehrung
für Raphael endlich auf Flandrin vererbt, seinen vornehmsten
Schüler, aber ein schwächeres Talent, das sich anlehnt.
Ingres stand auf eignen Füssen. Er war wie Raphael eine
universale Natur. Er zog Literatur und Musik in den Bereich
seiner Kunst als ihre unentbehrlichen Nebenelemente. Er
sah die Malerei als eine nationale Sache an, eine Aeusserung
des französischen Volksgeistes, als dessen Priester er sich
betrachtete. Neben ihm arbeitete Boucher-Desnoyers, derjenige Kupferstecher, der Raphael's Gemälde am reinsten
wiedergegeben hat. Blätter wie seine Madonna da Foligno,
oder die Belle jardinière waren bis dahin nicht gestochen
worden. Am lieblichsten wirkt seine Madonna della Sedia,
so bescheiden sie heute neben umfangreicheren, mehr
durchgeführten Stichen desselben Gemäldes erscheint. Diese
Blätter, die noch zu Napoleon's Zeiten herauskamen,
waren die ersten, die Raphael's neuen Ruhm in Europa
verbreiteten. Damals auch wurde der Versuch gemacht,

ein Corpus aller Compositionen Raphael's in Umrissen herzustellen [1]).

Und selbst die Wiederauflösung des Louvre-Museums
nach Napoleon's Untergange sollte Raphael zum Vortheile
gereichen: die an ihre alten Stellen zurückkehrenden Gemälde hatten dort jetzt eine stärkere Wirkung als vor der
Entführung. Fast alle waren während der Gefangenschaft
in Paris in der vorsichtigsten Weise restaurirt worden [2]).
Jedes war der Gegenstand eingehender Betrachtung gewesen.
Kunstwerke, die ihren Besitzer wechseln, pflegen meist zum
Object frischer Kritik zu werden. Als zusammengehörig,
wie sie im Louvre gestanden hatten, fuhren Raphael's Werke
fort, in den Gedanken des europäischen kunstliebenden
Publicums wie ein einheitliches Ganze zu wirken. Ihr Urheber thronte im Glanze eines Herrschers über ihnen, in
welchem ungezählte Verehrer den ersten Maler der Welt an-
erkannten. Als in den Tagen der Restauration jene Verherrlichung nie dagewesener Zeiten eintrat, für die man sich
wie für etwas Reales begeisterte (das Phänomen, das wir in
Deutschland die Herrschaft der jüngeren romantischen Schule
nennen, das sich jedoch über alle Völker verbreitete), bot
Raphael sich als vorzügliches Object dieses Cultus dar. Jetzt
war man wieder officiell religiös. Aber früher schon hatten
Raphael's Madonnen im Louvre nicht bloss als Kunstwerke
gewirkt. Ihr unschuldsvolles Lächeln half die Macht der
Kirche in den Gemüthern wieder aufrichten, während Raphael
selbst in historischer Erscheinung auf die Vergangenheit der
Päpste glänzendes neues Licht warf.

---

[1]) Von Landon. In kleinen, manierirten Umrissen, Alles durcheinander, was Raphael's Namen trug. Für den jedoch, der die Dinge
kennt, ein bequemes Hilfsmittel. Billig immer von neuem noch an-
geboten.
[2]) vgl. z. B. den Bericht über die Wiederherstellung des Spasimo.

Dieses Wiederemporkommen Raphael's in Rom selbst
erfolgte unter Umständen, die uns den Blick auf die Deutsche
Kunst zu lenken nöthigen.

In Paris seine künstlerische Ausbildung zu suchen, war
während des Bestehens des Kaiserreiches das Natürliche.
Aber auch beraubt, wie es dastand, sollte Rom damals nicht
Alles verlieren. Zwar hatte man vom Apoll von Belvedere,
dem Laokoon und den übrigen berühmten Werken nur noch
die Piedestale, wo sie einst standen im Vatican, vor Augen,
die Aufträge jedoch, die Canova vom Kaiser empfing, wurden
in Rom ausgeführt. Thorwaldsen und Rauch sehen wir unter
Canova's Einfluss dort sich heranbilden. Aber auch Maler
lenken ihre Schritte nach Rom. Talentvolle junge Deutsche
— nicht eigentlich Schüler, die in bestimmter Schule Meister
werden wollen, sondern künstlerisch begabte Naturen, die
von dem Bewusstsein sich treiben lassen, Besonderes vorzu-
haben, was sie selber genau noch nicht zu definiren wissen,
worin Niemand aber ihnen dreinreden solle — gehen nach
Italien und geben sich der Einwirkung dort zurückgebliebe-
ner Gemälde hin, die die Franzosen nicht mitgenommen
hatten, entweder weil sie, als Fresken, von den Wänden
nicht Ioszulösen waren, oder weil es gar nicht der Mühe
werth däuchte, sie zu entführen. Bescheidene Wandmalereien,
um die sich überhaupt bis dahin Niemand gekümmert hatte,
gelangten nun zur Geltung: Fresken des Quattrocento, die
die Wände der Kirchen, Hospitäler und Paläste überall in
Italien bedecken und nach denen bis dahin nur Wenige sich
umgesehen hatten. Befreit von der Concurrenz der Werke
ersten Ranges traten sie um so reiner als abgeschlossenes
Phänomen für sich hervor. Unter ihrem Einflusse hatte
Raphael in seiner Jugend gestanden!

Raphael's Jugend war bis dahin mehr ein Romancapitel
als eines der Kunsthistorie gewesen. Was Vasari Hübsches

von Raphael's Kinder- und Lehrlingszeiten erzählte, betraf
mehr seine Person als seine Arbeiten. Zwar hatte Vasari
1568 schon der Vita Raphael's am Schlusse die grosse Inter-
polation zugefügt, in der Raphael fast im Tone des Gebetes
angeredet und zu einer Art himmlischer Erscheinung ge-
stempelt wird: erst Ende des achtzehnten Jahrhunderts aber
treten die Legenden ein, denen zu Folge ihm sein ganzes
irdische Leben lang fast kindliche Jünglingsgestalt eigen gewesen wäre. Tischbein beschreibt die Scene, wie Raphael,
von Giulio II. nach Rom berufen, diesem vorgestellt worden
sei. Er kniet vor dem Papste nieder, während ihm die blon-
den Locken von den Schultern fallen. ,Das ist ein un-
schuldiger Engel', sagt der Papst, ,ich will ihm den Cardinal
Bembo zum Lehrer geben und er soll mir diese Wände mit
Geschichtsbildern füllen'. Und als Giulio in der Folge die
Disputa vollendet erblickt, wirft er sich anbetend zu Boden,
in die Worte ausbrechend: ,Ich danke Dir Gott, dass Du
mir einen so grossen Maler gesandt hast.' Dergleichen Anschauungen hatten früher auf die allgemeine Beurtheilung
Raphael's keinen Einfluss gehabt, weil trotz ihnen Raphael's
Thätigkeit in seiner reifsten Zeit unter Leo X. immer
der Punkt war, von dem ausgegangen wurde, so dass das
früher Fallende als Vorstufe der Blüthe galt. Die jungen
Deutschen aber, die im ersten Jahrzehnt des 19. Jahrhunderts
in Rom sich zusammenthaten, rechneten anders: die Arbeiten
unter Leo waren Verfall, die Jugendzeiten das Höchste und
das Entscheidende. Raphael's heilige Epoche dauerte für
sie nur bis zu seinem Eintritte in Rom. Auf das, was er
im väterlichen Hause vielleicht noch, in Perugia dann und
in Florenz geschaffen, kam es ihnen an. In den Geist dieser
ersten Zeit und in den der bescheidenen Meister, die Raphael's
erste Muster hätten sein können, sich zu vertiefen, war ihnen
Herzenssache. Der Raphael, bei dem sie schworen, hatte

wenig gemein mit dem, dessen Werke zur gleichen Zeit damals in Paris die übrige Welt entzückten.

So lange nun durften in diesem Sinne die jungen Deutschen, die unter dem Namen ‚Nazarener' bekannt sind, in Rom ungestört lehren und arbeiten, als die römischen Hauptgemälde Raphael's im Louvre festgehalten wurden: als diese aber wiederkehrten und zugleich das Zusammentreffen der europäischen Kunstfreunde nach Rom zurückverlegt wurde, änderte sich ihre Stellung. Ein Schein von Wunderlichkeit fiel auf sie. Overbeck malte Madonnen im Geiste der Florentiner Madonnen Raphael's, denen er äusserlich so nahe kam, dass die seinigen wie verblasste Milchschwestern der heiligen Jungfrauen Raphael's aussehen, die dieser in einer seltsam kindischen Greisenzeit nachträglich gemalt haben könnte [1]). Dem Willen der Nazarener nach sollte jetzt Cornelius, der bis dahin ihre Richtung innegehalten hatte, sich dem Geiste des in Rom wiedererwachenden grossen Meisters und der Antike verschliessen. Cornelius aber ging zum ‚heidnischen' Raphael über. Für den Augenblick schienen die Nazarener damit abgethan zu sein, doch wir werden sehen, wie wenig sie es waren. Sie hatten sich ihrer Zeit mit einem fertigen, in Deutschland, nicht von Künstlern, sondern von Schriftstellern gemachten Glaubensbekenntnisse ehedem nach Rom aufgemacht und blieben fest in ihren Anschauungen, und es hat diese Bewegung auch deshalb Wichtigkeit, weil Goethe auf Seiten derer stand, die nichts von ihr wissen wollten. Das Programm der Nazarener hatte tiefliegende nationale Wurzeln. Ich wiederhole das eben kurz Angedeutete noch einmal ausführlicher.

Goethe's erste Frankfurter Jugendzeiten lehren ihn uns als Journalisten kennen. Es drängte ihn der Oeffentlichkeit zu.

---

[1]) Overbeck's Verdienste liegen in anderer Richtung.

In den Anfang der siebziger Jahre fielen jene ersten Aeusserungen über Raphael. Mit dem Eintritte in Weimar begann die Epoche der Zurückgezogenheit, in der er sich nur brieflich äussert und die ihn endlich fast ausser Verbindung mit dem grossen Deutschen Publicum setzte. Der Verkehr mit Schiller erst führte ihn, in den neunziger Jahren, in's alte journalistische Fahrwasser zurück, das seiner Natur zusagte und das er dann nie wieder verlassen hat. Als die Gründung der 'Propyläen' darauf erfolgte, hatte die 'Zerstörung des italienischen Kunstkörpers', wie Goethe den Raub der Kunstwerke Italiens durch die Franzosen nennt, noch nicht stattgefunden. Meyer's in den Propyläen erscheinende Beurtheilung sämmtlicher Werke Raphael's [1]) enthält die beste Formulirung dessen, was die geläuterte Kennerschaft des achtzehnten Jahrhunderts zu Tage gefördert haben würde, wenn es sich etwa darum gehandelt hätte, in gemeinsamen Besprechungen wohlwollender Kunstfreunde, denen eine gewisse Langeweile von vornherein zugestanden wäre, die Meinungen zusammenzufassen.

Diese Darlegungen aber begeisterten die Leser nicht: ein damals bei uns beginnender Schriftsteller wusste die Jugend, die immer vor zuviel Worten zurückschreckt, anders zu packen, Ludwig Tieck, als Verfasser von 'Sternbald's Wanderungen', einem Künstler-Roman, der selbst heute, wo man die Unhaltbarkeit aller Voraussetzungen kennt, seine Wirkung nicht verleugnen würde, wenn er in die Hände unerfahrener, sentimental angelegter Leute fallen sollte. Tieck schuf in den Gestalten einiger jugendlichen Künstler, die er zu den Zeiten Dürer's und Raphael's sich zwischen Nürnberg, Antwerpen und Rom in der Welt umhertreiben lässt, die historischen Gespenster, die auf Jahrzehnte hinaus Unheil genug gestiftet

---

[1]) Dem Schema zufolge hatte Goethe selbst die Absicht, diese Arbeit vorzunehmen.

hat. Von Kunstgeschichte wusste er nichts, er hat die Dinge zusammengeträumt. In seinem Buche finden wir Dürer's, Raphael's und Michelangelo's Charaktere falsch, aber gemeinverständlich dargestellt. Das nicht endende engelhafte Jünglingsthum Raphael's, die Weichherzigkeit Dürer's, das unablässige ästhetisirende Predigen der grossen Meister entzückte das jenerzeit weich gestimmte Deutsche Publicum und der ‚Knabe Raphael‘ begann in den Träumen talentvoller junger Künstler eine Rolle zu spielen. Religiöse Schwärmerei trat hinzu. Man strebte nach Rom. Der den heiligen Stätten dort entströmende Athem sei das, wähnte man, was Madonnen, die denen Raphael's glichen, der Phantasie der Gläubigen vorspiegele, die zu malen hinterher ein Leichtes sein werde. Mit diesem Glauben waren die jungen Nazarener nach Rom gepilgert. Sie suchten sich zu geheimnissvoll persönlicher Gemeinschaft mit dem jungen Raphael zu erheben. Die Darstellungen aus seinem Privatleben nahmen ihren Anfang. Dergleichen zu zeichnen oder zu malen, sehen wir freilich Künstler aller Nationen jetzt sich zur Pflicht machen. Denn diese Anschauungen gingen weit über die Verbindung der Deutschen Nazarener hinaus. In diesen Scenen trat Raphael im Sinne des ‚göttlichen Knaben‘ auf. Schlank und mager, in pathetischer Bewegung, gehüllt in enganliegende, der sogenannten altdeutschen Tracht nachgebildete Bekleidung, bei der ein weitüberschlagener Hemdskragen nicht fehlen durfte, stand er vor der Staffelei, umgeben von einem ehrfurchtsvollen Kreise, der die Entstehung seiner Wunderwerke mit eignen Augen erleben wollte.

Die dem falschen Raphael dieser Schule angedichtete bedenklichste Eigenschaft aber war geistiger Natur: sein künstlerisches Schaffen sollte die Thätigkeit unbewusstem schöpferischen Drange gehorchender Fingerspitzen gewesen sein. Am weitesten sehen wir diese Anschauung von Achim

von Arnim verfolgt, der in der Novelle ‚Raphael und seine
Nachbarinnen' Raphael darstellt, wie er in magnetischen
Schlaf versunken seinem Gehilfen Baviera die Linien und
den Farbenauftrag eines Gemäldes in die Hand und in den
Pinsel dictirt, das auf diese Weise vollendet wird. Raphael
malt mit geschlossenen Augen und ohne selbst Hand anzu-
legen! Grössere Kreise fanden ihr Genügen in solchen Ab-
sonderlichkeiten. Enthielt doch Goethe's Faust so viel Ueber-
einstimmendes, dass die Nazarener Goethe als einen der
Ihrigen ansehen zu dürfen glaubten, bis das Erscheinen der
‚Italienischen Reise' sie eines Besseren belehrte. Hier gab
Goethe zum ersten Male jetzt (1817) sein Glaubensbekennt-
niss über Raphael und was mit ihm zusammenhängt[1]). Dieses
Buch zumeist bestimmte die öffentliche Meinung des Deutschen
Publicums.

Dass die Nazarener in Rom und Deutschland damals
zurückgewiesen wurden, war natürlich. Ihre Auffassung Raphael's taucht später aber trotzdem wieder auf. Es handelte
sich um wirklich nationale Anschauungen. So werthvoll
Goethe's ‚Italienische Reise' ist, die in Verbindung mit dem
früher schon erschienenen ‚Winckelmann und sein Jahrhundert', und der Uebersetzung des Lebens Benvenuto
Cellini's, kunsthistorisches Material in Fülle enthält, so
wissen wir doch, wie beschränkt Goethe's Hilfsmittel waren
als er sich jetzt in entscheidender Weise aussprach. In Rom
war er seit 1787 nicht wieder gewesen, das Museum des
Louvre hatte er nicht gesehen, ausser auf flüchtigen Besuchen
in Dresden und München überhaupt keine grossen Sammlungen

---

[1]) Möglich, dass er Vieles von dem, was er in der dazwischen
liegenden Zeit über italienische Kunst gedacht, in diese Briefe hineingearbeitet hatte, wie nicht anders manches in Dichtung und Wahrheit
Enthaltene aufgefasst werden darf. So die Begeisterung wohl auch, die
ihn in Strassburg vor den Teppichen Raphael's erfasst hätte.

kennen gelernt, noch lebte er in einer Stadt, die dergleichen
Schätze besass. Angewiesen war er auf die geringen Kupfer-
stichvorräthe, die er selbst oder der Herzog in Weimar sammelte, sowie auf das, was Briefwechsel und persönlicher Verkehr ihm zutrug. Hätte ihm reicheres Material zu Gebote
gestanden, so würde er bei seiner wunderbaren Gabe, sowohl Kunstwerke zu beschreiben, als sich historisch zurecht
zu finden, ganz Anderes geliefert haben. Wäre Goethe 1817
selbst in Rom gewesen, so würde er wohl auch die Leistungen
der Nazarener anders beurtheilt haben als von Weimar aus,
wohin nur einseitige Berichte drangen, während von den
Zeichnungen der jungen Künstler — denn um Zeichnungen
handelte es sich zumeist — nichts von Belang sichtbar
war. Wir selbst heute gestalten unser Urtheil über das
damals Geleistete noch um. Die auf der Berliner Nationalgallerie sich ansammelnden Studienblätter jener Tage erfüllen uns zum Theil mit Bewunderung. Wir entdecken in
Schnorr's Actzeichnungen die Anlehnung an Michelangelo
und Raphael, während wir in seiner Bilderbibel ein Werk
besitzen, das als ein in beschränkter Form sich bewegender,
in seiner Gesammtheit aber staunenerregender Nachklang
raphaelischer Auffassung gelten darf. Die in Frankfurt auf-
gefundenen Cartons zu den Wandgemälden, die ebenfalls
Schnorr für den Palazzo Massimi ausgeführt hat, gehören
zum Edelsten, was die Deutsche Kunst hervorgebracht hat,
und lassen in Wiedergabe der reinen Natur nichts vermissen[1].
Auch hier haben Raphael's Fresken als Muster vorgeleuchtet.
Goethe in der Mitte dieser sich selbst überlassenen jungen
Leute würde Anfänge einer Deutschen Kunst in ihren Ar-
beiteu erblickt haben, denen nur die richtige Leitung fehlte,

---

[1] Leider sind diese kostbaren Zeichnungen im Frankfurter Museum
ohne schützende Glasdecke aufgehangen. Man sollte die Ausgabe doch
nicht scheuen. Man thut ja so viel in Frankfurt.

um sich viel breiter auf heimischem Boden selbst zu entwickeln, als in der Folge möglich war. Auch die Be-
geisterungslehre der Nazarener ist der natürliche Glaube
aller jungen Leute, die sich etwas zutrauen, und stimmt,
wenn auch bei anderem Material, mit der Lehre vom Genie,
die Goethe funfzig Jahre früher so kraftvoll vertreten hatte.
künstlerisches Schaffen muss im Fluge der Begeisterung geschehen. Goethe sagt von sich selbst, was er schreibe,
schreibe er wie ein Nachtwandler. Raphael's vollendete Gemälde [1]), verglichen mit den vorbereitenden Skizzen, zeigen
als letzte Zuthat ein begeistertes Neuerfassen des innersten
Gedankens der Composition, dass sie wie neugeboren und
zum ersten Male geschaffen erscheint. Freilich, die vorausgehende Arbeit und concentrirte Geisteskraft durften nicht
fehlen. Bei Goethe war nöthig, dass er seine Stoffe lange
mit sich herumtrug, bei Raphael, dass wiederholte peinliche
Studien erst ihn dahin brachten, den letzten Flug endlich zu
thun als seien es die ersten Flügelschläge. An solchen Studien haben es auch die Nazarener nicht fehlen lassen. Es
wurden Dante und Homer gelesen. Man glaubte den wahren
Weg zur Grösse entdeckt zu haben und erwartete, neue Gedanken müssten sich in neuen Formen offenbaren. Was
trotzdem die Entwicklung im höchsten nationalen Sinne dann
aber unmöglich machte, waren confessionelle Hintergedanken,
in die hinein man die Nazarener missleitete und die zumeist
Goethe zum Entschlusse brachten, sich von den ,frömmelnden
jungen Herren' ein für allemal frei zu machen. Auch die
Schriftsteller, von denen die Bewegung ausgegangen war,
wussten sie weder zu leiten noch aufrecht zu erhalten.
Weder Tieck, noch Friedrich Schlegel, die Häupter der
Partei, setzten ihre kunsthistorischen Arbeiten fort. Ein

---

[1]) D. h. die, welche er ganz und gar eigenhändig gemalt hat.

letztes Lebenszeichen in dieser Richtung war Braun's Leben
Raphael's, das 1819 in zweiter Auflage erschien. In gemässigter, fast liebenswürdiger Weise wird das Eintreten der
„heiligen Malerei' weiter prophezeit, und in diesem Sinne ist
1820 in Mainz, wo das Buch herauskam, der dreihundert-
jährige Todestag Raphael's begangen worden.

An anderen Stellen jedoch führten bei ähnlichen Feier-
lichkeiten die Gegner der Nazarener nun das Wort[1]). Im
Saale der Akademie zu Berlin stand ein Katafalk zwischen
vergoldeten Candelabern. Vier vom Bildhauer Tieck model-
lirte weibliche Gestalten legten Lorbeerkränze darauf nieder.
Raphael's Bildniss, Copien der Dresdener Madonna, der Jungfrau mit dem Fische und der heiligen Cäcilie hingen an den
Wänden. Zelter dirigirte die Musik, Tölken hielt die Rede.
In der Vorrede zum Abdrucke dieser Rede, der später erschien, wird die Feierlichkeit beschrieben und in einem Anhange der Versuch einer kritischen Biographie Raphael's
gemacht, worin das Zuverlässige dem Mythischen entgegen-
gestellt und auf Raphael's Bedeutung als Antiquar und
Architekt hingewiesen wird. Was hätte sich in Deutschland
entwickeln können, wenn Berlin zum Centrum einer nationalen Kunstentwicklung zu machen gewesen wäre, wie Niebuhr in Rom geglaubt hatte. Aber es fehlte an Geld und an
einem unabhängigen Publicum bei uns, und von den Männern,
die dafür in Deutschland hätten auftreten können, lebte keiner
in Berlin. Goethe's kunsthistorische Studien sind die Bemühungen eines einsamen Liebhabers geblieben, der keine
Schule begründete. Gelegentliche Aeusserungen, die in Briefen,
im Gespräch oder in Zeitschriften hervortraten, zeigen, wie
er von Allem Notiz nahm. Man lese, wie er in dem Aufsatze ,Antik und Modern' Raphael, Lionardo und Michelangelo

---

[1]) Ueber diese Feste Schorn's Kunstblatt I (1820).

einander gegenüberstellt. Einfacher und richtiger kann nicht
gesagt werden, worauf es ankam. Die Zeiten aber sind für
Goethe nie eingetreten, von denen er einst in Italien träumte:
dass er ein grosses vergleichendes Museum errichten wollte,
welches alle kunsthistorischen Fragen zu lösen gestattete.

Wir wissen heute, was nach den Zeiten der Freiheitskriege verhinderte, dass der kunsthistorische Principat in
Deutsche Hände gelangte. Dicht nach dem Kriege noch konnte
man in Berlin Anstrengungen machen, den von den Bour-
bonen verbannten David zu berufen, 1820 aber dachte man
nicht mehr an dergleichen. Dagegen ist für die Zeiten nach
der napoleonischen Herrschaft ein erfreulicher Anblick, wie
Frankreich sich zu neuem Muthe erholte. Wir dürfen heute
nicht vergessen, was dieses Land uns bis 1848 gewesen ist, wo
französische Litteratur und Kunst sich unseren Bestrebungen
verbunden hielten. Uns dagegen hatten die Freiheitskriege
eher zurück- als vorwärts gebracht. Begeisterung war unseren Regierungen an sich verdächtig, einerlei, worauf sie
zielte. Die Deutschen sahen bald wieder mit derselben Hoffnung auf Frankreich, als sie in den Zeiten der Revolution
gethan. Es war an sich natürlich, dass die Franzosen in
Rom wieder die erste Stelle einnähmen. Die Italiener, obgleich sie mancherlei aufzuweisen hatten, was, wie Lanzi's
grosse Kunstgeschichte, einen ehrenvollen Platz einnahm,
wären nichts zu schaffen im Stande gewesen, was den Vergleich mit Séroux d'Agincourt's grosser Arbeit aushielt.

Ein vornehmer Franzose vom Schlage des Grafen Caylus,
finden wir ihn schon 1787 von Goethe als den Verfasser einer
zu erwartenden Kunstgeschichte erwähnt. Goethe ahnte damals nicht, wie viel er d'Agincourt später zu verdanken haben
werde [1]. ‚Wenn das Werk zusammenkommt, wird es merk-

---

[1] Das Buch, das 1811 zu erscheinen begann, war eine Offenbarung
für ihn. Der Briefwechsel mit den Boisserèes enthält das Meiste darüber.

würdig sein!' urtheilte er. Noch über zwanzig Jahre aber
brauchte d'Agincourt für die Vollendung der Arbeit, die in
Wort und Abbildung eine Darstellung des Weges ist, den
durch ein Jahrtausend hindurch die Kunst zurücklegen musste,
um den einzigen Raphael hervorzubringen. D'Agincourt sieht
in den Malereien der römischen Katakomben die Anfänge
der neueren Kunst, von denen auszugehen sei. Mit einer
staunenswerthen Mühe hat er aus Quellen jeder Art sein
Material zusammengetragen: man fühlt, er hat beim Abschlusse
nur die Auswahl einer Sammlung gegeben, deren Umfang
wir nicht zu bemessen versuchen. Er hat damit die Grundlage der heutigen historischen Kunstwissenschaft geliefert.

D'Agincourt hielt sich innerhalb enger Grenzen jedoch
was den erläuternden Text anlangt. Frankreich aber würde
nun vielleicht auch den Schriftsteller gestellt haben, ein
Leben Raphael's, das ihn inmitten seines Jahrhunderts zeigte
vom Standpunkte des neuesten Tages aus, zu verfassen, und
es scheint fast, als ob irgend ein Zufall nur die Schuld
trage, dass der Autor, den ich im Sinne habe, seine Gedanken über Raphael zerstreut in einer Form geliefert hat,
wie sie Goethe für seine Italienische Reise wählte. Henry
Beyle, oder Stendhal, wie sein Schriftstellername lautet, ein
ehemaliger Officier der napoleonischen Armee, hatte sich in
Italien wie in einem zweiten Vaterlande niedergelassen und
neben seinen Romanen einige Bücher über italienisches
Kunstleben verfasst, unter denen seine ,Promenades à Rome'
die vornehmste Stelle einnehmen. Bemerkungen über bildende Kunst bilden, wie bei Goethe, auch hier nur einen
Theil des Buches, sind aber von bleibendem Werthe[1]).

---

[1]) Taine's Aeusserungen über Italien müssen von Stendhal aus beurtheilt werden, unter dessen Einfluss er stand, ohne es voll und genügend auszusprechen. Ich urtheile hier nicht über Taine's historische
Schriften; seine ,Voyage en Italie", so verbreitet und geschätzt das Buch

Die Stendhal umgebende Gesellschaft — damals noch
aus den höheren Kreisen sich zusammensetzend — schwelgte
im Genusse der neuen Friedenszeiten. Rom war die Stelle,
wo sich diesen Träumen am schönsten nachhängen liess.
Stendhal's ‚Promenades' sind ein Tagebuch aus den zwanziger
Jahren. Man fühlt, wie unbefangen Vergangenheit, Gegenwart und Zukunft zur Discussion standen. Man übersieht gern
die Beschränktheit des Umfanges, in der man die Probleme des
Lebens jenerzeit noch auffassen durfte. Wenn Raphael einmal in's Leben hätte zurückkehren müssen, so würde er sich damals in Rom am ehesten wieder heimisch gefühlt haben. Stendhal's ‚Geschichte der italienischen Malerei' schliesst leider
vor Raphael ab. Das Leben Michelangelo's aber sehen wir
darin beinahe schon im Sinne der heutigen Zeit aufgebaut.
Er sucht ihn als Bürger der eigenen zu ergreifen und seinem
innersten Leben auf die Spur zu kommen [1]). Raphael dagegen, so oft er ihn in beiden Büchern auch erwähnt, behandelt er nie im Zusammenhange.

Wir bedauern das umsomehr, als der, dem zunächst die
Aufgabe zufiel, ein Leben Raphael's zu liefern, mit wohlfeiler
Arbeit den Ruhm einheimste, den die blosse Vollendung
einer angenehm geschriebenen Biographie Raphael's Jedem
vielleicht damals eingetragen haben würde. Quatremère de
Quincy, Membre de l'Institut, schrieb das Buch, das, 1824
erscheinend, in Rom als ein Ereigniss betrachtet wurde. Er
gibt einen leicht eingeworfenen Ueberblick der Thätigkeit
Raphael's und eine Beschreibung der Werke, so viel und
so wenig der verlangen darf, der sich damit beschäftigen

in Frankreich ist, enthält meist oberflächliche und schiefe Urtheile über
Raphael und reicht in der Gesammtauffassung des italienischen Daseins
weder an Stendhal's noch an Frau von Staël's Anschauung heran.

[1]) Ich kannte das Buch nicht als ich mein Leben Michelangelo's
schrieb.

will ohne Gelehrter zu sein. Elegant und ohne Tiefe, liefert Quatremère was man in den Salons, in denen damals zumeist doch nur von Raphael die Rede war, zu wissen brauchte. Wie geschickt und sicher der Verfasser sich bei Abschluss der Arbeit des vielfachen bibliographischen Ballastes entledigte, der nur beschwert haben würde, ohne zu bereichern, zeigt die italienische Uebersetzung des Buches von Longhena, der in Anhängseln jeder Art den ganzen Wust wieder hineingearbeitet und aus dem knappen Bändchen ein Buch von über 800 Seiten gemacht hat. Auch in das Deutsche wurde das Buch damals übersetzt, ohne jedoch eine Wirkung zu haben.

Quatremère's Leistung verdiente den Beifall, den sie bei ihrem Erscheinen fand, zugleich aber die Vergessenheit, der sie später verfallen ist. Er glaubt noch an den Stammbaum der Familie Santi, der sich auf dem Porträt eines der angeblichen Vorfahren Raphael's im Palaste Albani fand[1]). Dass er sich betrügen liess, wäre nicht so schlimm gewesen; aber während er 1824 diese Dinge noch vorbringt, hatte 1822 bereits Pungileoni sein ‚Elogio storico des Giovanni Santi, Vater des grossen Raphael‘, veröffentlicht, worin der echte Stammbaum der Familie aus urbinatischen öffentlichen Actenstücken festgestellt war. Indessen Quatremère lebte und schrieb in Paris, und Pungileoni's in Italien an versteckter Stelle gedruckte Schrift konnte ihm entgangen sein. Schwerer wiegt der vom Rumohr erhobene Vorwurf, Quatremère habe ausser der Vita di Raffaello nichts von Vasari's Buche gekannt und dessen zahlreiche an anderen Stellen

---

[1]) Die zahlreichen darauf vermerkten Verwandten Raphael's gehören allen Lebensstellungen an: auch ein Maler befand sich ausser Raphael's Vater darunter. Bellori (Ed. 1752) S. 63. Heute befindet er sich, wie mir brieflich mitgetheilt wurde, in der Villa Albani. Ich selbst habe ihn dort nicht gesehen.

anzutreffende Aeusserungen über Raphael seien ihm fremd
gewesen. Quatremère's Buch wird von den Franzosen heute
als ein verlorener Posten betrachtet. Pungileoni hätte nun
leichtes Spiel gehabt, das maassgebende Leben Raphael's zu
verfassen, allein er unterliess es[1]). Jetzt endlich tritt die
Deutsche Gelehrsamkeit ein.

Die Anfänge unserer wissenschaftlichen Arbeit, die
seit den zwanziger Jahren in Rom, weil dort allein diese
Dinge damals noch behandelt werden konnten, sich Raphael
zugewandt hat, sind in den Bestrebungen derer zu suchen,
von denen die grosse ‚Beschreibung der Stadt Rom' unternommen worden ist. Bunsen's und Gerhard's Namen werden
hier immer an erster Stelle genannt werden[2]). Platner über-
nahm die der modernen Kunst gewidmeten Capitel. Das
Buch sollte Alles umfassen, was die ewige Stadt betrifft.
Mit der geologischen Betrachtung des Bodens anhebend, auf
dem sie gebaut worden ist, würde es mit den neuesten
Schicksalen Rom's erst abschliessen. Nennen wir dieses
Buch, so nennen wir zugleich das erste grossartige Denkmal
der seit Winckelmann in Rom thätigen gelehrten Deutschen
Colonie, die heute ihre letzte Form in dem, freilich in beeng-
terem Sinne nun geleiteten ‚Deutschen Institute' gefunden hat.

Winckelmann's römische Thätigkeit verband sich der
besonders von den Albani's (dem Onkel, der Papst wurde
und der der Beschützer Maratta's war, und dem Neffen, der
es nur bis zum Cardinal brachte, aber der als Protector, ja
Freund Winckelmann's durch diesen in die Unsterblichkeit
mit eingeschmuggelt worden ist) gehegten römischen Ge-

---

[1]) Pungileoni hat sich über die Form der Elogi storici, historischer
Predigten mit langgestrecktem Anmerkungsmaterial, nicht hinausgewagt.

[2]) Cotta verlegte das Werk. Es ist eines der Ruhmestitel seiner
Buchhandlung.

lehrtenwirthschaft. Man muss in Justi's ,Winckelmann' [1] die
Geschichte des gelehrten Italiens im vorigen Jahrhundert
lesen. Winckelmann's römisches Dasein hatte im Zusammenhange mit dem Emporkommen der Deutschen Philologie so
viel Natürliches, Nothwendiges gehabt, dass sich nach seinem
Tode immer wieder Deutsche in Rom fanden, die in seiner
Art zu arbeiten fortfuhren: der hervorragendste darunter
Zoëga, der, obwohl Däne von Geburt, als Deutscher gelten
muss und dessen Lebensbeschreibung Welker so vortrefflich
geschrieben hat. Zoëga lebte einsam, aber man empfand
seine Anwesenheit in Rom. Gleich Winckelmann waren auch
ihm antike und moderne Kunst untrennbar, nur dass ihm die
Gelegenheit fehlte, für die neuere Kunstgeschichte etwas zu
thun, während sich für die alte die zu erledigenden Aufgaben
zudrängten [2].

Erst zu Anfang unseres Jahrhunderts empfing die gelehrte
Zwecke verfolgende Deutsch-römische Gesellschaft — der die
bildenden Künstler selbstverständlich sich anschlossen — in
Wilhelm von Humboldt das erste gleichsam sichtbare Ober-
haupt. Durch ihn auch wurde Preussen zu einer natürlichen
Schutzmacht dieser Bestrebungen erhoben [3], eine Rolle, die

---

[1] ,Winckelmann in Deutschland' 1866, und ,Winckelmann in Italien'
1872. Diese Dinge werden nie einen bessern Geschichtsschreiber finden.

[2] Man wäre ja geneigt, Bottari's Vasari-Ausgabe, die in die Mitte
des 18. Jahrhunderts fällt, als etwas Erträgliches und zugleich als das
Beste anzuerkennen, was damals zu leisten war, aus dem Grunde, weil
die in den ,Lettere pittoriche', gleichfalls von Bottari gesammelten
Briefe der angesehensten Kunstgelehrten der damaligen Zeit von keiner
Seite her eine etwa bessere Behandlung Vasari's in Aussicht stellen; aber
man nehme Lessing's Aufsatz über Theophilus' Buch von der Oelmalerei,
mit wie solider Kritik da einige Stellen Vasari's auf ihre Zuverlässigkeit
hin geprüft werden. Warum hätte man nicht damals schon die Quellen
Vasari's aufspüren und die verschiedenen Ausgaben vergleichen können?

[3] Ueber diese Verhältnisse liegt, besonders in Correspondenzen, umfangreiches Material vor, das umfassend zu behandeln immer noch nicht
versucht worden ist. Man versteht zu wenig das Unwichtige auszuscheiden.

es dann nicht wieder aufgegeben hat. Seit Humboldt empfanden unsere Gelehrten und Künstler sich als ein berechtigtes Element in Rom, das mit dem Kunstbetriebe zu Hause
und der heimischen Gelehrsamkeit in Verbindung als ideale
Vorschule in beiden Richtungen von der Regierung anerkannt
wurde. So entstand auf dem Wege natürlicher Entwicklung
eine wechselnde Vereinigung in freier Form, die in gewissem
Sinne uns das ersetzte, was den Franzosen die durch eine
blosse Maassregel in's Leben gerufene römische Akademie
leistete. Die Einzelnen waren ungebunden; es hielt sie um
so fester die nationale Aufgabe, Alles, was das classische
Alterthum der Stadt, von den ältesten Zeiten an beträfe,
ernsthaft anzufassen. Das Rom, auf dessen Boden man
stand, bildete die Masse, in die man eindringen wollte.
Litteratur und Kunst der antiken Zeit und das Zeitalter
Dante's oder Raphael's schienen gleichberechtigt und die
geistige Förderung der aufstrebenden Bildhauer und Maler
ebenso wichtig als der Betrieb der Ausgrabungen. Der
absehbare Niedergang unseres Institutes wird einst von der
Zeit ab datirt werden, wo die Pflege alles dessen, was das
classische Alterthum in seinen durch alle folgenden Jahrhunderte hindurch bis in die neueste Zeit reichenden Trieb-
zweigen darbietet, dem Wunsche geopfert worden wäre, die
gebotenen Mittel dadurch scheinbar vortheilhafter zu verwerthen, dass man beschränktere Ziele innehielte. Beschränkteren Naturen sind diese sicherlich das Heilsamere; Höher-
strebenden darf nicht entgehen, dass die freieste geistige
Ausbreitung Lebensbedingung für wissenschaftliche erfolg-
reiche Bestrebungen sei.

Niebuhr führte Humboldt's Gedanken in diesem Sinne
weiter. Ihm war zu verdanken gewesen, dass Cornelius Raphael anders verstehen lernte. Auf Niebuhr folgte Bunsen,
dessen fördernde Kraft diejenigen noch erfahren haben, die

heute in ihrer letzten Spitze eben zu Grabe getragen werden.
Bunsen ist der Urheber der Geschichte der Stadt Rom gewesen. Die von ihm geleitete Geselligkeit schuf Arbeiter
und Publicum, für das Unternehmen, dessen erster Theil auch
die Entwicklungsgeschichte der römischen Malerschule enthält. Raphael's und Michelangelo's Biographien mit Beschreibungen ihrer Werke werden in zuweilen trockener, aber
sachgemässer Fassung gegeben: das Bild ihrer Thätigkeit
innerhalb ihres Jahrhunderts aufzustellen, war die Absicht.
Bunsen selbst machte die schöne Entdeckung von der Disposition der raphaelischen Teppiche in der Sistina, die erste
Aufgabe dieser Art, die man aus dem Geiste wahrer Gelehrsamkeit Raphael gegenüber gestellt und zugleich gelöst
hatte[1]). Es fehlte nicht an neuem Material für Raphael.
Die Forschungen Fea's z. B. in den vaticanischen Archiven
hatten auf ihn bezügliche Rechnungen an's Licht gebracht.
Wäre, was dieser erste Band über Raphael enthält, für sich
erschienen, so würde es bekannter geworden sein. Auch die
folgenden Theile enthalten viel Raphael Betreffendes, den
ersten - jedoch durchweht ein besonders erhebender Strom
wissenschaftlicher Begeisterung. Es galt, Rom im höchsten
Sinne zu bewältigen. Ueber fast alle Materien wohl ist später
maassgebender geschrieben worden, dennoch würde ich Jedem rathen, für den ersten Eintritt in Rom diesen ersten
Band zu lesen.

Bunsen's Interesse an Raphael fand im Kronprinzen
(später Friedrich Wilhelm IV.) den besten Berliner Vertreter.
Friedrich Wilhelm III. selbst war für Raphael eingenommen.
Ueber seinem Schreibtische hing eine Wiederholung der
Dresdener Madonna, er betrieb die Herstellung von Copien
nach Raphael's Werken, er hat die Madonna Colonna durch

---

[1]) Zehn ausgew. Ess. 2. Aufl. S. 413.

Bunsen für das Berliner Museum ankaufen lassen, in dem den damaligen Plänen zu Folge ein besonderer Saal Raphael allein geweiht sein sollte. Diesen Saal hat Friedrich Wilhelm IV. später dann hinter Sanssouci eingerichtet.

Es ist das Schöne geistiger, beamtenmässigem Betriebe ferngerückter Bewegungen, dass sie Manche in ihren Strom leise einzulenken nöthigen, die sich unabhängig fühlen und bleiben wollen. Zu den dem römischen Kreise in diesem Sinne verbundenen Gelehrten gehörte C. F. von Rumohr. Rumohr war eine jener universalen Naturen, die. wenn sie die nöthige Arbeitskraft besitzen und vom Glücke äusserlich begünstigt werden, das edelste Material zum Schriftsteller sind. Rumohr hat nicht allein durch den realen Inhalt seiner Bücher, sondern auch durch die Form gewirkt, in die er seine Gedanken hineingoss. Sein Stil ist sein Stil. Vorgeworfen könnte ihm nur werden, dass er zu fein geschrieben habe und dass die in breit ausgebildeten Sätzen gegebene Mischung gelehrter Untersuchung mit ästhetischen und historischen Betrachtungen über blosse Lectüre des Buches hinaus eindringendes Studium verlange. Der dritte Theil der ‚Italienischen Forschungen‘ enthält eine Kritik der Thätigkeit Raphael's.

Rumohr hat das Unzureichende der Arbeit Quatremère's scharf nachgewiesen, war aber nicht im Stande, ein Buch zu schreiben, das mit besserem Rechte als ‚Leben Raphael's‘ einträte. Er reiht die Beobachtungen eines alten Forschers aneinander und gab dem so entstandenen Essay deshalb auch keinen Titel, der mehr verspräche als geboten wird, er nannte ihn ‚Ueber Raphael und seine Zeitgenossen‘. Keine Biographie also, nur eine chronologisch fortlaufende Kritik der Werke, eine Rechenschaftsablage über die lebenslängliche Beschäftigung mit dem Meister, Mittheilungen eines Kenners ersten Ranges, der sich in souveränem Selbstgefühl auch über die Meinungen

Anderer ausspricht. Rumohr bringt zuweilen gewagte Behauptungen, bedenkliche Schlüsse und unrichtige Daten, aber diese kleinen Auswüchse fliegen leicht vom Ganzen ab, ohne dessen Gleichgewicht zu ändern. Rumohr hat immer noch von Allen, die über Raphael geschrieben haben, am meisten aus dem vollen Besitze umfassender Kenntniss heraus und nebenbei am besten geschrieben. Er ist im weiteren Sinne als ein Schüler Goethe's anzusehen, dem er darin gleicht, dass er, wie bemerkt, nicht allein Gelehrter, sondern auch Schriftsteller war, der seinen Worten erziehende Kraft beizulegen wünscht. Es erfüllen ihn die gesammte Kunstgeschichte umfassende Gedanken, die er der Gegenwart zu Nutz darlegt. Seine Resultate sind allgemeine Notionen. Er erblickt in Raphael einen der Factoren der grossen Menschheitsentwicklung, dessen fortdauernde Betheiligung an ihr er zu bestimmen trachtet. Es ergiebt sich aus den drei Theilen seiner Forschungen ein Aufbau der neueren Kunstgeschichte, dessen Spitze die Feststellung des Verhältnisses bildet, in dem der lebende Künstler sich zur ganzen Summe des bis zu seinen Zeiten künstlerisch Hervorgebrachten zu verhalten habe. Dabin strebte auch Goethe: Förderung der schaffenden Künstler des neuesten Tages. Goethe und Rumohr empfanden, wie sehr den Künstlern und dem Publicum das Verhältniss zur Kunstgeschichte abgehe, und suchten auszuhelfen. Rumohr giebt sich der Ausführung dieser Aufgabe oft nur zu sehr hin. Auch darf ihm ein zu weit getriebenes Ausdeuten der Kunstwerke vorgeworfen werden. Er betrachtet sie als eine Geheimschrift, die er allein zu lesen wisse, und verlangt Glauben wo ihm die Beweise nicht zur Hand sind. Er vergeistigt seinen Stoff zu sehr und wendet sich nur an Leser, die die ihm selber zu Gebote stehende Fülle von Kenntnissen und Erfahrungen besitzen; ein Besitz, der thatsächlich aber, wie ihn doch die Erfahrung hätte belehren müssen, Niemanden ausser ihm verliehen war. Denn Niemand war in Florenz und Umbrien zu Hause wie er.

Dies der Grund wohl, warum die Italienischen Forschungen kein Aufsehen erregten, auch keine zweite Auflage erlebt haben. Sie sind stets nur Fachleuten bekannt gewesen, die, wie seltsame Urtheile beweisen, auch heute nur zum Theile ihrem Verständnisse gewachsen sind. Die Verhältnisse lagen so bei uns, dass nicht bloss Goethe sein Lebelang auf nur fragmentarische Kenntniss Raphael's angewiesen war. Nehmen wir Goethe's hauptsächlichsten Kunstcorrespondenten für die spätere Zeit, einen der ersten Kenner, einen Mann, der überall selbst gesehen hatte: Sulpiz Boisserée, dessen gesammter, gedruckt vorliegender Briefwechsel zudem einen feingebildeten und höchstens in persönlichen Verhältnissen ein wenig befangenen Gelehrten zeigt: man fühlt heraus, wie fremd, unserem heutigen Standpunkte nach, auch seinem Auge der Entwicklungsgang Raphael's noch sein musste, wie unsicher seine Versuche sind, manche Werke, die er hier und dort zum ersten Male sieht, aus eigenem Gefühl chronologisch zu bestimmen, wie er die Epochen Raphael's nur im Grossen auseinander zu halten weiss und in welchem Grade zumal Raphael's Handzeichnungen ihm unbekannt waren. Was diese anlangt, die meist ausserhalb Italiens lagen und bei denen es sich um lange und minutiöse Untersuchungen handelt, so weiss auch Rumohr mit ihnen nicht auszukommen.

Auf gewissen Arbeitsfeldern glaubt man zuweilen so fest daran, den einzig richtigen Weg betreten zu haben, dass ein baldiges Anlangen an einem, wenn auch im Einzelnen nur verschwommen vorschwebenden Ziele als selbstverständlich angenommen wird. So viel Arbeit könne nicht aufgewendet werden, sagt man sich, wenn nicht schliesslich ein Erfolg eintreten müsste. Es ist dann, als sei die Vorsehung engagirt. Aber

um ein anderes Bild zu wählen — die letzte Blüthe bleibt
trotzdem aus; die so viel versprechende Knospe, deren Geheimniss erwartet wurde, erschliesst sich nie, sondern war selbst nur
die letzte Frucht der Entwicklung, die mit ihr dann abbricht.
Rumohr schien in seinem Buche die Prolegomena zu einem
Leben Raphael's geliefert zu haben, das aus seiner oder aus
anderer Feder nun sicher zu erwarten stand. Es war in
den dreissiger Jahren (vor 50 Jahren also) Alles in Rom
und Deutschland vorbereitet, um höchsten kunsthistorischen
Leistungen Unterstützung und Anerkennung zu sichern. Hätte
nicht Dr. Gaye von Florenz aus, wo er arbeitete, das Buch
schreiben können? Oder Dr. Kugler, oder Dr. Waagen, die
damals sich für solche Aufgaben zu rüsten schienen? Rumohr
aber wurde durch die laue Aufnahme und unverständige
Kritik seiner Leistungen deren Fortsetzung verleidet. Von
den Anderen griff Keiner zu: sie wagten es doch wohl
nicht? Und nun tritt der seltsame Zufall ein, dass die weit
zurückgeschlagene Secte der Nazarener den Mann stellt, der
die Geschichte Raphael's zu schreiben unternimmt und dem
es gelingt, zu einer Autorität zu werden, neben der sogar Rumohr zurückstand: Passavant aus Frankfurt am Main, den der
Anblick der Werke Raphael's im Musèe Napolèon einstmals
für die grosse Aufgabe begeistert hatte. Passavant's ‚Leben
Raphael's von Urbino und seines Vaters Giovanni Santi' ist
in drei Theilen von 1839 bis 1856 herausgekommen und,
nachdem es sich in Deutschland seinen Weg gebahnt, durch
die 1860 erschienene französische Uebersetzung (und Umarbeitung) von Paul Lacroix zu europäischem Ansehen gelangt[1]). Passavant und Vasari sind heute schlichtweg die
beiden Biographen Raphael's.

Passavant geht in der Vorrede die Arbeiten seiner Vorgänger durch. Rumohr, urtheilt er, habe den Erwartungen

[1]) Kürzlich ist auch eine italienische Uebersetzung erschienen.

keineswegs entsprochen, die man auf Grund der beiden ersten
Theile der ,Italienischen Forschungen' habe hegen dürfen[1]).
Diese Abschätzung Rumohr's hat etwas Entscheidendes für
Passavant selbst. Wir werden sehen, wie weit ·er zu ihr
berechtigt und auch befähigt war. Das Gute und Dauerhafte,
was Passavant geliefert hat, ist nicht sein erster, historischer,
sondern sein zweiter, katalogischer Theil, der, zumal in der
französischen Bearbeitung, die jetzt citirt zu werden pflegt[2]),
als ein Musterwerk Deutschen Fleisses dasteht. Passavant's
Name ist für die heutige Generation noch mit dem Raphael's

---

[1]) Vorw. XVII. In der französischen Uebersetzung ist dies Urtheil
abgekürzt und gemildert worden, eine Behandlung, die auch Quatremère
de Quincy und Andern gegenüber hier eingetreten ist.

[2]) Passavant wollte (allerdings unter gewissen Restrictionen wieder)
die französische Uebersetzung als eine neue Auflage- in französischer
Sprache betrachtet wissen. Sein zweiter Theil, in den auch der dritte
Deutsche hineingearbeitet worden ist, hat hier eine durchgreifende, besonders auch die Numerirung der Werke betreffende Umgestaltung erfahren. Nach diesem zweiten Theile der französischen Uebersetzung
pflegt heute, wie gesagt, citirt zu werden, was bei der geringen Verbreitung des Buches in Deutschland seine Uebelstände hat. Schon aus diesem
Grunde wäre das Erscheinen einer Deutschen Ausgabe von Rulands Katalog der Windsorsammlung. von der sogleich die Rede sein wird, höchst
wünschenswerth. Noch einfacher würde sein, in Berlin eine Sammlung
sämmtlicher Gemälde und Handzeichnungen Raphael's, sowie der danach
angefertigten Stiche in photographischen Abbildungen als gleichsam
officielle Grundlage der Raphael betreffenden Studien öffentlich auszulegen. Leider jedoch haben unsere Museen für dergleichen Aufgaben keine Mittel, da der Ankauf von mechanischen Reproduktionen,
die keinen andern Zweck haben, als das Studium zu unterstützen, streng
genommen nicht zu ihrem Ressort gehört. Welcher Nachtheil aus dieser
Lage der Dinge erwachse, bedarf keiner Ausführung. Um den zunächst
liegenden anzugeben: es ist in Berlin nicht möglich, Vorlesungen über
Raphael zu halten, die allen Ansprüchen genügten, da der Kunsthistoriker von dem Verfolg mancher Untersuchungen geradezu absehen muss,
für die er das Material nirgends vorfindet. Man kann es sich bis auf
einen gewissen Grad aus eigenen Mitteln beschaffen, in manchen Fällen
aber reichen diese nicht aus.

eng verbunden, und es fällt ein Abglanz von dessen Ruhme auf seine Person.

Anders jedoch urtheilen wir über den ersten Band, der die Geschichtserzählung enthält. Seltsam muss uns erscheinen, wie dieses schwache Machwerk überschätzt werden konnte. Besondere Umstände haben dies veranlasst.

Zu der Zeit, wo das Buch erschien, waren von den anfänglichen Trägern der nazarenischen Bewegung manche Leute von Bedeutung wohl noch übrig, aber nicht an ganz hervorragender Stelle sichtbar. Der Stifter allen Nazarenerthums, Overbeck, arbeitete als einsame, mehr den kirchlich ihm nahestehenden Leuten bekannte Grösse im alten Sinne weiter. Ebenso Veit, Schnorr und Andere. Dass die Nazarener eine Partei waren, die einmal etwas gewollt und um die geistige Führung der Deutschen Kunst gekämpft hatte, lebte nicht mehr in der öffentlichen Erinnerung. Passavant's offen heraustretendes Nazarenerthum erweckte daher weder Besorgnisse noch Widerspruch. Man hielt seinen Standpunkt meist wohl für einen persönlichen, zu dem seine Individualität ihn drängte. - Eine Biographie Raphael's fehlte. Rumohr war zu tief, Quatremère zu oberflächlich gewesen: nun kam Jemand, der das lieferte was man brauchte. Unbesehen beinahe wurde Passavant als der genommen, der in die Geheimnisse der raphaelischen Existenz am klarsten hineingeleuchtet habe. Man sah als Resultat kindlich reiner Lebensanschauung an, was doch nur die Wiederholung alter Glaubensartikel war. Raphael ist bei Passavant der übermächtige, in einen gebrechlichen Körper niedergestiegene Geist, der diese Hülle, für die er eine zu grosse Last bildet, endlich zerbricht. Passavant umgibt ihn in diesem Sinne mit den entsprechenden Charakteren. Giulio II. wird als der ‚Sittenverbesserer Roms' und Leo X. in gleichem Lichte dargestellt. Wie von Räucherwerk und geweihten Kerzen weht an manchen Stellen ein

5*

bedrängender Athem aus dem Buche uns an. Die Kindheits-
zeiten in Urbino und Perugia sind für Passavant die liebliche
reine Blüthezeit Raphael's. Der Vater Giovanni Santi steht
als Künstler seiner Meinung nach so gleichberechtigt neben
dem Sohne, dass die Nennung auch seines Namens auf dem
Titel des Buches gerechtfertigt erscheint.

. Hier nun muss allerdings in Rechnung kommen, wie sehr
durch Pungileoni's Entdeckungen Raphael's Jugendzeiten
erneutes Interesse gewonnen hatten. Man war nicht mehr
bloss auf Vasari angewiesen, sondern konnte mit Hülfe frisch
gefundener actenmässiger Angaben jetzt eigene Mythen bilden.
Pungileoni zuerst hat die neuen Familiengeschichten aus den
Actenstücken herausconstruirt, die er auffand: die Streitigkeiten
nach dem Tode des alten Giovanni, den bösen Charakter der
Stiefmutter etc., die Passavant aufnimmt. Passavant behauptet,
Alles in den Archiven verglichen zu haben; ich bezweifle dies:
er hat die von Pungileoni in den verschiedenen kleinen Publicationen, die Niemand in Deutschland kannte, gedruckten Aus-
züge der Acten nur äusserlich zusammengezogen.

Und wenn Passavant, wie bemerkt, in der Geschichte der
bisherigen Raphaelforschung, die seine Vorrede enthält, Rumohr
von oben herab behandelt, so gesteht er auch hier nicht in
vollem Umfange zu, wie sehr dieser ihm vorgearbeitet hatte.
Von Rumohr ist die provinziale Malerei, die dem jungen
Raphael die ersten bedeutenden Eindrücke lieferte, zuerst als
,umbrische Schule' erkannt worden. Rumohr hat die Eigenthümlichkeiten der Lerngenossen Raphael's im Atelier des
Perugino zuerst hervorgehoben. Rumohr's Forschertriebe war
es auf diesem Gebiete am wohlsten, er wusste die Arbeiten
der Freunde Raphael's, die eine scheinbar gleichgeartete Gesammtheit bilden, am feinsten zu unterscheiden, und Passavant hat sicherlich bei ihm einfach gelernt. Es ist umsomehr

an der Zeit, dies auszusprechen, als die Neigung, Rumohr's Verdienste zu schmälern, neuerdings wieder hervortritt.

Passavant hat in seiner langjährigen litterarischen Thätigkeit für die Kunstgeschichte so viel gethan und der zweite Theil seines Werkes ist eine so ausgezeichnete Leistung, dass von seinen Mängeln als Geschichtsschreiber offen gesprochen werden kann. Es fehlte ihm der historische Blick. Wo er über die Eigenschaften eines Gemäldes, ob es echt oder unecht sei, handelt, ist er verständlich und von Gewicht; von den Quellen der Geschichte des Cinquecento aber weiss er nichts. Er hat seine Daten hier und da zusammengesucht. Seine Auffassung Raphael's wurde ihm fertig überliefert, auch der chronikenhaft-sentimentale Ton, in dem er schreibt, war der der Nazarener. Man lese den Brief, worin Overbeck an Veit über die Aufdeckung des Grabes im Pantheon berichtet, das Raphael's letzte Reste enthält: wie über die Gebeine eines Heiligen wird geschrieben. Tieck hatte in Sternbald zuerst seine Leute so sprechen lassen.

Passavant's Buch aber, erster und zweiter Theil, wurden bei seinem Erscheinen gern und gläubig aufgenommen. Immer war es nur noch eine kleine Gemeinde, die sich in Deutschland eingehender mit Raphael befasste. Die romantische Periode unserer geschichtlichen Empfindung war noch nicht überwunden. Der Gegensatz der Confessionen fehlte. Malerei galt als eine heilige Sache. Als Cornelius in den Loggien der Münchener Pinakothek eine Kunstgeschichte in Bildern zu malen hatte, gab er Raphael's Entwicklung in nazarenischer Auffassung. Raphael war in erster Linie wieder der Madonnenmaler. Seine mythologischen Dinge traten zurück. Man dachte sich ihn als umgeben von heiligen Visionen. Das auf der Accademia di San Luca in Rom heute befindliche, allgemein wohl für ein Machwerk angesehene Gemälde, das den an der Staffelei sitzenden heiligen Lucas

darstellt, dem die Madonna als Erscheinung in's Atelier
schwebt, während Raphael im Hintergrunde, etwa als Lehrling des Evangelisten, Theilnehmer der Scene wird, drückt
am besten aus, wie man sich ihn dachte. Was Irdisches
aus seinem Dasein nicht fortzuschaffen war, wurde mit einem
gewissen Dunste umhüllt, der es halb verschwinden, halb in
veränderter Gestalt erscheinen lässt [1]). In Berlin besonders
fand Passavant's Auffassung innige Anhänger. Der Ankauf
des sogenannten Raphael Ancajani, eines verdorbenen Werkes,
das seinen früheren Zeiten zugeschrieben wurde, war ein
Ereigniss. Niemand hätte, als es in Berlin zuerst erschien,
sagen dürfen, Raphael habe das Gemälde nicht hervorgebracht
oder es sei überhaupt nicht viel werth. Heute weiss man
kaum noch davon. —

Das Entscheidende bei Passavant's Arbeit und der sie
umgebenden und von ihm abhängigen Litteratur ist, dass sie
noch vor den Zeiten der Photographie entstanden war, dass
die Handzeichnungen Raphael's also nur in beschränktem
Maasse hatten zu Rathe gezogen werden können. Von Sammlung zu Sammlung reisend, hatte Passavant damals noch
diese Blätter prüfen und registriren müssen. Er mag Alles
gesehen haben, was er anführt: sicher sah er das Meiste nur
auf kurze Zeit. Die vorhandenen, im Kupferstiche hergestellten Facsimiles, welche vergleichende Studien damals
allein erlaubten, waren sämmtlich mehr oder weniger unge-
nau: Erinnerung musste immer das Beste thun und Irrthümer
liefen stets mit unter. Ohne die Hilfe der Handzeichnungen
aber, die in vielen Fällen wichtiger als die Gemälde sind
und die in allen Fällen als unentbehrlich angesehen werden,
lässt sich eine sichere Deutung der Compositionen, die Ge-

---

[1]) So z. B. die Gestalt der Fornarina, ‚des Mädchens seiner Wahl‘,
wie Passavant sie nennt.

schichte ihrer Entstehung und die Chronologie der Arbeiten
Raphael's heute nicht herstellen. Das Eingreifen der Photographie aber zur Herstellung des betreffenden Materials ist
zuerst von den Engländern bewirkt worden.

England ist von mir erst einmal, bei Gelegenheit der
Dorigny'schen Stiche nach den Cartons zu den Teppichen,
erwähnt worden. Ehe wir die Rolle feststellen, die es Raphael gegenüber im vorigen Jahrhundert und in neuerer Zeit
gespielt hat, sei noch einmal recapitulirt, was bis dahin von
den Italienern, Franzosen und Deutschen überhaupt geleistet
worden war.

Die Italiener, in ununterbrochener, stets leidenschaftlich
betriebener eigener Production begriffen, mussten je nach
der Laune ihres schöpferischen Triebes sich Raphael näher
oder ferner fühlen, ja ihn zu Zeiten verleugnen. Die Litteratur der Italiener hat (bis auf die neueste Zeit, wo die Dinge
allerdings anders geworden sind) kaum jemals die allgemeine
Stimmung der Nation wiedergespiegelt: sie wurde in zu starkem
Maasse bedrückt, um als Abbild der öffentlichen Meinung je
gelten zu dürfen. Eine geschichtliche Litteratur wie bei den anderen Nationen konnte sich deshalb nicht in Italien entwickeln
und diese Unmöglichkeit galt auch für die Kunstgeschichte. In
Lemonnier's florentiner Vasariausgabe hatten sich, wie dankbar
eingestanden wurde, die Herausgeber einfach an Passavant
gewandt. In einer Richtung dagegen war man in Italien
productiv gewesen: in Abfassung von Streitschriften zu
Gunsten einzelner Arbeiten, oder gegen sie, die Raphael zugeschrieben oder ihm genommen werden sollten. Unter dem
Anscheine rein gelehrten Interesses waren Fragen, bei denen
die Eitelkeit einzelner Sammlungsbesitzer oder auch der
Stolz der Städte, meist jedoch die Absicht auf Geldgewinn
das leitende Motiv war, umständlich erörtert, und weil dabei
diejenigen, welche für die Raphaelicität der Werke eintraten,

meist den Sieg erfochten, eine Vermehrung der Raphael zugeschriebenen Arbeiten herbeigeführt worden, deren Wieder-
beseitigung heute einen guten Theil der gelehrten Arbeit in
Anspruch nimmt [1]).

Die schriftstellerische Thätigkeit der Franzosen war dadurch beeinträchtigt worden, dass sie Anhängern des romantischen Katholicismus, der die kunstgeschichtliche Forschung
in Frankreich überhaupt in eifrigem Betriebe hält, anheimgefallen war. Passavant's Standpunkt liess sich dieser Auffassung anpassen und die Popularität der französischen Uebersetzung des Buches ist diesem Umstande wohl zuzutheilen.
Rio schrieb Passavant aus; Gruyer, wo er in seinen allzu
umfangreichen declamatorischen Büchern auf festen Boden
geräth, fusst meist auf Passavant. Clèment hat einen directen
Auszug Passavant's gegeben, Vitet's Phantasie sich überhaupt mehr in historischen Visionen bewegt. Aber nicht
bloss die Kunsthistoriker sprachen sich in Frankreich über
Kunst aus. Ingres' Lebensbeschreibung wurde schon genannt: Flandrin's, Delacroix', David d'Angers' und Anderer
Meinungen kamen aus Briefen oder Erinnerungen jeder Art an's
Licht und enthüllten, einen wie festen Bestandtheil des inneren
Lebens Raphael für die französischen Künstler und das Publicum bildete. Dem entsprachen die fortwährend aus Rom
nach Paris gelangenden Copien von Werken Raphael's, sowie
die vorzüglichen Platten der französischen Kupferstecher.

Von den Deutschen war Raphael's weltgeschichtliche
Stellung zuerst erkannt worden. Geleitet jedoch mehr von
allgemeinen Anschauungen, als von praktisch sich bethä-

---

[1]) Die Zahl der betreffenden Schriften, oft kleinen Umfanges, ist
sehr gross. Das obenerwähnte unverhältnissmässige Anschwellen der
italienischen Uebersetzung Quatremère de Quincy's von Longhena wurde
der Aufnahme derartiger Litteratur in Anmerkungen und Excursen
verdankt.

tigender Forschung, für die uns das erziehende Material fehlte, hatten wir Raphael mehr empfunden, als die Gründe dieses Gefühls in seinen Werken nachzuweisen vermocht. Die fachmännisch-kunsthistorische Litteratur erhob sich nirgends über Passavant. Nagler's umfangreicher Artikel im Künstlerlexikon beruht z. B. auf ihm, ebenso das von Schorn in der Uebersetzung der Werke Vasari's zusammengestellte Material. Nehmen wir an, Schnaase, dem in den fünfziger und sechziger Jahren bei uns doch wohl das Meiste zugetraut wurde, sei in seiner Kunstgeschichte bis zu Raphael gelangt, so würde er in den Gesichtspunkten sich über Passavant nicht erhoben haben. Goethe's gelegentlich gethane, in Aufsätzen und Briefen zerstreute Aeusserungen bekundeten immer noch die grösste Einsicht in Raphael's Entwicklung. In besonderer Art ist von Ranke Raphael construirt worden, in dem er die Gegensätze des Quattrocento und des Zeitalters der Reformation nachweist. Ranke wäre im Stande gewesen, Raphael als historischen Factor innerhalb des Jahrhunderts, in dem er lebte, zu erklären, seine Gedanken aber waren ungedruckt geblieben [1]). Die wichtigste von all diesen Publicationen würde Burkhardt's Cicerone sein, fände sich das Raphael Betreffende nicht so zerstreut in dem Buche, dass es dadurch einen bedeutenden Theil seiner Wirkung einbüssen musste. Burkhardt schrieb zudem in einer Weise, als demonstrire er von den Werken selbst seine Ansichten — daher auch der die Manier charakterisirende Titel: Cicerone, den er dem Buche gab — er wird immer nur denen ganz verständlich sein, die entweder mit ihm vor den Gemälden stehen oder diese genau im Gedächtnisse tragen. An Feinheit der Beobachtung aber übertraf ihn Keiner. Dabei verhehlte er in seinem Urtheile nicht,

---

[1]) Der Aufsatz, ‚Zur Geschichte der italienischen Kunst‘, von Leopold von Ranke, aus früheren Zeiten stammend, ist in ‚Nord und Süd‘ vor einigen Jahren erst veröffentlicht worden.

dass gerade die, die die Dinge am besten verstehen, oft am
meisten sich fest auszusprechen zögern und eine gewisse
Unbestimmtheit des Ausdrucks als ihr Vorrecht in Anspruch
nehmen[1]). Raphael findet sich in gedruckten Briefwechseln
und Biographien bedeutender Künstler, Dichter und Gelehrten
oft genannt: originellen Bemerkungen aber begegnen wir
seltner. Cornelius' Werke zeigten, je weiter er fortschritt,
ein um so tieferes Studium Raphael's: seine Aeusserungen
über ihn jedoch, mündliche wie schriftliche, hatten nichts
Ueberraschendes, Eigenes. Der Deutsche Kupferstich dagegen stand für diese Epoche an der Spitze der europäischen
Leistungen und fuhr fort, die Bekanntschaft mit Raphael in
den Familien zu verbreiten.

Sehen wir nun, wie England Raphael gegenüber sich
gestellt hatte.

Die ersten Engländer von Bedeutung, die sich meiner
Kenntniss nach über Raphael geäussert haben, sind die beiden
Richardson, Vater und Sohn, zu Anfang des vorigen Jahrhunderts in Italien, Frankreich und ihrem Vaterlande hoch-
geachtete Autoritäten[2]). Unter all den Schwierigkeiten, die
damals noch der Befriedigung der Kunstliebhaberei sich ent-
gegenstellten, gingen sie auch Raphael's Spuren nach und
legten ihre Bemerkungen in einem berühmt gewordenen
Buche nieder. Sie wollten nur über das sprechen, was sie
selbst genau kennen gelernt hatten. Die Position, die sie
den bildenden Künstlern innerhalb des Haushaltes der Na-

---

[1]) Die neueren Auflagen des Cicerone geben in manchen Fällen
nicht mehr Burckhardt's Meinungen, sondern die Director Dr. Bode's, der
das Buch neu herausgegeben hat und dem Burckhardt natürlicherweise
volle Freiheit gestattete. Es hat dadurch das eigenthümlich Individuelle
eingebüsst, das ihm in der ersten Auflage eigen ist, auf die ich öfter
zurückkommen werde. Ich weise darauf hin, dass weder Goethe, noch
Stendhal, noch Rumohr, und so auch Burckhardt nicht sich die Aufgabe
gestellt haben, ein ‚Leben Raphael's‘ zu schreiben.

[2]) Bacon nennt nur Dürer, Shakespeare nur Giulio Romano.

tionen gaben, war eine männlichere als ihnen in Italien und
Frankreich damals zugestanden wurde, wo die Begriffe ‚Kunst‘
und ‚Luxus‘ kaum noch zu trennen waren. Die Richardsons,
unabhängige, in freier Weltanschauung erzogene Männer,
empfanden, dass der bildende Künstler mit dem Dichter und
Historiker auf gleiche Höhe zu stellen sei. Es verstand
sich von selbst, dass ihnen die Cartons zu den Teppichen
als Raphael's vornehmstes Werk erschienen. In ihrem er-
greifenden Realismus waren diese Zeichnungen ihnen als
Engländern am verständlichsten. So urtheilte auch Goethe
später: dass, wenn man von den sistinischen Deckengemälden
Raphael's komme, von Raphael's Arbeiten nur die Compositionen der Teppiche noch Stand hielten. Was die Nachahmung Michelangelo's durch Raphael anlangte — das alte
Streitthema, das man in kindischer Weise als Etiquettenfrage
behandelte — so gaben sie die Thatsache zu, urtheilten aber,
dass diese Nachahmung Raphael zur Ehre gereiche.

An Richardson's Schriften hatte Sir Joshua Reynolds,
der berühmte englische Maler des vorigen Jahrhunderts, sich
begeistert. In Rom studirte er Raphael's vaticanische Fresken
und copirte sie zum Theil. Von einem Landsmann erhielt
er den Auftrag, die Schule von Athen in der Art zu wiederholen, dass den die Composition bildenden Gestalten die
Köpfe der in Rom damals anwesenden hervorragenden Engländer verliehen würden. Als Director der Londoner Akademie kommt Reynolds in öffentlichen Ansprachen, die er
zu halten hatte, stets auf Raphael zurück, für den er, noch
ehe er mit so hoher Autorität Reden zu halten hatte, in
Zeitungsartikeln eingetreten war, ‚Kennern‘ gegenüber, die
die Teppichcartons auf Grund sogenannter akademischer
Regeln meistern zu dürfen geglaubt hatten.

Zu gleicher Zeit liess Webb seine später weit verbreiteten ‚Untersuchungen über die Schönheit‘ erscheinen, eine

Reihe von Dialogen, die die gesammte Kunst, antike bis moderne, behandelnd, Raphael vorzugsweise gewidmet sind. Die Cartons zu den Teppichen zeigen auch Webb zufolge Raphael's Genie in der höchsten Potenz. Zwar muss Derjenige, dem in den Dialogen die Rolle zufällt, für Raphael einzustehen, zugeben, es hätten die Compositionen der antiken Künstler einfacher und mit geringerem Figurenaufwande die Stimmung höchster menschlicher Momente auszudrücken gewusst (wobei Webb sich ebensosehr auf die vorhandenen Denkmäler als auf die Mittheilungen der antiken Autoren beruft); Raphael dagegen wird neben den Alten doch wieder die Kraft, das charakteristische bewegende Motiv aus Gruppen von Menschen herausleuchten zu lassen, als Vorzug eingeräumt. Diese Ausführungen, in denen die Schrift am Schlusse gipfelt, sind überzeugend dargelegt und vielleicht auf Goethe nicht ohne Einfluss gewesen.

Es darf nicht Wunder nehmen, wenn Webb sowohl als Reynolds trotzdem Correggio in Betreff der Farbe über Raphael erheben. So hatte auch von Anfang an Mengs geurtheilt. Correggio war den schaffenden Malern des vorigen Jahrhunderts am verständlichsten, am beneidenswerthesten. Er gab ihnen als selbstthätigen Künstlern, die nicht nur zu bewundern, sondern auch Farben auf Leinwand zu bringen hatten, die grössten Räthsel auf und entsprach in seiner Weichheit dem Geschmacke des Publicums. Raphael wurde von Webb und Reynolds überhaupt in mancher Hinsicht als überwunden angesehen. Die damalige Zeit bewegte sich noch innerhalb der von Raphael und seinen Zeitgenossen ausgehenden Kunstübung. Kritik derselben und Rechtfertigung des eigenen Standpunktes erschien den Malern so nöthig als heute etwa den Musikern, die bei allem Studium der grossen Meister sich zu neuer Arbeitsweise für berechtigt halten. Niemals, spricht Reynolds (im Hinblick auf Vasari) aus, habe Raphael die Trockenheit und Kleinlichkeit der Auffassung, die sein Erbtheil von Perugino her gewesen sei, ganz abgelegt. Wo er in Oel male, scheine seine Hand den Pinsel krampfhaft umklammert zu halten, dass Geist und Leichtigkeit dabei zu Schaden kämen. Ja, nicht einmal die correcte Form finde sich auf seinen Staffeleigemälden gewahrt, die wir auf seinen Fresken bewunderten.

Die das achtzehnte Jahrhundert in weiteren Kundgebungen ausfüllende litterarische Bewegung der englischen Kunstkritik erhob sich nicht über den von den Richardson's gezogenen Gedankenkreis. Immer noch war Kunstgeschichte ein abgetrenntes Gebiet, in das diejenigen sich nicht verirrten, deren Aufgabe war, Geschichte, sagen wir, im Sinne Gibbon's, zu schreiben. Der erste englische Autor, der hier einen Schritt weiter ging, war Roscoe. Er hat in seinem Mitte der neunziger Jahre erscheinenden Leben des Lorenzo dei Medici Raphael im Zusammenhange mit den Zeitläuften besprochen. Er widmet ihm einen besonderen Excurs[1]). Wir begegnen bei Roscoe dem Verständniss der Werke und der Kenntniss der betreffenden Litteratur, aber er urtheilt mit der objectiveu Kühle über diese Dinge, die dem Historiker auch den höchsten Erscheinungen gegenüber ansteht und zumal dem englischen Charakter entspricht.

Es ist bekannt, wie wenig England von der das übrige Europa umgestaltenden französischen Revolution berührt wurde. Es erfolgte keine Aenderung der ästhetischen Anschauungen. Reynolds' Autorität wirkte weiter[2]). Duppa, als er 1816 sein kümmerliches ‚Life of Raffaello‘ erscheinen

---

[1]) Auch Tiraboschi hat in seiner Literaturgeschichte die Geschichte der bildenden Kunst im Zusammenhange mit ihr behandelt, aber die betreffenden Kapitel wirken wie eingeschobene Zuthaten.

[2]) Neue Ausgaben seiner gesammelten Schriften folgten sich. Die letzte erschien in den fünfziger Jahren.

liess, ging wörtlich auf Reynolds' Urtheil zurück. Lord
Byron's Briefe und Gedichte ergeben nichts [1]). Dagegen tritt
uns aus Shelley's Briefen ein Urtheil entgegen, das diesen,
Byron an Hoheit des Urtheils übertreffenden Dichter, als
den ersten Engländer zeigt, der Raphael in modernem Sinne
zu betrachten fähig war. ‚Du vergissest‘, schreibt er, ‚im
Anblicke des Gemäldes, dass es ein Gemälde sei. Und doch
hat Cäciliens Gestalt nichts von dem, was bei uns Realität
genannt wird. Sie ist begeisterter innerer Anschauung ent-
sprossen, demselben zur That werdenden Gefühle, dem die
gemeisselten und gedichteten Gestalten der antiken Kunst
entstammen, die alle späteren Nachahmer in Verzweiflung setzen. Man weiss nicht, was das Geheimniss der
Wirkung des Bildes sei: ich nenne es Einheit, Vollendung.
Die Figur der Heiligen scheint selbst die Begeisterung zu
hegen, mit der sie vor ihrer Entstehung die Seele Raphael's
erfüllt hatte. Ihre tiefen, dunklen, sprechenden Blicke sind
emporgerichtet. Das kastanienbraune Haar ist zurück-
gestrichen. Sie hat eine Orgel in den Händen. Sie scheint
von der Tiefe ihrer Leidenschaft und Entzückung weniger
erregt als in Ruhe versenkt zu sein und durch und durch
von warmem und strahlendem Lebenslichte durchleuchtet.
Sie horcht auf die himmlische Musik; sie hat, scheint es,

---

[1]) Die einzige Notiz ausgenommen, dass ihm seiner Zeit Duppa's
Buch zugegangen war. 1817 schreibt er einmal von den Deutschen
Künstlern, die das Haar à la Raphael trügen. (Auch Goethe spricht
von den ‚glattgekämmten‘ jungen Künstlern in Rom.) Stendhal begegnete Byron 1816 in Mailand. Der Brief, in dem er darüber berichtet,
enthält eine ausgezeichnete Charakteristik des Dichters, den er in die
Sammlungen der Brera führte und dessen tiefes Urtheil über die verschiedenen Meister er bewunderte. Hier musste auch von Raphael vor
dessen Sposalizio die Rede gewesen sein, falls das Gemälde damals schon
wieder aus Paris zurück und aufgestellt war. Eine von Byron's geringeren
Dichtungen, Beppo, enthält eine Strophe, in der Raphael als unsterblich
über Italien fortlebend in ziemlich allgemeinen Wendungen erwähnt wird.

selbst gesungen und eben aufgehört: die sie umgebenden
vier Gestalten lassen es in ihrer Haltung erkennen, Johannes
zumeist, der in sanfter, aber leidenschaftlicher Bewegung und
wie erschöpft ihr sein Antlitz zuwendet. Zu ihren Füssen
liegen zerbrochene Musikinstrumente. Vom Colorit nur soviel: es geht über die Natur hinaus und es sind ihm doch
alle Wahrheit und Sanftheit der Natur eigen.' Das sind
Sätze, die wir nachempfinden wie die in Goethe's Briefe,
dem hier doch anzumerken ist, dass er dreissig Jahre früher
geschrieben hatte [1]).

Es ist im vorigen und heutigen Jahrhunderte das Meiste,
was von Raphael noch zu kaufen war, nach England gegangen.
Am reichlichsten flossen die Handzeichnungen dahin ab. Dem
englischen Charakter ist ein gewisses Wohlgefallen an ganz
exacter Wiedergabe des Sichtbaren eigen, das in der Herausgabe von Facsimiles dieser Blätter seinen Ausdruck fand.
Graf Caylus, der in Frankreich die ersten, höchst mangel-
haften Nachbildungen raphaelischer Handzeichnungen herstellen liess, wurde von den englischen Stechern überholt.
Die Kostbarkeit der Bände aber, zu denen diese Arbeiten
vereinigt erschienen, und die dem Streben nach Eleganz ent-
springende Unvollkommenheit, die ihnen bei noch so bewun-
derungswürdiger Genauigkeit der Wiedergabe anhaftete, standen ihrer Verbreitung und ihrer Brauchbarkeit im Wege. Nun
trat die Photographie ein und der Prinzgemahl von England
legte mit ihrer Hilfe eine vollständige Sammlung aller künstlerischen Aeusserungen Raphael's an, keinen Strich seiner
Hand ausgenommen.

Bei der ersten in den funfziger Jahren in Paris abge-
haltenen internationalen Gewerbeausstellung hatte sich heraus-

---

[1]) In der Folge werden wir sehen, wie Andere über das Werk
geurtheilt haben.

gestellt, dass das englische Kunstgewerbe im Material das
französische überbiete, in der Form aber hinter ihm zurück-
stehe. Man empfand den Missstand, wusste aber nicht, wie
ihm abzuhelfen sei. Jetzt zeigte sich, was der rechte
Mann an der rechten Stelle leistete: der Prinzgemahl glaubte,
dass es möglich sein werde, das nationale Schönheitsgefühl
durchweg auf ein höheres Niveau zu erheben. Arbeiter und
und Publicum: Jedermann im Lande sollte besser sehen lernen
und Besseres vor Augen haben. Die Art, wie diese Aufgabe
angegriffen wurde, und der eintretende Erfolg sind das Wirken
seiner Initiative. Auge und Hand mussten gebildet und Schulen
eingerichtet werden, auf denen dies erreicht wurde. Dies ins
Werk zu setzen, wäre Mancher ja wohl befähigt gewesen: das
jedoch, wozu es wiederum gerade des Prinzen bedurfte, war die
Erkenntniss, nur mit Vorlagen allerersten Ranges könne hier
eine Wirkung erzielt werden: nur das Beste sei gut genug.
Unter den getroffenen Maassregeln war eine der erfolg-
reichsten die Herstellung von Photographien nach den Cartons für die Teppiche und deren Verbreitung über das Land,
das sie ästhetisch befruchten sollten. Und die Cartons haben
ihre Aufgabe erfüllt. Waren sie früher schon in Verehrung
gehalten, so gelten sie der gesammten öffentlichen Meinung
heute als eines der kostbarsten nationalen Besitzthümer[1].
Für die Raphaelsammlung des Prinzen hat Karl Ruland,
heute Director des Museums zu Weimar, den Katalog angefertigt, der leider jedoch, so viel ich weiss, nur in einigen,
an die grösseren Institute verschenkten Exemplaren nach

---

[1] Es ist seltsam, im Gegensatze hierzu, wie folgenlos der Erwerb
der Teppiche selbst, und zwar eines Exemplars, das mit dem römischen
concurriren könnte, für Deutschland geblieben ist. Sie sind in einer
Weise bei uns aufgestellt, die es unmöglich macht, sie aus der richtigen
Entfernung zu sehen, da man entweder zu nah oder zu fern steht, und
alle Versuche, ihnen einen besseren Platz zu schaffen, sind vergeblich
gewesen.

Deutschland gelangt ist[1] Die darin gegebene systematische
Zusammenstellung alles dessen, was Raphael gemalt und
gezeichnet hat, andererseits was ihm nur zugeschrieben
werden darf, gewährt einen Ueberblick über seine Thätigkeit wie wir sie bei Passavant nicht empfangen. Die still-
schweigende Kritik, die überall zur Anwendung kommt, ist
von Wichtigkeit.

Es ist oben jener Theil der italienischen Raphael-Litte-
ratur erwähnt worden, deren Inhalt der Streit über Echtes
und Unechtes bildet. Das in Raphael's Person liegende, zur
Mythenbildung verlockende Element hatte sich auch auf die
Werke übertragen. Vergessene Gemälde grosser Meister zu
entdecken und ihre Echtheit durchzufechten, war zur Lebens-
aufgabe von Kunstliebhabern geworden. Es gab Fanatiker
hier, Leute, die Raphael so viel Arbeit nachträglich aufbürde-
ten, wie er Tag und Nacht weiter schaffend nicht hätte liefern
können. Aus inneren Gründen war Diesem oder Jenem
klar geworden, nur Raphael könne dies oder jenes Werk gemalt haben, das nun an die Stelle, die es einzunehmen berechtigt schien, unter die übrigen eingeschoben wurde. Je
mehr die Zahl dieser Einschiebsel wuchs, um so sicherer
fühlte sich Jeder, der etwas dieser Art zu besitzen glaubte.
Um so geneigter waren diese Besitzer zumal, Anderen durch
Gewährung ihrer Anerkennung den gleichen Vorzug zu bereiten. Der Glaube an ein für echt gehaltenes Werk ist
an sich erfreulicher, als die Genugthuung, es als zweifelhaft
abzulehnen oder gar scharf zurückzuweisen. Daher in Italien
die allgemeine Bereitwilligkeit, Werke grosser Meister für
echt zu erklären. Pungileoni hatte mit einem gewissen geist-

. [1] Es ist diese Zurückhaltung nicht bloss der Sache wegen, sondern
auch deshalb zu bedauern, weil der Katalog, wenn er leichter zugänglich wäre, das Andenken des Prinzen in den Deutschen gelehrten
Kreisen auf schöne und würdige Weise aufrecht erhalten würde.

lichen Eifer, als gelte es die legendaren Thaten eines Heiligen zu vermehren und als glaubwürdig zu bekräftigen, Raphael's Wirksamkeit zu verbreitern gesucht. Jede Nachricht
über eine Raphael zuzuschreibende Arbeit war ihm erwünscht.
Er würde sich selbst beraubt zu haben glauben, hätte er hier
allzu kritisch vorgehen wollen. Er sowohl als Passavant
waren Leute, deren kunsthistorischer Betrieb mit keinerlei
öffentlicher Lebensthätigkeit zusammenhing, die auch mit
der Presse nichts zu thun hatten, deren Macht damals gering
war und an der nur Wenige sich betheiligten. Bedenken
Andersgläubiger machte ihnen wenig Kummer, fester Widerspruch trat ihnen kaum entgegen, und was sie acceptiren oder
bestreiten wollten, war ihrem Gutdünken anheimgegeben.
So kam es, dass Passavant Pungileoni's Zuwüchse zum Theil
willig aufnahm und dass auch Rumohr sich der Lust hingab,
neue Werke Raphael's aufzuspüren und als solche zu vertheidigen [1]).

Die Sammlung des Prinzgemahls von England setzte
den Kunstfreund nun zum ersten Male in Stand, Raphael's
gesammte Arbeit kritisch zu übersehen. Der vergleichende

---

[1]) ‚Entdeckungen‘ von Werken Raphael's, besonders aus seinen Anfangszeiten, gehören zu den häufigeren Vorkommnissen. Man lese nach,
mit welchem Stolze Delacroix 1838 in Rouen gleich drei solcher Gemälde entdeckt. Berty, Lettres de Eugène Delacroix I, 229. Oefter begegnet man in Italien Kunstfreunden, ‚die von einem unbekannten, aber
echten Raphael wissen‘, jedoch ablehnen, die Stelle zu nennen, wo er
sich befinde. In Rom lebt ein Geistlicher, der eine ganze Gallerie von
Werken Raphael's besitzt, die er allein als solche anerkennt. Wir werden in der Folge sehen, wie um einzelne Werke litterarische Kriege geführt worden sind. So um das Abendmahl von San Onofrio in Florenz,
dessen Raphaelicität in Florenz so sicher festgestellt wurde, dass es fast
wie schlechter Ton war, sie doch zu bezweifeln. Heute glaubt Niemand
mehr daran. Um ‚Apollo und Marsyas‘, jetzt endlich in Paris ange-
kauft, ist dreissig Jahre gestritten worden. Möglich, dass das Werk
das Schicksal des vorigen haben werde.

Blick musste eine Reihe von Werken bei Seite legen. Sodann trat hervor, dass die Raphael sicher zuzuschreibenden
Arbeiten nicht, wie von Passavant gethan war, in eine lange,
chronologische Reihe zu bringen, sondern nach den Gegen-
ständen zu theilen seien. Hiermit ward Klarheit in die Masse
gebracht. Der uns heute obliegenden Thätigkeit, immer
schärfer das Zweifelhafte auszuscheiden, war damit ein fester
Boden gegeben.

Ein Vortheil viel höherer Art aber erwuchs aus der nun
fast vollständigen Angabe aller noch vorhandenen Skizzen
und Studienblätter. Die Möglichkeit bot sich, eine Anzahl
der wichtigsten Compositionen vom ersten Aufbau ab zu verfolgen und neben dem äussern Wachsthum das des geistigen
Gehaltes sich entfalten zu sehen. Mit neuem Staunen blickt
man in die Werkstätte des Meisters nun hinein. Die Werke
erzählen ihre eigne Geschichte und Vasari's Nachrichten sind
von einer neuen Seite her zu controliren. Dies ist das Ziel
meiner eigenen Arbeit gewesen, die ohne Ruland's Katalog
und ohne die freundliche Mittheilung seiner Photographien unmöglich gewesen wäre, und deren erster Band 1872 herauskam.

Am Schlusse dieser Einleitung wäre nun zu berichten,
wie ich meinerseits zu Raphael geführt worden bin.
Raphael ist mir zuerst in vier Madonnen entgegengetreten,
die ich von Kind auf vor Augen gehabt habe. Im Zimmer
meines Vaters hing Müller's Stich der Dresdner Madonna,
auf die er selbst noch subscribirt hatte, bei meiner Mutter
die Belle jardinière von Desnoyers, die Jungfrau im Grünen
von Agricola und die Madonna della Sedia wiederum von
Desnoyers. Ich sah die Bilder an wie etwas, ohne das die
Welt, innerhalb des engen Horizontes, mit dem sie mich
umgab, nicht zu denken sei und sie haben sich mir so tief
eingeprägt, dass, wenn eines von ihnen genannt wird, mir

6*

nicht das Original, sondern der Stich zuerst vor die Seele
tritt. Ich erinnere mich der Verwirrung, in die mich der
erste Anblick der Madonna in Dresden setzte. Etwas mir
durchaus Vertrautes stand plötzlich in ganz anderer Gestalt
vor mir: ich hätte, wäre ich um ein Urtheil gefragt worden,
dem Stiche den Vorzug gegeben, denn ich kannte jede
Schraffirung darauf und sah die sich kreuzenden Linien als
etwas an, ohne das das Werk nicht zu denken sei.

Wenn ich zusammenrechne, was ausserdem in den Wohnungen unserer Freunde an Werken Raphael's in Stichen
zu finden war, so kann ich sagen, dass ich im Anblicke seiner
gesammten Thätigkeit aufgewachsen sei, ohne dass mir je ein-
gefallen wäre, die einzelnen Werke in Gedanken in historische
Ordnung zu bringen oder sie als Resultat einer Lebensarbeit
anzusehen. Auch hörte ich nirgends über Raphael sprechen.
Das jedoch wurde mir eingepflanzt, diese Darstellungen als
das Vornehmste anzusehen, was die bildende Kunst hervorgebracht hatte. Die von Raphael theils herrührenden, theils
ihm zugeschriebenen Gemälde des Berliner Museums er-
weckten meine besondere Theilnahme nicht.

Den Anstoss zu einer andern Anschauung der Dinge
gab das Erscheinen von Guhl's Künstlerbriefen. Dies Buch
hat in Berlin das Interesse des breiteren Publicums für
neuere Kunstgeschichte hervorgerufen. Persönlicher Zusammenhang der Werke und ihrer Urheber wurde sichtbar.
Man las, wie die grossen Künstler gedacht hatten, wie das
Leben sie erzog und formte, wie ihre Werke sich als Producte
ihrer Existenz erklären liessen. Raphael und Michelangelo
wurden zu sichtbaren Persönlichkeiten. Zugleich erhellte
aus Guhl, wie man es anzufangen habe, um diesen Dingen
selbständig weiter nachzuforschen. Die von ihm citirten
Bücher standen in der königlichen Bibliothek. Ich installirte
mich im letzten obersten Winkel des grossen Baues und

ruhte nicht eher, als bis ich in der gesammten Litteratur zu
Hause war. Dazu bot das königliche Kupferstichcabinet die
nöthige Ergänzung. Nachdem ich alles in Berlin Erreichbare
in mich aufgenommen, schrieb ich, noch ehe ich Italien gesehen, als Besprechung der Künstlerbriefe einen Aufsatz über
Raphael und Michelangelo[1]). In demselben Jahre gelangte
ich zum ersten Male nach Rom.

Ende Mai 1857 kam ich dort an. Ich habe Rom nie
wieder so gesehen. Der Schwarm der Fremden war schon
davongeflogen. Die Stadt, damals noch völlig in sich versunken unter dem päpstlichen Regimente und von keiner
Eisenbahn berührt, schien, in Sonnenschein und Gedanken-
stille erstarrt, wie in einem unbewegten Meere vor Anker
zu liegen. Man meinte, das sei ewig so gewesen und müsse
ewig so dauern. Die heissen Strassen, die erst Abends sich
belebten, waren verlassen, wenn ich, Morgen für Morgen,
mich im schmalen Schatten der Häuser haltend zum Vatican
pilgerte, wo ich die unendlichen Treppen hinaufstieg und
die mir bald wohlbekannten Gänge durchwanderte, deren
mauerkühle, vom leisen Dufte der im päpstlichen Garten
blühenden Orangen durchhauchte Atmosphäre mich manchmal in der Erinnerung noch umgiebt. An manchen Tagen
begegnete ich keiner Seele auf diesem Wege durch den
ganzen Palast. An der Thür, zu der ich wollte, wurde der
Custode durch langsam verhallendes Geläute herbeigelockt,
er liess mich ein und ging wieder. So habe ich lange Zeit-
abschnitte dort und in der Farnesina, die ebenso verlassen
dalag, zugebracht. Hier durfte ich mich allmälig an Raphael's
Werke gewöhnen, um endlich zu wissen, was ich sähe. Dies
Wissen erlangt man nicht so schnell. Ich schrieb Abends,
wenn ich wieder in meiner Stube auf dem Capitol sass,

---

[1]) Zehn ausgewählte Essays. 2. Aufl. S. 7 ff.

nieder, was ich Tags über gesehen. Ich suchte aus der Erinnerung die Gemälde genau zu beschreiben, die ich mir,
wie ich glaubte, in jedem Umrisse und jeder Farbennüance
eingeprägt hatte, und musste Anfangs staunen über den geringen Rest dieser Eindrücke, der mir, wenn ich schreiben
wollte, geblieben war.

Ich stand diesen Eindrücken damals ganz allein gegenüber. Es fehlte mir noch jede Kenntniss der Handzeichnungen. Unsere Litteratur kümmerte sich kaum um Raphael.
Ich konnte mit Niemand über die Dinge reden: meine Umgebung hatte archäologische Interessen und Cornelius äusserte
sich nur im Allgemeinen.

Raphael und Michelangelo erschienen mir als ein und
dieselbe productive Macht, von zwei Personen repräsentirt,
die wie Frühling und Sommer desselben Jahres nebeneinander standen. Was Rom übrigens an öffentlicher Malerei beherbergte: meist Werke der Bolognesen, fiel vor ihnen ab;
nahe dagegen standen ihnen die antiken Sculpturen, deren
endlose Stücke, in gleicher Einsamkeit im Vaticane aneinander gereiht, ich zu bewältigen suchte. Hierfür hatte ich
Brunn, von dem ich seit unserer damals beginnenden Freundschaft unendlich viel gelernt habe. Brunn ging aus von der
Anschauung der gesammten Kunstgeschichte, noch im alten
Sinne der Deutsch-römischen Schule früherer Zeit. Er sah,
wie sehr man die neuere Kunst vom Trecento bis Cinquecento bedürfe, um die Entwicklung der antiken zu verstehen.
Während mir die Erkenntniss der Neueren ohne die der Antike ebenso unmöglich scheint.

In meinem Buche über Michelangelo wies ich Raphael
so viel Raum an, als seiner Person und seinen Werken neben
denen Michelangelo's zu gebühren schien. Er hatte kein
volles Menschenleben gelebt, keine äusseren Schicksale gehabt wie dieser. Es sind mannigfaltige Versuche gemacht

worden, das herauszubringen, was man heute speciell ein
‚Leben Raphael's‘ nennt. Ein solches Leben wird sich niemals finden. Raphael als Künstler hat etwas von einem
Geiste gehabt, der über der Erde wandelnd keine irdischen
Fusstapfen hinterliess. Ich habe im Leben Goethe's als
einen der Unterschiede zwischen Schiller und Goethe darzulegen versucht, wie Goethe's Erlebnisse unentbehrlich seien
für die Erklärung seiner Dichtungen, Schiller dagegen, so
stürmisch auch sein Dasein war, als Dichter unabhängig erscheine von dem was er erlebte; wie er ganz anders vom
Schicksal dahin oder dorthin habe geworfen werden können
und dennoch vielleicht die gleichen Schöpfungen hervorgebracht haben würde; wie sein Geist in höheren Regionen die
eigentliche Wohnung gehabt und seine Dichtung nur als in
diese gehörig zu betrachten sei. Dasselbe gilt von Raphael.
Ich ahnte dies Verhältniss bei der ersten näheren Bekanntschaft und es hat sich mir immer mehr als das wirkliche enthüllt. Hätten wir statt der wenigen von ihm vorhandenen
Briefe umfangreiche Correspondenzen seiner Hand, so würden
sie wenig verrathen. Raphael zählte zu den Naturen, deren
einziges Verlangen dahin geht, sich selbst zu gehören, um
das zur Erscheinung zu bringen, was ihre Phantasie erfüllt.
Seine Geschichte ist in den vier Begriffen enthalten: leben,
lieben, arbeiten und jung sterben. Michelangelo, gleich
Goethe, fasste das Leben in seinen vielfachen Beziehungen
energisch an. Er hat tiefe Spuren seines menschlichen
Wirkens nach vielen Richtungen hinterlassen. Von Raphael
ist nur zu sagen, dass seine Arbeiten eine in steter Entwicklung begriffene Natur zeigen. Ein gewisses unpersönliches
Element ist ihnen eigen, wie denen der antiken Bildhauer.
Ihm hat die Vorsehung eine so hohe Stellung gegeben, dass
seine Werke in ihrer vollendeten Gestalt zu den fast spon-
tanen Erzeugnissen seiner Zeit rechnen, als seien sie ohne

Urheber entstanden. Ziehen wir in Betracht, was Celio Calcagnini in dem oft citirten Briefe an Jacob Ziegler über den
Charakter Raphael's bei dessen Lebzeiten noch gesagt hat.
‚Raphael ist sehr reich‘, schreibt er, ‚und steht beim Papste
in hoher Gunst, er ist von der höchsten Herzensgüte und
doch mit bewunderungswürdigen geistigen Gaben ausgestattet.
Unter den Malern ist er vielleicht der erste, in Theorie und
Praxis gleich ausgezeichnet. Als Architekt so unermüdlich
und erfinderisch, dass ihm zu ersinnen und auszuführen
gelingt, woran die grössten Geister verzweifelten. Den Vitruv
erklärt er nicht nur, sondern weiss ihn mit den sichersten Be-
weisführungen zu vertheidigen oder zu widerlegen und zwar
in so liebenswürdiger Weise, dass, wo er ihm entgegentritt,
dies ohne alle Schärfe geschieht. Er ist der oberste Baumeister von Sanct Peter. Doch davon will ich nicht sprechen,
sondern von dem bewunderungswürdigen Werke, das er jetzt
in Arbeit hat, das der Nachwelt unglaublich erscheinen wird:
das alte Rom in seiner alten Gestalt, seinem alten Umfange
und seiner Schönheit hat er zum grossen Theil wieder hergestellt, um es unseren Blicken zu zeigen. Auf den Höhen
und in den tiefsten Stellen der Stadt hat er nach den alten
Fundamenten gesucht, die Zeugnisse der Alten hinzu-
genommen und den Papst und die Römer in solches Staunen
versetzt, dass alle ihn wie ein vom Himmel gesandtes göttliches Wesen ansehen, das erschienen sei, um die ewige
Stadt in ihre alte Majestät zurück zu versetzen. Keine Spur
von Hochmuth aber ist dadurch in ihn hineingekommen,
sondern er verdoppelt nur seine Freundlichkeit den Menschen gegenüber; wer immer ihm etwas Förderndes zu
sagen hat, dem steht er gern Rede: Niemand leidet so
gern, dass seine Behauptungen in Zweifel gezogen und
discutirt werden, als er: sein höchster Lebensgenuss scheint
zu sein, zu lehren und sich belehren zu lassen.‘ Diese aus

intimer Kenntniss geschöpfte Charakteristik ergänzt die dem
Giovio zugeschriebene. Giovio gibt ein Bild Raphael's im
Verkehr mit den Fürsten und Vornehmen: hier sehen wir
ihn als Gelehrten mit seines Gleichen, wenn von seines
Gleichen gesprochen werden darf. Aber mir scheint, als
enthalte diese so ganz allgemein gehaltene Mittheilung mehr
Detail schon, als wir heute gebrauchen können. Der Raphael,
den wir in seinen Gemälden empfinden, gewinnt durch einseitige Beschreibungen wie diese keine grössere Realität vor
meinen Augen. Raphael ist für unsere Blicke den ehemaligen
wirklichen römischen Verhältnissen entwachsen. Was liegt
uns heute am Staunen Leo's X. und der Römer anno 1517,
wo Calcagnini geschrieben haben mag? Aus der Stellung
als Hofmaler und Hofarchitekt des Vaticans hat Raphael in
vier Jahrhunderten zu einer der mächtigen Gestalten sich
entwickelt, deren Lebenszeit nun nach Jahrhunderten zählt.
Es wird die Menschheit vielleicht einmal auch von Goethe's
und Michelangelo's Erlebnissen nichts mehr hören wollen
und Jeder sich nur an ihre besten Werke halten. Solche
Männer müssen früher oder später ganz im Allgemeinen
construirt werden. Ich sage mir was Raphael anlangt: die
Natur brauchte eine solche Erscheinung für ihre schöpferischen
Zwecke. Die Natur ist weder geizig, noch verschwenderisch:
sie bewirkt das Nothwendige. Für die Entwicklung des
modernen Volkes sind Anschauungen, wie Raphael's Gemälde
sie liefern, unentbehrlich: ein Mann, ein früh sterbender,
liebenswürdiger, wurde ausersehen, sie zu schaffen, und das
Rom des beginnenden Zeitalters der Reformation ihm als
Arbeitsplatz zugewiesen. Fast scheint es, als ob die Raphael
vom Schicksal zugewiesene Rolle heute erst beginne. Was
wollen jene Photographien heute schon besagen, die der Prinz
Albert sich mühsam überall beschaffen liess, um seine Sammlung als Unicum in Europa zusammenzubringen? Heute

kann sich Jeder an jeder Stelle der Erde eine solche Sammlung mit geringen Kosten herstellen. Jeder Student kann im
Laufe eines Semesters mehr über Raphael erfahren, als vor
fünfzig Jahren die vornehmsten Kenner wussten. Zu der
Zeit, wo ich als Kind die sistinische Madonna in meines
Vaters Stube sah, wussten vielleicht einige tausend Leute
überhaupt von ihr. Lange Zeit war der Prinzgemahl der
einzige dann, dem es erlaubt worden war, das dresdener
Original in einem Exemplare photographiren zu lassen. Heute
ist diese einzige Madonna in nicht mehr zu zählenden
Exemplaren über die ganze Erde verbreitet. Man würde
staunen, wenn man die Absatzzahlen der Kunsthändler erführe.
Die Kenntniss Raphael's, der Besitz seiner Werke ist zu
einem Elemente geworden, auf dem die menschliche Bildung
überhaupt beruht. Die Menschen greifen danach, als nach
etwas, das zu ihrem Wohlsein unentbehrlich ist. —

II.

VASARI'S TEXTE

von 1550 und von 1568

mit

DEUTSCHER ÜBERSETZUNG.

.

Der Text von 1550, in der Orthographie der Originalausgabe, unter dem Striche. Der von 1568 in moderner Orthographie und ·in, den Absätzen des Originaltextes entsprechenden Capitel-abtheilungen.

VITA DI RAFFAELLO DA URBINO

PITTORE E ARCHITETTO

SCRITTA DA GIORGIO VASARI.

I. 1. Quanto largo e benigno si dimostri talora il cielo nell'accumulare in una persona sola le infinite ricchezze de' suoi tesori e tutte quelle grazie e più rari doni che in lungo spazio di tempo suol compartire fra molti individui, chiaramente potè vedersi nel non meno eccellente che grazioso Raffael Sanzio da Urbino. 2. Il quale fu dalla natura dotato di tutta quella modestia e bontà che suole alcuna volta vedersi in coloro che più degli altri hanno a una certa umanità di natura gentile aggiunto un ornamento bellissimo d'una graziata affabilità, che sempre suol mostrarsi dolce e piacevole con ogni sorte di persone e in qualunque maniera di cose. 3. Di costui fece dono al mondo la natura, quando, vinta dall'arte per mano di Michelangelo Buonarroti, volle in Raffaello esser vinta dall'arte e dai costumi insieme. 4. E nel vero, poichè la maggior parte degli artefici stati insino allora si avevano dalla natura recato un certo che di

---

RAFAEL DA VRBINO

PITTORE ET ARCHITETTO.

Qvanto largo & benigno fi dimoftri tal'ora il Cielo collocando anzi per meglio dire riponēdo & accumulando in vna perfona fola le infinite ricchezze delle ampie grazie, o tefori fuoi, & tutti que' rari doni, che fra lungo fpazio di tempo fuol' compartire a molti indiuidui, chiaramente potè vederli, nel non meno eccellente che graziofo Rafael Sanzio da Vrbino, ilquale con tutta quella modeftia & bontà, che fogliono vfar'

DAS
LEBEN RAPHAEL'S VON URBINO
MALERS UND BAUMEISTERS
GESCHRIEBEN VON GIORGO VASARI.

I. 1. *Wie freigiebig und gütig sich der Himmel zuweilen zeige,
indem er in einer einzigen Person die unendlichen Reichthümer
seiner Schätze und die seltensten Gaben anhäuft, welche er
sonst während eines langen Zeitraums zwischen vielen Individuen zu vertheilen pflegt, kann man deutlich in dem nicht
weniger ausgezeichneten, als liebenswürdigen Raphael von Urbino gewahren.* 2. *Dieser wurde von der Natur mit all der Bescheidenheit und Güte ausgestattet, die man bei denen manchmal
zu sehen pflegt, in welchen sich mehr als bei den übrigen Menschen mit einer gewissen aus edler Naturanlage stammenden
Humanität die herrliche Zierde liebenswürdiger Freundlichkeit
verbindet, die sich jeder Art von Leuten gegenüber und in allen
Verhältnissen stets nachgiebig und gefällig zu beweisen pflegt.*
3. *Mit ihm beschenkte die Natur die Welt, als sie, besiegt von
der Kunst durch die Hand Michelangelo Buonarroti's, in Raphael von der Persönlichkeit des Künstlers und von der Kunst
zugleich besiegt sein wollte.* 4. *Und in Wahrheit, da die Mehrzahl der Künstler bis zu seinen Zeiten von Natur eine gewisse*

---

coloro che hanno vna certa vmanità di natura gentile, piena d'ornamento
& di graziata affabilità, la quale in tutte le cofe fempre fi moftra, ono-
ratamente fpiegando i predetti doni con qualunche condizione di perfone,
& in qual fi voglia maniera di cofe, per vnico od almeno molto raro
vniuerfalmente fi fe conofcere. Di coftui fece dono la natura a noi
effendofi digià contentata d'effere vinta dall'arte per mano di Micheleagnolo Buonarroti, & volfe ancora per Rafaello effer vinta dall'arte &
da i coftumi. Concciofia che quafi la maggior parte de gli artefici paffati
aueuano fempre da la natiuità loro arrecato feco vn certo che di pazzia

pazzia e di salvatichezza, che oltre all'averli fatti astratti e
fantastichi, era stata cagione che molte volte si era più
dimostrato in loro l'ombra e lo scuro de' vizi, che la chiarezza e splendore di quelle virtù che fanno gli uomini immortali; fu ben ragione che per contrario in Raffaello facesse
chiaramente risplendere tutte le più rare virtù dell'animo
accompagnate da tanta grazia, studio, bellezza, modestia e
ottimi costumi, quanti sarebbero bastati a ricoprire ogni vizio
quantunque brutto e ogni macchia ancorchè grandissima.
5. Laonde si può dire sicuramente, che coloro che sono pos-
sessori di tante rare doti, quante si videro in Raffaello da
Urbino, siano non uomini semplicemente, ma, se è così lecito
dire, Dei mortali, e che coloro che nei ricordi della fama
lasciano quaggiù fra noi mediante le opere loro onorato nome,
possono anco sperare d'avere a godere in cielo condegno
guiderdone alle fatiche e meriti loro.

II. 1. Nacque adunque Raffaello in Urbino, città notis-
sima in Italia, l'anno 1483 in venerdì santo a ore tre di
notte, d'un Giovanni de' Santi, pittore non molto eccellente,
ma sì bene uomo di buono ingegno e atto a indirizzare i
figliuoli per quella buona via che a lui per mala fortuna sua
non era stata mostra nella sua gioventù. 2. E perchè sapeva

& di faluatichezza, laquale oltra il far gli aftratti & fantaftichi fu cagione
il piu delle volte, che affai piu appariffe & fi dimoftraffe l'ombra &
l'ofcuro de vizii loro, che la chiarezza & fplendore di quelle virtù, che
giuftamente fanno immortali i feguaci fuoi.   Doue per aduerfo in Rafaello
chiarifsimamète rifplendeuano tutte le egregie virtù dello animo, accompagnate da tanta grazia, ftudio, bellezza, modeftia, & coftumi buoni,
che arebbono ricoperto & nafcofo ogni vizio quantunque brutto, & ogni
machia ancora che grandifsima.   Perilche ficurifsimamente può dirfi, che
i poffeffori delle dote di Rafaello, non fono huomini femplicemente ma

Mitgift an Wunderlichkeit und Ungebildetheit empfangen hatten,
was, abgesehen davon dass es sie zu zurückgezogenen, seltsamen
Leuten machte, auch daran Schuld trug, dass in ihnen mehr
die menschlichen Schattenseiten als der Ruhm und Glanz der
freien Künste, welche die Menschen unsterblich machen, zur
Erscheinung kamen; so trat als natürlicher Gegensatz dagegen
ein, dass Raphael all die seltensten Gaben seines Geistes, um-
strahlt von solcher Liebenswürdigkeit, Wissenschaft, Schönheit,
Bescheidenheit und vortrefflichem Benehmen zu Tage treten liess,
dass sie genügt hätten, jeden noch so groben Mangel seiner Na-
tur, jeden noch so grossen Schandfleck seines Wesens zu über-
decken. 5. *Es lässt sich daher mit Sicherheit aussprechen, dass*
diejenigen, welche Besitzer so seltener Gaben sind, wie wir sie
bei Raphael erblicken, nicht schlechthin Menschen, sondern,
wenn so zu sagen erlaubt ist, sterbliche Götter seien; und dass
diejenigen, welche in den Jahrbüchern des Ruhmes durch ihre
Werke unter uns auf Erden einen ehrenvollen Namen zurück-
lassen, auch die Hoffnung hegen dürfen, im Himmel eine ent-
sprechende Vergeltung ihrer Mühen und Verdienste zu geniessen.

II. 1. *Geboren also wurde Raphael in Urbino, einer in*
Italien sehr bekannten Stadt, im Jahre 1483 am Charfreitage
um drei Uhr Nachts, einem Vater Namens Giovanni Santi,
nicht sehr ausgezeichnetem Maler, einem Manne jedoch von ge-
sundem Verstande und wohl geeignet seine Kinder auf dem-
jenigen guten Wege vorwärtszubringen, der ihm selbst leider
in seiner Jugend nicht gezeigt worden war. 2. *Und da Gio-*

Dei mortali. Et che quegli che co i ricordi della fama laſſano quaggiu
fra noi per le opere loro onorato nome, poſſono ancora operare in cielo
guiderdone delle loro fatiche, come ſi vede che in terra fu riconoſciuta
la virtù, & ora & ſempre ſara onoratiſsima la memoria del gratioſiſsimo
Rafaello. Nacque Rafaello in Vrbino città notiſsima, l'anno MCCCCLXXXIII.
in venerdi Santo, a ore tre di notte: d'un Giouanni de Santi, pittore non
molto eccellente, anzi non pur mediocre in queſta arte. Egli era bene
huomo di boniſsimo ingegno, & dotato di ſpirito, & da ſaper meglio
indirizare i figliuoli per quella buona via, che per ſua mala fortuna nõ

Giovanni, quanto importi allevare i figliuoli non col latte delle balie, ma delle proprie madri, nato che gli fu Raffaello, al quale così pose nome al battesimo con buono augurio, volle, non avendo altri figliuoli, come non ebbe anco poi, che la propria madre lo allattasse, e che piuttosto ne' teneri anni apparasse in casa i costumi paterni, che per le case de' villani e plebei uomini men gentili o rozzi costumi e creanze. 3. E cresciuto che fu, cominciò a esercitarlo nella pittura, vedendolo a cotal arte molto inclinato e di bellissimo ingegno; onde non passarono molti anni, che Raffaello ancor fanciullo gli fu di grande aiuto in molte opere che Giovanni fece nello stato d'Urbino. 4. In ultimo, conoscendo questo buono e amorevole padre, che poco poteva appresso di se acquistare il figliuolo, si dispose di porlo con Pietro Perugino, il quale, secondochè gli veniva detto, teneva in quel tempo fra i pittori il primo luogo; perchè andato a Perugia, non vi trovando Pietro, si mise, per più comodamente poterlo aspettare, a lavorare in San Francesco alcune cose. 5. Ma tornato Pietro da Roma, Giovanni, che persona costumata era e gentile, fece seco amicizia, e quando tempo gli parve, col più acconcio modo che seppe, gli disse il desiderio suo. 6. E cosi Pietro, che era cortese molto e amator de' begl'in-

---

aueuano faputo quelli che nella fua giouentù lo doueuano aiutare. Per il che natogli quefto figliuolo con buono augurio, al battefimo gli pofe nome Rafaello: & fubito nato lo deftinò alla pittura ringraziandone molto iDIO, Ne vole mandarlo a baglia, ma che la madre propria lo alattafsi continouamente. Crefcendo fu ammaeftrato da loro, che altro che quello non aueuano, con tutti que' buoni & ottimi coftumi che fu pofsibile: & cominciãdo Giouanni a farlo efercitare nella pittura & vedendo quello fpirito volto a far le cofe tutte fecondo il defiderio fuo, non gli lafciaua metter punto di tempo in mezzo ne attendere ad altra cofa neffuna, accio che piu ageuolmente & piu tofto venifsi nel l'arte di quella maniera che egli defideraua. Aueua fatto Giouanni in Vrbino molte

vanni wusste, wie sehr es darauf ankomme, dass die Kinder nicht mit Ammenmilch, sondern mit der der eigenen Mutter genährt werden, so wollte er, als Raphael auf die Welt kam — den er bei der Taufe zum guten Vorzeichen mit diesem Namen belegte — da er keine andern Kinder hatte, wie er deren auch später nicht hatte, dass die eigene Mutter ihn stillte, und dass er in den Jahren des zarteren Alters lieber im eigenen Hause die väterlichen guten Sitten annähme, als in den Häusern der Bauern und gemeinen Leute weniger edle und rohe Sitten und Anschauungen. 3. Und wie er heranwuchs, begann er, ihn in der Malerei zu üben, indem er für die Kunst grosse Neigung und vortreffliche Gaben bei ihm entdeckte; und so dauerte es gar nicht lange, dass Raphael noch als Kind ihm von grossem Nutzen war bei vielen Arbeiten, welche Giovanni im Urbinatischen ausführte. 4. Zuletzt, da dieser gute und liebevolle Vater erkannte, dass sein Sohn wenig bei ihm lernen konnte, beschloss er, ihn zu Pietro Perugino zu thun, welcher, wie ihm gesagt wurde, damals unter den Malern den ersten Rang einnahm; deshalb, nachdem er sich nach Perugia auf den Weg gemacht, begann er, da er Pietro dort nicht antraf, um ihn desto bequemer erwarten zu können, in San Francesco einiges zu malen. 5. Nachdem Pietro jedoch von Rom zurückgekehrt war, schloss Giovanni, der ein wohlgesitteter und edler Mann war, Freundschaft mit ihm; und als ihm der richtige Moment gekommen zu sein schien, trug er ihm, so gut er es immer vermochte, seinen Wunsch vor. 6. Und so nahm Pietro,

---

opere di fua mano & per tutto lo ltato di quel Duca: & faceuafi aiutare da Rafaello, ilquale ancor che fanciulletto lo faceua il piu & il meglio che e' fapeua. Ne lafciaua Giouanni per quefto di cercare d'intendere per ogni via chi tenefsi il principato nella pittura: & trouando che i piu lodauano Pietro Perugino, fi difpofe potendo di porlo feco, & percio andato a Perugia & non trouandoui Pietro, fi meffe per poterlo meglio afpettare a lauorare in San Francefco alcune cofe. Ma tornato Pietro da Roma prefe alcuna pratica feco, & quando fu il tempo a propofito del defiderio fuo con quella affezzione che puo venire da vn cuor' di padre & onorato gli diffe il tutto. Et Pietro che era benigno per natura nö

gegni, accettò Raffaello; onde Giovanni, andatosene tutto lieto
a Urbino e preso il putto, non senza molte lagrime della
madre, che teneramente l'amava, lo menò a Perugia; laddove
Pietro, veduto la maniera del disegnare di Raffaello e le belle
maniere e costumi, ne fe' quel giudizio che poi il tempo di-
mostrò verissimo cogli effetti.

III. 1. È cosa notabilissima che, studiando Raffaelo la
maniera di Pietro, la imitò così appunto e in tutte le cose,
che i suoi ritratti non si conoscevano dagli originali del
maestro, e fra le cose sue e di Pietro non si sapeva certo
discernere, come apertamente dimostrano ancora in San Francesco di Perugia alcune figure che egli vi lavorò in una tavola
a olio per madonna Maddalena degli Oddi. 2. E ciò sono
una Nostra Donna assunta in cielo e Gesù Cristo, che la
corona, e di sotto, intorno al sepolcro, sono i dodici Apostoli,
che contemplano la gloria celeste; e a piè della tavola, in
una predella di figure piccole spartite in tre storie, è la
Nostra Donna, annunziata dall'Angelo, quando i Magi ado-
rano Cristo, e quando nel tempio è in braccio a Simeone;
la quale opera certo è fatta con estrema diligenza, e chi
non avesse in pratica la maniera, crederebbe fermamente che
ella fosse di mano di Pietro, laddove ella è senza dubbio di
mano di Raffaello. 3. Dopo quest'opera, tornando Pietro
per alcuni suoi bisogni a Firenze, Raffaello, partitosi di Perugia, se n'andò con alcuni amici suoi a Città di Castello,

---

potendo mancare a tãta voglia accettò Rafaello. Onde Giouãni cõ la
maggiore allegrezza del mõdo tornò ad Vrbino & nõ fenza lagrime &
pianti grandifsimi della madre lo menò a Perugia. Doue Pietro veduto
il difegno fuo i modi & i coftumi, ne fe quel giudizio che il tèpo dimoftrò
vero. Et notabilifsimo fu che in pochi mefi, ftudiãdo Rafaello la maniera
di Pietro. Et Pietro moftrãdoli cõ defiderio che egli imparafsi; lo imi-

der ein sehr gefälliger Mann und Freund geistig bedeutender Personen war, Raphael an; weshalb Giovanni ganz glücklich nach Perugia zurückkehrte, das Kind nahm und, nicht ohne viele Thränen der Mutter, die es zärtlich liebte, es nach Perugia führte; wo Pietro, nachdem er die Art wie Raphael zeichnete, und seine guten Sitten und Manieren gesehen, dasjenige über ihn als Urtheil aussprach, was später die Zeit durch die That als volle Wahrheit erwies.

III. 1. Es ist ein sehr bekannter Umstand, dass Raphael, indem er die Manier des Pietro Perugino studirte, ihn so genau und in allen Dingen copirte, dass seine Nachahmungen sich neben den Originalen des Meisters nicht herauserkennen liessen und dass man zwischen seinen Arbeiten und denen Pietro's sicher nicht zu unterscheiden vermochte, wie auch ganz offenbar einige Figuren in San Francesco zu Perugia beweisen, welche er dort auf einem Oelgemälde für Maddalena degli Oddi arbeitete. 2. Diese sind: Unsere Frau, welche gen Himmel gefahren ist, und Jesus Christus, welcher sie krönt; und unten, um das Grabmal herum, sind die zwölf Apostel, welche die himmlische Herrlichkeit betrachten, und zu Füssen des Gemäldes sind auf einer Predella in kleinen Figuren drei Compositionen vertheilt: die Verkündigung Mariae, wie die Magier Christus anbeten, und wie er im Tempel in Simeon's Arme gelegt wird, ein Werk, welches sicherlich mit der äussersten Sorgfalt gemacht worden ist; und wer nicht auf Erkennung der Manieren eingeübt wäre, würde den festen Glauben haben, es sei von der Hand Pietro's, während es ohne Zweifel von der Hand Raphael's ist. 3. Nach Vollendung dieses Werkes verliess Raphael, da Pietro einiger Geschäfte wegen nach Florenz zurückkehrte, Perugia und ging mit einigen seiner Freunde nach Città di

taua tãto a pũto & in tutte le cofe che i fuoi ritratti nõ fi conofceuano da gli originali del maeftro, & fra le cofe fue & di Pietro non fi fapeua certo difcernere: come apertamẽte moftrano ancora in S. Frãcefco di Perugia alcune figure che fi veggono fra quelle di Pietro. Per ilche Pietro per alcuni fuoi bifogni tornato a Fiorẽza. Rafaello partitofi da Perugia cõ alcuni fuoi amici a città di Caftello fece vna tauola in Sãto

7*

dove fece una tavola in Sant'Agostino di quella maniera, e
similmente in San Domenico una d'un Crocifisso, la quale, se
non vi fosse il suo nome scritto, nessuno la crederebbe opera
di Raffaello, ma sì bene di Pietro. 4. In San Francesco
ancora della medesima città fece in una tavoletta lo Sposalizio di Nostra Donna, nel quale espressamente si conosce
l'augumento della virtù di Raffaello venire con finezza as-
sottigliando e passando la maniera di Pietro. 5. In quest'
opera è tirato un tempio in prospettiva con tanto amore, chè
è cosa mirabile a vedere le difficoltà che egli in tale esercizio
andava cercando.

IV. 1. In questo mentre, avendo egli acquistato fama
grandissima nel seguito di quelle maniera, era stato allogato
da Pio II pontefice la libreria del duomo di Siena al Pinturicchio, il quale, essendo amico di Raffaello e conoscendolo
ottimo disegnatore, lo condusse a Siena, dove Raffaello gli
fece alcuni dei disegni e cartoni di quell'opera; e la cagione
che egli non continuò, fu che, essendo in Siena da alcuni
pittori con grandissime lodi celebrato il cartone che Lionardo
da Vinci aveva fatto nella sala del Papa in Firenze d'un
gruppo di cavalli bellissimo per farlo nella sala del palazzo,
e similmente alcuni nudi fatti a concorrenza di Lionardo da

Agoſtino di quella maniera, et fimilmēte in S. Domenico vna di vn Cro-
cifiſſo; la quale ſe nŏ vi foſſe il ſuo nome ſcritto, neſſuno la crederebbe
opera di Rafaello, ma ſi bē di Pietro. In San Francefco di quella citta
fece vna tauoletta de lo ſponfalizio di Noſtra donna, nel quale efpreſſa-
mente ſi conofce lo augumento della virtù ſua venire con finezza aſſot-
tigliando & paſſando la maniera di Pietro. Nellaquale opera è tirato vn
tempio in profpettiua cō tanto amore, che è cofa mirabile a vedere le
difficultà, che in tale eſſercizio egli andaua cercando. In queſto tempo
hauendo egli acquiſtato fama grandiſſima nel feguito di quella maniera,

Castello, wo er eine Tafel für die Kirche von San Agostino in derselben Manier malte, und ebenso für San Domenico eine mit einer Kreuzigung, die, wäre nicht sein Name darauf geschrieben, Niemand für ein Werk Raphael's halten würde, sondern für Pietro's. 4. Für San Francesco auch, in derselben Stadt, malte er auf eine Tafel die Vermählung Unserer Frau, in welcher man ganz besonders einen Zuwachs an Kunstvermögen bei Raphael erkennen kann, indem er mit Feinheit in's Zartere gehend die Manier Pietro's übertrifft. 5. Auf diesem Gemälde ist ein Tempel mit solcher Sorgfalt perspectivisch aufgerissen, dass es etwas Wunderbares ist: zu sehen, in welcher Weise er bei solchen Aufgaben Schwierigkeiten aufsuchte.

IV. *1. Während Raphael inzwischen, in dieser Manier sich haltend, den grössten Ruf erworben hatte, war von Papst Pius II. die (Ausmalung der) Bibliothek des Domes von Siena dem Pinturicchio übertragen worden, welcher, da er ein Freund Raphael's war und ihn als vortrefflichen Zeichner kannte, ihn nach Siena brachte, wo Raphael ihm einige der Zeichnungen und Cartons dieses Werkes machte; und die Ursache, weshalb er nicht fortfuhr, war, dass während seines Aufenthaltes in Siena von einigen Malern mit den höchsten Lobeserhebungen der Carton gefeiert wurde, welchen Lionardo da Vinci im Saale des Papstes in Florenz gemacht hatte: eine wunderschöne Gruppe von Pferden, um sie im Saale des Palastes auszuführen, und ebenso einige nackte Gestalten, welche, im Wetteifer mit Lionardo, von Michelangelo Buonarroti in noch grösserer Vollendung gezeichnet*

era ſtato allogato da Pio. II. Pontefice nel Duomo di Siena la libreria a dipignere al Pınturicchio, ilquale auendo domeſtichezza con Rafaello, fece opera di condurlo a Siena come buon diſegnatore, accio gli faceſſe i diſegni, e i cartoni di quella opera, & egli pregato quiui ſi trasferi, & alcuni ne fece. La cagione, ch'egli non continuò fu, che in Siena erano venuti Pittori, che con grandiſsime lode celebrauano il cartone, che Lionardo da Vinci aueua fatto nella ſala del Papa in Fiorenza in vn groppo di caualli, per farlo nella Sala di palazzo, & Micheleagnolo vn'altro d'ignudi a concorrenza di quello piu mirabile & piu diuino. Onde ſpronato

Michelangelo Buonarroti molto migliori, venne in tanto desiderio Raffaello per l'amore che portò sempre all'eccellenza dell'arte, che, messo da parte quell'opera e ogni utile e comodo suo, se ne venne a Firenze. 2. Dove arrivato, perchè non gli piacque meno la città che quelle opere, le quali gli parvero divine, deliberò di abitare in essa per alcun tempo. 3. E così fatta amicizia con alcuni giovani pittori, fra' quali furono Ridolfo Ghirlandaio, Aristotile San Gallo e altri, fu nella città molto onorato, e particolarmente da Taddeo Taddei, il quale lo volle sempre in casa sua e alla sua tavola, come quegli che amò sempre tutti gli uomini inclinati alla virtù. 4. E Raffaello, che era la gentilezza stessa, per non esser vinto di cortesia, gli fece due quadri, che tengono della maniera prima di Pietro e dell'altra, che poi studiando apprese molto migliore, come si dirà. 5. I quali quadri sono ancora in casa degli eredi del detto Taddeo. 6. Ebbe anco Raffaello amicizia grandissima con Lorenzo Nasi, al quale, avendo preso donna in que' giorni, dipinse un quadro, nel quale fece fra le gambe alla Nostra Donna un Putto, al quale un San Giovannino tutto lieto porge un uccello con molta festa e piacere dell'uno e dell'altro. 7. È nell'attidudine d'ambedue una certa semplicità puerile e tutta amorevole, oltrechè sono tanto ben coloriti e con tanta diligenza condotti, che piuttosto paiono di carne viva che lavorati

---

da l'amor de l'arte, piu che da l'utile, lasciò quella opera, & se ne venne a Fiorenza. Ne laquale giunto, & piaciutogli tali opere abitò in essa per alcun tempo tenendo domestichezza con giouani Pittori, fra i quali furono RIDOLFO GHIRLANDAIO & ARISTOTILE SAN GALLO. Gli fu dato ricetto nella casa di Taddeo Taddei, & vi fu onorato molto, atteso che Taddeo era inclinato da natura a far carezze a tali ingegni. Perilche meritò che la gentilezza di Rafaello li facesse due quadri, che tengono de la maniera prima di Pietro, & de l'altra che studiando vide:

waren, worauf in Raphael solche Sehnsucht erwachte, entspringend seiner Liebe, die er immer dem Vorzüglichsten in der Kunst entgegentrug, dass er, mit Beiseitesetzung jener Arbeit und all seines pecuniären und sonstigen Vortheiles, nach Florenz aufbrach. 2. Wo angelangt, da ihm die Stadt nicht weniger gefiel als jene Werke, die ihm göttlich erschienen, beschloss Raphael, einige Zeit daselbst zuzubringen. 3. Und so, nachdem er sich mit einigen jüngern Malern befreundet hatte, unter denen sich Ridolfo Ghirlandajo, Aristotile di San Gallo und andere befanden, genoss er in der Stadt eines ehrenvollen Ansehns, und besonders bei Taddeo Taddei, welcher ihn immer in seinem Hause und an seiner Tafel haben wollte, als ein Mann, welcher stets diejenigen liebte, welche sich der Kunst zuwandten. 4. Und Raphael, welcher durch und durch ein Gentleman war, malte für ihn, um sich an Höflichkeit nicht übertreffen zu lassen, zwei Bilder, die zwar noch in jener ersten Manier des Pietro Perugino gehalten sind, zugleich aber auch in jener zweiten viel besseren Manier, welche Raphael, in seinen Studien fortschreitend, in der Folge sich aneignete, wie gesagt werden wird. 5. Diese Bilder sind noch im Hause der Erben des genannten Taddeo. 6. Raphael war auch eng befreundet mit Lorenzo Nasi, für den er, da er sich in jenen Tagen verheirathet hatte, ein Bild malte, auf dem er zwischen den Knien Unserer Frau ein Kind darstellte, dem ein kleiner Johannes ganz erfreut einen Vogel darreicht, mit grosser Freude und Vergnügen des einen wie des andern. 7. In der Stellung beider waltet eine gewisse kindliche und ganz liebevoll sich hingebende Unschuld, und ausserdem sind sie so vortrefflich in der Farbe und mit

---

i quali ſi veggono ancora in cafa sua. Aueua preſo Raffaello amicizia grandiſsima cõ Lorenzo Naſi, ilquale auendo tolto donna in que'giorni feceſi che Rafaello gli dipinſe vn quadro d'una Noſtra donna, per tenere in camera ſua: nelquale fece a quella fra le gambe vn puto, alquale vn San Giouanni fanciulino egli ancora porge vno vccello con gran feſta & giuoco de l'uno & de l'altro. Et in quelle attitudini loro ſi conoſce vna femplicità puerile, & amoreuole, oltra che ſon tanto ben coloriti & con vna pulitiſsima deligenzia cõdotti che nel vero paiono in carne viua piu

di colori e di disegno, e parimente la Nostra Donna, che ha
un'aria veramente piena di grazia e di divinità, e in somma
il piano, i paesi e tutto il resto dell'opera è bellissimo. 8. Il
quale quadro fu da Lorenzo Nasi tenuto con grandissima
venerazione, mentrechè visse, così per memoria di Raffaello
statogli amicissimo, come per la dignità ed eccellenza dell'
opera. 9. Ma capitò poi male quest'opera l'anno 1548 a dì
VIIII d'agosto, quando la casa di Lorenzo insieme con quelle
ornatissime e belle degli eredi di Marco del Nero per uno
smottamento del monte di San Giorgio rovinarono insieme
con altre case vicine. 10. Nondimeno, ritrovati i pezzi d'essa
fra i calcinacci della rovina, furono da Battista, figliuolo d'esso
Lorenzo, amorevolissimo dell'arte, fatti rimettere insieme in
quel miglior modo che si potette.

V. 1. Dopo queste opere fu forzato Raffaello a partirsi
di Firenze e andare a Urbino, per aver là, essendo la madre
e Giovanni suo padre morti, tutte le sue cose in abbandono.
2. Mentrechè dunque dimorò in Urbino, fece per Guidubaldo
da Montefeltro, allora capitano de' Fiorentini, due quadri di
Nostra Donna piccoli, ma bellissimi e della seconda maniera.
3. I quali sono oggi appresso l'illustrissimo ed eccellentissimo
Guidubaldo duca d'Urbino. 4. Fece al medesimo un quadretto
d'un Cristo, che ora nell'orto, e lontani alquanto i tre Apostoli,
che dormono. 5. La qual pittura è tanto finita, che un minio
non può essere nè migliore nè altrimenti. 6. Questa, essendo

che lauorati di colori & di difegno, & fimilmente la Nostra donna, laquale
ha vn'aria veramète piena di grazia & di Diuinità, come il paefe & i
pani, & tutto il refto del' opera. Laquale fu da Lorenzo Nafi tenuta
con grandifsima venerazione in mentre che e' viffe, in memoria de le
fatiche fatteui da Rafaello, nel' ufarui la diligenzia, & l'arte che egli
fece a condurla. Ma capitò male poi quefta opera l'anno MDXLVIII.

solcher Sorgfalt durchgeführt, dass sie eher aus lebendigem Fleische, als aus Farben und Zeichnung zu bestehen scheinen; und ebenso hat Unsere Frau ein in Wahrheit von Anmuth und Göttlichkeit erfülltes Antlitz; und, überhaupt, der Grund und die Landschaft und Alles sonst auf dem Gemälde ist sehr schön. 8. Dieses Bild wurde von Lorenzo Nasi, solange er lebte, in grösster Verehrung gehalten, ebensosehr zur Erinnerung an Raphael, der sein genauer Freund war, wie des Werthes und der Vortrefflichkeit des Werkes wegen. 9. Später jedoch verunglückte es, im Jahre 1548 am 9. August, als das Haus des Lorenzo und mit ihm die prachtvollen und schönen Häuser der Erben des Marco del Nero durch einen Erdrutsch des Hügels von San Giorgio nebst andern Nachbarhäusern zu Grunde gingen. 10. Trotzdem, da man die Stücke desselben unter dem eingestürzten Mauerwerke wiederfand, liess sie Battista, der Sohn des Lorenzo, ein grosser Kunstliebhaber, so gut als irgend möglich war wieder zusammenfügen.

V. 1. Nach diesen Arbeiten war Raphael gezwungen, von Florenz abzureisen und nach Urbino zu gehen, da dort, weil seine Mutter und sein Vater Giovanni gestorben waren, all seine Sachen ohne Aufsicht standen. 2. Während er deshalb nun in Urbino verweilte, malte er für Guidubaldo von Montefeltro, damals Kriegsanführer in Diensten der Florentiner, zwei Bilder Unserer Frau, kleine Gemälde, aber sehr schön und in der zweiten Manier. 3. Diese befinden sich heute bei dem illustrissimo und eccellentissimo Guidobaldo, Herzog von Urbino. 4. Ebendemselben machte er ein kleines Gemälde: Christus, der im Garten betet und, etwas entfernt, die drei Apostel, welche schlafen. 5. Dieses Gemälde ist so vollendet, dass keine Miniatur

---

adi 9. d'Agoſto, quando la caſa ſua inſieme con quella degli eredi di Marco del Nero, che oltra la bellezza de lo edificio era piena di molti abbagliamenti & ornamenti quanto caſa di Fiorēza, per vno ſmottamento del monte di San Giorgio rouinarono inſieme con altre cafe vicine. Et coſì rimaſono i pezzi di quella che poi ritrouati fra i calcinacci, furono da Batiſta ſuo figliuolo amoreuoliſsimo di tale arte, fatti rimettere inſieme

stata gran tempo appresso Francesco Maria duca d'Urbino, fu poi dall'illustrissima signora Leonora sua consorte donata a don Paolo Giustiniano e don Pietro Quirini, Veneziani e romiti del sacro eremo di Camaldoli; e da loro fu poi, come reliquia e cosa rarissima e in somma di mano di Raffaello da Urbino, e per memoria di quell'illustrissima signora, posta nella camera del maggiore di detto eremo, dove è tenuta in quella venerazione ch'ella merita.

VI. 1. Dopo queste opere e avere accomodate le cose sue, ritornò Raffaello a Perugia, dove fece nella chiesa de' frati de' Servi in una tavola alla cappella degli Ansidei una Nostra Donna, San Giovanni Battista e San Nicola. 2. E in San Severo della medesima città, piccol monasterio dell'ordine di Camaldoli, alla cappella della Nostra Donna, fece in fresco un Cristo in gloria, un Dio Padre con alcuni Angeli attorno e sei Santi a sedere, cioè tre per banda, San Benedetto, San Romualdo, San Lorenzo, San Girolamo, San Mauro e San Placido; e in quest'opera, la quale per cosa in fresco fu allora tenuta molto bella, scrisse il nome suo in lettere grandi e molto bene apparenti. 3. Gli fu anco fatto dipingere nella medesima città dalle donne di Sant'Antonio da Padova in una tavola la Nostra Donna e in grembo a quella, siccome piacque a quelle semplici e venerande donne, Gesù Cristo vestito, e dai lati di essa Madonna San Pietro, San Paolo, Santa Cecilia e Santa Caterina. 4. Alle quali due sante vergini fece le più belle e dolci arie di teste e le più varie acconciature di capo (il che fu cosa rara in que' tempi) che si possano vedere. 5. E sopra questa tavola in un mezzo tondo dipinse un Dio Padre bellissimo, e nella predella dell' altare tre storie di figure piccole, Cristo, quando fa orazione

besser oder genauer durchgeführt sein kann. 6. *Dieses Werk, nachdem es lange Zeit bei Francesco Maria, Herzog von Urbino, war, wurde später von der illustrissima Signora Leonora, seiner Gemahlin, den Herren Paolo Giustiniano und Pietro Quirini geschenkt, aus Venedig gebürtig und Eremiten des Heiligen Eremitenklosters zu Camaldoli; und von ihnen ward es später als Reliquie und höchste Seltenheit und überhaupt als etwas von Raphael's Hand und zum Angedenken jener illustrissima Signora in das Zimmer des Vorstehers genannten Klosters gebracht, wo es in derjenigen Verehrung gehalten wird, die es verdient.*

VI. 1. *Nach diesen Arbeiten und nachdem Raphael seine Angelegenheiten geordnet hatte, kehrte er nach Perugia zurück, wo er für die Kirche der Servitenbrüder auf eine in die Capelle der Familie Ansidei bestimmte Tafel Unsere Frau, Johannes den Täufer und San Nicola malte.* 2. *Und in San Severo, in derselben Stadt, einem Kloster des Ordens von Camaldoli, malte er für die Capelle Unserer Frau Christus in der Glorie in Fresko, Gott Vater und einige Engel um ihn her, und sechs sitzende Heilige, das heisst drei auf jeder Seite: San Benedetto, San Romualdo, San Lorenzo, San Girolamo, San Mauro und San Placido. Und auf dieses Werk, welches als Freskogemälde damals für sehr schön gehalten wurde, schrieb er seinen Namen in goldenen und sehr gut sichtbaren Buchstaben.* 3. *Auch musste er in derselben Stadt für die Nonnen des Heiligen Antonius von Padua Unsere Frau malen, und auf ihrem Schoosse, so gefiel es diesen unschuldigen und verehrungswürdigen Frauen, Jesus Christus, aber bekleidet, und neben der Madonna San Pietro, San Paolo, Santa Cäcilia und Santa Catharina.* 4. *Beiden heiligen Jungfrauen gab er die schönsten und lieblichsten Gesichtsbildungen und die verschiedenartigste Anordnung des Kopfputzes, die — eine Seltenheit zu jener Zeit — man nur irgend sehen kann.* 5. *Und über dieser Tafel malte er in ein Halbrund einen sehr schönen Gott Vater, und in der Predella des Altares drei Compositionen von kleinen Figuren: Christus, wie er im Garten betet, wie er das Kreuz trägt, wo sehr schöne*

nell'orto, quando porta la croce, dove sono bellissime movenze di soldati che lo strascinano, e quando è morto, in grembo alla madre. 6. Opera certo mirabile, devota e tenuta da quelle donne in gran venerazione e da tutti i pittori molto lodata. 7. Nè tacerò che si conobbe, poichè fu stato a Firenze, che egli variò e abbellì tanto la maniera, mediante l'aver vedute molte cose e di mano di maestri eccellenti, che ella non aveva che fare alcuna cosa con quella prima, se non come fossero di mano di diversi e più e meno eccellenti nella pittura. 8. Prima che partisse di Perugia, lo pregò madonna Atalanta Baglioni, che egli volesse farle per la sua cappella nella chiesa di San Francesco una tavola; ma perchè egli non potè servirla allora, le promise che, tornato che fosse da Firenze, dove allora per suoi bisogni era forzato d'andare, non le mancherebbe. 9. E così venuto a Firenze, dove attese con incredibile fatica agli studi dell'arte, fece il cartone per la detta cappella con animo d'andare, come fece, quanto prima gli venisse in acconcio, a metterlo in opera.

VII. 1. Dimorando adunque in Firenze, Angelo Doni, il quale, quanto era assegnato nelle altre cose, tanto spendeva volentieri, ma con più risparmio che poteva, nelle cose di pittura e di scultura, delle quali si dilettava molto, gli fece fare il ritratto di se e della sua donna in quella maniera, che si veggono appresso Giovanbattista suo figliuolo, nella casa che detto Angelo edificò bella e comodissima in Firenze nel corso de' Tintori appresso al canto degli Alberti. 2. Fece anco a Domenico Canigiani in uno quadro la Nostra Donna col putto Gesù, che fa festa a un San Giovannino portogli da Santa Elisabetta, che, mentre lo sostiene, con prontezza

con quel miglior modo che fi poteua: Fece ancora a Domenico Danigiani vn'altro quadro della medefima grandezza nel quale è vna Noftra donna

*Körperbewegungen der Soldaten, welche ihn fortreissen, zu sehen
sind, und wie er todt der Mutter im Schoosse liegt:* 6. *ein
sicherlich bewunderungswürdiges, frommes, von jenen Nonnen
in grosser Verehrung gehaltenes und von allen Malern sehr ge-
lobtes Werk.* 7. *Und ich will nicht verschweigen, dass man
erkannte, wie Raphael, nachdem er in Florenz gewesen war,
seine Manier dadurch, dass er viele Werke ausgezeichneter
Meister gesehn, so sehr änderte und zu grösserer Schönheit erhob, dass die Art, wie er jetzt malte, mit seiner früheren nicht
mehr gemein hatte, als die Malereien zweier verschiedener Künstler
miteinander, von denen der eine auf höherer Stufe steht als der
andere.* 8. *Ehe er von Perugia abreiste, bat ihn Madonna Atalanta Baglioni, er wolle ihr für ihre Capelle in der Kirche
San Francesco eine Tafel malen; aber da er ihr damals nicht
dienen konnte, versprach er, dass er, sobald er von Florenz
zurückgekehrt wäre, wohin er seiner Angelegenheiten wegen zu
gehen gezwungen war, nicht im Rückstand bleiben werde.*
9. *Und so, in Florenz angekommen, wo er sich mit unglaub-
licher Mühe dem Kunststudium hingab, machte er den Carton
für diese Capelle mit der Absicht, ihn, wie er auch that, sobald es ihm passend wäre, auszuführen.*

VII. 1. *Während Raphael sich in Florenz aufhielt, liess
Agnolo Doni, welcher, wie er in andern Dingen sparsam war,
so auch für Sachen der Malerei und Bildhauerei, an denen
er grosses Vergnügen hatte, gern, aber mit so viel Ersparniss
als er immer konnte, Geld ausgab, sein und seiner Frau Porträts in dieser [zweiten] Manier von ihm anfertigen, welche
bei seinem Sohne Giovanbatista zu sehen sind, in dem Hause,
welches besagter Agnolo schön und bequem in Florenz erbaute,
am Corso der Färber, dicht an der Ecke der Alberti.* 2. *Er
machte auch für Domenico Canigiani auf ein Gemälde Unsere Frau mit dem Jesuskinde, das mit einem kleinen Johannes liebkosend scherzt, der ihm von der Heiligen Elisabeth*

co'l putto che faccendo fefta a vn San Giouannino che gliè porto da
Santa Elifabetta mentre che ella con vna viuezza prontifsima lo foftiene

vivissima guarda un San Giuseppe, il quale, standosi appoggiato con ambe le mani a un bastone, china la testa verso quella vecchia, quasi maravigliandosi e lodandone la grandezza di Dio, che così attempata avesse un sì picciol figliuolo. 3. E tutti pare che stupiscano del vedere, con quanto senno in quella età sì tenera i due cugini, l'uno riverente all'altro, si fanno festa; senzachè ogni colpo di colore nelle teste, nelle mani e ne' piedi sono anzi pennellate di carne che tinta di maestro che faccia quell'arte. 4. Questa nobilissima pittura è oggi appresso gli eredi del detto Domenico Canigiani, che la tengono in quella stima che merita un'opera di Raffaello da Urbino. 5. Studiò questo eccellentissimo pittore nella città di Firenze le cose vecchie di Masaccio; e quelle che vide nei lavori di Lionardo e di Michelangelo, lo fecero attendere maggiormente agli studi e per conseguenza acquistarne miglioramento straordinario all'arte e alla sua maniera. 6. Ebbe oltre gli altri, mentre stette Raffaello in Firenze, stretta dimestichezza con fra Bartolommeo di San Marco, piacendogli molto, e cercando assai d'imitare il suo colorire; e all'incontro insegnò a quel buon padre i modi della prospettiva, alla quale non aveva il frate atteso insino a quel tempo. 7. Ma in sulla maggior frequenza di questa pratica fu richiamato Raffaello a Perugia, dove primieramente in San Francesco finì l'opera della già detta madonna Atalanta

---

guarda vn Sā Giuseppo, che apoggiatoſi con ambe due le mani a vn baſtone, china la teſta a quella vecchia, che l'uno e l'altro pare che ſtupiſchino, del veder con quāto fenno in quella età ſi tenera, i due cugini l'un reuerente a l'altro ſi fanno feſta. Oltra che ogni colpo di colore nelle teſte mani & piedi; ſon pennellate di carne viua, piu che d'altra tinta di maeſtro che facci quell'arte, da quale opera e oggi appreſſo gli eredi di Domenico, tenuta con grandiſſima venerazione. Studiò Rafaello in Fiorenza le coſe vecchie di Maſaccio, & vide ne i lauori di Lionardo & di Micheleagnolo coſe tali, che gli furono cagione di augumentare lo

dargereicht wird, welche, während sie denselben mit der leben-
digsten Sorgfalt hält, einen Heiligen Joseph anblickt, der, mit
beiden Händen auf einen Stab sich stützend, den Kopf zu dieser
Alten hinneigt, gleichsam sich verwundernd und die Grösse Gottes
lobend, dass sie so bejahrt noch einen so kleinen Sohn habe. 3. Und
Alle, scheint es, staunen, indem sie sehen, mit welchem Gefühle
in so zartem Alter die beiden Vettern, einer ehrfurchtsvoll vor
dem andern, miteinander kosen; abgesehen davon, dass jeder
Pinselstrich in den Köpfen, den Händen und Füssen eher mit
lebendigem Fleische ausgeführt, als von der Palette eines Meisters,
welcher mit Farben arbeitet, zu stammen scheint. 4. Dieses
edelste Gemälde befindet sich heute bei den Erben des Domenico
Canigiani, welche es in der Verehrung halten, die ein Werk
Raphael's von Urbino verdient. 5. Es studirte dieser ausge-
zeichnete Maler in der Stadt Florenz die alten Sachen des
Masaccio; und die Dinge, die er in den Arbeiten des Lionardo
und Michelangelo sah, liessen ihn in noch grösserem Maasse
sich den Studien zuwenden und ihn in Folge dessen dadurch
eine ausserordentliche Verbesserung in der Kunst und in seiner
Manier erwerben. 6. Raphael hielt, während er in Florenz
verweilte, ausser den Uebrigen auch enge Genossenschaft mit
Fra Bartolomeo di San Marco, indem er grosses Gefallen an
ihm hatte und angelegentlich seine Art des Colorits sich anzu-
eignen bestrebte; und in Erwiderung dessen unterrichtete er
diesen guten Geistlichen in der Perspective, auf welche der-
selbe bis dahin seine Aufmerksamkeit nicht gerichtet hatte.
7. Aber mitten in der grössten Fülle dieses Verkehrs wurde
Raphael nach Perugia gerufen, wo er zuvörderst in San Fran-

ſtudio in maniera per la veduta di tali opere, che gran miglioramento
& grazia accrebbe in tale arte. Era in quel tempo Fra Bartolomeo da
San Marco coloritore in quella terra boniſimo, delquale haueua Rafaello
preſa domeſtichezza piacendogli molto: perche egli ogni giorno viſitan-
dolo cercaua aſſai d'imitarlo. Et accioche meno aueſſe a rincrescere al
frate la ſua compagnia, gli inſegnò Rafaello i modi della proſpettiua,
allaquale il frate non aueua piu atteſo. Ma in ſu la maggior frequenzia
di queſta pratica fu chiamato Rafaello a Perugia, & egli vi andò, &
quiui in San Franceſco dipinſe vna tauola d'un CHRISTO morto, che

Baglioni, della quale aveva fatto, come si è detto, il cartone in Firenze. 8. È in questa divinissima pittura un Cristo morto, portato a sotterrare, condotto con tanta freschezza e siffatto amore, che a vederlo pare fatto pur ora. 9. Immaginossi Raffaello nel componimento di questa opera il dolore che hanno i più stretti e amorevoli parenti nel riporre il corpo d'alcuna più cara persona, nella quale veramente consista il bene, l'onore e l'utile di tutta una famiglia; vi si vede la Nostra Donna venuta meno e le teste di tutte le figure molto graziose nel pianto, e quella particolarmente di San Giovanni, il quale, incrocicchiate le mani, china la testa con una maniera da far commuovere, qual è più duro animo, a pietà. 10. E di vero, chi considera la diligenza, l'amore, l'arte e la grazia di quest'opera, ha gran ragione di maravigliarsi, perchè ella fa stupire chiunque la mira, per l'aria delle figure, per la bellezza de' panni e in somma per una estrema bontà, ch'ella ha in tutte le parti.

VIII. 1. Finito questo lavoro, e tornato a Firenze, gli fu dai Dei, cittadini Fiorentini, allogata una tavola, che andava alla cappella dell'altar loro in Santo Spirito; ed egli la cominciò e la bozza a bonissimo termine condusse; e intanto fece un quadro, che si mandò in Siena, il quale nella partita di Raffaello rimase a Ridolfo del Ghirlandaio, perchè egli

portano a ſotterrare, laquale fu tenuta diuiniſsima. Et conduſſe queſto lauoro con tanta freſchezza & ſi fatto amore, che à vederlo par fatto or' ora: Et imaginoſsi nel cōponimento di queſta opera il dolore che hanno i parèti ſtretti nel riporre il corpo di quella perſona piu cara, nellaquale veramente confiſta il bene, l'onore, & l'utile della loro famiglia. Et certamente chi confidera la diligēzia, l'amore, l'arte, & la grazia di queſta opera, giuſtamente ſi marauiglia, perche ella fa ſtupire ogni vno, con la dolcezza dell'arie nelle figure, la bellezza de panni, & la bontà

cesco das Gemälde für die bereits genannte Madonna Atalanta Baglioni vollendete, dessen Carton er, wie gesagt, in Florenz angefertigt hatte. 8. Auf dieser göttlichsten Malerei ist ein Christus, welcher todt zum Begraben getragen wird, mit solcher Frische und Sorgfalt ausgeführt, dass man beim Anblicke glaubt, dass es eben erst geschehen sei. 9. Raphael hatte bei der Composition dieses Werkes den Schmerz vor Augen, welchen die nächsten und zärtlichsten Verwandten beim Begräbnisse des Leichnams der ihnen theuersten Persönlichkeit hegen, in welcher das Glück, die Ehre und das Wohl einer Familie liegt. Da sieht man Unsere Frau in Ohnmacht gesunken und die Köpfe aller Figuren sehr lieblich in ihrer Trauer, und besonders der des Heiligen Johannes, der mit gekreuzten Händen das Haupt überneigt in einer Art, um das härteste Herz in Mitleiden zu versetzen. 10. Und in Wahrheit, wer die Sorgfalt in Erwägung zieht, die Liebe und die Kunst, sowie die anziehende Schönheit dieses Werkes, hat grossen Grund zu erstaunen, denn es überrascht Jeden, der es sieht, durch das eigenthümliche Wesen der Gestalten, durch die Schönheit der Gewandung, und im Ganzen durch eine ausserordentliche Güte, die es in allen seinen Theilen hat.

VIII. 1. Nachdem diese Arbeit beendet und Raphael nach Florenz zurückgekehrt war, wurde ihm von der florentinischen Familie Dei eine Tafel aufgetragen, welche in die Capelle ihres Altares in San Spirito kommen sollte; und er begann sie und brachte die Untermalung zum besten Ende, und zu gleicher Zeit machte er an einem Gemälde, welches nach Siena ging und das bei der Abreise Raphael's in den

in ogni cofa. Finito quefto lauoro fe ne ritornò a Fiorenza, conofcendo l'utile dello ftudio che ci aueua fatto, & ancora trattoui dall'amicizia. Et veramente per chi impara tali arti è Fiorenza luogo mirabile, per le concorrenze, per le gare, & per le inuidie, che fempre vi furono et molto piu in que'tempi. Gli fu da i Dei Cittadini Fiorentini allogata vna tauola, che andaua alla cappella dell'altar loro in Santo Spirito: Et egli la cominciò, & a buonifsimo termine la conduffe bozzata. Et fece vn quadro, che fi mandò in Siena, il quale nella partita di Rafaello rimafe a Ridolfo del

finisse un panno azzurro che vi mancava. 2. E questo avvenne, perchè Bramante da Urbino, essendo a' servigi di
Giulio II., per un poco di parentela che aveva con Raffaello
e per essere di un paese medesimo, gli scrisse che aveva
operato col Papa, il quale aveva fatto fare certe stanze,
ch'egli potrebbe in quelle mostrare il valor suo. 3. Piacque
li partito a Raffaello; perchè, lasciate le opere di Firenze e
la tavola dei Dei non finita, ma in quel modo che poi la
fece porre messer Baldassare da Pescia nella pieve della sua
patria dopo la morte di Raffaello, si trasferì a Roma, dove
giunto Raffaello, si trasferì a Roma, dove giunto Raffaello
trovò che gran parte delle camere di palazzo erano state
dipinte e tuttavia si dipingevano da più maestri; e così stavano, come si vedeva, che ve n'era una che da Pietro della
Francesca vi era una storia finita, e Luca da Cortona aveva
condotta a buon termine una facciata, e don Pietro della
Gatta, abbate di San Clemente di Arrezzo, vi aveva cominciato alcune cose; similmente Bramantino da Milano vi aveva
dipinto molte figure, le quali la maggior parte erano ritratti
di naturale, che erano tenuti bellissimi.

IX. 1. Laonde Raffaello, nella sua arrivata avendo rice-
vute molte carezze da papa Giulio, cominciò nella camera
della Segnatura una storia, quando i teologi accordano la

Ghirlandaio: perch'egli finiſſe vn panno azurro, che vi mancaua. Et queſto
auuenne, perche Bramante da Vrbino, eſſendo a ſeruigi di Giulio II. per
vn poco di parentela, cha aueuano infieme, & per eſſere di vn paeſe
medeſimo, gli ſcriſſe che aueua operato col Papa, che volendo far certe
ſtanze, egli potrebbe in quelle, moſtrare il valor ſuo. Piacque il partito
a Rafaello, & laſciò l'opere di Fiorenza, trasferendoſi a Roma: perilche
la tauola de Dei non fu piu finita: & dopo la morte ſua rimaſe a M. Bal-
daſſare da Peſcia che la fece porre a vna cappella fatta fare da lui nella
Pieue di Peſcia. Giunto Rafaello a Roma trouò, che grã parte delle

Händen des Ridolfo Ghirlandajo blieb, damit er ein blaues Gewand ausführe, welches darauf noch zu malen war. 2. *Und dies geschah, weil Bramante von Urbino, der in den Diensten Giulio's II. stand, wegen weitläuftiger Verwandtschaft zwischen ihm und Raphael und weil sie Landsleute waren, ihm schrieb, er habe es beim Papste, welcher [im Vatican] eine Anzahl Zimmer hatte bauen lassen, dahin gebracht, dass er in ihnen zeigen solle, was er zu leisten im Stande sei.* 3. *Raphael nahm diesen Ruf an, gab seine Florentiner Thätigkeit auf und liess die Tafel für die Dei unvollendet und in dem Zustande, wie sie später Messer Baldassare da Pescia nach Raphael's Tode in der Parochialkirche seiner Vaterstadt aufstellen liess, und begab sich nach Rom, wo er bei seiner Ankunft fand, dass ein grosser Theil der Zimmer des Palastes bereits gemalt, in andern mehrere Meister noch beschäftigt waren; und zwar hatte, wie [bereits] zu sehen war, Pietro della Francesca in einer ein Gemälde vollendet, Luca von Cortona eine Wandseite beinahe fertig, Don Pietro della Gatta, Abbate von San Clemente in Arezzo, Einiges dort begonnen, ebenso Bramantino von Mailand viele Gestalten gemalt, welche, der Mehrzahl nach Porträts nach dem Leben, für sehr schön gehalten wurden.*

IX. 1. *Raphael also, nachdem er bei seiner Ankunft in sehr schmeichelhafter Weise vom Papste aufgenommen worden war; begann in der Camera della Segnatura eine Darstellung, wie die Theologen die Philosophie und Astrologie mit der Theo-*

camere di palazzo erano ſtate dipinte: & tuttauia ſi dipigneuano da piu maeſtri: & coſi ſtauão come ſi vedeua, che ve n'era vna che da Pietro della Frãcefca vi era vna ſtoria finita: & Luca da Cortona aueua cõdotta a buon termine vna facciata; & Dõ Pietro della Gatta abbate di San Clemēte di Arezzo vi aueua cominciato alcune cofe: Similmente BRAMAN-TINO DA MILANO vi aueua dipinto molte figure, le quali la maggior parte erano ritratti di naturale, che erano tenuti bellifsimi. La onde Rafaello nella ſua arriuata auendo riceuute molte carezze da Papa Iulio cominciò nella camera della fegnatura vna ſtoria quando i Teologi ac-

filosofia e l'astrologia colla teologia, dove sono ritratti tutti i savi del mondo, che disputano in vari modi. 2. Sonvi in disparte alcuni astrologi, che hanno fatto figure sopra certe tavolette e caratteri in vari modi di geomanzia e d'astrologia e agli Evangelisti le mandano per certi Angeli bellissimi, i quali Evangelisti le dichiarano. 3. Fra costoro è un Diogene colla sua tazza a giacere in sulle scalee, figura molto considerata e astratta, che per la sua bellezza e per il suo abito così accaso, è degna d'esser lodata. 4. Similmente vi è Aristotile e Platone, l'uno col Timeo in mane, l'altro coll' Etica, dove intorno gli fa cerchio una grande scuola di filosofi. 5. Nè si può esprimere la bellezza di quegli astrologi e geometri, che disegnano colle seste in sulle tavole moltissime figure e caratteri. 6. Fra i·medesimi, nella figura d'un giovane di formosa bellezza, il quale apre le braccia per maraviglia e china la testa, è il ritratto di Federigo II. duca di Mantova, che si trovava allora in Roma. 7. Evvi similmente una figura, che chinata a terra con un paio di seste in mano le gira sopra le tavole, la quale dicono essere Bramante architettore, che egli non è men desso che se e' fosse vivo, tanto è ben ritratto. 8. E allato a una figura che volta il didietro e ha una palla del cielo in mano, è il ritratto di Zoroastro, e allato a esso è Raffaello maestro di quest' opera,

---

cordano la Filofofia & l'Aftrologia, con la Teologia: doue fono ritratti tutti i faui del mondo & di certe figure abbigliò tal cofa, che alcuni aftrologi di caratteri di Geomanzia & d'Aftrologia cauano, & ai Vangelifti quelle tauole mandano. E in fra coftoro è vn Diogene con la fua tazza a ghiacere in fule fcalee, figura molto côfiderata & aftratta: che per la fua bellezza & per lo fuo abito cofi accafo è degna deffere lodata. Simile vi è Ariftotile, & Platone, luno co'l Timeo in mano, l'altro conl'Etica: doue intorno li fanno cerchio vna grande fcuola di Filofofi. Ne fi può efprimere la bellezza di quelli Aftrologi & Geometri che difegnano con

logie in Einklang bringen, wo alle Gelehrten der Welt ab-
gebildet sind, welche in verschiedener Weise ihre Meinung
verfechten. 2. *Als eine Gruppe für sich sind da eine Anzahl*
Astrologen, welche auf Tafeln Figuren und allerlei auf Voraus-
berechnung der Zukunft und Astrologie bezügliche Zeichen ge-
schrieben haben und sie durch einige sehr schöne Engel den
Evangelisten senden, welche sie diesen erklären. 3. *Zwischen*
ihnen liegt Diogenes mit seinem Trinkgefässe auf den Stufen
der Treppe, die wohldurchdachte Gestalt eines in Gedanken ver-
senkten Mannes, welche ihrer Schönheit und des ungezwungenen
Wurfes ihrer Gewandung wegen würdig ist, gelobt zu werden.
4. *Ebenso sind da auch Aristoteles und Plato, der eine mit*
dem Timäus in der Hand, der andere mit der Ethik, und um
sie herum im Kreise eine grosse Gesellschaft von Philosophen.
5. *Und es lässt sich die Schönheit jener Astrologen und Geo-*
meter kaum beschreiben, welche mit den Instrumenten viele Figu-
ren und Zeichen auf die Tafeln schreiben. 6. *Unter ihnen ist*
als Jüngling von reinster Wohlgestalt — der, welcher die Arme
staunend ausbreitet und den Kopf senkt — Federigo II., Herzog
von Mantua porträtirt, welcher sich damals in Rom befand.
7. *Da ist auch eine Gestalt, welche zur Erde gebeugt mit einem*
Zirkel in der Hand über eine Tafel fährt; diese, behauptet
man, sei Bramante der Baumeister, und er steht so leibhaftig
da, als lebte er, so gut ist er abgebildet. 8. *Und neben einer*
Gestalt, welche uns den Rücken zuwendet und eine Himmels-
kugel in der Hand trägt, ist Zoroaster dargestellt, und neben
diesem steht Raphael, der Meister dieses Werkes, indem er sich

---

le fefte in fu le tauole moltifsime figure & caratteri. Fra coftoro fi vede
vn'giouane di formofa bellezza, il quale apre le braccia per marauiglia,
& china la tefta; & è il ritratto di Federigo II. Duca di Mantoua che
fi trouaua allora in Roma. Euui fimilmente vna figura che chinata a
terra con vn paio di fefte in mano le gira, fopra le tauole. la quale
dicono effere Bramante architettore: & che egli non è men deffo che fe
e fuffe viuo, tanto è ben'ritratto. Allato a vna figura che volta il didietro & ha vna palla del cielo in mano, è il ritratto di Zoroaftro &
allato a effo è Rafaello Maeftro di quefta opera, ritrattofi da fe medefimo

ritrattosi da se medesimo nello specchio. 9. Questo è una
testa giovane e d'aspetto molto modesto accompagnato da
una piacevole e buona grazia, colla berretta nera in capo.
10. Nè si può esprimere la bellezza e la bontà che si vede
nelle teste e figure degli Evangelisti, a' quali ha fatto nel viso
una certa attenzione e accuratezza molto naturale, e massimamente a quelli che scrivono. 11. E così fece dietro ad
un San Matteo, mentrechè egli cava di quelle tavole, dovo
sono le figure e i caratteri, tenutegli da un angelo, e che le
distende in su un libro, un vecchio, che, messosi una carta
in sul ginocchio, copia tanto quanto San Matteo distende.
12. E mentrechè sta attento in quel disagio, pare che egli
torca le mascelle e la testa, secondochè egli allarga e allunga
la penna. 13. E oltre le minuzie delle considerazioni, che
son pure assai, vi è il componimento di tutta la storia, che
certo è spartito tanto con ordine e misura, che egli mostrò
veramente un siffatto saggio di se, che fece conoscere che
egli voleva fra coloro che toccavano i pennelli, tenere il
campo senza contrasto.

X. 1. Adornò ancora quest'opera di una prospettiva e
di molte figure finite con tanto delicata e dolce maniera, che
fu cagione che papa Giulio facesse buttare a terra tutte le
storie degli altri maestri e vecchi e moderni, e che Raffaello

nello fpecchio. Quefto è vna tefta giouane & d'afpetto molto modefto
accompagnato da vna piaceuole & buona grazia, con la berretta nera
in capo. Ne fi può efprimere la bellezza & la bontà che fi vede nelle
tefte & figure de'Vangelifti, a'quali ha fatto nel vifo vna certa attenzione
& accuratezza, mafsime a quelli che fcriuono. Et cofi fece dietro ad vn
San Matteo mètre che egli caua di quelle tauole doue fono le figure e'
caratteri tenuteli da vno Angelo: & che le diftende in funun libro, vn
vecchio che meffofi vna carta in ful ginocchio copia tanto quanto San
Matteo diftende. Et mentre che fta attento in quel difagio pare che

selber im Spiegel porträtirt hat: 9. *ein jugendlicher Kopf von sehr bescheidenem Ausdrucke und gefälligem, liebenswürdigem Wesen, mit einem schwarzen Barette auf.* 10. *Und ebensowenig lässt sich die Schönheit und Güte beschreiben, welche in den Köpfen und Gestalten der Evangelisten sichtbar ist, welchen er Aufmerken und höchst natürliches scharfes Nachdenken in die Züge gelegt hat; denen zumeist, welche schreiben.* 11. *Und so malte er hinter Matthäus, während dieser von jenen Tafeln auf denen die Figuren und Charaktere stehn und die ein Engel ihm hält, in ein Buch abschreibt, einen alten Mann, der sich ein Papier auf das Knie gelegt hat und copirt was Matthäus aufzeichnet.* 12. *Und während er aufmerksam in dieser unbequemen Stellung verharrt, scheint er mit Kopf und Kinnbacken nachzufolgen, jenachdem er mit der Feder auf und niedergeht.* 13. *Und abgesehen von Einzelnheiten, welche bis zu Kleinigkeiten Stoff zur Betrachtung geben und deren eine Menge sind, bietet sich die Composition in ihrer Gesammtheit als mit so viel Gleichmaass und richtiger Abwägung durchgeführt dar, dass er in Wahrheit damit eine genügende Probe ablegte, um erkennen zu lassen, sein Wille sei, unter denen, die den Pinsel führen, ohne Widerstreit den ersten Rang einzunehmen.*

X. 1. *Er schmückte dieses Werk noch mit einer Architektur mit vielen Figuren, in so zarter und weicher Manier ausgeführt, dass Papst Giulio alle die andern Malereien älterer wie neuerer Meister herabzuschlagen befahl, und Raphael*

---

egli torca le maſcella, & la teſta, ſecondo che egli allarga & allunga la penna. E oltra le minuzie delle conſiderazioni che ſon pure aſſai, vi è il componimento di tutta la ſtoria, che certo e ſpartito tanto con ordine & miſura, che egli moſtrò veramente vn ſaggio di ſe: tale che fece conoſcere che egli voleua fra coloro che toccauano i pennelli, tenere il campo ſenza contraſto. Adornò ancora queſta opera di vna proſpettiua & di molte figure, finite con tanto delicata & dolce maniera che fu cagione che Papa Giulio faceſſe buttare aterra tutte le ſtorie de gli altri maeſtri & vecchi & moderni: & che Rafaello ſolo aueſſe il vanto di tutte le fati-

solo avesse il vanto di tutte le fatiche che in tali opere fossero state fatte sino a quell'ora. 2. E sebbene l'opera di
Giovan Antonio Soddoma da Vercelli, la quale era sopra la
storia di Raffaello, si doveva per commissione del Papa get-
tare per terra, volle nondimeno Raffaello servirsi del partimento di quella e delle grottesche, e dove erano alcuni tondi,
che son quattro, fece per ciascuno una figura del significato
delle storie di sotto, volte da quella banda dove era la storia.
3. A quelle prima, dove egli aveva dipinto la Filosofia a
l'Astrologia, Geometria e Poesia, che si accordano colla Teologia, v'è una femmina fatta per la Cognizione delle cose, la
quale siede in una sedia, che ha per reggimento da ogni
banda una dea Cibele con quelle tante poppe con che dagli
antichi era figurata Diana Polimaste. 4. E la veste sua è
di quattro colori figurati per gli elementi; dalla testa in giù
v'è il color del fuoco, e sotto la cintura quel dell'aria; dalla
natura al ginocchio è il color della terra, è dal resto perfino
ai piedi è il colore dell'acqua. 5. E così l'accompagnano
alcuni putti veramente bellissimi. 6. In un altro tondo, volto
verso la finestra che guarda in Belvedere, è finta la Poesia,
la quale è in persona di Polinnia coronata di lauro e tiene
un suono antico in una mano e un libro nell'altra e sopra-
poste le gambe. 7. E con aria e bellezza di viso immortale

---

che, che in tali opere fuſſero ſtate fatte ſino a quell'ora. Auuene che
GIO. ANTONIO SODDOMA da Vercelli aueua lauorata vna opera, la quale
era ſopra la ſtoria fatta da Rafaello: Perilche Rafaello ebbe commiſſione
dal Papa di gettarla a terra, & egli nientedimanco volle ſeruirſi del
partimento & delle grotteſche; & doue erano alcuni tondi che ſon quattro,
fece per ciaſcuno vna figura del ſignificato delle ſtorie di ſotto: volte da
quella banda doue era la ſtoria. A quella prima, doue egli aueua dipinto
che la Filoſofia & l'Aſtrologia, Geometria, & Poeſia ſi acordaſsino con la
Teologia, v'era vna femmina fatta per la cognizione delle coſe, la quale
fedeua in vna fedia, che aueua per reggimento da ogni banda vna Dea

allein den höchsten Preis über alle die davontrug, welche sich
bis auf diese Stunde in solcher Arbeit versucht hatten. 2. *Als
nun* jedoch die Malerei des Giovan Antonio Soddoma von Vercelli, welche sich über Raphael's Gemälde befand, auf Befehl
des Papstes heruntersollte, beschloss Raphael sich ihre Eintheilung und die Grotesk-Verzierungen zu Nutze zu machen,
und in vier Rundstücke, welche sich darboten, malte er jedesmal eine Figur als erklärende Ueberschrift des Gemäldes darunter, jede Figur nach der Seite hin auf die Wölbung gebracht,
wo das Gemälde befindlich war. 3. *Ueber* jener ersten Wand, wo
er die Philosophie und Astrologie, Geometrie und Poesie gemalt
hatte, welche sich mit der Theologie vereinigen, thront eine weibliche Gestalt, als die **Erkenntniss der Dinge**, auf einem Sessel,
der von beiden Seiten als Lehne eine Cybele hat, mit all den vielen
Brüsten, mit denen von den Alten die Diana Polymastos gebildet
wurde. 4. *Ihr* Gewand ist vierfarbig, um die Elemente anzudeuten;
vom Haupte abwärts herrscht Feuerfarbe, vom Gürtel ab Farbe
der Luft, vom Schoosse bis zu den Knien Erdfarbe, und weiter
bis zu den Füssen Farbe des Gewässers. 5. *Auch* umgeben sie
einige wahrhaftig sehr schöne Kindergestalten. 6. *In einem*
zweiten Rundstücke, nach dem Fenster zu, welches auf Belvedere sieht, ist die **Dichtkunst** dargestellt; in Gestalt der
lorbeergekrönten Polyhymnia hält sie eine antike Leier in der
einen Hand und ein Buch in der andern; ihre Beine sind gekreuzt. 7. *Und* im Glanze ihrer unsterblichen Schönheit hat
sie die Augen gen Himmel erhoben, während zwei lebhafte,
frische Kindergestalten rechts und links mit ihr, wie bei den

Cibele, con quelle tante poppe che da gli antichi era figurata Diana
Polimaſte: & la veſte ſua era di quattro colori, figurati per li elemēti:
da la teſta in giù v'era il color del fuoco: & ſotto la cintura era quel
dell'aria: da la natura a'l ginochio era il color della terra: & dal reſto
per fino a'piedi era il colore dellacqua. Et coſì la acompagnauano alcuni
putti belliſsimi quanto ſi può imaginare bellezza. In vnaltro tondo volto
verſo la fineſtra che guarda in Beluedere, è finto la poeſia: la quale è in
perſona di Polinnia coronata di lauro, & tiene vn ſuono antico in vna
mano & vn libro nell'altra: & ſopra poſte le gambe con vna aria diuiſo
immortale per le bellezze ſta eleuata con eſſo al cielo accompagniandola

sta elevata cogli occhi al cielo, accompagnandola due putti, che sono vivaci e pronti, e che insieme con essa fanno vari componimenti, e colle altre. 8. E da questa banda vi fe' poi sopra la già detta finestra il monte di Parnaso. 9. Nell'altro tondo, che è fatto sopra la storia dove i Santi Dottori ordinano la messa, è una Teologia con libri e altre cose attorno, co' medesimi putti, non men bella che le altre. 10. E sopra l'altra finestra, che volta nel cortile, fece nell'altro tondo una Giustizia colle sue bilance e la spada inalberata, coi medesimi putti che alle altre, di somma bellezza, per aver egli nella storia di sotto della faccia fatto, come si dà le leggi civili e le canoniche, come a suo luogo diremo. 11. E così nella volta medesima in sulle cantonate de' peducci di quella, fece quattro storie disegnate e colorite con una gran diligenza, ma di figure di non molta grandezza. 12. In una delle quali verso la Teologia fece il peccar di Adamo, lavorato con leggiadrissima maniera, il mangiare del pomo; e in quella dove è l'Astrologia, vi è ella medesima, che pone le stelle fisse e l'erranti a' luoghi loro. 13. Nell'altra poi del monte di Parnaso è Marsia fatto scorticare a un albero da Apollo; e di verso la storia dove si danno i decretali, è il giudizio di Salomone, quando egli vuol far dividere il fanciullo. 14. Le quali quattro storie sono tutte piene di senso e di

---

due putti che ſon viuaci & pronti che inſieme cŏ eſſa fanno vari componimenti con le altre? Et da queſta banda vi fe poi ſopra la gia detta
fineſtra il Monte di Parnaſo. Nell'altro tondo che è fatto ſopra la ſtoria
doue i Santi Dottori ordinano le meſſa, è vna Teologia con libri, & altre
coſe attorno, co'medeſimi putti, non men bella che le altre. Et ſopra
l'altra fineſtra che volta nel cortile fece nell'altro tondovna Giuſtizia, cŏ
le ſue bilance, & la ſpada inalberata, con i medeſimi putti che a l'altre,
di ſomma bellezza: per auer egli nella ſtoria di ſotto della faccia fatto
come ſi da le leggi ciuili & le canoniche come a ſuo luogho diremo. Et

andern Figuren gleichfalls in immer verschiedener Gruppirung, ein Ganzes bilden. 8. *Und auf dieser Seite malte er später in den Raum über dem Fenster den Berg Parnass.* 9. *Im folgenden Rundstücke, welches über dem Gemälde sich findet, wo die Heiligen Doctoren der Kirche die Messe feststellen, ist die* Gottesgelahrtheit, *mit Büchern und andern Attributen und gleichfalls mit Kindergestalten, und nicht weniger schön als die Andern.* 10. *Und über dem andern Fenster, welches in den Hof des Palastes geht, malte er im letzten der vier Rundstücke die* Gerechtigkeit *mit ihrer Wage und erhobenem Schwerte und wiederum mit Kindergestalten von höchster Schönheit, weil er an dieser Seite auf dem Gemälde darunter dargestellt hatte, wie die bürgerliche und canonische Gesetzgebung erfolgt, wie wir seines Ortes sagen werden.* 11. *Und ferner malte er auf die Zwickel des Gewölbes, in den Ecken wo es ansetzt, vier Darstellungen, mit grosser Sorgfalt ausgeführt, aber in Figuren von nicht bedeutender Grösse.* 12. *In einem dieser Eckgemälde, nach der Gottesgelahrtheit zu, hat er den Sündenfall Adams in der anmuthigsten Art zur Anschauung gebracht: den Apfelbiss; und in dem nach der Astrologie zu ist diese selbst zu sehen, welche die Fixsterne und die Planeten jeden an seine Stelle setzt.* 13. *In dem folgenden darauf, nach dem Parnasse hin, ist Marsyas wie er an einem Baume hängend auf Apollo's Befehl geschunden wird. Und nach der Darstellung hin, wo die Decretalen gegeben werden, findet sich das Urtheil Salomonis, wie er das Kind will zertheilen lassen.* 14. *Diese vier Darstellungen sind sämmtlich voll Gefühl und Empfindung*

---

cofi nella volta medefima in fu le cantonate de'peducci di quella fece quattro ftorie difegnate & colorite con vna gran diligenza; ma di figure di non molta grâdezza. In vna delle quali verfo doue era la Telogia fece il peccar di Adamo lauorato vi con leggiadrifsima maniera il mangiare del pomo: e in quella doue era la Aftrologia vi era ella medefima che poneua le ftelle fiffe & l'erranti a'luoghi loro. Nell'altra poi, del monte di Parnafo era Marfia fatto fcorticare a vno albero da Apelle; E diuerfo la ftoria doue fi dauono i decretali, era il giudizio di Salamone quando egli vuol fare diuidere il fanciullo. Le quali quattro iftorie fono

affetto e lavorate con disegno bonissimo e di colorito vago
e graziato.

XI. 1. Ma finita oramai la volta, cioè il cielo di quella
stanza, resta che noi raccontiamo quello che e' fece faccia
per faccia a piè delle cose dette di sopra. 2. Nella facciata
dunque di verso Belvedere, dov' è il monte Parnaso e il
fonte di Elicona, fece intorno a quel monte una selva om-
brosissima di lauri, ne' quali si conosce per la loro verdezza
quasi il tremolare delle foglie per le aure dolcissime, e
nell'aria una infinità di Amori ignudi con bellissime arie di
viso, che colgono rami di lauro e ne fanno ghirlande e quelle
spargono e gettano per il monte. 3. Nel quale pare che
spiri veramente un fiato di divinità nella bellezza delle figure
e dalla nobiltà di quella pittura, la quale fa maravigliare,
chi intentissimamente la considera, come possa ingegno umano,
coll'imperfezione di semplici colori, ridurre coll'eccellenza del
disegno le cose di pittura a parere vive, siccome sono anco
vivissimi que' poeti che si veggono sparsi per il monte, chi
ritti, chi a sedere e chi scrivendo, altri ragionando e altri
cantando o favoleggiando insieme, a quattro, a sei, secondochè gli è parso di scompartirli. 4. Sonvi ritratti di naturale tutti i più famosi e antichi e moderni poeti che furono
e che erano fino al suo tempo, i quali furono cavati parte

---

tutte piene di fenfo & di affetto; & lauorate con difegno bonifsimo, & di
colorito vago & graziato. Ma finita oramai la volta cio è il Cielo di
quella ftanza, refta che noi raccontiamo quello che e'fece faccia per faccia
appiè delle cofe dette di fopra. Nella facciata dunque di verfo Beluedere
doue è il monte Parnafo & il fonte di Elicona, fece intorno a quel monte
vna felua onbrofifsima di lauri; ne'quali fi conofce per la loro verdezza,
quafi il tremolare delle foglie per l'aure dolcifsime; & nella aria vna
infinità di Amori ingniudi con bellifsime arie di vifo, che colgono rami
di lauro; & ne fanno ghirlande, & quelle fpargono & gettano per il monte.

und bei der vortrefflichsten Zeichnung schön, leicht und an-
muthig in der Farbe.

XI. 1. *Nach Vollendung der Wölbung, d. h. des Himmels*
dieses Gemaches, erübrigt zu erzählen, was er, Wand für Wand,
zu Füssen der obenbeschriebenen Dinge malte. 2. *Auf die*
Wand nach Belvedere hin, wo der Parnass und die Quelle des
Helicon ist, malte er auf diesem Berge einen schattigen Hain
von Lorbeerbäumen, in denen sich im Grün ihrer Belaubung
fast das Zittern der Blätter im sanften Zuge des Windes
erkennen lässt, und in der Luft eine Menge nackter Amoren
mit reizenden Gesichtern, welche Lorbeerzweige pflücken und
Kränze daraus winden und sie über den Berg hin werfen und
ausstreuen. 3. *Diesen scheint in Wahrheit ein Hauch der Gött-*
lichkeit zu durchwehen in der Schönheit der Gestalten und im
Adel dieses Gemäldes, das, wenn man es ganz genau betrachtet
uns in Erstaunen gerathen lässt, wie der menschliche Geist
mit armseligen einfachen Farben, durch die Vortrefflichkeit
der Zeichnung, Gemaltes bis zum Anschein lebendiger Wirk-
lichkeit steigern könne, wie denn die Dichter im höchsten Grade
lebendig sind, welche man über den Berg hin hier und dort
erblickt, die einen stehend, die andern sitzend, schreibend, sich
unterhaltend, wieder andere singend oder einander erzählend,
zu vieren, zu sechs, jenachdem es ihm angemessen erschien, sie
zu vertheilen. 4. *Dort sind nach der Natur alle die berühm-*
testen antiken und modernen Dichter, wie sie von den ältesten
Zeiten bis zu denen Raphael's gelebt haben, abgebildet, zum

Nel quale pare che ſpiri veramente vn fiato di diuinità, nella bellezza
delle figure; & da la nobiltà di quella pittura: la quale fa marauigliare
chi intentiſsimamente la conſidera, come poſſa ingegno vmano con l'im-
perfezzione di ſemplici colori ridurre con l'eccellenzia del diſegnio le coſe
di pittura a parere viue come que'Poeti che ſi veggono ſparſi per il
monte, chi ritti, chi a ſedere, & chi ſcriuendo, altri ragionando, & altri
cantando, o fauoleggiando inſieme, a quattro, a ſei, ſecondo che gliè parſo
di ſcompartirgli. Sonui ritratti di naturale tutti i piu famoſi & antichi
& moderni Poeti che furono, & che erano fino al ſuo tempo, i quali

da statue, parte da medaglie e molti da pitture vecchie, e
ancora di naturale, mentrechè erano vivi, da lui medesimo.
5. E per cominciarmi da un capo, quivi è Ovidio, Virgilio,
Ennio, Tibullo, Catullo, Properzio e Omero, che cieco, colla
testa elevata cantando versi, ha a' piedi uno che gli scrive.
6. Vi sono poi tutte in un gruppo le nove Muse e Apollo,
con tanta bellezza d'arie e divinità nelle figure, che grazia
e vita spirano ne' fiati loro. 7. Evvi la dotta Safo e il divi-
nissimo Dante, il leggiadro Petrarca e l'amoroso Boccaccio,
che vivi vivi sono; il Tibaldeo similmente e infiniti altri
moderni. 8. La quale storia è fatta con molta grazia e finita'
con diligenza.

XII. 1. Fece in un' altra parete un cielo con Cristo e
la Nostra Donna, San Giovanni Battista, gli Apostoli e gli
Evangelisti e Martiri sulle nuvole, con Dio Padre, che sopra
tutti manda lo Spirito Santo, e massimamente sopra un
numero infinito di Santi, che sotto scrivono la messa e sopra
l'ostia, che è sull'altare, disputano. 2. Fra i quali sono i
quattro Dottori della Chiesa, che intorno hanno infiniti Santi.
3. Evvi Domenico, Francesco, Tommaso d'Aquino, Bona-
ventura, Scoto, Niccolò de Lira, Dante, fra Girolamo Savonarola da Ferrara e tutti i teologi cristiani, e infiniti ritratti
di naturale. 4. E in aria sono quattro fanciulli, che tengono

furono cauati parte da ſtatue, parte da medaglie, & molti da pitture
vecchie; & ancora di naturale mentre che erano viui da lui medeſimo.
Et per cominciarmi da vn capo, qui vi è Ouidio, Virgilio, Ennio, Tibullo,
Catullo, Properzio, & Omero: & tutte in vn groppo le noue muſe &
Apollo, con tanta bellezza d'arie, & diuinità nelle figure. che grazia &
vita ſpirano ne fiati loro. Euui la dotta Safo & il diuiniſſimo Dante, il
leggiadro Petrarca, & lo amoroſo Boccaccio, che viui viui ſono; & il
Tibaldeo & infiniti altri moderni. La quale iſtoria è fatta con molta
grazia, & finita con diligenzia. Fece in vn'altra parete vn cielo con

*Theil nach Statuen, zum Theil nach Medaillen, viele nach alten
Gemälden, und auch nach der Natur, wenn sie noch am Leben
waren, von ihm selber abconterfeit. 5. Und um an der einen
Seite zu beginnen, da sind Ovid, Virgil, Ennius, Tibull, Catull,
Properz und Homer, welcher blind, mit erhobenem Haupte Verse
singend, zu Füssen Einen hat, der sie aufschreibt. 6. Da
sind ferner in einer Gruppe die neun Musen und Apollo, in
solcher Schönheit der Erscheinung und Göttlichkeit der Gestaltung, dass Anmuth und Leben wie ein Hauch sie umschweben. 7. Da ist die gelehrte Sappho, der göttlichste Dante,
der anmuthige Petrarca, der verliebte Boccaccio, als lebten sie;
auch Tibaldeo und eine Menge Anderer aus der neuesten Zeit.
8. Dieses Gemälde ist mit grosser Anmuth gemalt und mit
Fleiss durchgeführt.*

*XII. 1. Er malte auf eine andere Wand einen Himmel
mit Christus und Unserer Frau, Johannes dem Täufer, den
Aposteln und Evangelisten und Märtyrern auf den Gewölken,
mit Gott Vater, welcher über Alle den Heiligen Geist aus-
giesst, besonders über eine grosse Menge von Heiligen, welche
unten die Messe schreiben und über die Hostie, welche auf dem
Altare ist, ihre Meinungen äussern. 2. Unter diesen sind die
vier Doctoren der Kirche, welche um sich her viele Heilige haben.
3. Da ist Dominicus, Franciscus, Thomas von Aquin, Bonaven-
tura, Scotus, Niccolo de Lira, Dante, Girolamo Savonarola von
Ferrara und alle Gottesgelehrten der Christenheit und sehr viele
Porträts nach dem Leben. 4. Und in der Luft sind vier
Kinder, welche die offenen Evangelien halten. 5. Kein Maler*

CHRISTO, & la Noſtra donna, San Giouanni Batiſta, gli Apoſtoli & gli
Euangeliſti, i Martiri ſu le nugole con Dio Padre, che ſopra tutti, manda
lo Spirito Santo a vn numero infinito di Santi che ſotto ſcriuono la
meſſa; & ſopra l'Oſtia, che è ſullo altare, diſputano. Fra i quali ſono i
quattro dottori della chieſa, & intorno hanno infiniti Santi. Euui Domenico, Franceſco, Tomaſo d'Aquino, Buonauentura, Scoto, Nicolo de
Lira, Dante, fra Girolamo da Ferrara, & tutti i Teologi Chriſtiani, & infiniti ritratti, di naturale. E in aria ſono quattro fanciulli, che tengono
aperti gli Euangeli. Dellequali figure non potrebbe pittore alcuno, formar

aperti gli evangeli. 5. Delle quali figure non potrebbe pittore alcuno formar cosa più leggiadra nè di maggior perfezione. 6. Avvengachè nell'aria e in cerchio sono figurati que' Santi a sedere, che nel vero, oltre al parer vivi di colori, scortano di maniera e sfuggono, che non altrimenti farebbero, se fossero di rilievo. 7. Oltrechè sono vestiti diversamente con bellissime pieghe di panni, e le arie delle teste più celesti che umane, come si vede in quella di Cristo, la quale mostra quelle clemenza e quella pietà che può mostrare agli uomini mortali divinità di cosa dipinta. 8. Conciofossechè Raffaello ebbe questo dono dalla natura, di far le arie sue delle teste dolcissime e graziosissime, come ancora ne fa fede la Nostra Donna, che, messesi le mani al petto, guardando e contemplando il figliuolo, pare che non possa dinegar grazia; senzachè egli rìservò un decoro certo bellissimo, mostrando nelle arie de' santi Patriarchi l'antichità, negli Apostoli la semplicità e ne' Martiri la fede. 9. Ma molto più arte e ingegno mostrò ne' santi Dottori cristiani, i quali a sei, a tre, a due disputano per la storia; si vede nelle cere loro una certa curiosità e un affanno nel voler trovare il certo di quel che stanno in dubbio, facendone segno col disputar colle mani e col far certi atti colla persona, con attenzione degli orecchi, coll'increspare delle ciglia e collo

---

cofa piu leggiadra; ne di maggior perfezzione. Auuengha che nell'aria, e in cerchio fon figurati que' Santi a federe che nel vero oltra al parer viui di colori, fcortano di maniera, e sfuggono, che non altrimenti farebbono se'fufsino di rilieuo. Oltra che fono veftiti diuerfamente, con bellifsime pieghe di panni, & l'arie delle tefte piu celefti che vmane: come fi vede in quella di CHRISTO, la quale moftra quella clemenzia & quella pietà che può moftrare a glihuomini mortali diuinità di cofa dipinta. Auuengha che Rafaello ebbe quello dono dalla Natura di far larie fue delle tefte dolcifsime & graziofifsime, come ancora ne fa fede

würde etwas Reizenderes, Vollkommeneres schaffen können als diese Figuren. 6. *Und ferner, in den Lüften und im Kreise sitzend sind die Heiligen dargestellt, welche in Wahrheit, abgesehen von ihrer lebendigen Färbung, in einer Art sich verkürzen, als ob es rund hervortretende Figuren wären.* 7. *Dazu sind sie in verschiedener Weise vom schönsten Faltenwurf umhüllt, und der Ausdruck ihrer Gesichter ist überirdisch, wie sich beim Antlitz Christi erkennen lässt, aus welchem die Milde und Frömmigkeit uns anspricht, welche den sterblichen Menschen die Göttlichkeit, deren ein Gemälde fähig ist, offenbaren kann.* 8. *Raphael hatte von der Natur die Gabe empfangen, seinen Köpfen den höchsten Ausdruck der Zartheit und Lieblichkeit zu geben, wie hier Unsere Frau erkennen lässt, welche, die Hände auf der Brust, die Blicke auf ihren Sohn gerichtet, so dargestellt ist, als könne ihr die (für die Menschheit erbetene) Gnade nicht verweigert werden. Dabei weiss er (den Gestalten) eine Ehrfurcht gebietende Würde zu geben, indem er in den Heiligen Erzvätern das Alterthum, in den Aposteln die Einfachheit, in den Märtyrern die Ueberzeugungstreue charakterisirt.* 9. *Noch mehr Kunst und Genie aber zeigte er in den Heiligen Doctoren der Christenheit, welche zu sechsen, zu dreien, zu zweien ihre Meinungen gegeneinandersetzen. In ihren Mienen erkennt man eine gewisse Neugier und eine Bekümmerniss, da sie in Zweifeln befangen das Gewisse zu finden wünschen, und dies in ihrem Wesen erkennen lassen, indem sie mit Bewegung der Hände und der ganzen Gestalt ihre Meinungen erörtern, zu horchen scheinen, die Augenbrauen zusammenziehen*

---

la Noſtra donna, che meſſeſi le mani al petto, guardando & contemplando il Figliuolo pare che non polla dinegar grazia: fenza che egli riferuò vn decoro certo belliſsimo, moſtrando nell'arie de'Santi Patriarci lantichità: negli Apoſtoli la ſemplicità: & ne Martiri la fede. Ma molto piu arte & ingegno moſtrò ne'Santi & Dottori Chriſtiani, i quali a ſei, a tre, a due diſputando per la ſtoria, ſi vede nelle cere loro vna certa curioſità; & vno affanno; nel voler trouare il certo di quel che ſtanno in dubbio: faccendone ſegno co'l diſputar con le mani, & co'l far certi atti con la perſona: con atenzione degli orecchi, con lo increſpare delle ciglia: &

stupire in molte diverse maniere, certo variate e proprie;
salvo che i quattro Dottori della Chiesa, che illuminati dallo
Spirito Santo snodano e risolvono colle scritture sacre tutte
le cose degli Evangeli, che sostengono que' putti, che gli
hanno in mano volando per l'aria. 10. Fece nell'altra faccia,
dov' è l'altra finestra, da una parte Giustiniano, che dà le
leggi ai Dottori, che le correggano, e sopra, la Temperanza,
la Fortezza e la Prudenza. 11. Dall'altra parte fece il Papa,
che dà le decretali canoniche, e in detto Papa ritrasse papa
Giulio di naturale, Giovanni cardinale de' Medici assistente,
che fu papa Leone, Antonio cardinale di Monte e Alessandro Farnese cardinale, che fu poi papa Paolo III con
altri ritratti.

XIII. 1. Restò il Papa di quest'opera molto sodisfatto;
e per fargli le spalliere di prezzo, come era la pittura, fece
venire da Monte Oliveto di Chiusuri, luogo in quel di Siena,
fra Giovanni da Verona, allora gran maestro di commessi di
prospettive di legno, il quale vi fece non solo le spalliere
attorno, ma ancora usci bellissimi e sederi lavorati in prospettive, i quali appresso al Papa grandissima grazia, premio
e onore gli acquistarono. 2. E certo che in tal magisterio
mai non fu più nessuno più valente di disegno e d'opera che
fra Giovanni, come ne fa fede ancora in Verona sua patria

---

con lo ſtupire in molte diuerſe maniere, certo uariate & proprie: faluo
che i quattro Dottori della Chieſa che illuminati dallo Spirto Santo,
ſnodano & riſoluono con le ſcritture Sacre, tutte le coſe de gli Euangeli,
che ſoſtengano que' putti che gli hanno in mano volando per l'aria.
Fece nell'altra faccia doue è l'altra fineſtra, da vna parte Giuſtiniano,
che dà le leggi a i dottori, che le corregghino; & ſopra, la Temperanza
la Fortezza & la Prudenza. Dall'altra parte fece il Papa, che da le
decretali canoniche, & vi ritraſſe Papa Giulio di naturale; Giouanni
Cardinale de Medici aſsiſtente, Antonio Cardinale di Monte, & Aleſſandro

und auf die verschiedenste, immer aber prägnante Art ihr Er-
staunen ausdrücken: die vier Doctoren der Kirche ausgenom-
men, welche, erfüllt vom Heiligen Geiste, mit Hülfe der Heiligen
Schriften den Inhalt der Evangelien enträthseln, die von jenen
Kindern, welche sie fliegend in Händen haben, aufrecht gehalten
werden. 10. Auf die folgende Wand, in der sich das andere
Fenster befindet, malte er links davon Justinian, welcher den
Doctoren die Gesetze übergiebt, um sie zu verbessern; über ihm
die Mässigkeit, Tapferkeit und Klugheit. 11. Auf der rechten
Seite des Fensters malte er den Papst, welcher die canonischen
Gesetze giebt, und in diesem Papste porträtirte er Papst Giulio
nach der Natur, den Cardinal Giovanni Medici neben ihm,
welcher Papst Leo wurde, den Cardinal Antonio Monte und
den Cardinal Alessandro Farnese, welcher später Papst Paul
der Dritte wurde, nebst andern Bildnissen.

XIII. 1. Der Papst war von diesem Werke sehr befriedigt,
und um Holzverkleidungen dazu machen zu lassen, deren Kost-
barkeit der der Malerei entspräche, liess er von Monte Oliveto
di Chiusuri, einer auf sienesischem Gebiete gelegenen Oertlichkeit,
Fra Giovanni di Verona kommen, damals berühmten Meister
für eingelegte Holzarbeit mit perspectivischen Ansichten, der
nicht nur ringsum die Holzverkleidung dazu anfertigte, sondern
auch sehr schöne Thüren und Sitzplätze mit Perspectiven da-
rauf, die ihm beim Papste die grösste Gunst, Belohnung und
Ehre verschafften. 2. Und sicherlich war in dieser Kunst
Niemand, was Zeichnung und Ausführung anlangt, tüchtiger

Farnefe Cardinale, ora, la Dio grazia, fommo Pontefice. con altri ritratti.
Reftò il Papa di quefta opera molto fodisfatto: & per far gli le fpalliere
di prezzo, come era la pittura, fece venire da Monte Oliueto di Chiufuri,
luogo in quel di Siena, FRA GIOVANNI DA VERONA, allora gran
maeftro di commefsi di profpettiue di legno; ilquale vi fece non folo le
fpalliere, che attorno vi erano ma ancora vfci bellifsimi & federi lauorati
in profpettiue; i quali grandifsima grazia. premio, & onore gli acqui-
ftarono col Papa. Et certo, che in tal magifterio mai non fu piu neffuno,
piu valente di difegno & d'opera, che fra Giouanni; come ne fa fede

9*

una sagrestia di prospettive di legno bellissima in Santa
Maria in Organo, il coro di Monte Oliveto di Chiusuri e quel
di San Benedetto di Siena, e ancora la sagrestia di Monte
Oliveto di Napoli, e nel luogo medesimo nella cappella di
Paolo da Tolosa il coro lavorato dal medesimo. 3. Per il
che meritò che dalla religion sua fosse stimato e con grandissimo onor tenuto, nella quale si morì d'età d'anni 68,
l'anno 1537. 4. E di costui, come di persona veramente
eccellente e rara, ho voluto far menzione, parendomi che così
meritasse la sua virtù, la quale fu cagione, come si dirà in
altro luogo, di molte opere rare fatte da altri maestri dopo
lui. 5. Ma per tornare a Raffaello, crebbero le virtù sue di
maniera, ch'e' seguitò per commissione del Papa la camera
seconda verso la sala grande. 6. Ed egli, che nome grandissimo aveva acquistato, ritrasse in questo tempo papa Giulio
in un quadro a olio, tanto vivo e verace, che faceva temere
il ritratto a vederlo, come se proprio egli fosse il vivo; la
quale opera è oggi in Santa Maria del Popolo, con un quadro
di Nostra Donna bellissimo, fatto medesimamente in questo
tempo, dentrovi la Natività di Gesù Christo, dove è la Vergine, che con un velo cuopre il figliuolo, il quale è di tanta
bellezza, che nell'aria della testa e per tutte le membra dimostra
essere vero figliuolo di Dio. 7. E non manco di quello è bella

---

ancora in Verona ſua patria vna ſagreſtia di proſpettiue di legno belliſsima in Santa Maria in Organo, il choro di Monte Oliueto di Chiuſuri,
& quel dı San Benedetto di Siena, & ancora la ſagreſtia di Monte Oliueto
di Napoli; & nel luogo medeſimo nella cappella di Paolo da Toloſa il
choro lauorato da lui. Perilche meritò, che dalla religion ſua foſſe
ſtimato, & con grandiſsimo onor tenuto, ilquale mori in quella d'eta
d'anni LXVIII. l'anno MDXXXVII. Et di coſtui come di perſona veramente eccellente & rara, hò qui voluto far' menzione, parendomi che
coſi meritaſſe la ſua vırtù. Ma per tornare a Rafaello, crebbero le virtù

als Fra Giovanni, wie in Verona, woher er gebürtig war, in Santa Maria in Organo eine Sacristei mit den schönsten Perspectiven in Holz, in Monte Oliveto di Chiusuri sowie in Monte Oliveto di San Benedetto zu Siena, und auch die Sacristei von Monte Oliveto in Neapel, und ebendaselbst in der Capelle des Paolo di Tolosa der von dem gleichen Meister gearbeitete Chor bezeugen. 3. Es war deshalb wohl verdient, wenn er von seinem Orden geschätzt und in hoher Ehre gehalten wurde, in dessen Schoosse er, 68 Jahre alt, 1537 gestorben ist. 4. Und ihn habe ich, als einen in Wahrheit vorzüglichen und seltenen Mann, erwähnen wollen, da dies seiner Kunst zu gebühren scheint, die, wie an anderer Stelle erzählt werden wird, die Quelle vieler anderer von anderen Meistern nach ihm gearbeiteter seltener Werke war. 5. Doch um zu Raphael zurückzukehren, so erhob sich seine Kunst zu solcher Höhe, dass er auf Befehl des Papstes das zweite Gemach nach dem grossen Saale hin in Angriff nahm. 6. Damals, in der Fülle des Ruhmes stehend, den er erworben hatte, stellte er Papst Giulio auf einem Oelgemälde so lebendig und wahrhaftig dar, dass das Bildniss beim Betrachten Furcht einflösste, als wäre es der lebende Papst selber; heute ist das Werk in Santa Maria del Popolo, zusammen mit einem sehr schönen Muttergottesbilde, das zu derselben Zeit gemalt wurde, der neugeborene Christus darauf, wo die Jungfrau das Kind mit einem Schleier bedeckt, das von solcher Schönheit ist, dass es sich im Antlitz und in allen Gliedern als den wahren Sohn Gottes zeigt. 7. Und nicht weniger schön ist der Kopf und die Haltung der Madonna, neben der höchsten

---

fue di maniera; che' feguitò per cõmifsione del Papa, la camera feconda verfo la fala grande. Et egli, che nome grandifsimo aueua acquiftato, ritraffe in quefto tempo Papa Giulio in vn quadro a olio, tãto viuo & verace, che faceua temere il ritratto a vederlo, come fe proprio egli folfe il viuo laquale opera è oggi in Santa Maria del Popolo, con vn quadro di Noftra donna bellifsimo, fatto medefimamente in quefto tempo, dentroui la Natiuità di IESV CHRISTO, doue è la Vergine che con vn' velo cuopre il figliuolo: il quale è di tanta bellezza, che nella aria della tefta, & per tutte le membra, dimoftra effere vero figliuolo di DIO. Et non manco

la testa e il volto di essa Madonna, conoscendosi in lei, oltre la somma bellezza, allegrezza e pietà. 8. Evvi un Giuseppe, che, appoggiando ambe le mani ad una mazza, pensoso in contemplare il Re e la Regina del cielo, sta con un'ammirazione da vecchio santissimo. 9. E ambedue questi quadri si mostrano le feste solenni.

XIV. 1. Aveva acquistato in Roma Raffaello in questi tempi molta fama; e ancorachè egli avesse la maniera gentile, da ognuno tenuta bellissima, e contuttochè egli avesse veduto tante anticaglie in quella città, e che egli studiasse continuamente, non aveva però per questo dato ancora alle sue figure una certa grandezza e maestà, che e' diede loro da qui avanti. 2. Avvenne adunque in questo tempo, che Michelangelo fece al Papa nella cappella quel romore e paura di che parleremo nella vita sua, onde fu sforzato fuggirsi a Firenze; per il che, avendo Bramante la chiave della cappella, a Raffaello come amico la fece vedere, acciocchè i modi di Michelangelo comprendere potesse. 3. Onde tal vista fu cagione che in Sant'Agostino, sopra la Sant'Anna di Andrea Sansovino, in Roma Raffaello subito rifacesse di nuovo lo Isaia profeta che ci si vede, che di già l'aveva finito 4. Nella quale opera, per le cose vedute di Michelangelo. migliorò e ingrandì fuor di modo la maniera e diedele più maestà. 5. Perchè, nel veder poi Michelangelo l'opera di

di quello è bella la teſta & il volto di eſſa Madonna; conoſcendoſi in lei oltra la ſomma bellezza allegrezza & pietà. Euui vn'Giuſeppo che appoggiando ambe le mani ad vna mazza, penſoſo in contemplare il Re & la Regina del Cielo, ſta con vna ammirazione da vecchio ſantiſſimo. Et amendue queſti quadri ſi moſtrano le feſte ſolenni. Aueua acquiſtato in Roma Rafaello in queſti tempi molta fama: & ancora che egli aueſſe la maniera gentile, da ognuno tenuta belliſſima; Con tutto che egli aueſſe veduto tante anticaglie in quella città & che egli ſtudiaſſe continouamente: Non aueua però per queſto dato ancora alle ſue figure vna certa grandezza & maeſtà; che è diede loro da qui auanti. Perche

Schönheit, Freudigkeit und Frömmigkeit ausdrückend. 8. *Da
ist auch Joseph, der, mit beiden Händen auf einen Stab sich
stützend, nachdenklich im Anblicke des Königs und der Königin
des Himmels, als heiliger Greis staunend dasteht.* 9. *Und diese
beiden Gemälde werden an hohen Festtagen gezeigt.*

XIV. 1. *Raphael hatte damals in Rom grossen Ruhm erworben; indessen, obwohl seine Manier liebenswürdig und fein war
und von Jedermann für sehr schön gehalten wurde, und obgleich
er so viele antike Werke in Rom gesehen und sie beständig studirt
hatte, wusste er seinen Gestalten noch nicht die Grösse und Majestät zu verleihen, die er ihnen von jetzt an gab.* 2. *Zu jener
Zeit also geschah es, dass Michelangelo dem Papste in der Capelle mit so viel Lärm den Schrecken einjagte, wovon wir in seinem Leben reden werden, weshalb er sich nach Florenz flüchten
musste; aus diesem Grunde nun, da Bramante die Schlüssel
zur Capelle hatte, vergönnte dieser Raphael als seinem Freunde,
sie zu sehen, damit er die Art des Michelangelo verstehen lerne.*
3. *Dieser Anblick war die Ursache, dass Raphael in Sant' Agostino
den Propheten Isaias, über der Heiligen Anna des Andrea Sansovino dort sofort von neuem malte, da er ihn bereits vollendet
hatte.* 4. *In diesem Werke verbesserte er durch die Bekanntschaft mit den Sachen des Michelangelo seine Manier ausser-
ordentlich und gab ihr mehr Grösse und Majestät.* 5. *Als Michelangelo Raphael's Werk dann später sah, vermuthete er, wie die
Wahrheit war, Bramante habe ihm diesen bösen Streich gespielt,*

auuenne in quefto tempo, che Micheleagnolo fece al Papa nella cappella
quel romore & paura, come diremo nella vita fua onde fu sforzato fuggirfi
a Fiorenza: Per il che auendo Bramante la chiaue della cappella, a
Rafaello, come amico, la fece vedere, accioche i modi di Micheleagnolo
comprèdere poteffe. Onde tal vifta fu cagione, che in Santo Agoftino
fopra la Santa Anna di Andrea Sanfouino in Roma Rafaello fubito
rifece di nuouo lo Efaia profeta, che ci fi vede; che di gia lo aueua
finito. Laquale opera per le cofe vedute di Micheleagnolo, migliorò &
ingrandì fuor di modo la maniera & diedeli piu maeftà. Perche nel
veder poi Micheleagnolo lopera di Rafaello, pensò, che Bramante, com'era

Raffaello, pensò che Bramante, com' era vero, gli avesse
fatto quel male innanzi per fare utile e nome a Raffaello.
6. Al quale Agostino Chigi Sanese, ricchissimo mercante e
di tutti gli uomini virtuosi amicissimo, fece non molto dopo
allogazione d'una cappella, e ciò per avergli poco innanzi
Raffaello dipinto in una loggia del suo palazzo, oggi detto
i Chigi in Trastevere, con dolcissima maniera una Galatea
nel mare sopra un carro tirato da due delfini, a cui sono
intorno i Tritoni e molti Dei marini. 7. Avendo dunque fatto
Raffaello il cartone per la detta cappella, la quale è all'entrata
della chiesa di Santa Maria della Pace a man destra, entrando
in chiesa per la porta principale, la condusse lavorata in fresco
della maniera nuova, alquanto più magnifica e grande che
non era la prima. 8. Figurò Raffaello in questa pittura,
avantichè la cappella di Michelangelo si discoprisse pubbli-
camente, avendola nondimeno veduta, alcuni Profeti e Sibille,
che nel vero delle sue cose è tenuta la migliore e fra le
tante belle bellissima; perchè nelle femmine e nei fanciulli
che vi sono, si vede grandissima vivacità e colorito perfetto.
9. E questa opera lo fe' stimar grandemente vivo e morto,
per essere la più rara ed eccellente opera che Raffaello facesse in vita sua. 10. Poi, stimolato da' prieghi d'un cameriere di papa Giulio, dipinse la tavola dell'altar maggiore di
Araceli, nella quale fece una Nostra Donna in aria, con un

---

vero gli auesse fatto quel male inanzi, per fare vtile & nome a Rafaello.
Era in questo tempo a Roma Agostin Chili mercante Sanese richissimo
& grande, ilquale oltra a la mercatura teneua conto di tutte le persone
virtuose & massime de gli architetti pittori & scultori. & fra glialtri
aueua preso grandissima amicizia con Rafaello: alquale per lassar nome
nelle memorie di quell'arte come fece nella mercatura & richezze fece
allogazione d'una cappella all'entrata della chiesa di Santa Maria della
Pace a man destra entrando in chiesa dalla porta principale; che fatto
fare i ponti Rafaello & finito i cartoni la condusse lauorata in fresco

um Raphael Vortheil und Ruhm zu schaffen. 6. *Diesem nun übertrug Agostino Chigi aus Siena, einer der reichsten Kaufleute und Freund aller Künstler, die Ausmalung einer Capelle, und zwar deshalb, weil Raphael ihm kurz vorher in einer Loggia seines Palastes, heute ,I Chigi in Trastevere' genannt, in der zartesten Manier eine Galatea gemalt hatte, die auf dem Meere mit zwei Delphinen fährt, umgeben von Tritonen und vielen Meergöttern.* 7. *Nachdem Raphael also den Carton für die erwähnte Capelle angefertigt hatte, beim Eintritte in die Kirche Santa Maria della Pace gleich rechter Hand, führte er die Malerei in Fresco in der neuen Manier aus, die um ein gutes Theil wirkungsvoller und grösser war als die frühere.* 8. *Auf diesem Gemälde stellte Raphael — bevor die Capelle Michelangelo's dem Publicum öffentlich aufgedeckt worden ist, die er jedoch gesehen hatte — einige Propheten und Sibyllen dar, ein Werk, das von allen seinen Sachen für das beste und unter so vielem Schönen für das schönste gilt; denn die Frauen und Kinder darauf zeigen die grösste Lebendigkeit und vollendetes Colorit.* 9. *Und diese Arbeit erwarb ihm solange er lebte und nach seinem Tode hohe Achtung, da es das seltenste und ausgezeichnetste Werk ist, das Raphael in seinem Leben machte.* 10. *Sodann, auf Bitten eines Kämmerers des Papstes Giulio, malte er für den Hauptaltar von Araceli eine Tafel: Unsere Frau auf Wolken, mit einer sehr schönen Landschaft und den Heiligen Johannes, Franciscus und Hieronymus, der letztere in Cardinaltracht. In dieser Madonna zeigt sich eine Demuth und Bescheidenheit recht wie einer*

---

nella maniera nuoua, & alquanto piu magnifica & grande che egli àueua preſa di nuouo. Figurò Rafaello in tal pittura, auanti che la cappella di Michelagnolo ſi diſcopreſſe publicamente, alcuni profeti & ſibille, che nel vero delle ſue cofe è tenuta la miglior, & fra le tãte belle, belliſsima: perche nelle femmine & ne i fanciulli, che vi fono, v'è grandiſsima viuacità & colorito per fetto. Et quella opera lo fe ſtimar grandemente viuo & morto, Poi ſtimolato da prieghi d'un cameriere di Papa Giulio, dipinſe la tauola dello altar maggiore di Araceli, nellaquale fece vna Noſtra donna in aria, con vn paeſe belliſsimo; vn San Giouanni, & vn

paese bellissimo, un San Giovanni e un San Francesco e San
Girolamo ritratto da cardinale; nella qual Nostra Donna è
un'umiltà e modestia veramente da madre di Cristo; e oltrechè il putto con bella attitudine scherza col manto della
madre, si conosce nella figura del San Giovanni quella peni-
tenza che suol fare il digiuno, e nella testa si scorge una
sincerità d'animo e una prontezza di sicurtà, come in coloro
che lontani dal mondo lo sbeffano e nel praticare il pubblico
odiano la bugia e dicono la verità. 11. Similmente il San
Girolamo ha la testa elevata cogli occhi alla Nostra Donna,
tutta contemplativa, ne' quali par che ci accenni tutta quella
dottrina e sapienza che egli scrivendo mostrò nelle sue carte,
offerendo con ambe le mani il cameriere in atto di racco-
mandarlo; il qual cameriere nel suo ritratto è non men vivo
che si sia dipinto. 12. Nè mancò Raffaello fare il medesimo
nella figura di San Francesco, il quale ginocchioni in terra,
con un braccio steso e colla testa elevata, guarda in alto la
Nostra Donna, ardendo di carità nell'affetto della pittura, la
quale nel lineamento e nel colorito mostra che e' si strugga
di affezione, pigliando conforto e vita dal mansuetissimo guardo della bellezza di lei e dalla vivezza e bellezza del fig-
liulo. 13. Fecevi Raffaello un putto ritto in mezzo della
tavola sotto la Nostra Donna, che alza la testa verso lei e

San Francesco, & San Girolamo ritratto da Cardinale; nella qual Nostra
donna è vna vmiltà & modestia veramente da madre di CHRISTO: & il
putto è con bella attitudine scherzando co'l manto della madonna,
conoscesi nella figura di San Giouanni quella penitèza che suole fare il
digiuno, & nella testa si scorge vna sincerità d'animo, & vna prontezza
di sicurtà, come in coloro che lontani dal mondo lo sbeffano; & nel
praticare il publico, odiano la bugia: & dicono la verita. Simile è nel
San Girolamo che hà vna testa eleuata con gliocchi alla Nostra donna
tutta cötemplatiua nequali par che ci accenni tutta quella dottrina &
sapienza che egli scriuendo mostrò ne le sue carte; offerendo con ambe

Mutter Christi; und um davon zu schweigen, in wie schöner Stellung das Kind mit dem Mantel der Madonna spielt, erkennt man in der Gestalt des Heiligen Johannes die Abgehärmtheit, die das Fasten hervorbringt, und in seinen Zügen die einfältige Reinheit der Gesinnung und Sicherheit des Vertrauens, wie sie in denen sich bilden, die in Einsamkeit die Welt verachten und im Verkehr mit den Leuten die Lüge hassen und die Wahrheit sagen. 11. Und so auch hält der Heilige Hieronymus das Haupt zu Unserer Frau erhoben, die Augen in tiefem Sinnen verloren, aus denen uns all die Gelehrsamkeit und Weisheit zuzuwinken scheint, die er in seinen Schriften offenbarte: mit beiden Händen den Kämmerer (der Heiligen Jungfrau) darbietend als empföhle er ihn ihr; und dieser Kämmerer scheint in seinem Bildniss ebenso von wirklichem Leben erfüllt als es lebendig gemalt ist. 12. Auch erreichte Raphael das Gleiche in der Gestalt des Heiligen Franciscus, der auf den Boden hingekniet, mit aufgestrecktem Arme und erhobenem Haupte zu Unserer Frau emporblickt, entzündet von himmlischer Liebe, als ob das Gemälde davon erfüllt sei, das in Linienführung und Farbe die leidenschaftliche Bewegung erkennen lässt, die ihn durchwühlt, während er Trost und Leben aus dem milden Blicke ihrer Schönheit und aus der lebensvollen Schönheit ihres Sohnes schöpft. 13. Mitten auf der Tafel malte Raphael einen stehenden Knaben unter Unserer Frau, der das Haupt zu ihr aufhebt und eine Gedenktafel hält: unmöglich, was die Schönheit des Antlitzes und,

---

le mani il Cameriero & par che egli lo raccomãdi, il quale nel fuo ritratto è non men viuo che fi fia dipinto. Ne mãcò Rafaello fare il medefimo nella figura di San Francefco ilquale ginochioni in terra, con vn braccio ftefo, & con la tefta eleuata, guarda in alto la Noftra donna, ardendo di carità nello affetto della pittura, la quale nel lineamento & nel colorito, moftra, che è fi ftrugga di affezzione, pigliãdo conforto & vita da'l manfuetifſimo guardo della bellezza di lei, & da la viuezza & bellezza del figliuolo. Feceui Rafaello vn putto ritto in mezzo della tauola fotto la Noftra donna, che alza la tefta verfo lei & tiene vno epitaffio, che di bellezza di volto & di corrifpondenza della perfona non fi può fare ne

tiene un epitaffio, che di bellezza di volto e di corrispondenza della persona non si può faren è più grazioso nè meglio; oltrechè v'è un paese, che in tutta perfezione è singolare e bellissimo.

XV. 1. Dappoi, continuando le camere di palazzo, fece una storia del Miracolo del Sacramento del Corporale d'Orvieto o di Bolsena, che eglino sel chiamino. 2. Nella quale storia si vede al prete, mentrechè dice messa, nella testa infocata di rosso la vergogna che egli aveva nel vedere per la sua incredulità fatto liquefar l'ostia in sul corporale, e che spaventato negli occhi e fuor di se, smarrito nel cospetto de' suoi uditori, pare persona irrisoluta. 3. E si conosce nell'attitudine delle mani quasi il tremito e lo spavento che si suole in simili casi avere. 4. Fecevi Raffaello intorno molte varie e diverse figure: alcuni servono alla messa, altri stanno su per una scala ginocchioni, e alterati dalla novità del caso, fanno bellissime attitudini in diversi gesti, esprimendo in molte un affetto di rendersi in colpa, e tanto ne' maschi quanto nelle femmine; fra le quali ve n'ha una che a piè della storia da basso siede in terra, tenendo un putto in collo, la quale, sentendo il ragionamento che mostra un'altra di dirle del caso successo al prete, maravigliosamente si storce, mentrechè ella ascolta ciò con una grazia donnesca molto propria e vivace. 5. Finse dall'altra banda papa Giulio,

piu graziofo ne meglio, oltre che ve vn paefe che in tutta perfezzione è fingulare & bellifsimo. Dappoi continuando le camere di palazzo, fece vna ftoria del miracolo del Sacramèto del corporale d'Oruieto, o di Bolfena che eglino fi dichino. Nella quale ftoria fi vede mentre che il prete dice meffa, nella fua tefta infocata di roffo la vergogna che egli aueua nel veder per la fua incredulità fatro liquefar loftia in ful corporale: & che fpauentato ne gli occhi & fuor di fe è fmarrito nel cofpetto de fuoi vditori, par perfona inrifoluta. Et fi conofce nell'attitudine delle mani quafi il tremito & lo fpauento, che merce della colpa gli fi debbe

*ihm entsprechend, der ganzen Gestalt anlangt, anmuthiger und
besser zu malen; und ausserdem ist eine in ihrer Vollendung
einzige und wunderschöne Landschaft auf dem Bilde.*

XV. 1. *Sodann, in den Gemächern des Palastes mit der
Arbeit fortfahrend, malte er das Wunder des Sacramentes am
Corporale (Leintüchlein) von Orvieto, oder von Bolsena, wie
man es nun nennen mag.* 2. *Hier sieht man, wie der
Priester, während er die Messe liest, vor Scham erröthet,
als um seines Unglaubens willen die Hostie auf dem Corporale sich in Blut auflöste, und wie er mit erschreckten
Blicken und ausser sich, vernichtet vor den Augen seiner Zu-
hörer, die Fassung verliert.* 3. *Und an der Haltung seiner
Hände ist das Zittern fast erkenntlich und die Furcht, die
uns in solchen Fällen überkommt.* 4. *Raphael umgab ihn
mit vielen verschiedenartigen Figuren: einige dienen bei der
Messe, andere knien auf einer zu ihm emporführenden Treppe,
und entsetzt vom unerwarteten Ereignisse, bieten sie sich in den
schönsten Körperstellungen in verschiedener Weise dar, wobei in
vielen der Wille zum Ausdrucke gebracht ist, sich zur Busse
zu kehren, und zwar bei den Männern sowohl als bei den
Frauen; unter diesen eine, die am Fusse der Treppe auf dem
Boden sitzt, mit einem kleinen Kinde auf dem Arme, wie sie,
einer andern zuhörend, welche ihr, wie es scheint, mittheilt was
mit dem Priester eben geschehen ist, in wunderbarer Körper-
wendung und in besonders frauenhafter Anmuth und lebendiger
Bewegung der Erzählung lauscht.* 5. *Auf der andern Seite*

---

dalla punizione cò la pena. Feceui Rafaello intorno molte varie et
diuerfe figure, chi ferue a la, meſſa altri ftanno fu per vna fcala ginochioni che alterate dalla nouita del cafo fanno bellifsime attitudini in
diuerfi gefti: efprimendo in molte vno affetto di renderfi in colpa, tãto
ne'mafchi quanto nelle femmine, fra lequali ve ne vna che apiè della
ftoria dabaſſo liede in terra tenendo vn putto in collo; laquale fentendo
il ragionamento che moftra vnaltra di dirle il cafo fuceſſo al prete,
marauigliofamente fi ftorce mètre che ella afcolta cio, con vna grazia
donnefca molto propria & viuace. Finfe dalaltra banda Papa Giulio,

che ode quella messa, cosa maravigliosissima, dove ritrasse
il cardinale di San Giorgio e infiniti; e nel rotto della finestra
accomodò una salita di scalee, che la storia mostra intera;
anzi pare che, se il vano di quella finestra non vi fosse,
quella non sarebbe stata punto bene. 6. Laonde veramente
se gli può dar vanto che nelle invenzioni dei componimenti,
di che storie si fossero, nessuno giammai più di lui nella
pittura è stato accomodato e aperto e valente; come mostrò
ancora in questo medesimo luogo dirimpetto a questa in una
storia, quando San Pietro nelle mani d'Erode in prigione è
guardato dagli armati: dove tanta è l'architettura che ha
tenuta in tal cosa, e tanta la discrezione nel casamento della
prigione, che in vero gli altri, appresso a lui, hanno più di
confusione ch'egli non ha di bellezza; avendo egli cercato di
continuo figurare le storie, come esse sono scritte, e farvi
dentro cose garbate ed eccellenti, come mostra in questa
l'orrore della prigione nel veder legato fra que' due armati
colle catene di ferro quel vecchio, il gravissimo sonno nelle
guardie, e il lucidissimo splendore dell'Angelo nelle scure
tenebre della notte luminosamente far discernere tutte le
minuzie della carcere e vivacissimamente risplendere le armi
di coloro in modo, che i lustri paiono bruniti più che se
fossero verissimi e non dipinti. 7. Nè meno arte e ingegno

---

ch' ode quella meſſa, cofa marauigliofiſsima; doue ritraſſe il Cardinale
di San Giorgio & infiniti; & nel rotto della fineſtra accommodò vna falita
di ſcalee: che la ſtoria moſtra intera, anzi pare, che ſe il vano di quella
fineſtra non vi foſſe, quella non ſtaua punto bene. La onde veramente
ſi gli può dar vanto, che nelle inuenzioni de i componimenti di che
ſtorie ſi foſſero, neſſuno gia mai piu di lui nella pittura è ſtato accomodato, & aperto, & valente; come moſtrò ancora in queſto medeſimo luogo
dirimpetto a queſta in vna ſtoria, quando San Piero nelle mani d'Erode
in pregione è guardato da gli armati: Doue tanta è l'architettura, che

malte er Papst Giulio, der diese Messe hört, etwas höchst Wunderbares, wo er den Cardinal di San Giorgio und unendliche sonst porträtirt hat. Und die durch das hineinragende Fenster entstehende Unterbrechung der Wand füllte er mit emporführenden Treppen aus, die das Ganze so erscheinen lassen, als ob hier keine Lücke sei; im Gegentheil, man möchte sagen, es würde, wenn das Fenster hier fehlte, das Werk dadurch verloren haben. 6. In der That, man kann im Hinblicke auf diese Arbeit Raphael nachrühmen, dass bei der Anordnung der Gemälde, möge ihr Inhalt nun sein welcher er wolle, Keiner so geschickt und klar und leistungsfähig gewesen sei als er. Den Beweis dafür hat er am selben Orte in einer andern, auf der Wand gegenüber ausgeführten Darstellung geliefert: wie Petrus, von Herodes in's Gefängniss geworfen, von den Bewaffneten bewacht wird; wo die dem Ganzen gegebene architektonische Eintheilung und die geschickte Art, den Kerker als Bauwerk für die Composition zu verwerthen, so hervorragender Art sind, dass in Wahrheit, wo Andere sich nicht zu rathen wissen würden, ihm, im Gegentheil, die schwierigsten Aufgaben nur zur Entfaltung um so höherer Schönheit Gelegenheit bieten. Dabei sucht er stets die Ereignisse hinzustellen wie die Schrift sie enthält, und erfreuliche und ausserordentliche Dinge zu zeigen, wie hier die Schauer des Gefängnisses, wo wir zwischen zwei Bewaffneten den alten Mann mit den Ketten, den tiefen Schlaf der Wachen, und den Engel in jenem leuchtenden Glanze erblicken, der in den dunkeln Finsternissen der Nacht alle Einzelnheiten des Kerkers erkennen lässt und auf das lebendigste von den Waffen der Wächter widerstrahlt, so dass wirkliche Waffen das Licht nicht

ha tenuto in tal cofa, & tanta la difcrezione nel cafamēto della prigione, che in vero gli altri appreffo a lui hanno piu di confufione, ch' egli nŏ ha di bellezza; cercando di continuo figurare le ftorie come elle fono fcritte, & farui dentro cofe garbate, & eccellenti come moftra in quefta, l'orrore della prigione, nel veder legato fra que due armati con le catene di ferro quel vecchio, il grauifsimo fonno, nelle guardie, il lucidifsimo fplendor dell'angelo, nelle fcure tenebre della notte luminofamente far difcernere tutte le minuzie delle carcere: & viuacifsimamente rifplēdere nell'armi di coloro, che i luftri parefsino bruniti piu che fe fufsino di

è nell'atto, quando egli sciolto dalle catene esce fuor di prigione accompagnato dall'Angelo, dove mostra nel viso San Pietro piuttosto d'essere un sogno che visibile; come ancora si vede terrore e spavento in altre guardie, che armate fuor della prigione sentono il romore della porta di ferro, e una sentinella con una torcia in mano desta gli altri, e mentre con quella fa lor lume, riverberano i lumi della torcia in tutte le armi, e dove non percuote quella, serve un lume di luna. 8. La quale invenzione, avendola fatte Raffaello sopra la finestra, viene a esser quella facciata più scura, avvengachè, quando si guarda tal pittura, ti dà il lume nel viso, e contendono tanto bene insieme la luce viva con quella dipinta co' diversi lumi della notte, che ti par veder il fumo della torcia, lo splendor dell'Angelo, colle scure tenebre della notte sì naturali e sì vere, che non diresti mai ch'ella fosse dipinta, avendo espresso tanto propriamente sì difficile immaginazione. 9. Qui si scorgono nelle armi le ombre, gli sbattimenti, i reflessi e le fumosità del calor de' lumi lavorati con ombra sì abbacinata, che in vero si può dire ch' egli fosse il maestro degli altri. 10. E per cosa che contrafaccia la notte più simile di quante la pittura ne fece giammai, questa è la più divina e da tutti tenuta la più rara.

---

pittura. Ne meno arte & ingegno è nello atto quando egli fciolto da le catene efce fuor di prigione accompagnato dall'angelo, doue moftra nel vifo Sã Piero piu tofto deffere vn fogno, che vifibile; come ancora fi vede terrore & fpauento in altre guardie, che armate fuor della prigione, fentono il romore della porta di ferro, & vna fentinella con vna torcia in mano delta glialtri, & mentre con quella fa lor lume reflettano i lumi della torcia in tutte le armi: & doue non percuote quella ferue vn lume di Luna Laquale inuenzione auendola fatta Rafaello fopra la fineftra viene a effer quella facciata piu fcura: auuenga che quando fi guarda

stärker zurückwerfen würden, als diese doch nur gemalten.
7. Und nicht weniger Kunst und künstlerische Berechnung treten
in der Scene hervor, wie Petrus, von den Ketten befreit, in Be-
gleitung des Engels aus dem Kerker hervortritt, wo man ihm
am Gesicht ansieht, wie er (den Engel) mehr für ein Traum-
bild als etwas wirklich Sichtbares halte, wie auch hier wie-
der Furcht und Schrecken bei den andern Wächtern sich
zeigen, die ausserhalb des Kerkers die eiserne Thüre knarren
hören, und eine Wache mit einer Fackel in der Hand erweckt
die andern, und indem sie ihnen damit entgegenleuchtet, strahlt
das Licht von allen Waffen wieder, und wohin es nicht reicht,
tritt das Licht des Mondes an seine Stelle. 8. Da Raphael dies über
dem Fenster gemalt hat, so ist die Wand hier besonders dunkel; trotz-
dem, obgleich man bei Betrachtung des Gemäldes von dem (durch
das Fenster einbrechenden) Tageslichte geblendet ist, vereinen wirk-
liches und gemaltes Licht bei all den verschiedenen Nachteffecten
sich so glücklich, dass du den Qualm der Fackel, die lichtausstrah-
lende Gestalt des Engels und die dichte Finsterniss der Nacht so
natürlich und wahrhaft vor Augen hast, dass du Alles kaum
für Malerei halten möchtest, so eigenthümlich hat Raphael diese
schwierige Erfindung zur Anschauung gebracht. 9. Hier treten auf
den Waffen die Schatten, die Schlaglichter, die Reflexe, die dämme-
rigen, heissen, in gedämpftem Schatten sich verlierenden Lichter in
einer Weise hervor, dass Raphael als Lehrmeister der Andern da-
steht. 10. Und weil dies Gemälde die Nacht wahrhaftiger dar-
stellt als dies der Malerei jemals sonst gelungen ist, wird es
für sein göttlichstes und von Allen für das kostbarste gehalten.

tal pittura ti da il lume nel vifo: & contendono tanto bene infieme la
luce viua cŏ quella dipinta co diuerfi lumi della notte, che ti par vedere
il fumo della torcia, lo fplendor dellangelo, con le fcure tenebre della
notte fi naturali & fi vere, che non direfti mai che ella fufsi dipinta,
auendo efpreffo tanto propriamente fi difficile imaginazione. Qui fi
fcorgono nell'arme l'ombre, gli sbattimēti i reflefsi, & le fumofità del
calor de lumi, lauorati con ombra fi abbacinata, che in vero fi puo dire,
che egli foffe il maeftro de gli altri. Et per cofa, che contrafaccia la
notte piu fimile di quante la pittura ne faceffe giamai, quefta è la piu

XVI. 1. Egli fece ancora in una delle pareti nette il culto divino e l'arca degli Ebrei e il candelabro, e papa Giulio, che caccia l'Avarizia dalla Chiesa, storia di bellezza e di bontà simile alla notte detta di sopra. 2. Nella quale storia si veggono alcuni ritratti di palafrenieri che vivevano allora, i quali in sulla sedia portano papa Giulio veramente vivissimo. 3. Al quale mentrechè alcuni popoli e femmine fanno luogo, perchè e' passi, si vede la furia d'un armato a cavallo, il quale accompagnato da due a piè, con attitudine ferocissima urta e percuote il superbissimo Eliodoro, che per comandamento d'Antioco vuole spogliare il tempio di tutti i depositi delle vedove e de' pupilli; e già si vede lo sgombro delle robe e i tesori che andavano via, ma per la paura del nuovo accidente d'Eliodoro, abbattuto e percosso aspramente dai tre predetti, che, per esser ciò visione, da lui solamente sono veduti e sentiti, si veggono tutti traboccare e versare per terra, cadendo chi li portava, per un subito orrore e spavento, che era nato in tutte le genti di Eliodoro. 4. E appartato da questi si vede il santissimo Onia pontefice pontificalmente vestito, colle mani e cogli occhi al cielo, ferventissimamente orare, afflitto per la compassione de' poverelli che quivi perdevano le cose loro, e allegro per quel soccorso che dal cielo sente sopravvenuto. 5. Veggonsi oltre ciò, per

diuina, & da tutti tenuta la piu rara. Egli fece ancora in vna delle pareti nette il culto diuino, & l'arca de gli Ebrei, & il candelabro, & Papa Giulio, che caccia l'auarizia de la chiefa, ftoria di bellezza & di bontà fimile alla notte detta di fopra. Nellaquale iftoria fi veggono alcuni ritratti di Palafrenieri che viueuano allora, i quali in fu la fedia portano Papa Giulio veramente viuifsimo. Alquale mentre che alcuni popoli & femmine fanno luogo perche e'pafsi, fi vede la furia d'uno armato a cauallo, ilquale accompagnato da due appiè con attitudine ferocifsima vrta & perquote il fuperbifsimo Eliodoro, che per comandamento di Antioco vuole fpogliare il Tèpio di tutti i depofiti de le vedoue

: **XVI.** 1. *Er malte auch auf einer der von keinem Fenster unterbrochenen Wände den Gottesdienst und die Bundeslade der* **Ebräer** *und den Leuchter, und Papst Giulio, der die Habsucht aus der Kirche vertreibt, ein an Güte der obengenannten Nacht gleichkommendes Gemälde.* 2. *Es sind darauf einige Bildnisse damals lebender Palafrenieren zu sehen, die auf einem Sessel Papst Giulio in wahrhaft lebendigster Gestalt tragen.* 3. *Während* **Volk** *und Frauen diesem Platz machen, damit er durchkönne, erblickt man einen bewaffneten Reiter, der, begleitet von Zweien zu Fusse, in wüthender, wildester Geberde den überstolzen Heliodor, der auf Befehl des Antiochus den Tempel all des darin niedergelegten Vermögens der Wittwen und Waisen berauben will, zu Boden stösst. Und schon sieht man das Hinwegtragen der Sachen und Schätze, die verloren gingen: aber erschreckt von dem unerwarteten Sturze des Heliodor, der von den drei Obengenannten — die, da sie nur eine Vision sind, von ihm allein erblickt und gehört werden —, niedergeworfen, hart getroffen daliegt, sieht man sie alle zitternd was Jeder trägt ausschütten und hinfallen, in plötzlichem Schauder und Schrecken, der unter den Leuten des Heliodor entstanden war.* 4. *Und abgetrennt von ihnen sieht man den heiligsten Priester Onias in priesterlichem Ornate, Hände und Augen zum Himmel erhoben, auf das inbrünstigste beten, voll Trauer und Mitleid mit den Armen, die hier ihr Vermögen verloren, und glücklich über die Hülfe, die er als eine vom Himmel niedergesandte empfindet.* 5. *Ausserdem sieht man, ein von*

& de'pupilli & gia fi vede lo fgombro delle robe, & i tefori che andauano via: Ma per la paura del nuouo accidente di Eliodoro abbattuto & percoffo afpramente da i tre predetti, che per effere cio vifione da lui folamente fono veduti & fentiti, fi veggono traboccare & verfare per terra, cadendo chi gli portaua, per vn fubito orrore & fpauento, che era nato in tutte le genti di Eliodoro. Et appartato da quefti fi vede il fantiffimo Onia Pontefice pontificalmente veftito, con le mani & con gli occhi al Cielo, feruentiffimamente orare; afflitto per la cõpafsione de pouerelli che quiui perdeuano le cofe loro; Et allegrò per quel foccorfo che dal Ciel fente foprauenuto. Veggonfi oltra cio, per bel capriccio di

bel capriccio di Raffaello molti saliti sopra i zoccoli del basamento e abbracciatisi alle colonne, con attitudini disagiatissime stare a vedere, e un popolo tutto attonito in diverse e varie maniere, che aspetta il successo di questa cosa. 6. E fu quest'opera tanto stupenda in tutte le parti, che anco i cartoni sono tenuti in grandissima venerazione; onde messer Francesco Masini, gentiluomo di Cesena (il quale senza aiuto d'alcun maestro, ma infin da fanciullezza guidato da straordinario istinto di natura, dando da se medesimo opera al disegno e alla pittura, ha dipinto quadri che sono stati molto lodati dagl'intendenti dell'arte) ha, fra molti suoi disegni e alcuni rilievi di marmo antichi, alcuni pezzi del detto cartone, che fece Raffaello per questa storia d' Eliodoro, e li tiene in quella stima che veramente meritano. 7. Nè tacerò che messer Niccolò Masini, il quale mi ha di queste cose dato notizia, è, come in tutte le altre cose virtuosissimo, delle nostre arti veramente amatore. 8. Ma tornando a Raffaello, nella volta poi che vi è sopra, fece quattro storie: l'Apparizione di Dio ad Abraam nel promettergli la moltiplicazione del seme suo, il Sacrifizio d' Isaac, la Scala di Jacob e il Rubo ardente di Moisè; nella quale non si conosce meno arte, invenzione, disegno e grazia che nelle altre cose lavorate di lui.

XVII. 1. Mentrechè la felicità di quest'artefice faceva di se tante gran maraviglie, l'invidia della fortuna privò della vita Giulio II. 2. Il quale era alimentatore di tal virtù e

Rafaello, molti ſaliti ſopra i zoccoli del baſamento, et abbracciatiſi alle colonne, cõ attitudini diſagiatiſsime, ſtare a vedere: Et vn popolo tutto attonito in diuerſe & varie maniere, che aſpetta il ſucceſſo di queſta coſa. Nella volta poi che vi è ſopra fece quattro ſtorie, l'apparizione di DIO ad Abraã nel promettergli la moltiplicazione del feme ſuo; il

*Raphael hübsch angebrachtes künstlerisches Motiv, Viele, die auf
die Fussgestelle der Säulen geklettert sind und die Säulen umfassend sich in höchst unbequemen Stellungen halten, um besser
zu sehen, und in verschiedener Weise durch und durch er-
schüttertes Volk, das den Ausgang der Dinge erwartet. 6. Und
es war diese Leistung so erstaunlich in allen Theilen, dass auch
die Cartons in höchster Verehrung gehalten werden. Und so
besitzt Messer Francesco Masini, ein Edelmann aus Cesena (der
ohne die Hülfe irgend eines Meisters, aber von Jugend an von
ausserordentlichem natürlichen Instincte geleitet, ganz aus sich
selber dem Zeichnen und Malen sich hingebend, Bilder gemalt
hat, die das Lob Kunstverständiger in hohem Maasse davongetragen haben) unter zahlreichen Zeichnungen und verschiedenen antiken Marmorreliefs einige Stücke des genannten
Cartons, den Raphael für diese Darstellung des Heliodor
machte, und hält sie in derjenigen Hochschätzung, die sie in
Wahrheit verdienen. 7. Auch will ich nicht verschweigen,
dass Messer Niccolo Masini, der mir dies mitgetheilt hat,
wie in allen andern Dingen ein Mann von hohen Gaben, in
Wahrheit ein Liebhaber der bildenden Künste ist. 8. Doch
um wieder auf Raphael zu kommen, so malte er auf der gewölbten Decke oben vier Darstellungen: die Erscheinung Gottes
vor Abraham, dem er die Vervielfältigung seines Stammes verspricht, das Opfer Isaaks, die Leiter Jacobs und Moses vor
dem brennenden Busch; worin nicht geringere Kunst, Erfindung,
Zeichnung und Anmuth zu erkennen sind als in seinen andern
Arbeiten.*

*XVII. 1. Während das Glück dieses Künstlers sich in so
wunderbaren Schöpfungen erhöhte, nahm das neidische Schicksal
Giulio II. aus diesem Leben hinweg. 2. Er war der Nähr-*

ſacrificio d'Iſac; la ſcala di Iacob; e'l rubo ardète di Moiſe Nellaquale
non ſi conoſce meno arte, inuēzione, diſegno, & grazia, che nelle altre
cofe lauorate di lui. Mentre che la felicità di queſto artefice faceua di
ſe tante gran marauiglie, la inuidia della fortuna priuò de la vita
Giulio II. Ilquale era alimentatore di tal virtù, & amatore d'ogni cofa

amatore d'ogni cosa buona. 3. Laonde fu poi creato Leon X., il quale volle che tale opera si seguisse; e Raffaello ne salì colla virtù in cielo e ne trasse cortesie infinite, avendo incontrato in un principe sì grande, il quale per eredità di casa sua era molto inclinato a tale arte. 4. Per il che Raffaello si mise in cuore di seguire tale opera, e nell'altra faccia fece la Venuta d'Attila a Roma e l'incontrarlo a piè di Monte Mario che fece Leone III. pontefice, il quale lo cacciò colle sole benedizioni. 5. Fece Raffaello in questa storia San Pietro e San Paolo in aria colle spade in mano, che vengono a difender la Chiesa. 6. E sebbene la storia di Leone III. non dice questo, egli nondimeno per capriccio suo volle figurarla forse così, come interviene molte volte, che così le pitture come le poesie vanno vagando per ornamento dell'opera, non si discostando però per modo non conveniente dal primo intendimento. 7. Vedesi in quegli Apostoli quella fierezza e ardire celeste che suole il giudizio divino molte volte mettere nel volto de' servi suoi per difender la santissima religione. 8. E ne fa segno Attila, il quale si vede sopra un cavallo nero, balzano e stellato in fronte, bellissimo quanto più si può, il quale con attitudine spaventosa alza la testa e volta la persona in fuga. 9. Sonovi altri cavalli bellissimi, massimamente un giannetto macchiato, ch'e cavalcato da una figura,

---

buona. La onde fu poi creato Leon X. ilquale volle, che tale opera fi feguiffe: & Rafaello ne falì cõ la virtù in cielo & ne traffe cortefie infinite auĕdo incõtrato in vn principe fi grãde, ilquale per eredità di cafa fua era molto inclinato a tale arte. Perilche Rafaello fi mife in cuore di feguire tale opera, et nell'altra faccia fece la venuta d'Atila a Roma, & lo incontrarlo appiè di Monte Mario, che fece Leon III. Pontefice, ilquale lo caccio con le fole benedizzioni. Fece Rafaello in quefta ftoria San Pietro & San Paulo in aria con le fpade in mano, che vengono a difender la chiefa. Et fe bene la ftoria di Leon III. non dice quefto;

water solcher Kunst und förderte alles Schöne und Gute.
3. *Darauf wurde dann Leo X. erwählt, dem die Fortführung der begonnenen Arbeiten am Herzen lag; und Raphael erhob sich mit seiner Kunst jetzt zur höchsten Höhe
und erfuhr unendlich gnädiges Wohlwollen (von seinem neuen
Herrn), in dem er einem so erhabenen Fürsten begegnete,
dessen Familie die Kunstliebe als angeerbten Vorzug hegte.*
4. *Und so machte sich Raphael eifrigst an die Fortsetzung
des Werkes und malte auf der andern Wand die Ankunft
Attila's vor Rom, und wie Leo III. am Fusse des Monte
Mario ihm entgegenging, der ihn mit der segnend erhobenen
Hand allein davontrieb.* 5. *Raphael stellte auf diesem Gemälde
die Heiligen Petrus und Paulus dar, in den Lüften, mit Schwertern in den Händen, die die Kirche zu vertheidigen erscheinen.*
6. *Und wenn auch die Geschichte Leo's III. nichts davon berichtet, so wollte Raphael sie, weil es ihm so gefiel, so darstellen,
wie oftmals geschieht, dass Maler und Dichter mit solchem Abgehen vom Thatsächlichen ihren Werken höheren Schmuck verleihen, ohne in tadelnswerther Weise den Grundgedanken aus
den Augen zu verlieren.* 7. *Man sieht in den Aposteln die
Kühnheit und das himmlische Feuer, das die göttliche Gerechtigkeit oft von der Stirne derer widerleuchten lässt, die als
ihre Werkzeuge die heiligste Religion zu vertheidigen gesandt
worden sind.* 8. *Attila beweist es, der auf einem Rappen mit
weisser Blesse, der schöner nicht zu denken ist, in furcht-
erfüllter Bewegung emporblickt und sich zur Flucht wendet.*
9. *Noch andre Rosse schönster Art sind da, besonders ein*

---

egli per capriccio ſuo uolſe figuralla forſe coſì; come interuiene molte
volte che con le pitture come cŏ le Pòeſie ſi va vagando, per ornamento
dell'opera; non ſi diſcontando però per modo non cŏueniente dal primo
intendimento. Vedeſi in quegli Apoſtoli quella fierezza & ardire celeſte,
che ſuole il giudizio diuino molte uolte mettere nel volto de' ſerui ſuoi
per difender la Santiſsima religione. Et ne fa ſegno Atila in fun'un'
cauallo nero balzano & ſtellato in fronte, belliſsimo quanto piu ſi può,
ilquale con attitudine ſpauentoſa alza la teſta; & volta la perſona in
fuga, ſonui caualli belliſsimi, & maſsime vn gianetto macchiato che è

la quale ha tutto l'ignudo coperto di scaglie a guisa di pesce, il che è ritratto dalla colonna Traiana, nella quale sono i populi armati in quella foggia. 10. E si stima ch'elle siano armi fatte di pelle di coccodrilli. 11. Evvi Monte Mario, che abbrucia, mostrando che nel fine della partita de' soldati gli allogiamenti rimangono sempre in preda alle fiamme. 12. Ritrasse ancora di naturale alcuni mazzieri, che accompagnano il papa, i quali son vivissimi, e così i cavalli dove son sopra, e il simile la corte de' cardinali, e alcuni palafrenieri, che tengono la chinea sopra cui è a cavallo in pontificale, ritratto non meno vivo che gli altri, Leone X., e molti cortigiani: cosa leggiadrissima da vedere a proposito in tale opera e utilissima all'arte nostra, massimamente per quelli che di tali cose son digiuni.

XVIII. 1. In questo medesimo tempo fece a Napoli una tavola, la quale fu posta in San Domenico nella capella dov'è il Crocifisso che parlò a San Tommaso d'Aquino; dentro vi è la Nostra Donna, San Girolamo vestito da cardinale, e un Angelo Raffaello, che accompagna Tobia. 2. Lavorò un quadro al signor Leonello da Carpi signor di Meldola (il quale ancor vive di età più che novant'anni), il quale fu miracolosissimo di colorito e di bellezza singolare. 3. Attesochè egli è condotto di forza e d'una vaghezza tanto leggiadra, che

---

caualcato da vna figura, laquale ha tutto lo ignudo, coperto di fcaglie, a guifa di pefce, il che è ritratto da la colonna Traiana, nellaquale fon i popoli armati in quella foggia. Et fi ftima ch'elle fiano arme fatte di pelle di coccodrilli. Euui Monte Mario che abruccia, moftrando che nel fine della partita de foldati gli alogiamenti patifcano di ciò. Ritraffe ancora di naturale alcuni mazzieri che accõpagnano il Papa, i quali fon viuifsimi; & cofi i caualli doue fon fopra: & il fimile la corte de Cardinali et alcuni palafrenieri che tēgono la chinea doue è a cauallo fopra in põtificale ritratto nõ men viuo che gli altri Leon X. & molti cor-

gescheckter Renner, mit einem Reiter darauf, dessen Körper wie mit Fischschuppen überdeckt ist, der Trajanssäule entnommen, wo Bewaffnete so gepanzert sind. 10. *Und man glaubt, es seien Krokodilhäute dazu verwandt worden.* 11. *Auch Monte Mario ist da, in Flammen stehend, um anzudeuten, dass wenn die Soldaten abziehen am Ende immer die Wohnstätten in Flammen aufgehen.* 12. *Er porträtirte auch einige der den Papst umgebende Mazziere nach der Natur, in höchster Lebenswahrheit, und so auch die Pferde, auf denen sie reiten, und desgleichen das Gefolge der Cardinäle, und einige Palafreniere, die den Zelter halten, auf dem im päpstlichen Ornate Leo X. reitet, nicht weniger lebendig als die Andern dargestellt, und viele Hofleute. Ein hübscher und passender und für diejenigen Künstler, die dergleichen nicht aus eigner Anschauung kennen, höchst lehrreicher Anblick.*

XVIII. 1. Zu derselben Zeit malte er für Neapel eine Tafel, die später in San Domenico in der Capelle aufgestellt wurde, wo das Crucifix ist, das zu Thomas von Aquin redete; darauf ist Unsere Frau, der Heilige Hieronymus in Cardinalskleidung und ein Engel Raphael der Tobias begleitet. 2. Er arbeitete ein Gemälde für den Herrn Leonello von Carpi, Herrn von Meldola (der heute älter als neunzig Jahre noch am Leben ist), das bewunderungswürdig im Colorit und von einziger Schönheit ist, 3. in Anbetracht dessen, dass es mit einer Kraft und mit so kindlicher Lieblichkeit durchgeführt ist, dass meiner Meinung nach Besseres nicht geleistet werden könne,

---

tigiani; cofa leggiadrifsima da vedere a propofito in tale opera; & vtilifsima a l'arte noftra, mafsimamente per quegli, che di tali cofe fon digiuni. In quefto medefimo tempo fece a Napoli vna tauola, laquale fu pofta in San Domenico nella cappella doue è il Crocififfo, che parlò a S. Tomafo d'Aquino: dètro vi è la Noftra donna, San Girolamo veftito da Cardinale, et vno Angelo Rafaello, ch'accompagna Tobia. Lauorò un quadro al Signor Leonello da Carpi, ilquale fu miracolofifsimo di colorito, & di bellezza fingulare. Attefo che egli è condotto di forza & d'una vaghezza tanto leggiadra; che io non penfo che e'fi poffa far meglio.

io non penso, e' si possa far meglio; 4. Vedendosi nel viso
della Nostra Donna una divinità e nell'attitudine una modestia,
che non è possibile migliorarla. 5. Finse che ella a mani
giunte adori il figliuolo, che le siede in sulle gambe, facendo
carezze a San Giovanni piccolo fanciullo, il quale lo adora
insieme con Santa Elisabetta e Giuseppe. 6. Questo quadro
era già appresso il reverendissimo cardinale di Carpi, figliuolo
di detto signor Leonello, delle nostre arti amator grandissimo,
e oggi deve essere appresso gli eredi suoi. 7. Dopo, essendo
stato creato Lorenzo Pucci, cardinale di Santi Quattro, sommo
penitenziere, ebbe grazia con esso, che egli facesse per San
Giovanni in Monte di Bologna una tavola, la quale è oggi
locata nella cappella dove è il corpo della Beata Elena dall'-
l'Olio; nella quale opera mostrò quanto la grazia nelle deli-
catissime mani di Raffaello potesse insieme coll'arte. 8. Evvi
una Santa Cecilia, che da un coro in cielo d'Angeli abba-
gliata, sta a udire il suono, tutta data in preda all'armonia, e
si vede nella sua testa quell'astrazione che si vede nel viso
di coloro che sono in estasi; oltrechè sono sparsi per terra
instrumenti musici, che non dipinti, ma vivi e veri si conoscono, e similmente alcuni suoi veli e vestimenti di drappi
d'oro e di seta, e sotto quelli un cilicio maraviglioso. 9. E
in un San Paolo, che ha posato il braccio destro in sulla

Vedendofi nel vifo della Noftra donna, vna diuinità, & ne la attitudine,
vna modeftia che non è pofsibile migliorarla. Finfe che ella a man
giunte adori il figliuolo che le fiede in fu le gambe, facendo carezze a
San Giouanni piccolo fanciullo; ilquale lo adora infieme con fanta Elifabetta, & Giufeppo. Quefto quadro è oggi appreffo il Reuerendifsimo
Cardinale di Carpi, della pittura, & fcultura amator grandifsimo. Et
effendo ftato creato Lorenzo Pucci Cardinale di Santi quattro, fommo
Penitenziere ebbe grazia cõ ello, che egli faceffe per San Giouanni in
Monte di Bologna vna tauola; laquale è oggi locata nella capella, doue

4. *denn man sieht im Antlitz Unserer Frau eine Göttlichkeit und in der Haltung eine Demuth, dass es unmöglich ist, sie besser zu geben.* 5. *Er stellte dar, wie sie mit zusammengelegten Händen den Sohn anbetet, der auf ihrem Schoosse sitzend einen ganz kleinen Heiligen Johannes liebkost, der ihn zusammen mit der Heiligen Elisabeth und Joseph anbetet.* 6. *Dies Gemälde war früher beim verehrungswürdigsten Cardinale von Carpi, Sohn des genannten Herrn Leonello, grösstem Liebhaber der bildenden Kunst, und muss heute bei seinen Erben sein.* 7. *In der Folge, als Lorenzo Pucci, Cardinal von Santi Quattro Gross-Pönitenziar geworden war, geruhte dieser eine Tafel für San Giovanni in Monte in Bologna bei ihm zu bestellen, die heute in der Capelle eine Stelle gefunden, hat, wo der Leib der Seligen Helena dall' Olio ruht; ein Werk, in dem er zeigte, wie hoch unter den zartesten Händen Raphael's die Anmuth in Verbindung mit der Kunst vermöge.* 8. *Darauf ist eine Heilige Cäcilie, die von einem Chor von Engeln im Himmel in Entzücken versetzt, den Tönen lauschend, dem Wohlklange völlig hingegeben ist, und auf ihrem Antlitz erblickt man jenes Insichverlorensein, das auf dem Gesichte derer sichtbar ist, die in Verzückung sind; ausserdem sind auf der Erde Musikinstrumente verstreut, die nicht als Malerei, sondern wahr und leibhaftig sich darbieten, und ebenso Schleier und Gewänder von Goldstoff und Seide und unter diesen ein wunderbares Cilicium.* 9. *Und in einem Heiligen Paulus, der den rechten Arm auf ein blosses Schwert gesetzt und das Haupt auf die Hand gestützt hat, erblickt man ebenso*

è il corpo della Beata Elena da l'olio; nellaquale opera moſtrò quanto la grazia nelle delicatiſsime mani di Rafaello poteſſe inſieme con l'arte. Euui vna Santa Cecilia, che a vn coro in cielo d'angeli abbagliati ſta a vdire il ſuono & è data in preda alla armonia; vedendoſi nella ſua teſta quella aſtrazzione che ſi vede nelle teſte di coloro che ſono in eſtaſſi: oltra che ſono, & ſparſi per terra inſtrumenti muſici, che non dipinti, ma viui, & veri ſi conoſcono; & ſimilmente alcuni ſuoi veli & veſtimenti di drappi d'oro & di ſeta & ſotto quelli vn ciliccio marauiglioſo. Euui vn San Paulo che poſato il braccio deſtro in ſu la ſpada ignuda, & la

spada ignuda e la testa appoggiata alla mano, si vede non meno espressa la considerazione della sua scienza che l'aspetto della sua fierezza conversa in gravità; questi è vestito di un panno rosso semplice per mantello e di una tonaca verde sotto quello all'apostolica e scalzo. 10. Evvi poi Santa Maria Maddalena, che tiene in mano un vaso di pietra finissima, in un posar leggiadrissimo; e svoltando la testa par tutta allegra della sua conversione, che certo in quel genere penso che meglio non si potesse fare; e così sono anco bellissime le teste dì Sant'Agostino e di San Giovanni Evangelista. 11. E nel vero che le altre pitture pitture nominare si possono, ma quelle di Raffaello cose vive; perchè trema la carne, vedesi lo spirito, battono i sensi alle figure sue, vivacità viva vi si scorge; per il che questo gli diede, oltre le lodi che aveva, più nome assai. 12. Laonde furono però fatti a suo ouore molti versi e latini e volgari, de' quali metterò questi soli per non far più lunga storia di quel che io m'abbia fatto.

> *Pingant sola alii referantque coloribus ora;*
> *Cæciliæ os Raphael atque animum explicuit.*

XIX. 1. Fece ancora dopo questo un quadretto di figure piccole, oggi in Bologna medesimamente, in casa il conte Vincenzo Arcolano, dentrovi un Cristo a uso di Giove in cielo e dattorno in quattro Evangelisti, come li descrive

---

teſta poſta appoggiata alla mano; doue ſi vede eſpreſſa la conſiderazione della ſua ſcienzia; non meno che l'aſpetto della ſua fierezza, conuerſa in grauità; veſtito d'un panno roſſo ſemplice per mantello, & tonica verde ſotto quello, alla Apoſtolica & ſcalzo; Euui vna Sãta Maria Maddalena che tiene in mano vn vaſo di pietra finiſsima, in vn poſar leggiadriſsimo: Et ſuoltando la teſta, par tutta allegra in vna viuezza della ſua conuerzione, che certo in quel genere penſo che meglio non ſi poteſſe fare, coſì le teſte di Santo Agoſtino, & di S. Giouanni Euangeliſta. Et nel vero che l'altre pitture da quei, che l'hanno dipinte, pitture nominare ſi poſſono; ma quelle di Rafaello viue; perche trema la carne; vedeſi

sehr sein in Betrachtung sich versenkendes Wissen, als die
zu erhabener Zurückhaltung sich umkehrende wilde Kühnheit;
bekleidet ist er mit einer mantelartigen einfachen rothen Ge-
wandung und grünem Rocke darunter, wie die Apostel zu
gehen pflegen, und barfuss. 10. Da ist ferner die Heilige Maria
Magdalena, ein Gefäss vom feinsten Steine in der Hand, in
höchst liebenswürdiger Stellung. Das Antlitz wendend scheint
sie von innerer Freude erfüllt über ihre Bekehrung: in der
That, es lässt sich, denke ich, in dieser Art nichts Besseres
schaffen. Und so sind auch die Köpfe des Heiligen Augusti-
nus und des Heiligen Johannes des Evangelisten sehr schön.
11. Und in Wahrheit, wenn andere Gemälde Gemälde sind,
sind die Raphael's lebendige Dinge; denn das Fleisch zittert,
man sieht den Athemzug, das Blut pulsirt in den Gestalten
und lebendige Leibhaftigkeit sieht man; und deshalb gab dieses
Werk, so berühmt Raphael bereits war, ihm noch einen Zu-
wachs an Ruhm. 12. Deshalb wurden ihm zu Ehren viele
Verse, lateinische und italienische, gemacht, von denen ich,
um meine Erzählung nicht noch weiter auszudehnen, nur
folgende anführe:

> *Pingant sola alii referantque coloribus ora;*
> *Caeciliae os Raphael atque animum explicuit.*

XIX. 1. *Dann machte er ein Bildchen in kleinen Figu-*
ren, heute gleichfalls in Bologna, im Hause des Grafen Vin-
cenzo Arcolano, mit einem Christus im Himmel in jupiterhafter

---

lo ſpirito; battono i fenſi alle figure ſue; & viuacità viua vi ſi ſcorge;
perilche queſto li diede oltra le lodi che aueua piu nome aſſai. La onde
furono pero fatti a ſuo onore molti verſi & Latini & vulgari de quali
mettero queſti ſoli per non far piu lungha ſtoria di quel che io mi
abbi fatto.

> *Pingant ſola alij, referantque coloribus ora;*
> *Cœciliœ os Raphael atque animum explicuit.*

Fece ancora dopo queſto, vn quadretto di figure piccole, oggi in
Bologna medeſimamente, in caſa il conte Vincenzio Arcolano, dentroui
vn CHRISTO a vſo di Gioue in Cielo: & dattorno i quattro Euangeliſti

Ezechiel, uno a guisa d'uomo e l'altro di leone, e quello
d'aquila e questo di bue, con un paesino sotto, figurato per
la terra, non meno raro e bello nella sua piccolezza, che
siano le altre cose sue nelle grandezze loro. 2. A Vérona
mandò della medesima bontà un gran quadro ai conti da
Cauossa, nel quale è una Natività di Nostro Signore bellissima
con un'aurora molto lodata, siccome è ancora Sant'Anna, anzi
tutta l'opera, la quale non si può meglio lodare, che dicendo
che è di mano di Raffaello da Urbino. 3. Onde que' conti
meritamente l'hanno in somma venerazione; nè l hanno mai,
per grandissimo prezzo che sia stato loro offerto da molti
principi, a niuno voluto concederla, e a Bindo Altoviti fece
il ritratto suo, quando era giovane, che è tenuto stupendissimo.
4. E similmente un quadro di Nostra Donna, che egli mandò
a Firenze, il qual quadro è oggi nel palazzo del duca Cosimo
nella cappella delle stanze nuove e da me fatte e dipinte, e
serve per tavola dell'altare; e in esso è dipinta una Saut'
Anna vecchissima a sedere, la quale porge alla Nostra Donna
il suo figliuolo di tanta bellezza nell'ignudo e nelle fattezze
del volto, che nel suo ridere rallegra chiunque lo guarda;
senzachè Raffaello mostrò nel dipingere la Nostra Donna
tutto quello che di bellezza si può fare nell'aria di una Vergine, dove sia accompagnata negli occhi modestia, nella fronte
ouore, nel naso grazia e nella bocca virtù, senzachè l'abito
suo è tale, che mostra una semplicità e onestà infinita.

---

come glı defcriue Ezecchiel; vno a guifa di huomo, & l'altro di leone,
& quello d'aquila, & di bue cò vn paefino fotto figurato per la terra non
meno raro & belle nella fua piccolezza, che fieno l'altre cofe fue nelle
grandezze loro. A Verona mandò della medefima bontà vn quadro in
cafa i Conti da Canoffa; & a Bindo Altouiti fece il ritratto fuo quando
era giouane che è tenuto ftupendifsimo. Et fimilmente vn'quadro di
Noftra donna, che egli mandò a Fiorenza nelle fue cafe, cofa bellifsima.

Auffassung und den vier Evangelisten umher wie Ezechiel sie beschreibt: einer in menschlicher Gestalt, einer als Löwe, der dritte als Adler und der vierte als Ochse, mit einer kleinen Landschaft darunter, die die Erde darstellen soll, nicht weniger schön in ihrem kleinen Formate als die andern Werke in ihrem grossen. 2. Nach Verona sandte er, von gleicher Trefflichkeit, ein grosses Gemälde für die Grafen von Canossa, eine Geburt Christi darauf, sehr schön, mit einer Morgenröthe, die grosses Lob erfahren hat, wie auch die Heilige Anna, und überhaupt das ganze Werk, zu dessen höchstem Lobe eben nichts Besseres zu sagen ist, als dass es von der Hand Raphael's sei. 3. Weshalb jene Grafen es verdientermaassen in hohen Ehren halten; auch haben sie es niemals, so grosse Anerbietungen ihnen von vielen Fürsten gemacht worden sind, irgend Jemanden abtreten wollen, und dem Bindo Altoviti machte er sein Bildniss, als er jung war, das für höchst erstaunlich galt. 4. Und so auch ein Bild Unserer Frau, das er nach Florenz sandte, welches heute im Palaste des Herzogs Cosimo, in der Capelle der von mir hergestellten und gemalten Neuen Gemächer als Altargemälde steht; und es ist eine ganz alte sitzende Heilige Anna darauf, die Unserer Frau ihren Sohn darreicht, von solcher Schönheit der nackten Glieder und des Antlitzes, dass er mit seinem Lächeln Jeden der ihn ansieht fröhlich macht; abgesehen davon, dass Raphael bei der Malerei Unserer Frau Alles zeigte was sich an Schönheit im Antlitze einer Jungfrau anbringen lässt: in den Augen die Demuth, auf der Stirn die Ehrbarkeit, in der Nase Anmuth und auf den Lippen Tugend, abgesehen davon, dass ihr Gewand unendliche Einfachheit und Ehrbarkeit zeigt. 5. Und in Wahrheit,

Auendo egli in quello fatto vna Santa Anna Vechiſsima a federe: la quale porge alla Noſtra donna il ſuo figliuolo di tanta bellezza nel ingnudo & nelle fattezze del volto: che nel ſuo ridere rallegra chiunche lo guarda: Senza che Rafaello moſtrò nel dipignere la Noſtra donna, tutto quello che di bellezza ſi poſſa fare nell'aria di vna vergine: doue ſia accōpagnata negliocchi modeſtia; nella fronte onore: nel naſo grazia: & nella bocca virtù: fenza che l'abito ſuo è tale, che moſtra vna ſempli-

5. E nel vero io non penso che per tanta cosa si possa veder meglio. 6. Evvi un San Giovanni a sedere ignudo, ed un' altra Santa, che è bellissima anch' ella. 7. Così per campo vi è un casamento, dov' egli ha finto una finestra impannata, che fà lume alla stanza dove le figure son dentro. 8. Fece in Roma un quadro di buona grandezza, nel quale ritrasse papa Leone, il cardinale Giulio dei Medici e il cardinale de' Rossi; nel quale si veggono non finte, ma di rilievo tonde le figure: quivi è il velluto, che ha il pelo, il damasco addosso a quel papa, che suona e lustra, le pelli della fodera morbide e vive, e gli ori e le sete contrafatti si, che non colori, ma oro e seta paiono. 9. Vi è un libro di cartapecora miniato, che più vivo si mostra che la vivacità, e un campanello d'argento lavorato, che non si può dire quanto è bello. 10. Ma fra le altre cose vi è una palla della seggiola, brunita e d'oro, nella quale a guisa di specchio si ribattono (tanta è la sua chiarezza) i lumi delle finestre, le spalle del papa e il rigirare delle stanze, e sono tutte queste cose condotte con tanta diligenza, che credasi pure e sicuramente, che maestro nessuno di questo meglio non faccia nè abbia a fare. 11. La quale opera fu cagione che il Papa di premio grande lo rimunerò; e questo quadro si trova ancora in Firenze nella guardaroba del Duca. 12. Fece similmente

cità, & onestà infinita. Et nel vero non penso per vna tanta cosa, si possa veder meglio. Euui vn San Giouanni a sedere ingnudo, & vnaltra santa che bellissima anch'ella. Cosi per campo vie vn casamento, doue egli ha finto vna finestra impannata che fa lume alla stanza doue le figure son dentro. Fece in Roma vn quadro di buona grandezza, nel quale ritrasse Papa Leone, il Cardinale Giulio de'Medici, e il Cardinale de'Rossi, nel quale si veggono non finte, ma di rilieuo tonde le figure: quiui è il velluto, che ha il pelo: il domasco adosso a quel Papa, che suona & lustra: & le pelli della fodera son morbide & viue, gli ori & le sete contrafatti si, che non colori, ma oro & seta paiono. Vi è vn libro di carta pecora

ich wüsste nicht, dass ein so hoher Gegenstand besser dargestellt werden könne. 6. Da ist auch ein sitzender nackter Heiliger Johannes, und eine andere Heilige, auch diese von grösster Schönheit. 7. Und als Hintergrund das Innere der Wohnung, wo er ein mit einem Tuche verhängtes Fenster gemalt hat, das der Stube, in der die Figuren sich befinden, Licht giebt. 8. Er machte auch in Rom ein Gemälde von guter Grösse, auf dem er den Papst Leo porträtirte, den Cardinal Giulio dei Medici und den Cardinal de' Rossi; hier erscheinen die Gestalten nicht als Malerei, sondern körperlich rund hervorspringend. Da hat der Sammt seine einzelnen Fäden, der Damast, den der Papst trägt, bewegt sich und schimmert, das Pelzwerk ist weich und lebendig, und Gold und Seide so nachgeahmt, dass sie nicht Farben, sondern Gold und Seide scheinen. 9. Da ist ein mit Miniaturen versehener Pergamentband, der lebendiger als die Lebendigkeit sich darbietet, und eine aus Silber gearbeitete Klingel, man kann nicht sagen, wie schön. 10. Unter andern ist da ein Knauf des Sessels, von polirtem Golde, in dem, da er so rein glänzend ist, die Lichter des Fensters, die Schultern des Papstes und das Zimmer ringsum sich abspiegeln, und es sind alle diese Dinge so sorgfältig ausgeführt, dass man sich wahr und sicher davon überzeugt halten darf, kein Meister könne und werde jemals besser dergleichen machen als Raphael. 11. Dieses Werk gab dem Papste Gelegenheit, ihn mit einem hohen Geschenke zu bedenken; und dies Gemälde findet sich ebenfalls in Florenz im Cabinette des Herzogs. 12. Er

---

miniato, che piu viuo fi moſtra, che la viuacità: vn campanello d'argento lauorato, che marauiglia è a voler dire quelle parti che vi fono. Ma fra l'altre vna palla della feggiola brunita & d'oro nella quale a guifa di fpecchio fi ribattono (tanta èla fua chiareza) i lumi delle fineſtre, le fpalle del Papa, & il rigirare delle ſtanze; & fono tutte queſte cofe condotte con tanta diligenzia, che credaſi pure & ficuramente che maeſtro neſſuno di queſto meglio non faccia, ne abbia a fare. La quale opera fu cagione, che il Papa di premio grande lo rimunerò: & queſto quadro fi troua ancora in Fiorenza nella guardaroba del Duca. Fece fimilmente il Duca Lorenzo e'l Duca Giuliano, con perfezzione non piu da altri, che da eſſo

il duca Lorenzo e il duca Giuliano, con perfezione non più da altri che da esso dipinta nella grazia del colorito; i quali sono appresso agli eredi d'Ottaviano de' Medici in Firenze.

13. Laonde di grandezza fu la gloria di Raffaello accresciuta, e de' premi parimente; perchè, per lasciare memoria di se, fece murare un palazzo a Roma in Borgo Nuovo, il quale Bramante fece condurre di getto.

XX. 1. Per queste e molte altre opere essendo passata la fama di questo nobilissimo artefice insino in Francia e in Fiandra, Alberto Durero Tedesco, pittore mirabilissimo e intagliatore di rame di bellissime stampe, divenne tributario delle sue opere a Raffaello e gli mandò la testa d'un suo ritratto, condotta da lui a guazzo su una tela di bisso, che da ogni banda mostrava parimente e senza biacca i lumi trasparenti, se non che con acquerelli di colori era tinta e macchiata, e de' lumi del panno aveva campato i chiari; la qual cosa parve maravigliosa a Raffaello; perchè egli gli mandò molte carte disegnate di man sua, le quali furono carissime ad Alberto. 2. Era questa testa fra le cose di Giulio Romano ereditario di Raffaello in Mantova. 3. Avendo dunque veduto di Raffaello l'audare nelle stampe d'Alberto Durero, volonteroso ancor egli di mostrare quel che in tale arte poteva, fece studiare Marco Antonio Bolognese in questa

---

dipinta nella grazia del colorito i quali fono appreffo a gli heredi di Ottauiano de'Medici in Fiorenza. La onde di grandezza fu la gloria di Rafaello accrefciuta, & de'premii parimente: perche per lafciare memoria di fe fece murare vn'palazzo à Roma in Borgo nuouo: che Bramante lo fece condurre di getto. Auuenne in quefto tempo, che la fama di quefto mirabile artefice fino in Fiandra, & in Francia era paffata; perche ALBERTO DVRERO TEDESCO pittore mirabilifimo & intagliatore di rame di bellifime ftampe, di venne tributario de le fue opere a Raffaello; & egli mandò la tefta d'vn fuo ritratto condotta da lui a guazzo fu vna

malte ebenso die Herzöge Lorenzo und Giuliano, mit einer Vollendung, wie eben er und kein Andrer malen konnte was die Anmuth des Colorites anlangt, welche heute bei den Erben des Ottaviano de' Medici in Florenz sind. **13.** Und so wuchs der Ruhm Raphael's durch die Erhöhung seiner äusseren Stellung und durch Gewinn; und deshalb, um ein monumentales Denkmal seines Daseins zu hinterlassen, liess er im Borgo nuovo einen Palast mauern, den Bramante in Gusswerk aufführte.

XX. 1. Da durch diese und viele andre Werke der Ruhm dieses vornehmsten Künstlers bis nach Frankreich und nach Flandern gedrungen war, so ward Albert Dürer, ein Deutscher, höchst wunderbarer Maler und Stecher der schönsten Kupferplatten, mit seinen Werken Raphael zinspflichtig und sandte ihm sein eigenes Bildniss, Kopfstück, mit Guachefarben auf ein feines Leintuch gemalt, das von beiden Seiten ohne aufgetragenes Weiss die Lichter durchscheinen liess, da es nur mit Wasserfarben aufgetupft war und er bei den Lichtern die Stellen des Tuches freigelassen hatte. Was Raphael wunderbar erschien, weshalb er ihm viele von seiner Hand gezeichnete Blätter sandte, die dem Albert sehr theuer waren. **2.** Dieser Kopf befand sich unter den Sachen des Giulio Romano, des Erben Raphael's, in Mantua. **3.** Da Raphael die Kupferstichbehandlung des Albert Dürer also gesehen hatte, liess er, vom Wunsche beseelt, auch seinerseits zu zeigen, was er in dieser Kunst zu leisten im Stande wäre, Marco Antonio aus Bologna in dieser Kunst die

---

tela di biſſo: che da ogni banda moſtraua parimente & ſenza biacca i lumi traſparenti, ſe non cŏ acquerelli di colori era tinta & macchiata & de lumi del panno aueua campato i chiari: la quale coſa parue marauiglioſa a Raffaello; perche egli gli mandò molte carte diſegnate di man ſua, le quali furono cariſime ad Alberto. Era queſta teſta fra le cofe di Giulio Romano ereditario di Raffaello in Mantoua. Perche auendo veduto Raffaello lo andare nelle ſtampe d'Alberto Durero, volonteroſo, ancor'egli di moſtrare quel che in tale arte poteua, fece ſtudiare MARCO ANTONIO Bologneſe in queſta pratica infinitamète. il quale riuſci tàto eccellète,

pratica infinitamente, il quale riuscì tanto eccellente, che gli fece stampare le prime cose sue, la carta degl'Innocenti, un Cenacolo, il Nettuno e la Santa Cecilia, quando bolle nell'olio. 4. Fece poi Marco Antonio per Raffaello un numero di stampe, le quali Raffaello donò poi al Baviera suo garzone, ch'aveva cura d'una sua donna, la quale Raffaello amò sino alla morte; e di quella fece un ritratto bellissimo, che pareva viva, il qual è oggi in Firenze appresso il gentilissimo Botti mercante Fiorentino, amico e familiare d'ogni persona virtuosa e massimamente de' pittori, tenuta da lui come reliquia per l'amore che egli porta all'arte e particolarmenta a Raffaello. 5. Nè meno di lui stima le opere dell'arte nostra e gli artefici il fratello suo Simon Botti, che oltre l'esser tenuto da tutti noi per uno de' più amorevoli che facciano beneficio agli uomini di queste professioni, è da me in particolare tenuto e stimato per il migliore e maggiore amico che si possa per lunga esperienza aver caro, oltre al giudicio buono che egli ha e mostra nelle cose dell'arte. 6. Ma per tornare alle stampe, il favorire Raffaello il Baviera fu cagione che si destasse poi Marco da Ravenna e altri infiniti per siffatto modo, che le stampe in rame fecero della carestia loro quella copia che al presente veggiamo. 7. Perchè Ugo da Carpi con belle invenzioni, avendo il cervello volto a cose ingeg-

---

che fece ſtampare le prime coſe ſue, la carta de gli Innocenti, vn Cena-colo, il Nettunno, & la Santa Cecilia quando bolle nell'olio. Fece poi Marco Antonio per Rafaello vn numero di ſtampe, le quali Rafaello donò poi al BAVIERA ſuo garzone, ch'aueua cura d'vna ſua donna, la quale Rafaello amò lino alla morte: & di quella fece vn ritratto bellifsimo, che pareua viua viua: il quale è oggi in Fiorenza appreſſo il Gentilifsimo Matteo Botti Mercante Fiorentino, amico & familiare d'ogni perſona virtuoſa & maſsime de i pittori: tenuta da lui come Reliquia per lo amore che egli porta allarte & particularmente a Rafaello. Ne meno

gründlichsten Studien machen, der sich darin so sehr auszeich-
nete, dass Raphael durch ihn zuerst von seinen Sachen (stechen
und) drucken liess: das Blatt der unschuldigen Kinder (den
Kindermord), ein Abendmahl, den Neptun, und die Heilige
Cäcilia wie sie in Oel gesotten wird. 4. Marcanton fertigte
in der Folge für Raphael eine Anzahl Stiche an, welche Ra-
phael sodann dem Baviera, seinem Garzone schenkte, dem die
Sorge für eine Frau zufiel, die Raphael bis zu seinem Tode
liebte; und von dieser machte er ein wunderschönes Bildniss,
das lebendig erschien und das heute in Florenz bei dem höchst
edlen florentinischen Kaufmann Botti ist, dem Freunde und
Vertrauten jedes künstlerischen Talentes und in erster Linie
der Maler, der es wie eine Reliquie hält, weil ihm die Kunst
und besonders weil ihm Raphael theuer ist. 5. Und in nicht
geringerem Maasse als er schätzt sein Bruder Simon Botti
Kunstwerke und Künstler, der von uns allen als einer der
liebevollsten Vertreter künstlerischer Interessen, und von mir
insbesondere hochgehalten und als der beste und zuverlässigste
Freund geschätzt wird, den lange Erfahrung mir theuer macht,
abgesehen von dem trefflichen Urtheil, das er in Kunstsachen
hat und beweist. 6. Um aber auf die Stiche zurückzukom-
men, die Begünstigung Baviera's von Seiten Raphael's war der
Grund, dass sich später Marco da Ravenna und unendliche
Andere in dieser Richtung bethätigten, so dass die bis dahin
herrschende Armuth an Stichen in die Fülle umschlug, die wir
heute vor Augen haben. 7. Denn Ugo da Carpi, dessen Talent
sich in genialen und phantastischen Erfindungen hervorthat,

---

di lui ſtima lopere dell'arte noſtra & gli artefici il Fratello ſuo Simon
Botti che oltra lo eſſer tenuto da tutti noi per vno de'piu amoreuoli che
faccino benefizio a gli huomini di queſte profeſsioni è da me particulare
tenuto & ſtimato per il migliore & maggiore amico che a lungo ſi poſſa
con iſperimenti prouare oltra al giudizio buono che egli ha & moſtra
nelle coſe dell'arte. Ma per tornare a le ſtampe, il fauorire il Bauiera
fu cagione che ſi doſtaſsi poi MARCO DA RAVENNA, & altri infiniti:
talche le ſtampe in rame fecero de la careſtia loro quella copia, ch'al
preſente veggiamo. Perche VGO DA CARPI, che d'inuenzione aueua il

nose e fantastiche, trovò le stampe di legno, che con tre
stampe possono il mezzo, il lume e l'ombra contrafare le carte
di chiaroscuro, la quale certo fu cosa di bella e capricciosa
invenzione; e di questo ancora è poi venuta abondanza, come
si dirà nella vita di Marco Antonio Bolognese più minutamente.

XXI. 1. Fece poi Raffaello per il monasterio di Palermo
detto Santa Maria dello Spasmo de' frati di Monte Oliveto,
una tavola d'un Cristo, che porta la croce. 2. La quale è
tenuta cosa maravigliosa, conoscendosi in quella l'impietà de'
crocifissori, che lo conducono alla morte al monte Calvario
con grandissima rabbia, dove il Cristo appassionatissimo nel
tormento dell'avvicinarsi alla morte, cascato in terra per il
peso del legno della croce e bagnato di sudore e di sangue,
si volta verso le Marie, che piangono dirottissimamente.
3. Oltre ciò si vede fra loro Veronica, che stende le braccia,
porgendogli un panno, con un affetto di carità grandissima.
4. Senzachè l'opera è piena di armati a cavallo e a piedi, i
quali sboccano fuora della porta di Gerusalemme cogli sten-
dardi della giustizia in mano, in attitudini varie e bellissime.
5. Questa tavola finita del tutto, ma non condotta ancora al
suo luogo, fu vicinissima a capitar male, perciocchè, secondochè e' dicono, essendo ella messa in mare per essere portata in Palermo, un'orribile tempesta percosse ad uno scoglio

---

ceruello in cofe ingegnofe & fantaftiche, trouò le ftampe di legno, che
con tre ftampe fi poffa il mezo il lume & l'ombra contrafare le carte di
chiaro ofcuro: la quale certo fu cofa di bella & capricciofa inuenzione,
& di quefta ancora è poi venuta abbondanza. Egli fece per il monafterio
di Palermo detto Santa Maria dello Spafmo, de frati di monte Oliueto
vna tauola d'vn CHRISTO, che porta la Croce, la quale è tenuta cofa
marauigliofa. Conofcendofi in quella la impietà de'Crocififfori che lo
cōduceuano a la morte a'l Monte Caluario con grandiffima rabbia. doue'il
CHRISTO appafionatiffimo nel tormento dello auuicinarfi alla morte:

erfand die Holzschnitte, die mit drei Drucken — Mittelton, Licht und Schatten — Zeichnungen in Chiaroscuro nachahmen, was sicherlich eine schöne und sinnreiche Erfindung war; und auch davon ist später ein Ueberfluss gekommen, wie im Leben des Marcanton aus Bologna im Einzelnen gesagt werden wird.

XXI. 1. In der Folge machte Raphael für das Kloster Santa Maria dello Spasmo der Brüder vom Kloster Montoliveto zu Palermo ein Gemälde: Christus, der das Kreuz trägt. 2. Dieses wird für ein wunderbares Werk gehalten, da man darauf die Gottlosigkeit derer, die Christus kreuzigen, erkennt, die ihn mit grösster Wuth auf den Calvarienberg führen, wo er, von der Qual des herannahenden Todes in das höchste Leiden versetzt, zu Fall gebracht durch das Gewicht des Kreuzbalkens, und in Blut und Schweiss gebadet sich den Marien zuwendet, die Ströme von Thränen vergiessen. 3. Ausserdem erblickt man Veronica, die die Arme ausstreckt, ihm im Gefühl des höchsten Erbarmens ein Tuch darreichend. 4. Im Uebrigen ist das Werk voll von Bewaffneten zu Pferde und zu Fusse, die mit den Fahnen der Gerechtigkeit in der Hand, in verschiedenen und sehr schönen Stellungen aus dem Thore von Jerusalem herausströmen. 5. Diese Tafel, vollendet ganz und gar, aber noch nicht an Ort und Stelle gebracht, war nahe daran zu Grunde zu gehen, da, wie erzählt wird, als sie zu Wasser nach Palermo abgehen sollte, ein furchtbarer Sturm das sie tragende Schiff

cafcato in terra per il pefo del legno della Croce & bagniato di fudore & di fangue fi volta verfo le Marie, che del dolore piangono dirottifsimamente. Euui fra loro Veronica che ftende le braccia porgendoli vn panno, con vno affetto di Carità grandifsima. Oltra che l'opera e piena di Armati a cauallo & a piede, i quali sboccano fuora della porta di Gierufalemmo con gli ftendardi della Giuftizia in mano, in attitudini varie & bellifsime. Quefta tauola finita de'l tutto, ma non còdottá ancora a'l fuo luogo fu vicinifsima a capitar male, Conciofia che è dicono che effendo ella meffa in mare, per portarla in Palermo, vna orribile tempefta, perla nave che la portava, di maniera che tutta si aperse; e si perderono gli uomini e le mercanzie, eccetto questa tavola solamente, che così incassata com' era fu portata dal mare in quel di Genova. 6. Dove ripescata e tirata in terra, fu veduta essere cosa divina, e per questo messa in custodia, essendosi mantenuta illesa e senza macchia o difetto alcuno, perciocchè sino la furia de' venti e le onde del mare ebbero rispetto alla bellezza di tal opera; della quale divulgandosi poi la fama, procacciarono in monaci di riaverla, e appena che con favori del Papa ella fu renduta loro, che sodisfecero, e bene, coloro che l'avevano salvata. 7. Rimbarcatala dunque di nuovo e condottala pure in Sicilia, la posero in Palermo, nel qual luogo ha più fama e riputazione che il monte di Vulcano.

XXII. 1. Mentrechè Raffaello lavorava queste opere, le quali non poteva mancare di fare, avendo a servire per persone grandi e segnalate, oltrechè ancora per qualche interesse particolare non poteva disdire, non restava però con tutto questo di seguitare l'ordine che egli aveva cominciato delle camere del Papa e delle sale; nelle quali del continuo teneva delle genti che coi disegni suoi medesimi gli tiravano innanzi l'opera, ed egli, continuamente rivedendo ogni cosa, suppliva con tutti quegli aiuti migliori che egli più poteva, ad un

---

coſſe ad vno ſcoglio la naue che la portaua di maniera che tutta ſi aperſe, & ſi perderono gli huomini & le mercanzie, ecceto queſta tauola ſolamente, che coſi incaſſata come era fu portata dal mare in quel di Genoua; Doue ripeſcata & tirata in terra, fu veduta eſſere coſa diuina, & per queſto meſſa in cuſtodia: eſſendoſi mantenuta illeſa, & ſenza macchia, o difetto alcuno: perioche fino alla furia de'venti, & l'onde del mare ebbono riſpetto alla bellezza di tale opera. Della quale diuulgandoſi poi la fama, procacciarono i Monaci di riauerla: & appena che co'fauori ſteſſi del Papa, ella fuſſe renduta loro, ſatisfacendo prima &

gegen eine Klippe warf, dass es auseinander barst und Waaren und Mannschaft zu Grunde gingen, diese Tafel allein ausgenommen, die, eingepackt wie sie war, vom Meere dem Genuesischen zugetrieben wurde. 6. *Dort, aufgefischt und an's Land gebracht, wurde sie als etwas Göttliches erkannt und unter Verschluss bewacht, weil sie sich unberührt und flecken- und fehlerlos erhalten hatte, da sogar die Wuth der Stürme und die Meereswellen vor der Schönheit des Werkes Ehrfurcht hatten; und da sich in der Folge das Gerücht davon verbreitete, thaten die Mönche Schritte, um das Gemälde wiederzuerlangen und nachdem es durch gnädige Vermittlung des Papstes ihnen zurückgegeben worden war, liessen sie denen, die es gerettet hatten, einen guten Bergelohn zukommen.* 7. *Wieder eingeschifft also und nach Sicilien übergeführt, wurde es in Palermo aufgestellt, wo es berühmter und angesehener als der Berg des Vulcan ist.*

XXII. 1. *Während Raphael diese Werke ausführte, die er übernehmen musste, weil es Bestellungen grosser und hochstehender Persönlichkeiten waren, während zugleich specielles Interesse dieser und jener Art sich den Aufträgen zu entziehen, ihm nicht gestattete, so erlitt bei alledem die Fortführung der in den päpstlichen Gemächern und Sälen begonnenen Arbeiten keine Unterbrechung; hier hatte er fortwährend Leute, die mit seinen eignen Zeichnungen vorwärtsgingen, und er, ununterbrochen Alles revidirend, suchte mit den bestmöglichen Hülfsmitteln auf diese Weise der ihm aufgelegten Ver-*

---

bene a chi la aueua faluata. Rimbarcatala dunque di nuouo, & condottola pure in Sicilia la pofero in Palermo: nel qual luogo ha piu fama, & riputazione che'l monte di Vulcano   Mentre che Rafaello lauoraua quefte opere, le quali non poteua mancare di fare auendo a feruire per perfone grandi & fegnalate: oltra che ancora per qualche intereffe particulare e non poteffe difdire: non reftaua pero con tutto quefto di feguitate l'ordine che egli aueua cominciato de le camere del Papa & delle fale. Nelle quali del continuo teneua delle genti che con i difegni fuoi medefimi gli tirauano innanzi l'opera: & continuo riuedêdole fop-

peso cosiffatto. 2. Non passò dunque molto, che egli scoperse la camera di torre Borgia, nella quale aveva fatto in ogni faccia una storia, due sopra le finestre e due altre in quelle libere. 3. Era in una l'incendio di Borgo Vecchio di Roma, che non potendosi spegnere il fuoco, San Leone IV. si fa alla loggia di palazzo e colla benedizione l'estingue interamente. 4. Nella quale storia si veggono diversi pericoli figurati. 5. Da una parte vi sono femmine, che dalla tempesta del vento, mentre elle portano acqua per ispegnere il fuoco con certi vasi in mano e in capo, sono aggirati loro i capelli e i panni con una furia terribilissima. 6. Altri, che si studiano buttare acqua, accecati dal fumo, non conoscono se stessi. 7. Dall'altra parte v' è figurato, nel medesimo modo che Virgilio descrive che Anchise fu portato da Enea, un vecchio ammalato fuor di se per l'infermità e per le fiamme del fuoco. 8. Dove si vede nella figura del giovane l'animo e la forza e il patire di tutte le membra dal peso del vecchio abbaudonato addosso a quel giovane. 9. Seguitalo una vecchia scalza e sfibbiata, che viene fuggendo il fuoco, e un fanciulletto ignudo loro innanzi. 10. Così dal sommo d'una rovina si vede una donna ignuda tutta rabbuffata, la quale, avendo il figliuolo in mano, lo getta àd un suo, che è campato dalle fiamme e sta nella strada in punta di piede a braccia tese

periua cõ tutti quegli aiuti migliori che egli piu poteua ad vn pefo cofi fatto. Non paffo dunque molto, che egli fcoperfe la camera di torre Borgia: nella quale aueua fatto in ogni faccia vna ftoria; due fopra le fineftre: & due altre in quelle libere. Era in vna lo Incendio di Borgo Vechio di Roma, che non poffendofi fpegnere il fuoco, San Leone IIII. fi fa alla loggia di Palazzo: & con la benedizione lo eftingue interamente. Nella quale ftoria fi vede diuerfi pericoli, figurati, da vna parte v'è femmine che dalla tempefta del vento mentre elle portano acqua per ifpegnere il fuoco con certi vafi in mano & in capo, fono aggirati loro i capegli & i panni con vna furia terribilifsima. Oltre che molti fi

pflichtung zu genügen. 2. *Nach kurzer Zeit also eröffnete er das Gemach der Torre Borgia (des Thurmes Borgia), worin er auf jeder Wand eine Darstellung gemacht hatte, zwei über den Fenstern und zwei andre auf den freien Wänden.* 3. *Auf der einen war die Feuersbrunst der alten Vorstadt Rom's, wie Leo IV., als das Feuer nicht zu löschen war, sich auf die Loggia des (vaticanischen) Palastes begiebt und es mit segnend erhobener Hand völlig dämpft.* 4. *Auf diesem Gemälde sind verschiedene gefährliche Situationen dargestellt.* 5. *Auf der einen Seite sind Frauen sichtbar, denen, während sie in Gefässen, die sie in der Hand und auf dem Kopfe tragen, Wasser bringen, um das Feuer zu löschen, Haar und Kleider vom Winde wüthend umhergewirbelt werden.* 6. *Andre, die Wasser auszugiessen sich bemühen, haben, geblendet vom Rauch, ihre Sinne verloren.* 7. *Auf der andern Seite ist, in derselben Weise wie Virgil beschreibt, dass Anchises vom Aeneas getragen wurde, ein kranker Greis dargestellt, ohnmächtig vor Elendigkeit und von den Feuerflammen.* 8. *Man sieht in der Gestalt des jüngeren Mannes den Muth und die Kraft und wie all seine Glieder unter der Last des hülflosen Alten auf seinem Rücken auf's äusserste angespannt sind.* 9. *Es folgt ihm eine Alte, ohne Schuhe, die Gewänder lose umgeworfen, die dem Feuer eben entrann, und vor ihnen her ein nacktes Kind.* 10. *Und so, von der Höhe einer einbrechenden Mauer sieht man eine nackte Frau in aufgelöstem Haar ihr Kind aus den Händen einem Angehörigen zuwerfen, der den Flammen entflohen ist und auf den Fussspitzen in der Strasse stehend, die Arme*

ſtudiano a buttare acqua, i quali accecati dal fumo non cognoſcono ſe ſteſsi. Dal'altra parte v'è figurato nel medeſimo modo che Vergilio deſcriue .che Anchiſe fu portato da Enea vn'vecchio ammalato, fuor di ſe per linfermità & per le fiamme del fuoco. Et vedeſi nella figura del giouane l'animo, & la forza, & il patire di tutte le membra dal peſo del vecchio abbandonato adoſſo a quel giouane. Seguitalo vna vecchia ſcalza & sfibbiata che viene fuggendo il fuoco, & vn'fanciulletto gnudo, loro innanzi. Coſì da'l fommo d'vna rouina ſi vede vna donna ignuda tutta rabbuffata la quale auendo il figliuolo in mano, lo getta ad vn'ſuo che e campato da le fiamme: & ſta nella ſtrada in punta di piede, & braccia per ricevere il fanciullo in fasce. 11. Dove non meno si conosce in lei l'affetto del cercare di campare il figliuolo, che il patire di se nel pericolo dell'ardentissimo fuoco che l'avvampa; nè meno passione si scorge in colui che lo piglia, per cagione d'esso putto che per cagione del proprio timor della morte; nè si può esprimere quello che s'immaginò quest' ingegnosissimo e mirabile artefice in una madre, che messosi i figliuoli innanzi, scalza, sfibbiata e scinta, e rabbuffato il capo, con parte delle vesti in mano, li batte, perchè e' fuggano dalla rovina e da quell'incendio del fuoco. 12. Oltrechè vi sono ancora alcune femmine, che, inginocchiate dinnanzi al Papa, pare che prieghino sua Santità, che faccia che tale incendio fiuisca. 13. L'altra storia è del medesimo San Leone IV., dove ha finito il porto di Ostia, occupato da un' armata di Turchi, che era venuta per farlo prigione. 14. Veggonvisi i Cristiani combattere in mare l'armata, e già al porto esser venuti prigioni infiniti, che d'una barca escono tirati da certi soldati per la barba, con bellissime cere e bravissime attitudini, e con una differenza di abiti da galeotti, sono menati innanzi a San Leone, che è figurato e ritratto per papa Leone X. 15. Dove fece sua Santità in pontificale in mezzo del cardinale Santa Maria in Portico, cioè Bernardo Divizio da Bibbiena, e Giulio de' Medici cardinale, che fu

---

tefe per riceuere il fanciullo in fafce. Doue non meno fi conofce in lei l'affetto del veder di campare il figliuolo, che il patire di fe nel pericolo dello ardentifsimo fuoco che la auuampa: Ne meno pafsione fi fcorge in colui che lo piglia: che fi facci in lui il timore della morte. Ne fi può efprimere quello che fi imaginò quefto ingegniofifsimo & mirabile artefice in vna Madre che meffofi i figlio li innanzi, fcalza, sfibbiata fcinta & rabbaruffato il capo, con parte delle vefte in mano, gli batte, perche e fugghino da la rouina, & da quello incendio del fuoco. Oltre che vi fono ancor alcune femmine che inginocchiate dinanzi al Papa, pare che

aufreckt, um das in Windeln gehüllte Kind aufzufangen. 11. *Wobei man nicht weniger in ihr das leidenschaftliche Bestreben erkennt, das Kind zu retten, als ihr eignes Leiden in der Gefahr
des brennenden Feuers, das sie verzehrt; und nicht geringere
Seelenbedrängniss tritt bei dem hervor, der es nimmt, einmal
des Kindes selbst wegen, als auch weil er selber vor dem Feuer
Todesangst hat; und es lässt sich nicht aussprechen, was dieser
genialste und wunderbare Künstler in Gestalt einer Mutter zum
Ausdrucke gebracht hat, die mit den Kindern vor sich, ohne
Schuhe, in aufgelösten Kleidern und ungegürtet, der Kopf mit
verwirrtem Haar, mit einem Theil der Kleider, die sie in Händen trägt, (die Kinder) schlägt, damit sie aus dem Umsturz der
Gebäude und der Feuersbrunst sich davonmachen.* 12. *Ausserdem sind noch einige Frauen da, die vor dem Papste auf den
Knien liegend, seine Heiligkeit anzuflehen scheinen, er möge diesem Feuer ein Ende machen.* 13. *Die andere Darstellung betrifft
ebendenselben Heiligen Leo IV., wo Raphael den Hafen von Ostia
gemalt hat, in Gewalt einer türkischen Flotte, die den Papst
gefangen nehmen sollte.* 14. *Da sieht man die Christen auf
dem Meere gegen die Flotte kämpfen, und schon sind unendliche
Gefangene in den Hafen gekommen, die von einigen Soldaten
am Barte aus einer Barke herausgezogen werden, mit schönen
Köpfen und in kühnen Stellungen, jeder in besonderer Art durch
seine Kleidung als Schiffsoldat kenntlich gemacht, wie sie vor
den Heiligen Leo gebracht werden, dem die Gestalt und die
Porträtähnlichkeit Leo's X. verliehen worden ist.* 15. *Da stellte
Raphael Seine Heiligkeit in hohem Ornate dar, zwischen dem*

---

prieghino fua Santità che faccia che tale incendio finifca. L'altra ftoria
è del medefimo San Leon IIII. doue hà finito il porto di Oftia, occupato
da vna armata di Turchi, che era venuta per farlo prigione. Veggonuifi
i Chriftiani conbattere in mare larmata: & gia al porto effer venuti
prigioni infiniti che d'una barca efcano tirati da certi foldati per la
barba con bellifsime cere, & brauifsime attitudini; & con vna differenza
di abiti da Galeotti, fono menati innanzi a San Leone, che è figurato
& ritratto per Papa LEONE X. Doue fece fua Santità in pontificale,
in mezzo del Cardinale Santa Maria in Portico cioè Bernardo Diuizio

poi papa Clemente. 16. Nè si può contare minutissimamente le belle avertenze che usò quest' ingegnosissimo artefice nelle arie de' prigioni; che senza lingua si conosce il dolore, la paura e la morte. 17. Sono nelle altre due storie, quando papa Leone X. sacra il re cristianissimo Francesco I. di Francia, cantando la messa in pontificale e benedicendo gli oli per ungerlo e insieme la corona reale. 18. Dove oltre il numero de' cardinali e vescovi in pontificale che ministrano, vi ritrasse molti ambasciatori e altre persone di naturale, e così certe figure con abiti alla francese, secondochè si usava in quel tempo. 19. Nell'altra storia fece la coronazione del detto re, nella quale è il Papa ed esso Francesco, ritratti di naturale, l'uno armato e l'altro pontificalmente. 20. Oltrechè tutti i cardinali, vescovi, camerieri, scudieri, cubiculari, sono in pontificale a' loro luoghi a sedere ordinatamente, come costuma la cappella, ritratti di naturale, come Giannozzo Pandolfini vescovo di Troia, amicissimo di Raffaello, e molti altri che furono segnalati in quel tempo. 21. E vicino al re è un putto ginocchioni, che tiene la corona reale, che fu ritratto Ippolito de' Medici, che fu poi cardinale e vicecancelliere, tanto pregiato, e amicissimo non solo di questa virtù, ma di tutte le altre. 22. Alle benignissime ossa del quale io mi

da Bibbiena, & Giulio de'Medici Cardinale che fu poi Papa CLEMENTE. Ne ſi puo contare minutiſsimamente in vero le belle auuertenze che vſò queſto ingegnioſiſsimo Artefice nelle arie de'Prigioni; che ſenza lingua ſi conoſce il dolore, la paura, & la morte come fa fede in tutta l'opera quel che ſi vede dipinto, fatto con arte & giudizio grandiſsimo. Sono nelle altre due ſtorie quando Papa LEONE X. Sagra il Re Chriſtianiſsimo Franceſco I. di Francia, cantando la Meſſa in pontificale ſua Santita Benedice gli olii per vgnierlo; & inſieme la Corona Reale. Doue oltra il numero de'Cardinali & Veſcoui in pontificale, che miniſtrano, vi ritraſſe molti Ambaſciatori, & altre perſone ritratte di naturale: & coſi certe figure con abiti alla Franzeſe vſatiſi in quel tempo. Nell'altra ſtoria

Cardinal Santa Maria in Portico, das heisst Bernardo Dovizio da Bibbiena, und dem Cardinal Giulio dei Medici, der später Papst Clemens war. 16. *Und es lässt sich im einzelnen nicht beschreiben, wie schön dieser genialste Künstler die Köpfe der Gefangenen zu behandeln wusste, dass man ohne Worte den Schmerz, die Furcht und die Todesangst von ihnen abliest.* 17. *Auf den andern beiden Gemälden ist dargestellt, wie Papst Leo X. den allerchristlichsten Franz I. von Frankreich krönt, indem er in hohem Ornate die Messe singt und das Oel segnet, um ihn zu salben und zugleich die königliche Krone.* 18. *Wo (Raphael) ausser zahlreichen Cardinälen und Bischöfen in hohem Ornate viele Gesandte und andere Personen nach der Natur malte, und so einige Gestalten in französischer Tracht, wie man sich damals zu tragen pflegte.* 19. *Auf dem andern Gemälde machte er die Krönung des benannten Königs, wo der König und der Papst nach der Natur gemalt worden sind, der eine in Waffen und der andre in hohem Ornate.* 20. *Ausserdem sind alle Cardinäle, Bischöfe, Kammerherren, Schildträger in hohem Ornate jeder auf seinem Sitze, wie es in der Capelle herzugehen pflegt, nach der Natur gemalt, wie Gianozzo Pandolfini, Bischof von Troja, ein genauer Freund Raphael's, und viele Andre, die in jener Zeit bedeutende Persönlichkeiten waren.* 21. *Und nicht weit vom Könige kniet ein Kind, das die königliche Krone hält, das stellte Ippolito dei Medici dar, der später Cardinal und Vicekanzler war, so hoch geachtet und ein hoher Gönner nicht nur der Malerei, sondern aller Künste.* 22. *Der Herr, dessen*

---

fece la coronazione del detto Re; nella quale è il Papa & esso Francesco ritratti di naturale, luno armato; & l'altro pontificalmente. Oltra che tutti i Cardinali, Vescoui Camerieri, Scudieri, Cubicularii, sono in pontificale a'loro luoghi, a sedere ordinatamente come costuma la cappella, ritratti di naturale, come Giannozo Pandolfini Vescouo di Troia, amicissimo di Rafaello & molti altri, che furono segnialati in quel tempo. Et vicino al Re è vn putto ginocchioni, che tiene la corona reale, che fu ritratto Ipolyto de'Medici, che fu poi Cardinale & Vicecancelliere: tanto pregiato: & amicissimo non solo di questa virtu, ma di tutte le altre. Alle benignissime offa del quale mi conosco molto obbligato: poi che il principio mio quale egli si fia ebbe origine da lui. Non si può

conosco molto obbligato, poichè il principio mio, quale egli
si fosse, ebbe origine da lui. 23. Non si può scrivere le
minuzie delle cose di questo artefice, che in vero ogni cosa
nel suo silenzio par che favelli; oltre i basamenti fatti sotto
a queste con varie figure di difensori e rimuneratori della
Chiesa, messi in mezzo da vari termini; e condotto tutto
d'una maniera, che ogni cosa mostra spirito e affetto e considerazione, con quella concordanza e unione di colorito l'una
coll'altra, che migliore non si può immaginare. 24. E perchè
la volta di questa stanza era dipinta da Pietro Peruginò
suo maestro, Raffaello non la volle guastare per la memoria
sua e per l'affezione che gli portava, essendo stato principio
del grado che egli teneva in tal virtù.

XXIII. 1. Era tanta la grandezza di quest'uomo, che
teneva disegnatori per tutta Italia, a Pozzuolo e fino in
Grecia; nè restò d'avere tutto quello che di buono per questa
arte potesse giovare. 2. Perchè seguitando egli ancora, fece
una sala, dove di terretta erano alcune figure di Apostoli e
altri Santi in tabernacoli; e per Giovanni da Udine suo discepolo, il quale per contrafare animali è unico, fece in ciò
tutti quegli animali che papa Leone aveva, il camaleonte, i
zibetti, le scimmie, i pappagalli, i leoni, gli elefanti e altri
animali più stranieri. 3. E oltrechè di grottesche e vari

---

scriuere le minuzie delle cofe di queſto artefice, che inuero ogni cofa nel
ſuo ſilenzio par che fauelli; oltra i baſamenti fatti ſotto a queſte con
varie figure di difenſori & remuneratori della Chieſa, meſsi in mezzo da
varii termini: & condotto tutto d'vna maniera che ogni cofa moſtra ſpirto
& affetto & conſiderazione, con quella concordanzia & vnione di colorito
luna con l'altra che non ſi può imaginare non che fare. Et perche la
volta di queſta ſtanza era dipinta da Pietro Perugino ſuo maeſtro, Raffaello
non la volſe guaſtar per la memoria ſua, & per l'affezzion, che egli gli
portaua, fendo ſtato principio del grado, che egli teneua in tal virtù.

gnädiger Güte ich mich, wenn ich zurückdenke, als im höchsten Grade verpflichtet erkenne, denn ihm habe ich, wie gross oder klein mein Talent nun sein möge, meine Anfänge zu verdanken. 23. Unmöglich, die Sachen dieses Künstlers in den Einzelnheiten zu beschreiben, denn, in Wahrheit, all diese schweigende Malerei scheint Sprache zu haben; auch (hebe ich) die Sockelbilder unter diesen (Gemälden hervor) mit verschiedenen Gestalten derer, die die Kirche vertheidigt oder beschenkt haben, zwischen allerlei Gestalten von Termini, und Alles in gleicher Weise durchgeführt, dass überall Geist und Eifer und Verständniss hervortritt: beide Theile durch Zusammenstimmen und Einheitlichkeit des Colorits verbunden, die besser nicht denkbar ist. 24. Und da die Wölbung dieses Zimmers von Pietro Perugino, seinem Meister, gemalt worden war, wollte Raphael der Erinnerung und der Liebe wegen, die er zu ihm trug, sie nicht zerstören, denn Perugino hatte ihn die erste Stufe zu der Höhe, auf der er stand, ersteigen lassen.

XXIII. 1. So gross und mächtig war Raphael, dass er Zeichner in ganz Italien, in Pozzuolo, bis nach Griechenland unterhielt; auch liess er nicht ab, sich Alles zu verschaffen, was an gutem Material ihn in seiner Kunst zu fördern im Stande wäre. 2. Und so, im Verfolg (der Malerei in den vaticanischen Zimmern) malte er einen Saal, wo einige Apostelfiguren und andre Heilige in Nischen Grau in Grau (dargestellt) waren; und von seinem Schüler Giovanni da Udine, der im Abbilden von Thieren einzig dasteht, liess er daselbst alle jene Thiere, die Papst Leo hatte, malen: das Camaeleon, die Zibethkatzen, die Affen, die Papageien, die Löwen, die Elefanten

---

Era tanta la grandezza di queſto huomo, che teneua diſegnatori per tutta Italia, a Pozzuolo, & fino in Grecia: ne reſtò d'auere tutto quello, che di buono per queſta arte poteſſe giouare. Perche ſeguitãdo egli ancora fece vna fala, doue di terretta erano alcune figure di Apoſtoli & altri ſanti in tabernacoli: & per GIOVANNI DA VDINE ſuo diſcepolo ilquale per contrafare animali è vnico & ſolo, fece in cio tutti quegli animali, che Papa Leone aueua, il Cameleõte, i zibetti, le ſcimie, i papagalli, i Lioni, i liofanti, & gli altri animali ſtratti. Et in oltre che di grotteſche & vari pauimenti egli tal palazzo abbelli aſſai, diede ancora diſegno alle

pavimenti egli tal palazzo abbellì assai, diede ancora disegno
alle scale papali e alle logge, cominciate bene da Bramante
architettore, ma rimase imperfette per la morte di quello e
seguite poi col nuovo disegno e architettura di Raffaello, chè
ne fece un modello di legname con maggior ordine e ornamento che non aveva fatto Bramante.   4. Perchè volendo
papa Leone mostrare la grandezza della magnificenza e generosità sua, Raffaello fece i disegni degli ornamenti di stucchi
e delle storie che vi si dipinsero, e similmente de' partimenti ; e quanto allo stucco e alle grottesche, fece capo di
quella opera Giovanni da Udine, e sopra le figure Giulio
Romano, ancorachè poco vi lavorasse ; così Giovan Francesco,
il Bologna, Perino del Vaga, Pellegrino da Modona, Vincenzo
da San Gemignano e Polidoro da Caravaggio, con molti altri
pittori, che fecero storie e figure e altre cose che accadevano
per tutto quel lavoro.   5. Il quale fece Raffaello finire con
tanta perfezione, che sino da Firenze fece condurre il pavi-
mento da Luca della Robbia.   6. Onde certamente non può
per pitture, stucchi, ordine e belle invenzioni nè farsi nè
immaginarsi di fare più bella opera.   7. E fu cagione la
bellezza di questo lavoro, che Raffaello ebbe carico di tutte
le cose di pittura e architettura che si facevano in palazzo.
8. Dicesi ch'era tanta la cortesia di Raffaello, che coloro che

---

ſcale Papali & alle logge cominciate bene da Bramante architettore, ma
rimaſe imperfette per la morte di quello & ſeguite poi co'l nuouo diſegno
& architettura di Raffaello, che ne fece vn modello di legname, con
maggiore ordine & ornamento che non aueua fatto Bramante. Perche
volendo Papa Leone moſtrare la grandezza della magnificenzia & generoſità ſua, Raffaello fece i diſegni de gli ornamenti di ſtucchi, & delle ſtorie
che vi ſi dipinſero, & ſimilmente de'partimenti: & allo ſtucco & alle
groteſche fece capo di quella opera GIOVANNI DA VDINE, & per le
figure GIVLIO ROMANO, ancora che poco vi lauoraſſe, coſi GIO. FRAN-

und andre noch fremdartigere Thiere. 3. *Und ausserdem ver-*
schönerte er mit Grottesken und Fussböden verschiedener Art den
Palast in hohem Grade, machte auch die Zeichnungen zur päpst-
lichen Treppe und zu den Loggien, die Bramante, der Baumeister,
begonnen hatte und die beim Tode desselben unfertig daliegend
nach einer neuen Zeichnung und nach der Architektur Raphael's
fortgeführt wurden, der ein hölzernes Modell in grösserem Maass-
stabe und prächtiger anfertigte als das des Bramante gewesen
war. 4. *Und so, da Papst Leo die ganze Grossartigkeit*
seiner Prachtliebe und Freigebigkeit entfalten wollte, fertigte
Raphael die Zeichnungen der Stuckverzierungen und der Com-
positionen an, die da gemalt wurden, und ebenso für die ein-
zelnen Abtheilungen; und was die Arbeiten in Stuck und die
Grottesken anlangt, so gab er Giovanni da Udine die Oberleitung,
und für die Figuren dem Giulio Romano, der freilich nicht viel da-
ran gethan hat; und so haben Giovan Francesco, Bologna, Perino
del Vaga, Pellegrino da Modena, Vincenzo da San Gemignano und
Polidoro da Caravaggio daran gearbeitet, nebst vielen andern Ma-
lern, welche Compositionen, Figuren und Anderes malten, wie es
die gesammte Arbeit erforderte, 5. *die Raphael mit solcher Voll-*
endung zum Abschlusse brachte, dass er die Böden sogar aus Florenz
von Luca della Robbia bezog. 6. *Und gewiss: was Malerei, Stuck,*
Anordnung und überraschende Erfindung anlangt, ist kein schöneres
Werk weder herzustellen noch zu erdenken. 7. *Und die Schönheit*
dieses Werkes war Ursache, dass alle Arbeiten der Malerei und
Architektur, die im Palaste gemacht wurden, Raphael über-
tragen wurden. 8. *Man sagt, die nachgiebige Freundlichkeit*

CESCO, il BOLOGNA, PERIN' DEL VAGA, PELLEGRINO DA MODONA,
VINCENZIO DA SAN GIMIGNANO, & POLIDORO DA CARAVAGGIO,
con molti altri pittori che feciono ſtorie & figure, & altre coſe che ſca-
deuano per tutto quel lauoro. Il quale fece egli finire con tanta perfezzione: che ſino da Fiorenza fece condurre il pauimento da Lucca della
Robbia. Onde certamente non può per pitture, ſtucchi, ordine, inuenzioni
piu belle, ne farſi, ne imaginarſi die fare. Et fu cagione la bellezza di
queſto lauoro che Raffaello ebbe carico di tutte le coſe di pittura &
architettura, che ſi faceuano in palazzo. Diceſi, ch'era tanta la eorteſia

muravano, perchè egli accomodasse gli amici suoi, non tirarono la muraglia tutta soda e continuata, ma lasciarono sopra
le stanze vecchie da basso alcune aperture e vani da potervi
riporre botti, vettine e legne; le quali buche e vani fecero
indebolire i piedi della fabbrica, sicchè è stato forza che si
riempia dappoi, perchè tutta cominciava ad aprirsi. 9. Egli
fece fare a Gian Barile in tutte le porte e palchi di legname
assai cose d'intaglio lavorate e finite con bella grazia.
10. Diede disegni d'architettura alla vigna del Papa, e in
Borgo a più case, e particolarmente al palazzo di messer
Giovan Battista dall'Aquila, il quale fu cosa bellissima.
11. Ne disegnò ancora uno al vescovo di Troia, il quale lo
fece fare in Firenze nella via di San Gallo. 12. Fece a'
monaci neri di San Sisto in Piacenza la tavola dell'altar
maggiore, dentrovi la Nostra Donna con San Sisto e Santa
Barbara, cosa veramente rarissima e singolare. 13. Fece per
Francia molti quadri, e particolarmente per il Re San Michele,
che combatte col diavolo, tenuto cosa maravigliosa. 14. Nella
qual opera fece un sasso arsiccio per il centro della terra,
che fra le fessure di quello usciva fuori alcuna fiamma di
fuoco e di zolfo; e in Lucifero, incotto e arso nelle membra
con incarnagione di diverse tinte, si scorgeva tutte le sorti
della collera, che la superbia invelenita e gonfia adopera

in Raffaello, che coloro che murauano, per che egli accomodaſſe gli amici
ſuoi, non tirarono la muraglia tutta foda & cōtinuata, ma laſciarono
ſopra le ſtanze vecchie da baſſo, alcune aperture & vani da poterui riporre
botti vettine & legne: lequali buche & vani fecero indebilire i piedi
della fabbrica ſi, che è ſtato forza, che ſi riempia dappoi, perche tutta
cominciaua ad aprirſi. Egli fece fare a GIAN BARILE in tutte le porte,
& palchi di legname, coſe d'intaglio, lauorate & finite cō bella grazia.
Diede diſegni d'architettura alla vigna del Papa, & in Borgo a piu cafe,
& particularmente al palazzo di M. Gio. Batiſta da l'Aquila, ilquale fu

Raphael's sei so weit gegangen, dass die, die das Mauerwerk
aufführten, nur damit er seinen Freunden gefällig sein dürfte,
die Mauern nicht völlig und aus einem Stücke herstellten, son-
dern über den Alten Gemächern unten einige Räume frei und
unausgefüllt liessen, um Fässer, Reissig und Holzwerk da zu
bergen; und diese Höhlungen und leeren Räume waren Ur-
sache, dass der Bau auf zu schwachem Grunde stand, so
dass man sie später ausfüllen musste, da überall Risse ent-
standen. 9. Den Gian Barile liess er zu allen Thüren und
Getäfel Vieles in schön durchgeführter eingelegter Arbeit aus-
führen. 10. Er machte architektonische Zeichnungen für die
Vigna des Papstes und im Borgo für mehrere Häuser vor
allen Dingen für den Palast des Messer Giovan Battista
dall' Aquila, der ein sehr schönes Werk war. 11. Auch ent-
warf er einen für den Bischof von Troja, den dieser in Flo-
renz in der Via di San Gallo bauen liess. 12. Den Schwarzen
Mönchen von San Sisto in Piacenza malte er auch die Tafel
für den Hauptaltar, Unsere Frau mit dem Heiligen Sixtus
und der Heiligen Barbara darauf, ein in Wahrheit höchst selte-
nes und einziges Werk. 13. Für Frankreich machte er viel
Gemälde und in erster Linie für den König einen mit dem
Teufel kämpfenden Heiligen Michael, der als wunderbares Werk
gilt. 14. Auf dieser Tafel malte er einen brennenden Berg
als Mitte der Erde und aus seinen Ritzen brach eine Feuer-
und Schwefelflamme hervor; und in Lucifer, versengt und ver-
brannt an den Gliedern, was in verschiedenen Schattirungen

---

cofa bellifsima. Ne difegnò ancora vno al Vefcouo di Troia, ilquale lo
fece fare in Fiorenza nella via di San Gallo. Fece a'monaci neri di San
Sifto in Piacenza la tauola dello altar maggiore, dentroui la Noftra
donna con San Sifto, & Santa Barbara, cofa veramente rarifsima &
fingulare. Fece in Francia molti quadri, & particularmente per il Re,
San Michele che combatte col Diauolo, tenuto cofa marauigliofa. Nella
quale opera fece vn faffo arficcio per il centro della terra, che fra le
feffure di quello, vfciua fuori alcuna fiamma di fuoco & di folfo: & in
Lucifero incotto & arfo nelle membra con incarnazione di diuerfe tinte,
fi fcorgeua tutte le forte della collera, che la fuperbia inuelenifce &

contra chi opprime la grandezza di chi è privo di regno dove
sia pace, e certo di aver a provare continuamente pena.
15. Il contrario si scorge nel San Michele, che, ancorachè e'
sia fatto con aria celeste, accompagnato dalle armi di ferro
e di oro, ha nondimeno bravura e forza e terrore, avendo
già fatto cader Lucifero e quello con una zagaglia gettato
rovescio; in somma fu siffatta quest'opera, che meritò averne
da quel re onoratissimo premio.

XXIV. 1. Ritrasse Beatrice Ferrarese e altre donne, e
particolarmente quella sua, e altre infinite. 2. Fu Raffaello
persona molto amorosa e affezionata alle donne, e di continuo
presto ai servigi loro. 3. La qual cosa fu cagione che, continuando i diletti carnali, egli fu dagli amici forse più che
non conveniva rispettato e compiaciuto. 4. Onde facendogli
Agostino Chigi, amico suo caro, dipingere nel palazzo suo
la prima loggia, Raffaello non poteva molto attendere a lavorare per l'amore che portava ad una sua donna; per il che
Agostino si disperava di sorte, che per via d'altri e da se
e di mezzi ancora operò sì, che appena ottenne, che questa
sua donna venne a stare con esso in casa continuamente in
quella parte dove Raffaello lavorava; il che fu cagione che
il lavoro venisse a fine. 5. Fece in quest'opera tutti i car-

gonfia, contra chi opprime la grandezza, di chi è priuo di Regno, doue
fia pace, & certo di auere approuare continouamête pena. Il contrario
fi fcorge nel San Michele, che ancora che è fia fatto con aria celefte,
acompagnato dalle armi di ferro & di oro, gli da brauura & forza &
terrore, auendo già fatto cader Lucifero, & quello con vna zagaglia
abatte a rouefcio, fenza che egli è dipinto duna maniera, che tanto
quanto langelo getta fplendore: tanto piu crefce & multiplica paura &
tenebre guardando Lucifero, che l'uno & l'altro fu talmente fatto da lui
che egli ne ebbe dal Re onoratiffimo premio. Ritraffe Beatrice Ferrarefe,
& altre donne, & particularmente quella fua, & altre infinite. Era

*hervortritt, war der Inbegriff aller Wuth dargestellt, die gift-
geschwollener Hochmuth demjenigen gegenüber herausbrechen
lässt, der die Macht des aus dem Reiche des Friedens ausge-
schlossenen und sicherlich zu ewiger Pein verdammten zu Boden
wirft. 15. Das Gegentheil sieht man im Heiligen Michael, der,
obgleich er mit himmlischem Antlitz und mit Waffen von Eisen
und Gold dargestellt ist, trotzdem Kühnheit und Kraft und
Schrecken athmet, da er Lucifer zu Falle gebracht und mit
einem Speer rücklings zu Boden geworfen hat. Kurz, dieses
Werk war derart, um Raphael von Seiten des Königs mit
Recht die ehrenvollste Belohnung einzutragen.*

*XXIV. 1. Er porträtirte Beatrice aus Ferrara und andre
Frauen und besonders die ihm angehörende und andre unendliche. 2. Raphael war sehr verliebter Natur, den Frauen
ergeben und stets zu ihrem Dienste bereit. 3. Und hier
wurde ihm, da er in diesen Genüssen kein Ende fand, von
seinen Freunden mehr vielleicht nachgesehen und zu Willen gelebt als recht war. 4. Und so, als Agostino Chigi, sein naher
Freund, in seinem Palaste die erste Loggia von ihm malen
liess, vernachlässigte Raphael die Arbeit einer Frau wegen, in
die er verliebt war; und Agostino, als es ihm schliesslich zu
arg wurde, brachte es durch Andre, und indem er selber dazu
that und allerlei Mittel anwendete, mit Mühe dahin, dass
diese Frau zu ihm in's Haus kam und immer da sich aufhielt
wo Raphael arbeitete, so dass die Arbeit zur Vollendung gelangte. 5. Er machte für diese Arbeit alle Cartons und malte*

Rafaello perfona molto amorofa & affezzionata alle donne; & di continuo
prefto a i feruigi loro. Laqual cofa era cagione, che continuando egli
i diletti carnali, era con rifpetto da fuoi grandifsimi amici ofseruato per
efsere egli perfona molto ficura. Onde facendogli Agoftin Ghigi amico
fuo caro, allora ricchifsimo mercante Sanefe, dipignere nel palazzo fuo
la prima loggia, egli non poteua molto attendere a lauorare, per lo
amore che e'portaua ad vna fua donna: perilche Agoftino fi difperaua,
di forte che per via d'altri, & da fe & di mezi ancora operò fi, che
appena ottenne, che quefta fua donna venne a ftare con efso in cafa
continùamente; in quella parte doue Rafaello lauoraua, ilche fu cagione

toni, e molte figure colorì di sua mano in fresco. 6. E nella
volta fece il concilio degli Dei in cielo, dove si veggono nelle
loro forme molti abiti e lineamenti cavati dall'antico, con
bellissima grazia e disegno espressi; e così fece le nozze di
Psiche, con ministri che servon Giove, e le Grazie, che spargono i fiori per la tavola; e ne' peducci della volta fece
molte storie, fra le quali in una è Mercurio col flauto, che
volando par che scenda dal cielo, e in un'altra è Giove con
gravità celeste, che bacia Ganimede; e così di sotto nell'altra
il carro di Venere e le Grazie, che con Mercurio tirano al
cielo Psiche, e molte altre storie poetiche negli altri peducci.
7. E negli spicchi della volta sopra gli archi fra peduccio e
peduccio sono molti putti che scortano, bellissimi, i quali
volando portano tutti gli strumenti degli Dei: di Giove il
fulmine e le saette; di Marte gli elmi, le spade e le targhe;
di Vulcano i martelli; di Ercole la clava e la pelle del leone;
di Mercurio il caduceo; di Pan la zampogna; di Vertunno i
rastri dell'agricoltura; e tutti hanno animali appropriati alla
natura loro: pittura e poesia veramente bellisima. 8. Fecevi
fare da Giovanni da Udine un ricinto alle storie d'ogni sorte
fiori, foglie e frutte in festoni, che non possono esser più
belli. 9. Fece l'ordine delle architetture delle stalle de'
Chigi, e nella chiesa di Santa Maria del Popolo l'ordine della

che il lauoro veniſſe a fine. Fece in queſta opera tutti i cartoni; &
molte figure colori di ſua mano in freſco. Et nella volta fece il concilio
de gli iddei in cielo; doue ſi veggono nelle loro forme abiti & lineamenti,
cauati da lo antico con belliſsima grazia & diſegno eſpreſsi, & coſi fece
le nozze di Pſiche cõ miniſtri che feruon Gioue, et le Grazie che ſpar-
gono i fiori per la tauola; & ne peducci della volta fece molte ſtorie
fra le quali in vna è Mercurio co'l flauto, che volando par che ſcenda
da'l Cielo: & in vnaltra è Gioue con grauità celeſte che bacia Ganimede;
& coſi diſotto nellaltra il carro di Venere, & le Grazie che cõ Mercurio
tirano al ciel Pandora, & molte altre ſtorie poetiche negli altri peducci.

viele Figuren eigenhändig in Fresko. 6. *Und in der Wölbung stellte er die berathende Versammlung der Götter im Himmel* **dar, wo** *in ihren Gestalten manche der Antike entnommene, mit höchster Anmuth und Feinheit zum Ausdrucke gebrachte Gewandung und Umrisslinie sichtbar ist. Und so auch malte er die Hochzeit der Psyche, mit Jupiter und seinem Hofstaate,* **und den** *Grazien, die Blumen über die Tafel streuen; und in den Gewölbezwickeln malte er viele Darstellungen, eine darunter, wie Mercur mit der Flöte vom Himmel herabzufliegen scheint, und auf einer andern Jupiter in himmlischer Gravität, der Ganymed küsst; und so auch darunter, auf einer andern, Venus und die Grazien, die mit Mercur Psyche zum Himmel hinaufbringen, und viele andre poetische Erfindungen in den an-* **dern** *Gewölbezwickeln.* 7. *Und in den Stichkappen des Gewölbes über den Bögen, zwischen Zwickel und Zwickel, sind viele Putten in der Verkürzung gemalt, sehr schön, die* **fliegend** *alle die Attribute der Götter tragen: den Blitz und* **Donnerkeil** *des Jupiter, den Helm, das Schwert und den Schild des Mars, den Hammer des Vulcan, die Keule und Löwenhaut des Hercules, den Schlangenstab des Mercur, die Rohrpfeife des Pan, das Ackergeräth des Vertumnus, sämmtlich von ihrer Art entsprechenden Thieren begleitet: Malerei und Dichtung in Wahrheit schönster Art.* 8. *Von Giovanni da Udine liess er für diese Scenen eine Umfassung von aller Art Blumen, Blättern und Früchten in hängenden Gewinden malen, die nicht schöner sein können.* 9. *Raphael machte die architektonischen Entwürfe für die ̄Ställe der Chigi und in der Kirche Santa Maria*

Et negli ſpicchi della volta, ſopra gl'archi fra peduccio & peduccio ſono molti putti che ſcortano bellifsimi; che volando portano tutti gli ſtrumenti de gli Dei, di Gioue il fulmine & le ſaette, di Marte gli elmi, le ſpade, & le targhe, di Vulcano i martelli, di Ercole la claua, & la pelle del Lione, di Mercurio il Caduceo; di Pan la ſampogna, di Verturno i raſtri della Agricultura. Et a tutti ha fatto gli animali appropriati fecondo gli Dei: Pittura & Poeſia veramente bellifsima. Feceui fare da Giouanni da Vdine vn ricinto intorno alle ſtorie d'ogni ſorte fiori foglie & frutte infeſtoni diuini. Fece l'ordine delle architetture delle ſtalle de'Ghigi:

cappella di Agostino sopradetto. 10. Nella quale, oltrechè
la dipinse, diede ordine che si facesse una maravigliosa sepoltura, e a Lorenzetto scultor Fiorentino fece lavorar due
figure, che sono ancora in casa sua al Macello de' Corbi in
Roma. 11. Ma la morte di Raffaello e poi quella di Agostino
fu cagione che tal cosa si desse a Sebastiano Veneziano.

XXV. 1. Era Raffaello in tanta grandezza venuto, che
Leone X. ordinò che egli cominciasse la sala grande di sopra,
dove sono le vittorie di Costantino, alla quale egli diede principio. 2. Similmente venne volontà al Papa di far panni
d'arazzi ricchissimi d'oro e di seta in filaticci; perchè Raffaello
fece in propria forma e grandezza tutti di sua mano i cartoni
coloriti, i quali furono mandati in Fiandra a tessersi, e finiti
i panni vennero a Roma. 3. La quale opera fu tanto mira-
colosamente condotta, che reca maraviglia il vederla e il
pensare come sia possibile avere sfilato i capelli e le barbe,
e dato col filo morbidezza alle carni; opera certo piuttosto
di miracolo che di artificio umano; perchè in essi sono acque,
animali, casamenti, e talmente ben fatti, che non tessuti, ma
paiono veramente fatti col pennello. 4. Costò quest'opera
settanta mila scudi e si conserva ancora nella cappella papale.
5. Fece al cardinale Colonna un San Giovanni in tela, il

& ancora nella chiefa di Santa Maria del Popolo, l'ordine della cappella
di Agoſtino ſopradetto. Laquale oltra il dipignerla diede ordine, che
d'una marauiglioſa ſepoltura s'adornaſſe: doue a LORENZETTO ſcultor
Fiorentino fece lauorar due figure, che ſono ancora in caſa ſua al Macello
de Corbi in Roma: Ma la morte di Rafaello & poi quella di Agoſtino
fu cagione, che tal coſa ſi deſſe a Sebaſtian Veniziano, che fino al preſente
la tiene coperta. Era Rafaello dal nome & dall'opre tanto in grandezza
venuto, che Leon X. ordinò, che egli cominciaſſe la ſala grande di ſopra,
doue ſono le vittorie di Goſtantino, allaquale egli diede principio: &
ſimilmente venne volontà al Papa di far panni d'arazzi ricchiſſimi d'oro

del Popolo die für die Capelle des obengenannten Agostino.
10. *Innerhalb welcher er, abgesehen davon, dass er sie ausmalte,
den Bau eines wunderbaren Grabmals anordnete. Und dem
florentinischen Bildhauer Lorenzetto gab er zwei Figuren in
Auftrag, die noch in seinem Hause am Macello de' Corvi in
Rom stehen.* 11. *Aber der Tod Raphael's und nachher der
Agostino's waren Ursache, dass der Auftrag an Sebastian aus
Venedig überging.*

XXV. 1. *Raphael war zu solcher Grösse gelangt, dass
Leo X. den Befehl gab, er solle den oberen grossen Saal zu
malen anfangen, wo der Sieg des Constantin ist, den er begann.* 2. *Und ebenso ging der Wille des Papstes dahin, höchst
kostbare Teppiche in Gold und Seide wirken zu lassen, weshalb
Raphael in geeigneter Form und Grösse alle farbigen Cartons
eigenhändig anfertigte, die nach Flandern geschickt wurden, um
gewebt zu werden; und als die Teppiche vollendet waren, kamen
sie nach Rom.* 3. *Dieses Werk war so wunderbar durchgeführt, dass man in Staunen ausbricht, wenn man es sieht und
wenn man bedenkt, wie es möglich gewesen sei, Haar und Bärte so
in einzelnen Fäden darzustellen, und beim Weben dem Fleische
Weichheit zu geben: mehr ein Wunderwerk als etwas von menschlicher Hand Gewirktes, denn Gewässer, Thiere, Architektur sind
so vorzüglich gemacht, dass sie nicht gewebt, sondern mit dem Pinsel
gemalt zu sein scheinen.* 4. *Dieses Werk kostete 70,000 Scudi
und wird in der päpstlichen Capelle noch aufbewahrt.* 5. *Dem
Cardinal Colonna malte er einen San Giovanni auf Leinwand,*

& di feta in filaticci; perche Rafaello fece in propria forma & grandezza
di tutti di fua mano i cartoni della medefima grandezza coloriti; i quali
furono mandati in Fiandra a tefferfi, & finiti vennero a Roma. Laquale
opera fu tanto miracolofamente condotta, che di gran marauiglia è il
vedere, come fia pofsibile auere sfilato i capegli & le barbe; & dato
morbidezza alle carni; opera certo piu tofto di miracolo, che d'artificio
vmano: perche in efsi fono acque, animali, cafamenti, & talmète ben
fatti, che non tefuti, ma paiono veramente fatti col pennello. Coftò tale
opra LXX. mila fcudi: & fono ancora conferuati nella cappella Papale.
Fece al Cardinale Colonna vn S. Giouãni in tela; ilquale portandogli

quale, portandogli per la bellezza sua grandissimo amore e
trovandosi da un'infermità percosso, gli fu domandato in dono
da messer Jacopo da Carpi, medico che lo guarì; e per
averne egli voglia, a se medesimo lo tolse, parendogli aver
seco obbligo infinito; e ora si ritrova in Firenze nelle mani
di Francesco Benintendi. 6. Dipinse a Giulio cardinale de'
Medici e vicecancelliere una tavola della Trasfigurazione di
Cristo per mandare in Francia, la quale egli di sua mano
continuamente lavorando ridusse ad ultima perfezione. 7. Nella
quale storia figurò Cristo trasfigurato nel monte Tabor, e a
piè di quello gli undici Discepoli, che l'aspettano, dove si
vede condotto un giovanetto spiritato, acciocchè Cristo sceso
del monte lo liberi; il quale giovanetto, mentrechè con attitudine scontorta si prostende gridando e stralunando gli occhi,
mostra il suo patire dentro nella carne, nelle vene e ne' polsi
contaminati dalla malignità dello spirito, e con pallida incarnagione fa quel gesto forzato e pauroso. 8. Questa figura
sostiene un vecchio, che abbracciatola e preso animo, fatto
gli occhi tondi colla luce in mezzo, mostra coll'alzare le ciglia
e increspar la fronte in un tempo medesimo e forza e paura.
9. Pure mirando gli Apostoli fiso, pare che, sperando in loro,
faccia animo a se stesso. 10. Evvi una femmina fra molte,
la quale è principale figura die quella tavola, che inginocchiata

per la bellezza fua grandifsimo amore, & trouandofi da vna infirmità
percoffo, gli fu domandato in dono da M. Iacopo da Carpi medico, che
lo guarì: & per auerne egli voglia, a fe medefimo lo tolfe parendogli
auer feco obligo infinito; & ora fi ritroua in Fiorèza nelle mani di Frãcefco Benintendi. Dipinfe a Giulio Cardinale de Medici & Vicecancelliere
vna tauola della trasfigurazione di CHRISTO, per mãdare in Frãcia, la
quale egli di fua mano continuamète lauorando riduffe ad vltima perfezzione. Nellaquale ftoria figurò CHRISTO trasfigurato nel Monte Tabor:
& appie di quello erano rimafti gli vndici difcepoli che lo afpettauano;
doue fi vede condotto vn giouanetto fpiritato accio che CHRISTO fcefo

und *dieses Gemälde, das der Cardinal seiner Schönheit wegen im höchsten Grade liebte, wurde demselben, als er von einer Krankheit betroffen war, von Messer Jacopo da Carpi, dem Arzte, der ihn heilte, als Geschenk abgefordert; und da dieser Verlangen danach trug, so beraubte der Cardinal sich seiner, weil er sich ihm als unendlich verpflichtet ansah, und heute befindet es sich in Florenz in den Händen des Francesco Benintendi. 6. Dem Cardinal und Vicekanzler Giulio de' Medici malte er eine Tafel: die Verklärung Christi, zur Sendung nach Frankreich bestimmt, die er in unausgesetzter eigenhändiger Arbeit zu äusserster Vollendung brachte. 7. Hier stellte er den auf dem Berge Tabor verklärten Christus dar und am Fusse desselben die elf Jünger, die ihn erwarten, wohin ein besessener junger Mensch gebracht worden ist, damit Christus, wenn er vom Berge herabgekommen wäre, ihn (von seinem Dämon) befreie; welcher junge Mensch, während er in verrenkter Stellung schreiend und mit verdrehten Augen sich windet, in den Muskeln, in den Adern und im Blute, in denen der Dämon wüthet, sein Leiden kundgiebt und todtenbleich diese gewaltsame und furchtbare Bewegung macht. 8. Diese Gestalt wird von einem sie muthig mit den Armen umfassenden Greise aufrecht gehalten, dem die Augen mit dem Lichtpunkte in der Mitte rund aus dem Kopfe treten, und dessen emporgerissene Brauen und gerunzelte Stirn Kraft und Furcht zu gleicher Zeit anzeigen. 9. Aber die Apostel unverrückt ansehend, scheint er, indem er seine Zuversicht in sie setzt, sich selbst Muth zu machen. 10. Unter vielen anderen Gestalten ist eine Frau die Hauptfigur der Tafel, die vor den*

---

de'l monte lo liberi, il quale giouanetto mentre che con attitudine fcòtorta, fi proftende gridando & ftralunando gli occhi, moftra il fuo patire dentro nella carne, nelle vene, & ne' polfi contaminati dalla malignità dello fpirto, & con pallida incarnazione fa quel gefto forzato & paurofo. Quefta figura fece egli foftenere da vn vecchio, che abbracciatola & prefo animo, fatto gli occhi tondi con la luce in mezo, moftra con lo alzare le ciglia, & increfpar la fronte, in vn tempo medefimo, & forza & paura. Pure mirando gli Apoftoli fifo, pare che fperando in loro, faccia animo a fe ftello. Euui vna femina fra molte, laquale è principale figura di quella tauola, che inginochiata dinanzi a quegli, voltando la

dinnanzi a quelli, voltando la testa a loro e coll'atto delle braccia verso lo spiritato, mostra la miseria di colui. 11. Oltrechè gli Apostoli, chi ritto e chi a sedere e altri ginocchioni, mostrano avere grandissima compassione di tanta disgrazia. 12. E nel vero, egli vi fece figure e teste, oltre la bellezza straordinaria, tanto nuove, varie e belle, che si fa giudizio comune degli artefici, che quest'opera fra tante, quante egli ne fece, sia la più celebrata, la più bella e la più divina. 13. Avvengachè chi vuol conoscere il mostrare in pittura Cristo trasfigurato alla divinità, lo guardi in quest'opera, nella quale egli lo fece sopra questo monte diminuito, in un' aria lucida con Mosè ed Elia, che, alluminati da una chiarezza di splendore, si fanno vivi nel lume suo. 14. Sono in terra prostrati Pietro, Jacopo e Giovanni in varie e belle attitudini; chi ha a terra il capo, e chi con fare ombra agli occhi colle mani si difende dai ràggi e dalla immensa luce dello splendore di Cristo. 15. Il quale, vestito di colore di neve, pare che, aprendo le braccia e alzando la testa, mostri la essenza e la deità di tutte le Tre Persone unitamente ristrette nella perfezione dell'arte di Raffaello; il quale pare che tanto si ristringesse insieme colla virtù sua per mostrare lo sforzo e il valor dell' arte nel volto di Cristo, che finitolo, come ultima cosa che a fare avesse, non toccò più pennelli, sopragiungendogli la morte.

---

tefta loro & il tutto delle braccia verfo lo fpiritato, moftra la miferia di colui. Oltra che gli Apoftoli chi ritto. & chi a federe, altri ginocchioni moftrano auere grandifsima compafsione di tanta difgrazia. Et nel vero egli vi fece figure & tefte oltra la bellezza ftraordinaria, tanto di nuouo, & di vario, & di bello, che fi fa giudizio cõmune de gli artefici, che quefta opera fra tante quante egli ne fece fia la più celebrata, la più bella, & la più diuina. Auuengha che chi vuol conofcere il moftrare in pittura CHRISTO trasfigurato alla diuinita, lo guardi in quefta opera: nellaquale egli lo fece fopra quefto monte diminuito in vna aria lucida con Mofe & Elia, che alluminati da vna chiarezza di fplendore fi fanno

Aposteln auf den Knien liegend, den Kopf ihnen zuwendet und, mit der Bewegung der Arme dem Besessenen zu, auf dessen Elend hindeutet. 11. *Die Apostel, der eine aufrecht, der andere sitzend, andere auf den Knien, scheinen das grösste Mitleid mit so viel Jammer zu haben.* 12. *Und in Wahrheit, Raphael machte da Gestalten und Köpfe, die, abgesehen von ihrer ausserordentlichen Schönheit, so neu, verschiedenartig und schön sind, dass dem gemeinen Urtheil der Künstler nach dieses Werk, soviel deren Raphael geschaffen habe, von allen das gefeiertste, schönste, göttlichste ist.* 13. *Deshalb, wer lernen will, wie man den zur Gottheit verklärten Christus darzustellen habe, betrachte ihn in diesem Werke, wie Raphael ihn auf diesem in der Verkürzung dargestellten Berge in leuchtender Luft mit Moses und Elias malte, die, angestrahlt von glänzender Klarheit, in seinem Lichte sich beleben.* 14. *Petrus, Jacobus und Johannes liegen in verschiedenen und schönen Stellungen auf die Erde hingestreckt. Der eine hat das Gesicht auf der Erde, der andre wehrt mit der Hand die Strahlen des ungeheuren vom Glanze Christi niederströmenden Lichtes von den Augen ab.* 15. *Dieser, in schneeweisser Gewandung die Arme öffnend und das Haupt erhoben, scheint das Wesen und die Göttlichkeit der drei Personen zu zeigen, die die vollendete Kunst Raphael's als Einheit zusammengefasst hat, dem die Malerei selber sich völlig hingegeben zu haben scheint, um ihn das höchste Maass künstlerischer Kraft im Antlitze Christi zeigen zu lassen; denn nach Vollendung dieses Christus, als des Letzten, was ihm hervorzubringen gegeben war, rührte er den Pinsel nicht mehr an, da der Tod über ihn kam.*

viui nel lume fuo. Sono proftrati in terra Pietro, Iacopo, & Giouanni in diuerfe et varie attitudini: che chi atterra col capo, & chi con fare ombra a gli occhi con le mani fi difendono da raggi del fole, & da la immenfa luce dello fplendore di CHRISTO: Ilquale veftito di color di Neue & aprendo le Braccia, cò alzare la tefta a'l Padre, pare che moftri la effenzia della Deità di tutte tre le perfone, vnitamente riftrette nella perfezzione della arte di Rafaello. Ilquale pare che tãto fi riftrigneffe infieme con la virtù fua, per moftrare lo sforzo & il valor dell'arte nel volto di CHRISTO che finitolo come vltima cofa che affare aueffe non toccò piu pennelli; fopragiugnendoli la morte. Aueua Rafaello ftretta

XXVI. 1. Ora, avendo raccontate le opere di questo eccellentissimo artefice, primachè io venga a dire altri particolari della vita e morte sua, non voglio che mi paia fatica discorrere alquanto, per utile de' nostri artefici, intorno alle maniere di Raffaello. 2. Egli dunque, avendo nella sua fanciullezza imitata la maniera di Pietro Perugino suo maestro e fattala molto migliore per disegno, colorito e invenzione, e parendogli aver fatto assai, conobbe, venuto in migliore età, esser troppo lontano dal vero. 3. Perciocchè, vedendo egli le opere di Lionardo da Vinci, il quale nelle arie delle teste, così di maschi come di femmine, non ebbe pari, e nel dar grazia alle figure e ne' moti superò tutti gli altri pittori, restò tutto stupefatto e maravigliato; e insomma, piacendogli la maniera di Lionardo più che qualunque altra avesse veduta mai, si mise a studiarla, e lasciando, sebbene con gran fatica, a poco a poco la maniera di Pietro, cercò, quanto seppe e potè il più, d'imitare la maniera di esso Lionardo. 4. Ma per diligenza o studio che facesse, in alcune difficoltà non potè mai passare Lionardo; e sebbene pare a molti che egli lo passasse nella dolcezza e in una certa facilità naturale, egli nondimeno non gli fu punto superiore in un certo fondamento terribile di concetti e grandezza d'arte, nel che pochi sono stati pari a Lionardo. 5. Ma Raffaello se gli è avvicinato bene più che nessun altro pittore, e massimamente nella grazia de' colori. 6. Ma tornando a esso Raffaello, gli fu col tempo di grandissimo disaiuto e fatica quella maniera che egli preso di Pietro, quando era giovanetto, la quale prese agevolmente per essere minuta, secca e di poco disegno; perciocchè, non potendosela dimenticare, fu cagione che con molta difficoltà imparò la bellezza degl'ignudi e il modo degli scorti difficili dal cartone che fece Michelangelo Buonarroti

XXVI. 1. *Nun, nachdem ich von den Werken dieses ausgezeichnetsten Künstlers gehandelt, soll mir, bevor ich über sein Leben und Sterben weiter berichte, nicht zu mühsam scheinen, zum Nutzen unserer Künstler mich ein wenig über die Manieren Raphael's zu verbreiten. 2. Raphael also, nachdem er in seiner Jugend die Manier seines Meisters Pietro Perugino nachgeahmt, sich in Zeichnung, Colorit und Erfindung dann über sie erhoben hatte und damit etwas geleistet zu haben vermeinte, erkannte, als er älter wurde, dass er vom Wahren noch weit entfernt sei. 3. Deshalb, als er die Werke des Lionardo da Vinci, der in den Antlitzen, männlichen wie weiblichen, seines Gleichen nicht hatte, und in seiner Art, den Gestalten und den Bewegungen Anmuth zu verleihen, alle anderen Maler übertraf, war er starr vor Erstaunen und Bewunderung; mit einem Worte, da die Manier des Lionardo ihm mehr gefiel als jede andere bis dahin gesehene, begann er sie zu studiren und, indem er sich, obgleich mit grosser Mühe, allmälig von der Art des Pietro losmachte, suchte er, soweit er wusste und konnte, die des Lionardo nachzuahmen. 4. Aber soviel Fleiss und Studium er darauf verwandte, in einigen schwierigen Punkten konnte er Lionardo niemals übertreffen; und wenn auch Einige vermeinen, er habe ihn in Süssigkeit und einer gewissen natürlichen Leichtigkeit überboten, so war er ihm doch niemals in einer gewissen gewaltigen Art, den Gedanken Ausdruck zu geben und in der Grösse der künstlerischen Auffassung überlegen, worin Wenige dem Lionardo gleichstehen. 5. Aber Raphael ist ihm mehr als irgend ein andrer Maler nahe gekommen, besonders in der Anmuth des Colorits. 6. Doch ich wende mich zu Raphael zurück. Mit der Zeit wurde ihm die in seiner Jugend von Pietro angenommene Manier, die er sich mühelos aneignete weil sie kleinlich, hölzern und ohne Zeichnung war, höchst unbequem und lästig; und da er sie sich nicht aus den Gedanken bringen konnte, begann er die schönen nackten Gestalten und die schwierigen Verkürzungen des Cartons, den Michelangelo für den Saal der Rathsversammlung von Florenz machte, sich einzuprägen. Ein Andrer würde hier den Kopf verloren haben, im Glauben, seine*

per la sala del Consiglio di Firenze; e un altro, che si fosse
perso d'animo, parendogli avere insino allora gettato via il
tempo, non avrebbe mai fatto, ancorchè di bellissimo ingegno,
quello che fece Raffaello, il quale, smorbatosi e levatosi dad-
dosso quella maniera di Pietro per apprender quella di
Michelangelo piena di difficoltà in tutte le parti, diventò
quasi di maestro nuovo discepolo e si sforzò con incredibile
studio di fare, essendo già uomo, in pochi mesi quello che
avrebbe avuto bisogno di quella tenera età, che meglio ap-
prende ogni cosa, e dello spazio di molti anni . 7. E nel
vero, chi non impara a buon' ora i buoni principii e la maniera che vuol seguitare, e a poco a poco non va facilitando
coll'esperienza le difficoltà delle arti, cercando d'intendere le
parti e metterle in pratica, non diverrà quasi mai perfetto
e se pure diverrà, sarà con più tempo e molto maggior fatica.
8. Quando Raffaello si diede a voler mutare e migliorare la
maniera, non aveva mai dato opera agl'ignudi con quello
studio che si ricerca, ma solamente li aveva ritratti di naturale nella maniera che aveva veduto fare a Pietro suo maestro,
aiutandoli con quella grazia che aveva dalla natura. 9. Datosi
dunque allo studiare gl'ignudi e a riscontrare i muscoli delle
notomie e degli uomini morti e scorticati con quelli de' vivi,
che per la coperta della pelle non appariscono terminati nel
modo che fanno Ievata la pelle, e veduto poi in che modo
si facciano carnosi e dolci ne' luoghi loro, e come nel girare
delle vedute si facciano con grazia certi storcimenti, e parimente gli effetti del gonfiare e abbassare e alzare o un
membro o tutta la persona, e oltre ciò l'incatenatura delle
ossa, de' nervi e delle vene, si fece eccellente in tutte le
parti che in un ottimo dipintore sono richieste. 10. Ma conoscendo nondimeno che non poteva in questa parte arrivare

*Zeit bis dahin unnütz fortgeworfen zu haben, würde auch,
wenn noch so talentvoll, nie so weit gekommen sein als Raphael kam, der, nachdem er sich zur Gesundheit durchgearbeitet
und von der Manier des Pietro frei gemacht hatte, um die in
allen Theilen schwierige des Michelangelo zu erlernen, aus einem
Meister gleichsam wieder zum Schüler wurde und sich mit un-
glaublichem Eifer anstrengte, als reifer Mann in wenigen Mo-
naten das zu thun, wozu es jugendlichen Alters, wo man besser
alle Dinge auffasst, und eines Zeitraums von vielen Jahren bedurft hätte. 7. Und in Wahrheit, wer nicht zu rechter Zeit die
guten Anfänge und die Manier, in der er zu arbeiten beabsichtigt,
erlernt und nicht Schritt vor Schritt mit der Erfahrung die
Schwierigkeiten der Künste überwindet, indem er das Einzelne
sich anzueignen und praktisch anzuwenden lernt, wird so gut wie
niemals ein vollendeter Meister werden; und wenn er es dennoch
wird, nur mit Aufwand längerer Zeit und viel grösserer Mühe
dazu gelangen. 8. Als Raphael sich daran gab, seine Manier zu
ändern und bessern, hatte er sich nie zuvor mit dem nöthigen
Eifer um nackte Körper bekümmert, sondern sie nach der Natur
in der Manier nur gezeichnet, wie er seinen Meister Pietro hatte
thun sehen, indem er sie zugleich mit seiner ihm von der Natur verliehenen Anmuth verbesserte. 9. Indem er sich nun also
dem Studium des Nackten und der Untersuchung der Muskeln
an todten Körpern hingab, an solchen sowohl, denen die Haut
abgezogen war, als an lebenden, die der sie bedeckenden Haut
wegen nicht so genau abgegrenzt erscheinen als sie thun wenn
die Haut fortgenommen ist, und indem er sah, in welcher Art
sie an seiner Stelle ein Jeder anschwellen oder verfliessen, und
wie bei ihnen, indem man sie bald so, bald so wendet, gewisse
Bewegungen anmuthiger Art sichtbar werden, und gleicher-
maassen die Effecte des Anschwellens beim sich Niederlassen
oder Erheben, sei es eines einzelnen Gliedes oder der ganzen
Gestalt, und, weiter noch, das Ineinandergreifen der Knochen,
der Sehnen und Adern, so wurde er ausgezeichnet in allen
Richtungen, in denen ein Maler ersten Ranges sich hervorthun
kann. 10. Indem er trotzalledem aber erkannte, dass er in*

13*

alla perfezione di Michelangelo, come uomo di grandissimo
giudizio considerò che la pittura non consiste solamente in
fare uomini nudi, ma che ella ha il campo largo, e che fra
i perfetti dipintori si possono anco coloro annoverare che
sanno esprimere bene e con facilità le invenzioni delle storie
e i loro capricci con bel giudizio, e che nel fare i componimenti delle storie, chi sa non confonderle col troppo e anco
farle non povere col poco, ma con bella invenzione e ordine
accomodarle, si può chiamare valente e giudizioso artefice.
11. A questo, siccome bene andò pensando Raffaello, s'aggi-
unge l'arricchirle colla varietà e stravaganza delle prospettive,
de' casamenti e de' paesi, il leggiadro modo di vestire le
figure, il fare che elle si perdano alcuna volta nello scuro e
alcuna volta vengano innanzi col chiaro, il fare vive e belle
le teste delle femmine, de' putti, de' giovani e de' vecchi, e
dar loro, secondo il bisogno, movenza e bravura. 12. Considerò anco quanto importi la fuga de' cavalli nelle battaglie,
la fierezza de' soldati, il saper fare tutte le sorti d'animali,
e sopratutto il far in modo nei ritratti somigliar gli uomini,
che paiano vivi e si conoscano per chi eglino sono fatti, e
altre cose infinite, come sono abbigliamenti di panni, calzari,
celate, armature, acconciature di femmine, capelli, barbe,
vasi, alberi, grotte, sassi, fuochi, arie torbide e serene, nuvoli,
piogge, saette, sereni, notti, lumi di luna, splendori di sole
e infinite altre cose che seco portano ognora i bisogni dell'arte
della pittura. 13. Queste cose, dico, considerando Raffaello,
si risolvè, non potendo aggiungere Michelangelo in quella
parte dove egli aveva messo mano, di volerlo in queste altre
pareggiare e forse superarlo; e così si diede non ad imitare
la maniera di colui, per non perdervi vanamente il tempo,
ma a farsi un ottimo universale in queste altre parti, che

*diesem Theile der Kunst nicht zu der Vollendung des Michel-
angelo gelangen könne, so zog er, als Mann von grösster Ur-
theilskraft, in Betracht, dass die Aufgabe der Malerei nicht
bloss darin besteht, nackte Menschen zu malen, sondern dass ihr
ein weites Feld offen ist, und dass zu den vollendeten Malern
auch diejenigen sich rechnen können, die gut und mit Leichtigkeit historische Vorwürfe und was an überraschenden Erfindungen in dieser Richtung liegt als denkende Künstler zur
Erscheinung zu bringen wissen, und dass bei der Composition
historischer Stoffe der, welcher sie weder mit Zuviel überladet,
noch mit Zuwenig ärmlich erscheinen lässt, sondern sie mit
schöner Erfindung und Anordnung hinstellt, sich einen tüchti-
gen und urtheilsvollen Künstler nennen darf. 11. Dazu gehört,
wie Raphael die Sache sich überlegte, dass man den Gemälden
Reichthum und Fülle gebe mit abwechselnden und überraschenden Perspectiven, Gebäuden und Landschaften, mit angenehmer Costümirung der Gestalten, sowie dadurch, dass man diese
sich manchmal im Dunkel verlieren, manchmal durch Beleuchtung hervortreten lasse, dass man die Kinder- und Frauen-
köpfe, sowie die der Männer und Alten lebendig und schön
mache, und ihnen, je nach Bedürfniss, Bewegung und Kühnheit verleihe. 12. Er zog auch in Betracht, wie wichtig die Darstellung dahinsprengender Pferde in den Schlachtscenen und die
Wildheit der Soldaten sei, dass man alle möglichen Thiere zu
malen, besonders aber Porträts so zu machen verstehe, dass sie
lebendig erscheinen und ohne Weiteres als die zu erkennen sind, die
sie darstellen, und unendliches Andere, wie Anzüge, Schuhwerk,
Helme, Rüstungen, Waffen, Kopfputz der Frauen, Haare, Bärte,
Gefässe, Bäume, Höhlen, Gestein, Feuer, trübe und heitre Luft,
Wolken, Regen, Blitze, klarer Himmel, Nacht, Mondschein, Son-
nenglanz und unendliche andere Dinge, wie man sie als Maler
stündlich braucht. 13. Indem Raphael diese Dinge also, sage
ich, in Betracht zog, fasste er den Entschluss, da es ihm unmöglich war, Michelangelo auf dem Gebiete zu erreichen, auf das
dieser die Hand gelegt hatte, ihm auf jenem andern gleich- oder
überzukommen; und so gab er sich nicht daran, seine Manier nach-*

si sono raccontate. 14. E se così avessero fatto molti artefici dell'età nostra, che, per aver voluto seguitare lo studio solamente delle cose di Michelangelo, non hanno imitato lui, nè potuto aggiungere a tanta perfezione, eglino non avrebbero faticato invano nè fatto una maniera molto dura, tutta piena di difficoltà, senza vaghezza, senza colorito e povera d'invenzione, laddove avrebbero potuto, cercando d'essere universali e d'imitare le altre parti, essere stati a se stessi e al mondo di giovamento. 15. Raffaello adunque, fatta questa risoluzione e conosciuto che fra Bartolomeo di San Marco aveva un assai buon modo di dipingere, disegno ben fondato e una maniera di colorito piacevole, ancorchè talvolta usasse troppo gli scuri per dar maggior rilievo, prese da lui quello che gli parve secondo il suo bisogno e capriccio, cioè un modo mezzano di fare così nel disegno come nel colorito; e mescolando col detto modo alcuni altri, scelti delle cose migliori d'altri maestri, fece di molte maniere una sola, che fu poi sempre tenuta sua propria la quale fu e sarà sempre stimata dagli artefici infinitamente. 16. E questa si vide perfetta poi nelle Sibille e ne' Profeti dell'opera che fece, come si è detto, nella Pace. 17. Al fare della quale opera gli fu di grande aiuto l'aver veduto nella cappella del Papa l'opera di Michelangelo. 18. E se Raffaello si fosse in questa sua detta maniera fermato, nè avesse cercato d'aggrandirla e variarla per mostrare che egli intendeva gl'ignudi così bene come Michelangelo, non si sarebbe tolto parte di quel buon nome che acquistato si aveva; perciocchè gl'ignudi che fece nella camera di torre Borgia, dove è l'incendio di Borgo Nuovo, ancorchè siano buoni, non sono in tutto eccellenti. 19. Parimente non sodisfecero affatto quelli che furono similmente fatti da lui nella volta del palazzo d'Agostino Chigi in Traste-

zuahmen, um nicht vergebens die Zeit zu verlieren, sondern sich in jenen anderen Dingen, die aufgezählt worden sind, nach allen Seiten hin auf's beste auszubilden. 14. *Und wenn viele Künstler unserer Epoche so gethan hätten, die, weil sie nichts als die Sachen des Michelangelo zum Vorbilde nehmen, es weder wie Raphael gemacht, noch Michelangelo's vollendete Höhe erreicht haben, so würden sie sich nicht umsonst abgearbeitet und sich eine harte, von Schwierigkeiten erfüllte, reizlose, farblose und ärmliche Manier gebildet haben, während sie bei dem Bestreben, universal zu sein und nach allen Richtungen hin das Gute zu suchen, sich selbst und der Welt zur Freude gearbeitet hätten.* 15. *Nachdem Raphael also diesen Entschluss gefasst und erkannt hatte, dass Fra Bartolomeo di San Marco eine vortreffliche Art zu malen, solide Zeichnung und ein gefälliges Colorit habe, wenn er auch zuweilen zu tiefe Schatten anbringe, um grösseres Relief hervorzubringen, nahm er von ihm dasjenige an, was ihm einleuchtete und zusagte, d. h. eine mittlere Art vorzugehen, sowohl in der Zeichnung als in der Farbe; und indem er dieser Manier zufügte, was er den besten Werken einiger anderer Meister abgesehen hatte, mischte er viele Manieren zu einer einzigen zusammen, die später stets als die ihm eigenthümliche galt und die die Künstler stets unendlich geschätzt haben und schätzen werden.* 16. *Und diese kam in ihrer Vollkommenheit darauf bei den Sibyllen und den Propheten zu voller Erscheinung, die er, wie oben gesagt, in Santa Maria della Pace ausführte.* 17. *Bei diesem Werke unterstützte ihn sehr, dass er in der Capelle des Papstes die Arbeit des Michelangelo gesehen hatte.* 18. *Und hätte Raphael an dieser seiner Manier festgehalten, statt den Versuch zu machen, sie in's Grosse auszudehnen und sonst von ihr abzugehen, um zu zeigen, dass ihm das Nackte ebenso geläufig sei als Michelangelo, so würde ihm nicht durch eigne Schuld der gute Name, den er sich erworben hatte, wieder verringert worden sein; denn die nackten Gestalten, die er in der Camera der Torre Borgia, wo der Burgbrand gemalt ist, machte, sind, obgleich gut, doch nicht in jeder Beziehung ausgezeichnet.* 19. *Ebensowenig befriedigten diejenigen vollstän-*

vere, perchè mancano di quella grazia e dolcezza che fu propria di Raffaello; del che fu anche in gran parte cagione l'averli fatti colorire ad altri col suo disegno. 20. Dal quale errore ravvedutosi, come giudizioso, volle poi lavorare da sé solo e senza aiuto d'altri la tavola di San Pietro a Montorio della Trasfigurazione di Cristo, nella quale sono quelle parti che già s'è detto che ricerca e deve avere una buona pittura. 21. E se non avesse in quest'opera quasi per capriccio adoperato il nero di fumo da stampatori, il quale, come più volte si è detto, di sua natura diventa sempre col tempo più scuro e offende gli altri colori coi quali è mescolato, credo che quell'opera sarebbe ancor fresca, come quando egli la fece, dove oggi pare piuttosto tinta che altrimenti. 22. Ho voluto, quasi nella fine di questa vita, fare questo discorso per mostrare con quanta fatica, studio e diligenza si governasse sempremai quest'onorato artefice, e particolarmente per utile degli altri pittori, acciò si sappiano difendere da quegl' impedimenti dai quali seppe la prudenza e virtù di Raffaello difendersi. 23. Aggiungerò ancor questo, che dovrebbe ciascuno contentarsi di fare volentieri quelle cose alle quali si sente da naturale istinto inclinato, e non volere por mano, per gareggiare, a quello che non gli vien dato dalla natura, per non faticare in vano e spesso con vergogna e danno. 24. Oltre ciò, quando basta il fare, non si deve cercare di volere strafare per passare innanzi a coloro che per grande aiuto di natura e per grazia particolare data loro da Dio hanno fatto o fanno miracoli nell'arte. 25. Perciocchè chi non è atto a una cosa, non potrà mai, affatichisi quanto vuole, arrivare dove un altro coll'aiuto della natura è camminato agevolmente. 26. E ci sia per esempio fra i vecchi Paolo Uccello, il quale affaticandosi contra quello che poteva

*dig, die gleichfalls von ihm an der gewölbten Decke des Palastes
des Agostino Chigi in Trastevere gemacht wurden, da sie der
Anmuth und Zartheit ermangeln, die Raphael eigenthümlich war;
wovon freilich zum grossen Theile auch die Schuld daran lag, dass
er sie von Andern nach seinen Zeichnungen farbig hatte ausführen lassen. 20. Da er als ein Mann von Urtheil diese Verirrung
erkannte, wollte er später die Tafel von San Pietro in Montorio
mit der Transfiguration Christi allein und ohne Hülfe ausführen,
auf der alles das, was bereits als nothwendiger Theil eines guten
Gemäldes genannt worden ist, sich findet. 21. Und hätte er auf
dieser Malerei nicht, Gott weiss, warum, Schwarz, das die
Drucker brauchen, bei den Schatten angewandt, das, wie schon
mehrfach gesagt worden ist, seiner Natur nach mit der Zeit
immer tiefer nachdunkelt und die andern Farben, mit denen
er gemischt ist, anfrisst, so, glaube ich, würde dies Werk heute
noch frisch dastehen wie damals als er es malte, statt einen
trüben Ton zu haben. 22. Meine Absicht war, hier, fast am Abschlusse dieser Lebensbeschreibung, diese Dinge auszuführen, um
zu zeigen, mit welcher Mühe und mit wie angestrengtem Fleisse
dieser ehrenwerthe Künstler stets verfuhr, und besonders zum Nutzen
der andern Maler, damit sie sich von den Hindernissen nicht beirren lassen, welche Raphael im Festhalten an verständigen Principien nicht beirren durften. 23. Ich füge hinzu: Jeder sollte sich
gern daran genügen lassen, das zu leisten, wozu ihn der natürliche Instinkt treibt, statt im Wetteifer die Hand nach dem zu
erheben, wozu er von der Natur nicht gemacht ist, um nicht,
oftmals in Scham und Schande, vergebene Mühe aufzuwenden.
24. Und weiter: man soll, wo einfaches Thun genügt, sich
nicht überthun wollen, um denjenigen zuvorzukommen, die mit
Hülfe bedeutender natürlicher Gaben und durch besondere Gnade
Gottes als Künstler Wunder vollbracht haben oder vollbringen.
25. Denn wer für etwas nicht gemacht ist, wird, mag er sich
abmühen soviel er will, niemals das erreichen, wozu ein Andrer
mit Hülfe der Natur leicht den Weg gefunden hat. 26. Nehmen wir uns unter den Aelteren Paolo Uccello zum Exempel,
der mühevoll, über seine nicht zureichenden Kräfte hinaus, vor-*

per andare innanzi, tornò sempre indietro. 27. Il medesimo
ha fatto, ai giorni nostri e poco fa, Jacopo da Pontormo, e
si è veduto per esperienza in molti altri, come si è detto e
come si dirà. 28. E ciò forse avviene, perchè il cielo va
compartendo le grazie, acciò stia contento ciascuno a quella
chi gli tocca.

XXVII. 1. Ma avendo oggimai discorso sopra queste
cose dell'arte forse più che bisogno non era, per ritornare
alla vita e morte di Raffaello, dico che, avendo egli stretta
amicizia con Bernardo Divizio cardinale di Bibbiena, il cardinale l'aveva molti anni infestato per dargli moglie, e Raffaello non aveva espressamente ricusato di fare la voglia del
cardinale, ma aveva ben trattenuto la cosa con dire di voler
aspettare che passassero tre o quattro anni; il qual termine
venuto, quando Raffaello non se l'aspettava, gli fu dal cardinale ricordata la promessa, ed egli, vedendosi obbligato,
come cortese non volle mancare della parola sua, e così
accettò per donna una nipote di esso cardinale. 2. E perchè
sempre fu malissimo contento di questo laccio, andò in modo
mettendo tempo in mezzo, che molti mesi passarono, che il
matrimonio non consumò. 3. E ciò faceva egli non senza
onorato proposito. 4. Perchè, avendo tanti anni servito la
corte ed essendo creditore di Leone di buona somma, gli era
stato dato indizio che alla fine della sala che per lui si fa-

& domeſtica amicizia con Bernardo Diuizio Cardinale di Bibbiena, ilquale
per le qualità ſue molto l'amaua: Et pero lo infeſtaua gia molti anni
per dargli moglie: Et egli non la recuſaua; ma diceua volere ancora
aſpettare quattro anni. La onde laſciò il Cardinale paſſare il tempo, &
ricordollo a Rafaello, che gia non ſe lo aſpettaua: Et egli vedendoſi
obligato, come corteſe, non volle mancare della parola ſua; & coſi accettò

wärtsstrebend, immer nur zurückkam. 27. *Dasselbe hat in unseren Tagen und ganz vor Kurzem noch Jacopo da Pontormo gethan, und bei vielen Andern haben wir es erfahren, wie gesagt worden ist und gesagt werden wird.* 28. *Und dies ereignet sich vielleicht deshalb so, weil der Himmel bei Vertheilung seiner Gaben will, dass Jeder an dem ihm zugefallenen Antheil sein Genügen habe.*

XXVII. 1. *Nachdem ich so nun aber, weitläufiger vielleicht als nöthig war, über diese die Kunst betreffenden Dinge mich ausgesprochen habe, erzähle ich, mich zurückwendend zum Leben und Tode Raphaels, wie Bernardo Dovizio, Cardinal von Bibbiena, mit dem er eng befreundet war, ihn lange Jahre damit verfolgt hatte, ihm eine Frau zu geben, und Raphael hatte nicht ausdrücklich abgesagt, dem Cardinal den Willen zu thun, aber die Sache hinausgeschoben mit der Ausrede, es müssten erst noch drei bis vier Jahre darüberhingehen. Als diese Zeit dann gekommen, wurde Raphael, der an nichts mehr dachte, das Versprechen vom Cardinal in Erinnerung gebracht, und er, der sich für verpflichtet ansah, wollte in seiner freundlichen Nachgiebigkeit sein Wort einlösen, und so nahm er eine Verwandte des Cardinals als Frau an.* 2. *Und da er immer im höchsten Grade mit diesem ihm angelegten Bande unzufrieden war, wusste er die Sache hinauszuschieben, dass die Ehe viele Monate hindurch nicht zum Vollzuge kam.* 3. *Und er handelte so nicht ohne eine ehrenvolle Absicht.* 4. *Da er nämlich den Hof soviel Jahre bedient und Leo für eine gute Summe zum Schuldner hatte, war ihm angedeutet*

per donna la Nipote di eſſo Cardinale. Et perche ſempre fu maliſſimo contento di queſto laccio, andaua mettendo tempo in mezzo; ſi che molti meſi paſſarono, che'l matrimonio non s'era ancora conſumato per Rafaello. Et cio faceua egli non ſenza onorato propoſito. Perche auendo tanti anni ſeruito la corte, & eſſendo creditore di Leone di buona ſomma; gli era ſtato dato indizio, che alla fine della ſala, . che per lui ſi faceua, in ceva, in ricompensa delle fatiche e delle virtù sue il Papa gli avrebbe dato un cappello rosso, avendo già deliberato di farne un buon numero, e fra essi qualcuno di manco merito che Raffaello non era. 5. Il quale Raffaello, attendendo intanto a' suoi amori così di nascosto, continuò fuor di modo i piaceri amorosi; onde avvenne ch' una volta fra le altre disordinò più del solito, perchè tornato a casa con una grandissima febbre, fu creduto da' medici che fosse riscaldato. 6. Onde non confessando egli il discordine che aveva fatto, per poca prudenza loro gli cavarono sangue, di maniera che indebolito si sentiva mancare, laddove egli aveva bisogno di ristoro. 7. Perchè fece testamento; e prima, come cristiano, mandò l'amata sua fuor di casa e le lasciò modo di vivere onestamente. 8. Dopo divise le cose sue fra' discepoli suoi, Giulio Romano, il quale sempre amò molto, Giovan Francesco Fiorentino detto il Fattore, e un non so che prete da Urbino suo parente. 9. Ordinò poi che delle sue facoltà in Santa Maria Ritonda si restaurasse un tabernacolo di quegli antichi di pietre nuove, e un altare si facesse con una statua di Nostra Donna di marmo; la quale per sua sepoltura e riposo dopo la morte s'elesse; e lasciò ogni suo avere a Giulio e Giovan Francesco, facendo esecutore del testamento messer Baldassare da Pescia, allora datario del Papa. 10. Poi con-

---

ricompenſa delle fatiche & delle virtù ſue, il Papa gli aurebbe dato vn capello roſſo, che gia infinito numero il Papa aueua deliberato far cardinali, & perſone manco degne di lui. Però egli di nuouo in luogo importante andaua di naſcoſto a'ſuoi amori. Et coſi continuando fuor di modo i piaceri amoroſi, auuenne ch'una volta fra l'altre diſordinò piu del ſolito; perche a caſa ſe ne tornò con vna grandiſsima febbre; & fu creduto da'medici, che foſſe riſcaldato. Onde non confeſſando egli quel diſordine che aueua fatto, per poca prudenza loro gli cauarono ſangue; di maniera che indebilito ſi ſentiua mancare; la doue egli aueua biſogno di riſtoro. Perilche fece teſtamento; & prima come Chriſtiano mandò

*worden, der Papst werde, nach Vollendung des Saales, der für
ihn in Arbeit war, ihm als Belohnung seiner Mühen und seiner
künstlerischen Kraft den rothen Hut verleihen, da er bereits
darüber schlüssig geworden sei, eine gute Anzahl von Cardinälen zu machen und unter ihnen manchen von geringerem
Verdienste als Raphael. 5. Raphael, der währenddem in
Verborgenen seinen eigenen Liebschaften nachging, gab sich
über das rechte Maass hinaus diesen Genüssen hin, und so
kam es, dass er eines Tages bei einer dieser Gelegenheiten die
Grenzen des Gewöhnlichen zu weit überschritt und als er mit
einem sehr starken Fieber nach Hause gekommen war, glaubten
die Aerzte, dass er sich erkältet habe. 6. Und da er nicht
eingestand, welcher Ausschweifung er sich hingegeben, liessen
sie ihm unvorsichtigerweise zur Ader, so dass er, schwach geworden, in Ohnmacht fiel, da er doch einer Stärkung bedurfte.
7. Und somit traf er seine letzten Verfügungen. Und zwar,
zuerst, als guter Christ, schickte er seine Geliebte aus dem
Hause und setzte ein anständiges Auskommen für sie fest.
8. Sodann vertheilte er seine Sachen zwischen seinen Schülern:
Giulio Romano, den er immer sehr liebte, Giovan Francesco
aus Florenz, genannt il Fattore, und einen ihm verwandten,
mir weiter nicht bekannten Priester aus Urbino. 9. Sodann
ordnete er an, es solle in Santa Maria Rotonda aus seinen
Mitteln eine jener antiken Nischen in neuem Steine restaurirt
und ein Altar mit einer Statue Unserer Frau in Marmor errichtet werden: diese Kirche wählte er sich zum Begräbniss
und zur Ruhestätte nach seinem Tode. Und er hinterliess all*

---

l'amata fua fuor di cafa; & le lafciò modo di viuere oneftamente; &
diuife le cofe fue fra difcepoli fuoi, GIVLIO ROMANO, ilquale fempre
amò molto, GIOVAN FRANCESCO FIORENTINO detto il fattore, & vn
non fo chi prete da Vrbino fuo parente. Ordinò poi, che de le fue
facultà in Santa Maria Ritonda fi reftauraffe vn tabernacolo di quegli
antichi di pietre nuoue, & vno altare fi faceffe con vna ftatua di Noftra
donna di marmo, laquale per fua fepoltura & ripofo dopo la morte s'eleffe;
& lafciò ogni fuo auere a Giulio & Giouan Francefco, faccendo effecutore
M. Baldaffarre da Pefcia, allora Datario del Papa. Poi confeffo & contrito finì il corfo della fua vita il giorno medefimo che' nacque che fu

fesso e contrito finì il corso della sua vita il giorno medesimo
che nacque, che fu il venerdì santo, d'anni XXXVII; l'anima
del quale è da credere che, come di sue virtù ha abbellito
il mondo, cosi abbia di se medesima adorno il cielo. 11. Gli
misero alla morte al capo, nella sala ove lavorava, la tavola
della Trasfigurazione che aveva finita per il cardinale de'
Medici, la quale opera, nel vedere il corpo morto e quella
viva, faceva scoppiare l'anima di dolore a ognuno che quivi
guardava. 12. La quale tavola per la perdita di Raffaello
fu messa dal cardinale a San Pietro a Montorio all'altar
maggiore, e fu poi sempre per la rarità d'ogui suo gesto in
gran pregio tenuta. 13. Fu data al corpo suo quella onorata
sepoltura che tanto nobile spirito aveva meritato, perchè non
fu nessun artefice che dolendosi non piangesse e insieme
alla sepoltura non l'accompagnasse. 14. Dolse ancora somma-
mente la morte sua a tutta la corte del Papa, prima per
avere egli avuto in vita un ufficio di cubiculario, e appresso
per essere stato sì caro al Papa, che la sua morte amaramente lo fece piangere.

XXVIII. 1. O felice e beata anima, dacchè ogni uomo
volentieri ragiona di te e celebra i gesti tuoi e ammira ogni
tuo disegno lasciato! 2. Ben poteva la pittura, quando questo
nobile artefice morì, morire anch'ella; che quando egli gli

---

il venerdì Santo d'anni XXXVII. l'anima delquale è da credere, che come
di fue virtù ha imbellito il mondo, cofì abbia di fe medefima adorno il
cielo. Gli mifero alla morte al capo nella fala, oue lauoraua, la tauola
della trasfigurazione, che aueua finita per il Cardinale de Medici; laquale
opera nel vedere il corpo morto & quella viua, faceua fcoppiare l'anima
di dolore a ogni vno, che quiui guardaua. Laquale tauola per la perdita
di Rafaello fu meffa dal Cardinale a San Pietro a montorio allo altar
maggiore; & fu poi fempre per la rarità d'ogni fuo gefto in gran pregio
tenuta. Fu data al corpo fuo quella onorata fepoltura, che tanto nobile

*seine Habe Giulio und Giovan Francesco, während er Messer
Baldassare da Pescia, damals Datario des Papstes, zum Testamentsvollstrecker ernannte.* 10. *Darauf, nachdem er reuevoll
Beichte abgelegt hatte, endete er den Lauf seines Lebens an
demselben Tage, an dem er zur Welt kam, und es war der Charfreitag, 37 Jahre alt. Seine Seele, dürfen wir glauben, werde, wie
er mit seiner Kunst die Welt verschönerte, so mit sich selbst den
Himmel geschmückt haben.* 11. *Bei seinem Tode stellten sie ihm
zu Häupten, in dem Saale, in dem er arbeitete, die Tafel mit der
Verklärung Christi, die er für den Cardinal Medici vollendet hatte,
und dieses Werk, wenn man den Meister todt und es selbst so
lebensvoll sah, liess Jedem, der das vor Augen hatte, vor Schmerz
die Seele vergehen.* 12. *Diese Tafel wurde, Raphael's Verlustes wegen vom Cardinal auf dem Hochaltar von San Pietro
in Montorio aufgestellt und in der Folge, wegen der Kostbarkeit jeder Bewegung darauf sehr hoch gehalten.* 13. *Seinem
Körper wurde dasjenige ehrenvolle Begräbniss zu Theil, das
ein so edler Geist verdient hatte, denn kein Künstler war, der
ihn nicht trauernd und in Thränen zu seiner Ruhestätte begleitet hätte.* 14. *Auch der ganze päpstliche Hof betrauerte seinen Tod, erstens, weil Raphael während seines Lebens das Amt
eines Kammerherrn gehabt hatte, und sodann, weil er dem Papste
so theuer gewesen war, dass sein Tod ihn bitterlich weinen liess.*

XXVIII. 1. *O glücklicher und seliger Geist, Jeder redet
gern von dir, feiert deine Thaten und bewundert jede von
dir hinterlassene Zeichnung!* 2. *Wohl konnte die Malerei,*

---

fpirito aueua meritato: perche non fu neſſuno artefice, che dolendoſi non
piagneſſe, & inſieme alla ſepoltura non l'accompagnaſſe. Dolſe ancora
ſommamente la morte ſua a tutta la corte del Papa, prima per auere
egli auuto in vita vno officio di cubiculario, & appreſſo per eſſere ſtato
ſi caro al Papa, che la ſua morte, amaramente lo fece piagnere. O felice
& beata anima, da che ogn'huomo volentieri ragiona di te, & celebra i
geſti tuoi; & ammira ogni tuo diſegno laſciato. Ben poteua la pittura,
quando queſto nobile artefice mori: morire anche ella, che quando egli
gli occhi chiuſe ella quaſi cieca rimaſe. Ora à noi che dopo lui ſiamo,

occhi chiuse, ella quasi cieca rimase. 3. Ora a noi, che dopo
lui siamo rimasi, resta imitare il buono, anzi ottimo modo da
lui lasciatoci in esempio e, come merita la virtù sua e l'obbligo
nostro, tenerne nell'animo graziosissimo ricordo e farne colla
lingua sempre onoratissima memoria. 4. Che in vero, noi
abbiamo per lui l'arte, i colori e l'invenzione unitamente
ridotti a quella fine e perfezione che appena si poteva sperare;
nè di passar lui giammai si pensi spirito alcuno. 5. E oltre
a questo beneficio che e' fece all'arte come amico di quella,
non restò vivendo mostrarci come si negozia cogli uomini
grandi, co' mediocri e cogl'infimi. 6. E certo fra le sue doti
singolari ne scorgo una di tal valore, che in me stesso stupisco: che il cielo gli diede forza di poter mostrare nell'arte
nostra un effetto sì contrario alle complessioni di noi pittori;
questo è, che naturalmente gli artefici nostri, non dico solo
i bassi, ma quelli che hanno umore d'esser grandi (come di
quest'umore l'arte ne produce infiniti) lavorando nelle opere
in compagnia di Raffaello, stavano uniti e di concordia tale,
che tutti i mali umori nel veder lui si ammorzavano, e ogni
vile e basso pensiero cadeva loro di mente; la quale unione
mai non fu più in altro tempo che nel suo. 7. E questo
avveniva, perchè restavano vinti dalla cortesia e dall'arte sua,
ma più dal genio della sua buona natura. 8. La quale era

resta imitare il buono anzi ottimo modo, da lui lasciatoci in esempio;
& come merita la virtù sua & l'obligo nostro, tenerne nellanimo, gratio-
sissimo ricordo; & farne con la lingua sempre onoratissima memoria: Che.
in vero noi abbiamo per lui l'arte, i colori, & la inuezione vnitamente
ridotti a quella fine & perfezzione, che appena si poteua sperare; Ne di
passar lui, gia mai si pensi spirito alcuno. Et oltre à questo beneficio
che e' fece all'arte, come amico di quella, non restò viuedo mostrarci come
si negozia cò li huomini grandi, co' mediocri & con gl'infimi. Et certo
fra le sue doti singulari, ne scorgo vna di tal valore, che in me stesso
stupisco: che il Cielo gli dette forza di poter mostrare nel arte nostra,

als dieser edle Künstler starb, auch sie sterben; denn als er die Augen schloss, blieb sie so gut wie ohne Augen zurück. 3. *Jetzt aber haben wir, die wir zurückgeblieben sind, die gute, oder vielmehr, beste Art, die er uns zum Vorbild hinterliess, nachzuahmen und ihrer, wie es seine Kunst verdient und uns zur Pflicht macht, im Geiste dankbarst zu gedenken und mit Worten ihm immerdar ehrenvollste Erinnerung zu weihen.* 4. *Denn in Wahrheit besitzen wir durch ihn die Kunst, das Colorit und die Erfindung, alles in Einem, erhoben zu der letzten Vollendung, die sich kaum erhoffen liess; auch möge ihn zu übertreffen niemals Jemand in den Gedanken sich versteigen.* 5. *Und ausser dieser Wohlthat, die er den Künstlern als ihr Freund erwies, ward er auch bei seinen Lebzeiten nicht müde, uns darin ein Vorbild zu sein, wie man mit Grossen, Mittleren und Niederen zu verhandeln habe.* 6. *Und gewiss, unter seinen besonderen Gaben finde ich eine von solcher Bedeutung, dass ich in mir selbst in Staunen ausbreche: dass der Himmel ihm die Kraft gab, als Künstler und unter Künstlern eine der geistigen Verfassung von uns Malern so entgegengesetzte Wirkung hervorzubringen; ich meine, dass die Künstler, ich habe nicht nur die niedrigen im Auge, sondern auch die, die hohe Ziele verfolgen (wie es deren unter uns unendlich viele giebt), wenn sie mit Raphael zusammen arbeiteten, ohne weiteres gleichen Sinnes und in solcher Eintracht waren, dass jede böse Laune in seinem Anblicke davonflog und jeder gemeine und niedrige Gedanke ihnen aus der Seele fiel; eine Eintracht, die zu keiner andern Zeit geherrscht hat als in der seinen.* 7. *Und die Ursache war, dass*

vno effetto fi contrario alle complefsioni di noi Pittori. Et quefto è che naturalmente gli artefici noftri non dico folo i bafsi, ma quelli che hanno umore d'effer grandi (come di quefto umore l'arte ne produce infiniti) lauorando nel opere in compagnia di Rafaello, ftauano vniti & di concordia tale, che tutti i mali vmori, nel veder lui fi amorzauano: & ogni vile & baffo penfiero cadeua loro dimente. Laquale vnione mai non fu piu in altro tempo che nel fuo. Quefto auueniua, perche reftauano vinti dalla cortefia & dall'arte fua, ma piu dal genio della fua buona natura. Laquale era fi piena di Gentilezza & fi colma di carità, che egli fi vedeua

si piena di gentilezza e sì colma di carità, che egli si vedeva
che fino gli animali l'onoravano, non che gli uomini. 9. Dicesi
che ogni pittore che conosciuto l'avesse, e anche chi non
l'avesse conosciuto, se lo avesse richiesto di qualche disegno
che gli bisognasse, egli lasciava l'opera sua per sovvenirlo.
10. E sempre tenne infiniti in opera aiutandoli e insegnandoli
con quell'amore che non ad artefici, ma a figliuoli propri si
conveniva. 11. Per la qual cagione si vedeva che non andava
mai a corte, che partendo di casa non avesse seco cinquanta
pittori, tutti valenti e buoni, che gli facevano compagnia per
onorarlo. 12. Egli in somma non visse da pittore, ma da
principe. 13. Per il che, o Arte della pittura, tu pur ti potevi allora stimare felicissima, avendo un tuo artefice che di
virtù e di costumi ti alzava sopra il cielo! 14. Beata veramente ti potevi chiamare, dacchè per le orme di tanto uomo
hanno pur visto gli allievi tuoi, come si vive, e che importi
l'avere accompagnato insieme arte e virtù, le quali in Raffaello congiunte, potettero sforzare la grandezza di Giulio II
e la generosità di Leone X, nel sommo grado e dignità che
egli erano, a farselo familiarissimo e usargli ogni sorte di
liberalità, talchè potè col favore e colle facoltà che gli diedero, fare a se e all' arte grandissimo onore. 15. Beato
ancora si può dire, chi, stando a' suoi servigi, sotto lui

---

che fino agli animali l'onorauano non che gli huomini. Dicefi che ogni
pittore che conofciuto l'auefsi & anche chi nŏ lo auefſe conofciuto, lo
auefsi richiefto di qualche difegno, che gli bifognaſſe: egli lafciaua l'opera
fua per fouuenirlo. Et fempre tenne infiniti in opera, aiutandoli &
infegnandoli con quello amore, che non ad artefici, ma à figliuoli proprii
fi conueniua. Per laquai cagione fi vedeua, che non andaua mai a corte
che partêdo di cafa non auefſe feco cinquanta pittori, tutti valenti &
buoni che gli faceuono compagnia per onorarlo. Egli in fomma noɲ
viſſe da Pittore, ma da Principe. Per il che ò arte della pittura tu pur

*sie unter dem Banne seiner Freundlichkeit und seiner Kunst
standen, und, mehr noch, unter dem des Genius seiner guten
Natur.* 8. *Diese war so erfüllt von edler Liebenswürdigkeit,
so überfliessend von hülfreicher Liebe, dass man sogar die Thiere
ihm Ehrfurcht bezeugen sah, geschweige denn die Menschen.*
9. *Man erzählt, dass wenn ein Maler, mit dem er bekannt oder
auch mit dem er nicht bekannt gewesen sei, ihn um eine Zeichnung
angegangen habe, deren er bedurfte, Raphael seine Arbeit stehen
liess, um ihm behülflich zu sein.* 10. *Und immer waren Unzählige bei ihm in Arbeit, die er mit einer Liebe unterstützte
und unterwies, wie nicht Künstlern, sondern eigenen Sohnen
gegenüber zukam.* 11. *Deshalb sah man ihn niemals an den
Hof gehen ohne dass er beim Verlassen des Hauses funfzig
Maler mit sich gehabt hätte, alle tüchtig und gut, die ihm das
Geleit gaben, ihn zu ehren.* 12. *Mit einem Worte, er lebte nicht
wie ein Maler, sondern wie ein Fürst.* 13. *Deshalb, o Kunst der
Malerei, konntest auch du dich damals glücklich schätzen in Besitz eines solchen Künstlers, der mit seiner Kunst und mit seinem
hohen Wesen dich über den Himmel hinaus erhob.* 14. *Glückselig
konntest du dich nennen, da, in eines solchen Mannes Fuss-
stapfen eintretend, die Nachgeborenen erkannt haben, wie das
Leben zu erfassen sei und wie es darauf ankomme, als Künstler
und Mensch sich auf gleicher Höhe zu halten, eine Vereinigung,
durch die Raphael Giulio's II. erhabene Grösse und Leo's X.
fürstliche Freigiebigkeit sich so zu Willen zwang, dass sie ihm, so
hoch beide in Stand und Würde ihn überragten, wie einem nahen
Freunde Mittel gewährten, sich selbst und die Kunst zu höchster*

---

ti poteui all'ora ſtimare feliciſsima, auendo vn tuo artefice, che di virtu
& di coſtumi t'alzaua ſopra il cielo. Beata veramente ti poteui chiamare,
da che per l'orme di tale huomo, hanno pur viſto gli allieui tuoi come
ſi viue: & che importi l'auere accompagnato inſieme arte & virtute;
lequali in Rafaello cōgiunte, potettero sforzare la grandezza di Giulio II.
& la generoſità di Leone X. nel ſommo grado & degnità che egli erono
a far ſelo familiariſsimo; & vſarli ogni forte di liberalità, tal che potè
co'l fauore & con le facultà che gli diedero fare a ſe & a l'arte gran-
diſsiſimo (sic) onore. Beato ancora ſi può dire chi ſtando a ſuoi ſeruigi,

operò, perchè ritrovo chiunque che lo imitò, essersi a
onesto porto ridotto; e così quelli che imiteranno le sue
fatiche nell'arte saranno onorati dal mondo, e ne' costumi
santi lui somigliando, remunerati dal Cielo.   16. Ebbe Raffaello dal Bembo questo epitaffio:

D. O. M.

RAPHAELI . SANCTIO . IOAN . F . VRBINAT.

PICTORI . EMINENTISS . VETERVMQVE . AEMVLO

CVIVS . SPIRANTEIS . PROPE . IMAGINEIS

SI . CONTEMPLERE

NATVRAE . ATQVE . ARTIS . FOEDVS

FACILE . INSPEXERIS

IVLII . II . ET . LEONIS . X . PONTT . MAXX .

PICTVRAE . ET . ARCHITECT . OPERIBVS

GLORIAM . AVXIT

VIXIT . AN . XXXVII . INTEGER . INTEGROS

QVO . DIE . NATVS . EST . EO . ESSE . DESIIT

VIII . ID . APRIL . MDXX .

ILLE . HIC . EST . RAPHAEL . TIMVIT . QVO . SOSPITE . VINCI

RERVM . MAGNA . PARENS . ET . MORIENTE . MORI .

---

fotto lui operò: per che ritrouo ogniuno che lo imitò efferfi a onefto porto
ridotto: & cofi quegli, che imiteranno le fue fatiche nell'arre, faranno
onorati dal Mondo; & ne coftumi fanti lui fomigliando remunerati dal
Cielo.   Ebbe Rafaello dal Bembo quefto epitaffio.

D. O. M.

RAPHAELI SANCTIO IOAN. F. VRBINAT.

PICTORI EMINENTISS. VETERVMQVE EMVLO CVIVS SPIRANTEIS PROPE

Ehre zu erheben. 15. *Glückselig auch darf sich nennen, wer in seinen Diensten stehend, unter ihm arbeitete, denn ich finde, dass Jeder, der ihn nachahmte, an eine ehrenvolle Stelle gelangt sei; und so werden die unter den Künstlern, die seine Mühen sich zum Muster nehmen, immer von der Welt in Ehren gehalten, und die, die ihm in seinem heiligen Wandel gleichen, vom Himmel belohnt werden.* 16. *Raphael hatte von Bembo diese Grabschrift:*

D. O. M.

DEM RAPHAEL SANTI DEM SOHNE DES JOHANNES
AUS URBINO
DEM HERVORRAGENDSTEN MALER UND NEBEN-
BUHLER DER ALTEN
DESSEN BEINAHE ATHMENDE BILDER
WENN DU SIE BETRACHTEST
IN DER NATUR UND KUNST VERBUNDENES
SCHAFFEN EINBLICK DIR GEWÄHREN.

MIT WERKEN DER MALEREI UND BAUKUNST
HAT ER JULIUS' II. UND LEO'S X. DER BEIDEN
PÄPSTE RUHM VERMEHRT.

ALS VOLLENDETER MANN HAT ER
SIEBENUNDDREISSIG JAHRE VOLL GELEBT.
AN DEM TAGE HÖRTE ER ZU LEBEN AUF, AN DEM
ER GEBOREN WARD
DEM SECHSTEN APRIL MDXX.

DIESER HIER IST RAPHAEL: SO LANGE ER LEBTE
FÜRCHTETE BESIEGT ZU WERDEN
DIE GROSSE MUTTER DER DINGE: ALS ER STARB, ZU STERBEN.

IMAGINEIS SI CONTEMPLERE, NATVRAE, ATQVE ARTIS FCEDVS FACILE
INSPEXERIS, IVLII II. ET LEONIS X. PONTT. MAXX. PICTVRAE ET
ARCHITECT. OPERIBVS GLORIAM AVXIT V. A. XXXVII INTEGER INTEGROS.
QVO DIE NATVS EST, EO ESSE DESIIT VIII. ID. APRIL. MDXX.

*Ille hic est Raphael, timuit quo fospite uinci
Rerum magna parens, & moriente mori.*

17. E il conte Baldassar Castiglione scrisse della sua morte
in questa maniera:

Quod lacerum corpus medica sanaverit arte,
  Hippolytum Stygiis et revocarit aquis,
Ad Stygias ipse est raptus Epidaurius undas;
  Sic pretium vitæ mors fuit artifici.
Tu quoque, dum toto laniatam corpore Romam
  Componis miro, Raphael, ingenio
Atque Urbis lacerum ferro, igni annisque cadaver
  Ad vitam antiquum jam revocasque decus,
Movisti superum invidiam, indignataque mors est,
  Te dudum exstinctis reddere posse animam,
Et quod longa dies paullatim aboleverat, hoc te
  Mortali spreta lege parare iterum.
Sic miser heu! prima cadis intercepte juventa,
  Deberi et morti nostraque nosque mones.

Et il Conte Baldaſſarre Caſtiglione, ſcriſſe de la ſua morte in queſta
manicra.

Quòd lacerum corpus medica ſanauerit arte;
  Hippolytum Stigiis & reuocarit aquis;
Ad Stygias ipſe est raptus Epidaurius undas;
  Sic precium uitæ, mors fuit Artifici.
Tu quoque dum toto laniatam corpore Romam
  Componis miro Raphael ingenio;

17. *Und der Graf Castiglione schrieb über seinen Tod in dieser Weise:*

Weil er den zerfleischten Leib mit ärztlicher Kunst geheilt
und Hippolyt von den Stygischen Gewässern zurückgerufen,
wurde der Epidaurier (Aesculap) selbst zu den Stygischen Wellen geraubt:
so war der Preis des Lebens der Tod dem Künstler.
Du auch, wahrend du das am ganzen Leibe zerrissene Rom
mit wunderbarem Genie, o Raphael, wieder zusammenfügst
und den von Eisen, Feuer und Jahren zerfetzten Leichnam der Stadt
zum Leben und zur alten Pracht zurückrufst,
hast den Neid der Ueberirdischen erregt und den Tod empört es,
dass du längst Vernichtetem die Seele zurückzugeben vermöchtest
und, was der lange Tag allmälig hinweggenommen,
verachtend das Gesetz der Sterblichkeit, wieder aufrichtetest.
Armer! so fällst du nieder, in erster Jugendkraft hingerafft,
und mahnst, dass auch wir und was unser ist dem Tode verfalle.

Atque urbis lacerum ferro, igni anniſque cadauer,
    Ad uitam, antiquum iam reuocaſque decus,
Mouisti ſuperum inuidiam indignataq; Mors est,
    Te dudum extinctis reddere poſſe animam;
Et quod longa dies paulatim aboleuerat, hoc te
    Mortali ſpreta lege parare iterum.
Sic miſer heu prima cadis intercepte Iuuenta;
    Deberi & Morti nostraque noſque mones.

III.

RAPHAEL

IN

SEINEN HAUPTWERKEN.

DAS SPOSALIZIO
(DIE VERMÄHLUNG MARIA'S).

1.

Raphael's Lehrzeit fällt in das dem Jahrhundert der Reformation vorausgehende stillere Jahrhundert, das wir, weil während seines Verlaufes Italien die erste Stelle unter den europäischen Mächten einnahm, das Quattrocento nennen.

Das Quattrocento hat seine besonderen Freunde. Jacob Burckhardt's ‚Cultur der Renaissance‘ ist eine Encyklopädie seines Inhaltes. Der Reichthum des Buches verliert nur dadurch an Wirkung, dass Philosophie und Religion dem Plane des Autors zufolge übergangen worden sind, so dass das Ganze den Charakter eines belebten schimmernden Hintergrundes empfängt, dem die Vordergrundgestalten mangeln. In Voigt's schöner und lehrreicher Arbeit, ‚die Wiederbelebung des Humanismus in Italien‘, gehen die Gelehrten, die er als die Träger des geistigen Fortschritts so überzeugend hinstellt, zu einsam und ohne all das, was Burckhardt in glänzender Fülle gewährt, vor uns vorüber. Und doch ergänzen beide Autoren sich nicht; das entscheidende Buch müsste mehr umfassen, es hätte von den bildenden Künstlern auszugehen. In keiner Epoche haben diese eine so hervortretende Rolle gespielt, als im Quattrocento.

Dieses Jahrhundert war eine Zeit des beschaulichen Genusses, des Behagens, der Freude am Dasein. An Streitigkeiten, Kämpfen, Kriegen, an Scenen harter Grausamkeit und furchtbarer Vernichtung hat es in seinem Verlaufe gewiss nicht gefehlt, aber die innere Unruhe der Nationen hatte noch nicht begonnen, deren höchste Steigerung uns heute zur Verzweiflung treibt. Bis zum Quattrocento erstreckt sich die antike Welt, die 3000 Jahre lang, soweit unsere Blicke reichen, in langsamem Tempo ihre Schicksale weitergewälzt hatte. Allerdings erhebt sich schon die Ahnung neuer Zeiten. Aber es war die sichere Erwartung harmonischer Zustände, denen man ebenso vertrauensvoll damals entgegensah, wie in Europa vor dem Einbrechen der französischen Revolution das Aufblühen eines humanen Zeitalters vorausgesehen wurde. Savonarola's gewaltsame Versuche, die in's Ende des Jahrhunderts fallen, hatten keine Folge. Ruhe erscheint auch da noch als natürliche Voraussetzung menschlichen Daseins. Uns heute ist, als wären die Tage und Jahre länger, der Pulsschlag des Menschen langsamer gewesen. Wie eine Dämmerung liegt über den Völkern. Sie wollen für sich sein. Auch der Einzelne hält sich zurück. Eifrig wird gelesen und correspondirt, auch Bücher werden gedruckt: aber man kann sie noch zählen. Sie sind noch kostbar. Sie spielen noch keine völkerbewegende Rolle und ebnen noch nicht im Grossen die Gedanken der Menschen. Das gesprochene Wort bleibt die vermittelnde Kraft der sich langsam fortschiebenden Gedankenarbeit und in kleinen Beträgen und zufälligem Erwerb wird geistiger Besitz mühsam zusammengespart. Man schweigt und ist vorsichtig. Man bleibt zu Hause. Die Schleier, die die Ferne verhüllen, sind dichter, die Räthsel der Fremde bedenklicher, die Wege, sobald man die Thürme der Vaterstadt aus den Augen verliert, gefährlich und lang, die Rückkehr ist ungewiss. ‚Perder la cupola di veduta‘ — die Kuppel des Doms nicht mehr sehen —, das war es, was ein echter Florentiner nicht ertragen konnte.

An die Städte wurde geglaubt im Quattrocento. Vor allen waren die italienischen damals mächtig. Der Boden Italiens scheint eingerichtet auf Hervorbringung von Städten. Schon vor der Gründung Roms hatten sie der Mehrzahl nach an denselben Stellen bestanden, wo sie heute stehen. Als nach tausendjährigem Dienste die Ketten brachen, die die Provinzen des römischen Kaiserreiches als ein täuschendes Ganzes zusammenhielten, sah Italien wieder aus. beinahe wie damals als Rom die ersten Kinderbewegungen machte. Im Quattrocento blühte das städtische Wesen in Italien: die erste wirklich nationale Blüthe des Landes seit Augustus' Zeiten. Die italienischen Municipien hatten 2000 Jahre Geschichte hinter sich, als die flandrischen und Deutschen Städte erst gegründet wurden. Auch diese hatten im Quattrocento Geld und Kräfte genug: geistiges Lebenselement aber vermochten sie nicht zu produciren. Gegen Venedig kamen selbst die Kaiser nicht auf, und als am Ende des Jahrhunderts Karl VIII. siegreich mit seiner Armee in Florenz einzog, war ihm unheimlich darin zu Muthe.

Die Städte waren im Quattrocento wie von Bienenvölkern bewohnt, die, indem sie schaffen und Gewinn zutragen, den Bau eigner kunstmässig gewirkter Wohnstätten instinctmässig vollziehen. Bauen von Kirchen und Palästen, immer wie für die Ewigkeit berechnet, erschien jenen Zeiten als das Nothwendige. Eine Rückkehr zu den architektonischen Formen der antiken Völker war eingetreten, die man aus ihren letzten Ueberbleibseln wie in plötzlicher Erleuchtung verstehen lernte. Die antike Sculptur gab auch der Plastik und Malerei neues Leben. Von Jahrzehnt zu Jahrzehnt steigerte sich die Wichtigkeit der wiederaufgedeckten Monumente. Die Schönheit der Statuen, die an's Licht gezogen werden, überwindet die letzten Reste der Scheu vor ihnen, da sie den Lehren der Kirche zufolge als Wohnstätten böser Dämonen betrachtet

wurden. Immer williger gibt im Fortschritte des Jahrhunderts
der Boden marmorne und metallene Bildwerke, geschnittene
Steine, Medaillen, Waffen, Gefässe und Hausrath her, als
hätten voraussichtige Voreltern bei heranbrechenden barba-
rischen Tagen diese Kostbarkeiten für eine lichtvollere Zukunft sorgsam eingegraben, in deren Gebrauch sie nun als
lang verborgen gebliebenes Familiengut zurückkehren. Und
zum Verständniss dieses Besitzes treten die durch die Buch-
drucker verbreiteten Autoren der antiken Zeit ein, deren
Latein, als zweite Muttersprache des Volkes, durch alle Jahrhunderte hindurch lebendig geblieben war. An die Wahrheit
und den Werth ihres Inhaltes wurde heilig geglaubt. Die
Italiener des Quattrocento sahen sich als die natürlichen
Erben der vergangenen Herrlichkeit an und mit Sicherheit
der Wiederkehr des alten Glanzes entgegen. Diese Gedanken
erfüllten die besten und vornehmsten Bürger und Bewohner
Roms, Venedigs, Mailands und die Florentiner. Der geistliche und der weltliche hohe Adel stand an der Spitze derer,
die auf die Schätze des Alterthums Jagd machten. Man
schied nicht chronologisch: die gesammte alte Welt war wie
ein mit allen Gaben des Geistes ausgestattetes Reich, das
vergangen, aber doch nicht verloren war, das man wieder
zum Leben beschwören zu können glaubte, um mit eignen
Kräften eine Fortsetzung daran zu weben. Man knüpfte
an diejenigen Zeiten des antiken Daseins an, denen die
besten Autoren entstammten und die die schönsten Werke
der Kunst hervorgebracht. Was uns heute erfreut an diesen
Träumen, ist die Unschuld, mit der man sich ihnen hingab.
Wir machen den Männern des Quattrocento nicht zum Vorwurf,
sich auf das nicht vorbereitet zu haben, was das kommende
Jahrhundert brachte. Welche Zeit hätte das jemals gethan?

Eins aber wollte und konnte man besser als alles Andere:
seine Augen gebrauchen. Sehen musste man die Dinge wenn

man sie in sich aufnehmen wollte: die bildenden Künstler
standen an vornehmster Stelle. Die Maler und Bildhauer
hatten im Quattrocento das Amt, dem Volke die Kenntniss
der Thatsachen zu vermitteln. Ein gemeisseltes oder gemaltes Porträt sagte den Leuten mehr als die beste Biographie. Die bildenden Künstler waren die Lehrer der
grossen Massen und ihre Geschichtsschreiber. Durch ihre
Hände mussten die Ereignisse gegangen sein, ehe sie den
Rang wirklicher Thatsachen annahmen. Eine unendliche Fülle
von Momenten aus dem Bereiche der heiligen und profanen
Geschichte, ja den in symbolische Darstellungen verkehrten
Inhalt der christlichen Lehre selber, hatten sie in vielfältigster
Gestaltung in die Häuser und Kirchen und auf deren Mauern
gebracht. Sie beherrschten das Phantasieleben des Volkes.
Tag für Tag waren ihre Werke in gleicher Gestalt den
Blicken gegenwärtig. Die Menschen waren daran gewöhnt,
die Nachricht vom Geschehenen in sichtbarer Gestalt so zu
empfangen. Das war der letzte Grund, warum von Anfang
an die lateinische Kirche der griechischen gegenüber an den
‚Bildern‘ festhielt: sie waren eins der mächtigsten Mittel für
die Kirche. Von jeher war dem so gewesen: im Quattrocento aber entfaltete sich eine Production hier, die Alles,
was frühere und auch was spätere Zeiten leisteten, übertraf.
Nie vorher und nachher besass man diese spielende Leichtigkeit, Gedanken in bildlicher Form zu geben! Wir
sehen, wie unbefangen Botticelli Dante's Visionen in Illustrationen umsetzt. Die Augen waren unersättlich in jenen
Tagen, die Künstler unerschöpflich in Erfindungen. In
Alles, was die Wechselfälle des Lebens mit sich brachten,
in Krieg und Politik hinein, spielt die leidenschaftliche Sorge
um Werke der Kunst. Man ist gewöhnt, hier nur an die
Medici in Florenz zu denken: diese aber bilden mehr
eine ausserordentliche Erscheinung. Auf Durchschnittstypen

kommt es an. Ich verweise auf Charles Yriarte's Buch über
Malatesta von Rimini, das unter dem Titel ‚Un Condottiere
au XV. siècle' vor einigen Jahren in Paris erschienen ist
und uns in das zwischen Krieg und Kunstliebe Roheit und
Feinheit getheilte Dasein eines jener kleineren Fürsten tief
einführt, deren Schicksal so recht vom Geiste des Jahrhunderts gebildet worden ist.

Werke der bildenden Kunst zu besitzen und ihre Herstellung zu veranlassen, war der höchste Genuss damals.
Ueberall wohlaufgenommen sehen wir Maler, Bildhauer und
Baumeister im Lande umherziehen. Sie bereits erheben
sich zu der höheren Lebensanschauung, dass das Vaterland
jedes Menschen da sei, wo der Entfaltung seiner Talente der
grösste Spielraum geboten werde [1]). Man beruft sie von fern
her (‚fern' im damaligen Sinne), sucht sie zu halten, macht
sie einander streitig, steht in diplomatischem Verkehre ihret-
halben, jagt sie einander ab. Jeder findet überall zu thun,
so dicht nebeneinander die Meister arbeiten. Die Künstler
bilden wie eine einzige mächtige Familie im Lande, deren
Glieder sich wohl kennen und zusammenhalten auch wenn
sie sich befeinden. Ihre Production aber ist der Masse nach
unübersehbar und die Güte selbst mittelmässiger Arbeit setzt
uns in Erstaunen.

Das Charakteristische des Quattrocento ist die Freude,
die der Einzelne am Besitz und am Entstehen der Werke
hat. Die Arbeit soll vor allen Dingen dem Genuss bereiten,
der sie bestellt. Jedermann versteht sie abzuschätzen. Nie
ist den Künstlern von hohen und geringen Auftraggebern
so vertrauliche Dankbarkeit bewiesen worden wie im Quattrocento. In den beiden vorausgehenden Jahrhunderten vermag
sich die Individualität der Besteller noch nicht geltend zu

---

[1]) Ghiberti spricht es aus.

machen. Das öffentliche Leben ist noch in zu geringem
Grade von der Kritik des mittleren Volkes abhängig, das
Dasein der Vornehmen noch zu einseitig mit Krieg und
Politik beschäftigt. Diese Jahrhunderte sind die Entstehungs-
zeiten der gewaltigen Municipalpaläste gewesen, die, wie von
Felsen einfach aufgeschichtet, uns hier und da noch entgegen-
treten als spotteten sie der Versuche späterer Tage, sie zu
beseitigen, Festungen und Häuser zugleich, und die Dome,
zuweilen zu gross angelegt, um vollendet werden zu können.
Im Quattrocento erst tritt behaglich menschliches Durchschnittsmaass für die Werke der Kunst ein, an dem festgehalten wird, selbst wenn colossale Grösse eintritt. Wo die
Bildhauer und Architekten des Quattrocento colossal werden,
sind die Elemente, mit denen sie den erweiterten Umfang
zu erwerben suchen, doch stets bescheidener Art. Auch die
umfangreichsten Sculpturen erinnern daran, dass die Bildhauer ihre Anfangsstudien in den Werkstätten der Gold-
schmiede gemacht hatten. Die Wandgemälde bewahren
einen letzten verwandtschaftlichen Zusammenhang mit der
Miniaturmalerei, von der die neuere Malerei ausging. Die
Architekten suchen etwas darin, kleine Winkel innerhalb
der städtischen Mauern als kostbare Stücke Raum zu verwerthen. In wiederum unübersehbarem Maasse haben das
Cinquecento und die folgenden Jahrhunderte die Werke des
Quattrocento bei Seite geschafft und mit in's Ungeheure sich
erhebenden und ausbreitenden Denkmälern ihres eignen künstlerischen Schaffens den Boden Italiens überwuchert: dennoch
steht das Quattrocento als die formgebende Epoche da. Die
in seinem Verlaufe entstandenen Werke scheinen in natür-
licherem, national-nothwendigerem Processe dem italienischen
Boden entwachsen zu sein, als die sie überragenden und
mit ihrer Pracht übertäubenden Schöpfungen der späteren
Zeit, die, fehlten sie an ihrer Stelle, keine Lücke hinter-

lassen würden: all jene Paläste, aus deren Fenstern uns das Gefühl einer gewissen Unbewohntheit von Anfang ab, entgegengähnt. Wenn wir die mittleren und kleineren Städte Italiens betreten, wie Siena, Perugia, Orvieto, so heimelt uns das hier noch herrschende Quattrocento an. Und in Florenz oder Rom, wenn wir, die Augen übervoll von den Mauer- und Statuenmassen des 17. Jahrhunderts, umhergehen: irgendwo steht ein Stück Quattrocento vor uns und wirkt wie behaglicher, freiwilliger, natürlicher Baumwuchs, in dessen Hecken die Vögel ihre Nester bauen, zwischen kahlen gepflanzten Gartenanlagen.

Zu diesen Städten kleineren Formates, die den Stempel des Quattrocento heute noch tragen, gehört Raphael's Vaterstadt Urbino. Florenz und Rom sind längst nicht mehr das Florenz und Rom Raphael's: Urbino aber würde er noch wiedererkennen.

2.

Italien war, Rom und das dazu gehörige Staatswesen in der Mitte, von drei Arten von Herrschaften bedeckt als Raphael zur Welt kam. Zuerst die beiden grossen Städte, die sich aus eigener Macht selber regierten: Venedig und Florenz. Sodann zwei Despotien weiteren Umfanges im Norden und Süden: Neapel (il regno), dem die untere Spitze Italiens gehörte, und Mailand, das Herzogthum, das die reiche Tiefebene des Po beherrschte. Und zwischen diesen fünf Gewalten, und abhängig von ihrer Politik, die Masse von selbständigen Städten und von Herrschaften jeden Formates, deren Verhalten die damals höchst wechselvolle Politik Italiens vielfach bedingen. Da sassen die Herzöge und Grafen und sonstigen Adligen, deren Metier war, Krieg zu führen. Ein unaufhörlicher Kampf, nur um zu kämpfen.

Zu den Familien, die die Träger dieses Zustandes waren, gehörten die Herren von Urbino, die Familie Montefeltro. Aus allerlei kleinen Städten und Schlössern war ihr Land zusammengesetzt: eines der begehrenswerthesten Besitzthümer, nach dem unaufhörlich die Mächtigen strebten, das Object nie abbrechender Streitigkeiten. Unter Federigo von Montefeltro, dem Urbino hohen Ruhm zu verdanken hat, ist Raphael geboren worden. In Zeiten freilich, wo der hohe Herr, schon müde geworden, sich aus der Unruhe seines Lebensdaseins mehr dem Genusse der Reichthümer zugewandt hatte, die seine kriegerische Laufbahn ihm zu erwerben Gelegenheit bot. Das Natürliche war, dass er zu bauen begann. In Gubbio und in Urbino wurden Paläste aufgerichtet. Es handelte sich da nicht bloss um das was die Architekten thaten, sondern Künstler und Handwerkei jeden Ranges gebrauchte man. Als Raphael zur Welt kam, war der Hauptsache nach der Palast in Urbino vollendet, aber eine Unternehmung wie diese konnte nicht ohne Nachwirkung bleiben. Raphael wuchs nicht, gleich Lionardo und Michelangelo, im Gewühle der Meinungen und des öffentlichen Ehrgeizes auf, das keine Stadt der Welt zu seinen Zeiten so mannichfaltig darbot wie Florenz: immerhin aber muss während seiner Kinderjahre die grosse künstlerische Unternehmung des Herzogs von erregendem Einfluss auf Raphael gewesen sein. Sein Vater stand der regierenden Familie nahe. Im Geiste Giovanni Santi's war die Betrachtung der Thaten Federigo's von Montefeltro so mächtig geworden, dass er sich zur Abfassung eines Gedichtes gedrungen fühlte, in dem sie auf das umständlichste erzählt und gefeiert werden: 20,000 Terzinen, das Versmaass Dante's also, die lange Zeit gebraucht haben müssen, um zu Stande zu kommen. Federigo selbst konnte das Werk nicht mehr in Empfang nehmen, erst seinem Sohne Guidobaldo über

15*

reichte es der Verfasser, denselben Band, der heute in der vaticanischen Bibliothek liegt.

Der Vorrede zufolge hatte Giovanni Santi sich, da die Bewirthschaftung des ererbten Grundbesitzes seine Familie nicht mehr zu ernähren vermochte, auch Brandunglück Schaden angerichtet hatte, der Anfertigung von Gemälden als lohnendem Erwerbe zugewandt. Vasari will Raphael's Vater in der ersten Auflage nicht einmal als mittelmässigen Maler gelten lassen, drückt sich 1568 aber etwas höflicher aus. Heute hat Giovanni warme Freunde gefunden. Vater seines Sohnes zu sein, kommt ihm zu Gute, wie dem Herzoge Federigo selber, dessen Palast, zu schmutziger Armseligkeit heruntergekommen, restaurirt werden soll. Niemand würde sich diese Mühe geben, ständen nicht in der Strada di San Francesco auch die beiden kleinen Häuschen noch, von Giovanni Santi zu einem einzigen vereinigt, deren Inschrift uns sagt, Raphael sei hier geboren worden.

Dass Raphael in Urbino und in diesem Hause zur Welt gekommen sei, ist zwar so wenig actenmässig bezeugt als sein Geburtstag, den wir, im Gegensatze zu Vasari's 28. März, auf den 6. April 1483 verlegen. Unter den die Familie betreffenden Notizen ist eine Raphael's Geburt bezeugende nicht aufgefunden worden. Im Testamente des Vaters finden wir seinen Namen zum ersten Male genannt, als Giovanni Santi's einzigen Kindes. Von handgreiflichen Erinnerungen an Raphael und seine Eltern beherbergt das Santi'sche Haus heute nichts mehr als eine kleine auf die Wand gemalte Madonna, die, lange als Raphael's Kinderarbeit verehrt, jetzt als ein Werk seines Vaters gilt, welcher Magia, Raphael's Mutter, mit dem Söhncben auf dem Schoosse, hier abgemalt hätte. In früheren Zeiten, in die noch Passavant gehörte, erblickte man Raphael und Magia nicht bloss auf diesem Gemälde, sondern wusste sie als Madonnen, Engel

und Christkinder auf vielfachen andern Werken Giovanni
Santi's nachzuweisen; diese Visionen sind wohl durchweg
aufgegeben worden. Genug, Raphael kam im Frühlinge 1483
in Urbino zur Welt, und man würde gern hier mit dem nun
einsetzen, was Vasari von seinen frühesten Kinderjahren
berichtet, wären in den urbinatischen Archiven die Actenstücke nicht entdeckt worden, die ausser Zweifel stellen,
dass Vasari von den factischen Verhältnissen wénig wusste.
Durch sie erfahren wir zuerst von Magia Santi's frühem
Tode und von der an ihre Stelle einrückenden Stiefmutter, nun auch von Giovanni Santi's bald folgendem Ende:
1491 starb Magia, 1492 heirathet Giovanni Bernardina, die
Tochter eines Goldschmieds, 1494 stirbt er. Raphael war
10 bis 11 Jahre alt. Sollte ihn, wie Vasari's Erzählung
verlangt, Giovanni als kleines Kind nun schon aus dem
Hause gethan und zu Perugino gebracht haben? Die heutigen Biographen lassen Raphael über den Tod des Vaters
hinaus im Hause Santi in Urbino verbleiben und dann
eine Conferenz der Vormünder eintreten, welche nach sorg-
samer Umschau und Prüfung der in Frage kommenden
Meister sich für Perugino entscheiden, dem Raphael darauf
übergeben wird. Lauter Erfindungen: Passavant aber beschreibt das in so innig überzeugtem Tone, als sei er Schrift-
führer bei der Versammlung gewesen.

Vasari kann auch seinerseits die Kindheitsgeschichte
Raphael's rein erfunden haben. Das Verlangen nach künstlicher Abrundung hätte ihm den Eingang seiner Biographie
wie eine Art Ouverture passend erscheinen lassen. Nothwendig aber ist nicht, dies anzunehmen. Es konnten bei
Raphael's Schülern, mit denen Vasari in Verkehr stand, die
letzten Nachklänge von Erzählungen des Meisters sich erhalten haben. Davon erzählt Jeder ja gerne, was seine
ältesten Erinnerungen sind. Wir haben den Fall in's Auge

zu fassen, dass Vasari Mittheilungen empfing und weitergab.
Vergleichen wir die Mischung von Wissen und Nichtwissen
in seiner Erzählung von Michelangelo's Kinderjahren, in der
ersten Auflage von 1550. Alles falsch: Alles aber konnte
trotzdem von Michelangelo's Verwandten selbst Vasari so
erzählt worden sein. Man bemerke wohl: Michelangelo wurde
in Caprese geboren: Vasari lässt ihn in der ersten Auflage
seines Buches in Florenz zur Welt kommen! Und doch, um
Vasari's litterarische Unschuld zu zeigen: nachdem er in der
zweiten Auflage an dieser Stelle seine falsche Angabe
corrigirt hatte, bringt er sie in dieser selben zweiten Auflage im Leben des Sansovino doch wieder vor, wo erzählt
wird, Michelangelo sei in Florenz, in der via Ghibellina,
geboren worden. Ich führe dies nur deshalb hier an, um
darauf hinzuweisen, wie wenig wir, trotz Vasari's Versiche-
rung und trotz der Inschrift auf dem Geburtshause, sicher
auch nur darüber sein dürfen, Raphael sei in Urbino in der
Strasse San Francesco zur Welt gekommen[1]).

Wir haben, scheint mir, Vasari's Erzählung von der
Kindheit Raphael's weniger auf die Chronologie, als auf den
allgemeinen Inhalt hin zu prüfen. Raphael's Vater, sagt
Vasari, habe eingesehen, dass das Kind in seiner Werkstätte
zu Urbino nichts lernen werde. Ohne Zweifel war Giovanni
hellsehend genug, um hiervon überzeugt zu sein. Und weiter:
Giovanni habe, weil er selbst nichts in der Jugend gelernt
gehabt, nun dafür Sorge tragen wollen, dass sein Sohn
wenigstens etwas lerne. Dies entspricht den factischen Verhältnissen: wir lasen in Giovanni's Vorrede zu seinem Gedichte, wie er erst in späteren Jahren dazu kam, Maler zu

---

[1]) Raphael nennt sich ‚Urbinas‘, das aber deutet ebenso gut nur
die Ortsangehörigkeit an. Ebenso nennt Michelangelo sich ‚Fiorentino‘.
Und Holbein wird ‚Basiliensis‘ genannt, obgleich er in Basel nicht zur
Welt kam.

werden. Nichts aber empfindet man im Alter so sehr, als den Mangel dessen, was in der Jugend allein gründlich gelernt werden kann. Mag Vasari nun auch nicht wissen, dass Raphael's Vater schon 1494 starb, so war jedenfalls seine Absicht, auszusprechen, Raphael sei als ‚kleines Kind' schon zu Perugino gethan worden. Und ferner, wenn Vasari berichtet, Raphael's Vater habe Perugino in Perugia nicht gleich gefunden, so entspräche auch dies der Wahrheit, wenn wir etwa annehmen wollten, die Uebergabe habe 1491 stattgefunden. Denn im März 1491 begegnen wir ausnahmsweise dem den Ort oft wechselnden Perugino in Perugia[1]). Und auch, dass Giovanni, um seine Zeit auszubeuten, in Perugia gemalt habe, wäre glaublich. Zu thun gab es für Maler damals stets und überall, und Vasari's Angabe, in San Francesco zu Perugia habe Santi gemalt, scheint anzudeuten, dass Vasari Malereien dieser Art dort selbst sah. Im Leben des Perugino erzählt Vasari (in beiden Ausgaben), Giovanni Santi, Raphael und Perugino hätten ‚viele Jahre' zusammen gearbeitet. Mit dieser Nachricht, so wie sie vorliegt, ist nichts anzufangen: vielleicht steckt nur die Thatsache wieder darin, dass von Giovanni Santi in Perugia Malereien vorhanden waren.

Von den Neueren nimmt keiner an, Giovanni Santi selber habe den kleinen Raphael zu Perugino gebracht. Einige auch nur lassen ihn glattweg aus seines Vaters Haus nach dessen Tode in die Hände des neuen Meisters nach Perugia übergehen. Einige wieder meinen, es müsse eine Uebergangsperiode angenommen werden, in der Raphael unter Signorelli's Einfluss gestanden hätte. Andere glauben an ein Verhältniss zu Timoteo delle Vite, der als ehemaliger Schüler Perugino's dann zu Francia kam und gerade zu der Zeit wieder nach

---

[1]) Jordan IV, I, S. 196.

Urbino gelangte, wo Raphael viel bei ihm hätte lernen können. Noch Andere wollen Raphael bei Perugino überhaupt
nie als Lehrling eintreten lassen, sondern er sei von Anfang
an nur sein Gehilfe gewesen [1]).

Damit wieder hängt die Verschiedenheit der Annahmen
zusammen, in welchem Jahre Raphael nach Perugia gekommen sei. Crowe und Cavalcaselle beruhigten sich hier früher
(gleich mir früher) bei dem Durchschnittsdatum 1500. Jetzt
verlangen sie 1495. Und dies deshalb, weil sie als Uebergangsperiode vom lernenden Kinde zum Gehilfen bei Perugino
eine Epoche herausgefunden haben, in der Raphael mit seinen
Händen den Meister kaum noch unterstützt haben könne,
dagegen mit seiner blossen Gegenwart einen derartig be-
geisternden Einfluss auf ihn ausgeübt hätte, dass ein Umschwung in der künstlerischen Thätigkeit Perugino's anzunehmen sei, den sie nachzuweisen unternehmen. Noch viele
Meinungen werden hier aufgestellt und angenommen und
wieder verworfen werden.

Und warum, da Giovanni Santi oder den Vormündern so
viel andere Wege offen standen, trat Raphael gerade bei Perugino in die Lehre? Warum nicht bei Mantegna, Melozzo
da Forli, Lionardo, Piero dello Francesca? Vielleicht, weil
Perugino damals der am meisten beschäftigte populärste
Meister war, denn in Orvieto hatte man sich auch erst zu
Signorelli entschlossen als Perugino nicht kam, und Lionardo
war in Mailand zu weit entfernt.

Offenbar hatte Giovanni Santi eine ideale Anschauung
von Perugino, den er in seinem Gedichte neben Lionardo
als den Maler des Liebreizes nennt, wenn ich die Stelle
recht verstehe: Due giovin par d'etade e par d'amori.

Wie Lionardo aus der Schule des Verrocchio das besondere Lächeln mitgenommen hatte, das in einem die Lippen

---

[1]) Rumohr's Meinung. Für Signorelli sind Schmarsow und Vischer.

allein in Bewegung setzenden zarten Muskelspiel besteht
und das seine Schule dann so umfangreich nachgeahmt hat:
ebenso hatte Perugino eine um den Mund sich einnistende
süsse Bewegung aus derselben Quelle geholt, die in vielfacher Verbreitung später seine Schüler und sein Publicum
entzückte, auch in den frühesten Köpfen Raphael's ein
Spiegelbild gefunden hat. Um die Zeit aber, als Raphael
zu ihm kam, einerlei, wann zwischen 1495 und 1500, erstarrte
dieser feine Gesichtsausdruck und verwandelte sich in eine
Art Gesichtsuniform, die jeder Gestalt nun mitgegeben
wurde: die hübschen Gesichter — vultus bellini — die Giovio
später Perugino zum Vorwurf machte: Niemand habe sie,
nachdem Raphael und Michelangelo gekommen, noch ertragen
wollen. Ihre Anfertigung beruhte auf etwas, das man ein
mechanisch zugesetztes Gewürz nennen könnte, und ein bestimmter Faltenwurf nebst Hand- und Fussstellungen gehörten dazu, die Raphael's früheste Werke gleichfalls wiedergeben.

· Danach nun jedoch, wie weit Giovanni Santi und
Raphael selber noch dem Reize dieser peruginesken Schönheit unterlegen seien, frage ich hier weniger, da keine Antwort darauf zu geben wäre: wichtiger ist, in welche geistige
Atmosphäre Raphael als Kind bei Perugino eingetreten sei.
Von Michelangelo wissen wir, wie er im Palaste Medici in
Polizian's Hände gerieth, wie dann Savonarola sich seiner
bemächtigte, wie er Dante, Petrarca und die Bibel las.
Der geistigen Reife gegenüber, die aus Raphael's Sposalizio
uns anspricht, das er zwanzigjährig malte, drängt sich uns
die Aufgabe zu, zu fragen, woher er sie erlangt haben könne.

Rumohr zuerst hatte darauf hingewiesen, dass Perugino
zu der Zeit, wo Raphael bei ihm eintrat, sich fabrikations-
mässigem Betriebe seiner Kunst hingegeben habe. Als
Meister zweiten Ranges aber ist er auch jetzt noch zu

verzeichnen neben den Grössten. In den Fresken der
sistinischen Capelle, Mitte der achtziger Jahre, hatte er,
dem Urtheile des Papstes zufolge, die anderen Meister übertroffen[1]). Er feierte damals einen doppelten Triumph, denn
da diese anderen Meister Florentiner waren, hatte er von
nun an in Florenz feste Stellung. Aber sogar diese grossen
Fresken, heute noch unberührt, zeigen Perugino nicht als
Darsteller von Ideen. Sie gesehen zu haben, ist für Niemand
ein inneres Ereigniss. Selbst die Pietà, sein berühmtestes
Werk, hinterlässt diesen Eindruck nicht. Perugino erhob
sich bis zu einer respectabeln Höhe und beutete die so er-
worbene Stellung geschäftsmässig aus. Mitten in der Blüthe
dieser Wirthschaft kam Raphael zu ihm. Dass eine solche
Natur durch die Gegenwart eines Kindes aus dem Versinken
in Handwerksbetrieb habe herausgerissen werden können,
will mir nicht einleuchten. Crowe und Cavalcaselle über-
schätzen Perugino's geistige Möglichkeiten. Hatte Raphael
seine Naturtreue, sein Gefühl für den geistigen Inhalt dessen,
was er darstellte, seine echte, nicht bloss aufgeschminkte
Lieblichkeit fremdem Einflusse zu danken, so dürften wir
nicht Perugino hier nennen.

Trotzdem, ein Mann wie Perugino, der so sicher seines
Weges ging, dem die Ehren und Bestellungen so freiwillig
zugetragen wurden, der so viele Schüler zog, muss auch
als Künstler zweiten Ranges das gewesen sein, was wir eine
Persönlichkeit, einen Charakter nennen. Wie gerne wüsste
man etwas über die Gespräche, die er führte. Ueber be-
deutendere Naturen, mit denen Perugino noch, als er selber
jung war, zusammengetroffen war, breiten Crowe und Cavalcaselle sich aus. Bei Verrocchio, der sicher ein Original
war, lernte er. Lionardo, nicht weniger eine besondere Natur,
war sein Jugendfreund.

---

[1]) Giovio.

Wenn Giovanni Santi in jenen Versen Perugino und
Lionardo gleichsam als ein Paar behandelt, so könnte das
auf das Künstlerische beschränkt genommen werden: sie
kamen gleichen Alters aus der gleichen Werkstätte und
erlangten gleichen Ruhm: bei Vasari aber finden wir Aeusserungen, die diese Beiden noch auf andere Weise in eine
gewisse Zusammengehörigkeit bringen. In Vasari's erster
Ausgabe wird Lionardo, was die kirchliche Rechtgläubigkeit
betrifft, ein arger Tadel angehangen, in der zweiten Auflage
ist das fortgelassen worden; dieselben Vorwürfe werden 1550
auch Perugino gemacht und gleichfalls 1568 ausgemerzt.
Perugino, heisst es in der Ausgabe von 1550, habe nicht an
die Unsterblichkeit geglaubt, in dieses ‚Gehirn von Porphyr‘
habe der rechte Glaube nie eindringen wollen. Worauf bezieht sich das hier wie dort? Perugino war bei harter
Arbeit emporgekommen. War auf Erwerb aus. Heirathete
im Alter noch eine schöne junge Frau — gerade damals,
als Raphael zu ihm gekommen war — und hatte Freude
daran, sie selber aufzuputzen. Seine Bildnisse verrathen in
der mächtigen Stärke der unteren Kinnlade eine gewisse
brutale Kraft. Wie nahe stand Raphael geistig diesem Manne,
der doch so gut wie Vaterstelle bei ihm vertrat? In drei
Richtungen erhielt man sich zu Ende des Quattrocento den
kirchlichen Dingen gegenüber: in unterwürfiger Anhänglich-
keit, in höhnischer Gleichgültigkeit, und in gleichzeitiger Hin-
neigung zu den Lehren der antiken Philosophen. Es fragt
sich, welche Stelle wir Perugino anzuweisen haben. Perugino
arbeitete damals gerade in der sistinischen Capelle, als in
Rom die Verehrung der antiken Philosophie am freiesten
auftrat. Ich begnüge mich, hiermit einstweilen nur die
Richtung zu zeigen, in der gesucht werden könnte. Noch
dies bemerke ich: betrachten wir die umfangreichen, dem
jugendlichen Raphael zugetheilten Gemälde und Zeichnungen

hierauf hin, so ist es gleichgültig, ob wir sie ihm zuschreiben
oder nicht. Sie enthalten nichts eine geistige Entwicklung
Verrathendes. Insofern ist es kein Verlust, wenn wir bei
Vasari ohne specielle Bezeichnungen nichts als die allgemeine
Angabe finden, dass Raphael als Kind dem Perugino ge-
holfen habe.

3.

Zwei Gemälde Raphael's existiren noch, von den dreien,
die Vasari als vor dem Sposalizio (1504) entstanden nennt:
das Crucifix mit der Namensinschrift, das sich heute in England befindet, und die Krönung der Jungfrau. Das für San
Agostino in Città de Castello gemalte Stück ist verschollen.
Bei beiden stimme ich Vasari bei, es sei unmöglich, diese
Arbeiten von Malereien Perugino's, oder seiner Schule, zu
unterscheiden.

Bei der Krönung der Jungfrau nun aber, die etwa
ins Jahr 1503 fallen möchte, treten Umstände ein, die
räthselhafter Natur sind und zeigen, wie wenig wir von
Raphael's Lehrzeit wissen.

Dieses Gemälde ist das früheste, bei dem mit Sicherheit von Raphael's künstlerischer Bethätigung gesprochen
werden dürfte. Gut erhalten, steht es in der Gemäldegallerie
des Vaticans, eine grosse Tafel, mehr hoch als breit, die
Malerei zart und sorgfältig durchgeführt. Unten die Apostel
um Maria's leeren Sarkophag versammelt, aus dem Blumen
aufspriessen, alle die Blicke über sich gerichtet, wo auf
flachem, das Gemälde durchschneidendem Gewölk Maria
Christus gegenüber auf einem Throne sitzt und ihm das
Haupt entgegenbeugt, um die Krone zu empfangen, die er
mit erhobenen Armen darüber hält. Engelgestalten umgeben sie. Oft finden wir beide Handlungen in dieser Vereinigung, oft freilich auch Maria allein über dem Sarkophage

dargestellt, wie sie zum Himmel emporgehoben wird. Einem Gemälde dieser Art darf nicht zum Vorwurfe gemacht werden, dass das oben und das unten Geschehende jedes eine für sich componirte Handlung sei: man hat jede als eine Scene für sich zu betrachten, deren Zusammenfügung vom Besteller verlangt wurde [1]).

Nicht nur deshalb, weil Vasari die Krönung Mariä als ein Werk Raphael's bezeichnet, sondern auch weil sie zum Theil so anmuthig durchgeführt·worden ist, wird sie Raphael zugeschrieben. Nun aber bemerken wir schon bei Vasari einen Widerspruch. In der ersten Ausgabe berührt er das Gemälde nur nebenbei. Raphael habe, sagt er da, Anfangs sich so sehr in den Formen Perugino's gehalten, dass Niemand seine Figuren von denen seines Meisters zu unterscheiden im Stande gewesen sei, wie das in San Francesco (zu Perugia) einige Figuren bewiesen, die sich von Raphael's Hand unter denen Perugino's vorfänden. Nichts mehr. Das Gemälde erscheint Vasari 1550 so unbedeutend, dass er es weder beschreibt, noch auch nur nennt. In der zweiten Auflage wird er breiter. Er bezeichnet die Familie, in deren Auftrage Raphael das Werk ausführte, dessen sich sogar auf die Predellen ausdehnende Beschreibung gegeben wird, und schliesslich versichert er, es rühre das Gemälde, möge es auch als eine Arbeit Perugino's erscheinen, sicherlich doch von Raphael her. Dazu ist später dann noch ein ‚verlorener‘ Brief Raphael's hinzuerfunden worden, in dem er seine Freude über den ihm gewordenen Auftrag zu erkennen gegeben habe. Und, was früher der gewöhnliche Abschluss der Bewunde-

---

[1]) Einige nehmen an, auch bei diesem Werke habe statt der Krönung Maria's ihre Gestalt allein Anfangs, von denselben musicirenden Engeln umgeben jedoch, im Gewölk figuriren sollen. Das Pesther Museum besitzt eine Federzeichnung, die Raphael zugeschrieben wird und als die erstanfängliche Skizze der Composition gilt. Die Pesther Zeichnungen aber rühren nicht von Raphael her.

rung war: Raphael sollte in einem der Apostel sogar sich selber porträtirt haben, wofür Passavant noch warm eintrat.

Wir heute dürfen uns alledem gegenüber auf einen neuen Standpunkt stellen.

Für einige Figuren der Krönung Mariä fanden sich Silberstiftstudien von Raphael's Hand, die in ganzer Vollständigkeit neuester Zeit erst durch Photographien zugänglich geworden sind: Silberstiftstudien nach der Natur, von unzweifelhafter Echtheit. Man trägt Scheu, sich so entschieden auszusprechen: allein ich meine, diesen Zeichnungen gegenüber wird Niemand, der Raphael's Hand irgend kennt, Einwendungen machen. Für mich sind diese Studienblätter zur Krönung der Maria das älteste unbestreitbare Document raphaelischer Handführung. Raphael hätte sie in seinem achtzehnten Jahre etwa gearbeitet.

Es ist in ihnen nichts von anfängerischer Unsicherheit sichtbar. Sie sind fest und aus vollem Verständnisse der Natur niedergezeichnet. Sie haben etwas Modernes: man wäre geneigt, sie „geistreich" zu nennen. Modellirung und Schattirung und eine gewisse Gleichgültigkeit gegen fest umschreibende Umrisse, lassen die Hand eines Künstlers erkennen, der schon viel gezeichnet hat und welchem Auge und Hand gehorchen. Höchst erstaunlich nun ist: die hier gegebenen Stellungen, in die das dienende Modell versetzt wurde, erinnern nur von ferne an Perugino; niemals würde weder Perugino selber, noch einer seiner besten Schüler die Natur so naturwissenschaftlich scharf erblickt und überhaupt einen Strich so gezeichnet haben können. Wer so zeichnete, besass, erhaben über Schule und Manier, den Charakter der Meisterschaft. Raphael hat es fünf Jahre später in seinen Skizzen für die Camera della Segnatura nicht besser gemacht.

Suchen wir auf der Krönung der Jungfrau nun aber, wie das Gemälde im Vatican steht, die Figuren auf, zu denen

diese Silberstiftzeichnungen die Vorstudien bilden sollen.
Die erste ein zum oberen Theile gehöriger, musicirender
Engel, die zweite der Kopf dieses Engels und die den Bogen haltende Hand, die dritte der Kopf des in der Mitte
unten sichtbaren Apostel Thomas, nebst dessen Händen, in
denen der vom Himmel gefallene Gürtel der Jungfrau liegt.
(Denn auch bei Maria zweifelte Thomas der Legende nach,
und sie warf ihm den Gürtel, aus dem Gewölke herab.)
Die vorhandenen vorzüglichen Photographien des Gemäldes,
sowie die ebenso ausgezeichneten der Silberstiftblätter lassen
hier mit Sicherheit urtheilen. Nichts auf dem Gemälde, was
auf eine Benutzung der Studienblätter Raphael's bei Herstellung der betreffenden gemalten Gestalten schliessen liesse!
Niedlich, hübsch und geziert in Stellung und Antlitz, in Hand-
und Faltenbewegung, unterscheiden sich diese Figuren auf
der gemalten Tafel in Umriss, Modellirung und Malerei so
wenig von den übrigen, dass Niemand hier die Hand eines
Gehilfen; oder gar die Raphael's vermuthen würde. Wir
fragen, zu welchem Zwecke hat Raphael jene Studienblätter
gezeichnet, und weiter, haben sie dem vorgelegen, der die
betreffenden Gestalten des Gemäldes ausgeführt hat?

Ich kannte früher nur die Studien für den Apostel
Thomas und glaubte annehmen zu dürfen, Raphael, gebunden
durch die Formen des Perugino, an dessen Manier das be-
stellende Publicum nun einmal gewöhnt gewesen sei, habe,
nachdem er erst frei nach der Natur gezeichnet, später, als
es den Pinsel zu führen galt, so arbeiten müssen, dass kein
Unterschied zwischen seiner Malerei und derjenigen, die Perugino selbst ausgeführt, hervorträte. Heute jedoch, nachdem die
Blätter mit den Zeichnungen für den musicirenden Engel gleichfalls publicirt worden sind, genügt diese Erklärung nicht mehr.

Warum, wenn Raphael sich so eng an Perugino anschloss, arbeitete er überhaupt nach der Natur? Warum zeich-

nete er so mühsam diese Gestalten wie das lebende Modell
sie ihm bot, wenn ihm ein blindes Wiederholen der Formen
seines Meisters die Arbeit viel bequemer machte? Jenes andere von Vasari vor dem Sposalizio genannte Gemälde: das in
England befindliche Crucifix mit Raphael's Namen darauf, zeigt
ebenfalls Gestalten Perugino's mit all ihren gezierten Eigenthümlichkeiten. Hier sind keine Naturstudien bekannt. Allerdings, sie könnten verloren sein. Lermolieff jedoch hat das
Original Perugino's nachgewiesen, aus dem die einzelnen
Figuren der Composition herauscopirt worden sind. Warum
verfuhr Raphael bei der Krönung der Maria anders? Warum
sind jene Studienblätter so voll Leben und ist die Malerei
der Tafel selbst, verglichen mit ihnen, so todt? Es handelt
sich bei dieser Frage um Einzelnheiten, die unbegreiflich
sind. Der Engel spielt die Geige: man sehe auf dem Studienblatt die sichere, richtige Fingerstellung: Hände, die wirklich
den Bogen führen und die Saiten drücken; auf dem Gemälde
charakterlose gestreckte Finger ohne Kraft und Zugreifen.
Eins der Kennzeichen aller raphaelischen Kunst ist das
feste Aufstehen seiner Gestalten auf ihren Füssen: so sehen
wir den gezeichneten Engel, in sicherer Stellung, wie die
Natur sie bietet, während der gemalte tänzelnd und unfest
auf den Wolken steht. Man vergleiche die Hände des Apostel
Thomas auf dem Gemälde und auf der Zeichnung. Wie
lebendig auf letzterer die Bewegung ist. Und so alles
Uebrige, wohin sich die Vergleichung erstreckt. Ich weiss
nicht, welche Umstände hier gewaltet haben.

Für Raphael's Lehrzeit bei Perugino aber ergeben sich
nun, da diese Silberstiftzeichnungen neben der gemalten
Krönung der Maria vorliegen, weitere Folgerungen, die mir
unabweislich erscheinen. Es werden Raphael eine ziemliche
Anzahl von Gemälden und Zeichnungen zugeschrieben, die
man als Erzeugnisse seiner ersten peruginesken Periode an-

nimmt. (Dahin gebören die Mehrzahl der raphaelischen
Madonnen der Berliner Gallerie.) Man sprach sie Raphael
zu und Perugino ab, weil sie für letzteren zu fein, zu liebenswürdig, zu unschuldig, zu gut waren. Man meinte, nur eine
jugendliche Hand könne sie geschaffen haben. Nach Maassgabe dieser Beobachtungen weiterschreitend hat man auf
Arbeiten Perugino's dann Stellen entdeckt, die von Raphael
sein müssten. So auf den Frescogemälden des Cambio zu
Perugia. Kein Andrer als Raphael konnte, dem Glauben
seiner Verehrer nach, hier und da Einiges darauf gemalt
haben. Diese Anschauungsweise hat von nun an, scheint mir,
zurückzutreten: die Silberstiftzeichnungen zur Krönung der
Maria beweisen, dass wenn Raphael auch in der Werkstätte
des Perugino sein eigenes Wesen herauskehrte, dies sich
nicht in gesteigerter, den Meister in seiner besondern Manier
überbietender Anmuth äusserte, sondern dass Raphael dann
streng die Natur sah und nach ihr zeichnete wie sie war
und wie seine Blicke sie erkannten. Aus der gleichen Zeit
etwa, in der die Silberstiftblätter entstanden sind, haben wir
weitere Studienblätter für eine von Raphael etwas später
unternommene (nach seinem Tode freilich erst von seinen
Schülern gelieferte) zweite Krönung der Jungfrau: auch diese
Zeichnungen, gleichfalls mit dem Silberstift ausgeführt, entsprechen in Auffassung und Behandlung den Blättern für die
Krönung der Jungfrau im Vatican und zeigen Raphael als von
den Anschauungen Perugino's losgelöst. Mit Meisterschaft
hebt er auch hier die Theile hervor, auf die es ankommt,
und giebt das nur in Andeutungen, was für den momentanen
Zweck der Studien nebensächlich ist. Man bemerke, wie
genau die Gelenke betont werden, die Gestalten fest auf ihren
Füssen stehen und wie die Hände greifen. Auch für die
Freske von San Severo in Perugia, die unvollendet stehen
blieb als Raphael 1505, wie es scheint, Perugia für längere

Zeit verliess, haben wir ein Studienblatt, das sich den eben besprochenen anschliesst. Es bleibt nichts übrig, als diesen Zeichnungen gegenüber das Meiste der Hand Raphael's sonst noch für diese Epoche Zugetheilte abzuweisen. Zweifellos hat z. B. bis heute eine Federzeichnung für die unter der (ersten) Krönung der Maria befindliche Predella, einer Verkündigung Mariä, als Raphael's Arbeit gegolten: verglichen mit den Silberstiftstudien für Thomas und den die Violine spielenden Engel verliert das Blatt den Anspruch darauf, von Raphael herzurühren.

Wie beträchtlich die Zahl der Gemälde und Zeichnungen sei, die, unter diesem Gesichtspunkte geprüft, von Raphael nun abfallen, zeigt Passavant's Katalog der Werke[1]). Es sind unter den von Passavant und von den anderen neuen Biographen Raphael zugeschriebenen Jugendarbeiten entzückend feine Stücke, Arbeiten, an denen bisher Niemand gezweifelt hat und die ich selbst acceptirte: die Madonna Connestabile in Petersburg, die von Terranuova unserer Gallerie und andere. Von dieser Production sehen wir nun ab. Unbeschwert von zweifelhafter Thätigkeit, lassen wir Raphael mit dem Sposalizio von 1504 zum ersten Male als fertigen Maler aus dem Dunkel hervortreten. Auch darin hat dies Gemälde etwas von einer plötzlichen Erscheinung, dass keine Studien dafür vorhanden sind[2]).

4.

Das Sposalizio steht in der Brera zu Mailand. Drei Jahrhunderte hindurch in Città di Castello so gut wie be-

---

[1]) Nur eine Ausnahme lasse ich gelten: die beinahe hundert Blätter des sogenannten Venezianischen Skizzenbuches, in denen ich jedoch keine Studien nach der Natur, sondern in Raphael's Lehrzeit fallende Copien fremder Arbeiten erblicke.

[2]) Die Federzeichnung des Kopfes der Maria ist zu beseitigen.

graben, war es auch Vasari's Zeitgenossen wohl unbekannt. Kaum wird einer von Raphael's römischen Freunden die Tafel gesehen haben. Kein Stich danach ist im Cinquecento gemacht worden. Erwähnt finde ich es neben Vasari's Stelle nirgends, obgleich Vasari versichert, das Werk habe Raphael berühmt gemacht. Auch keiner der Reisenden, die in den späteren Jahrhunderten um der Kunstwerke willen Italien bereisten, hat es bewundert. Bottari begnügt sich in seiner Ausgabe des Vasari mit einer Erwähnung; er sah die Tafel schwerlich selber an Ort und Stelle. Erst nachdem sie von den Franzosen nach Paris geführt, dort gereinigt und dann 1817 zurückgegeben wurde, hat die Arbeit ihren Rang geltend zu machen begonnen. Heute haben in Mailand Unzählige das Gemälde betrachtet und beurtheilt. Durch ausgezeichnete Stecher, neuesterzeit auch durch die Photographen, ist es über die Erde verbreitet. Neben der sistinischen Madonna darf es als Raphael's populärstes Werk gelten.

In den Gestalten, aus denen die Composition aufgebaut ist, erkennen wir Typen menschlicher Altersstufen wieder, die Jedem, der vor der Tafel steht, den Künstler, der sie geschaffen hat, gleichsam als den Vertrauten der Gedanken gerade seines Alters erscheinen lässt. Ich möchte diese Gestalten in der Phantasie des Lesers sich erheben lassen.

Auf dem freien Platze vor dem Tempel, der im Hintergrunde sich erhebt, findet die Vermählung statt. Da steht in der Mitte der beiden Parteien, Männer und Frauen, die von rechts und links her Braut und Bräutigam geleitet haben, der Priester, Maria's und Joseph's Hände ergreifend und zwar, wie auf allen Darstellungen, jede Hand am Gelenk fassend[1]). Joseph hält den Ring energisch vorn zwischen den Fingern, während Maria's Hand, mit aneinander gelegten

----

[1]) Tener lo dito alla sposa.

16*

Fingern sanft ausgestreckt und ganz der Leitung des Priesters anheim gegeben, ihn erwartet. Joseph, mit gesenkten Blicken darauf geheftet und wie in tiefem Sinnen in sich selbst zurückkehrend, überlässt auch seinerseits nun dem Priester, den Uebergang des Ringes zu vermitteln. So hat jedes von den drei Hauptpersonen seine eigenen Gedanken und seinen besonderen Theil an der gemeinen Handlung. In gänzlich symmetrischem Aufbau bilden die Drei die Mitte, an die nach beiden Seiten hin die Hochzeitsgesellschaft sich anschliesst. Links, um Maria, die Frauen; rechts, um Joseph, die Männer. Vorn vor ihm ein Jüngling, der tief geneigt, den Stab, der, weil er nicht in's Blühen gerathen war, ihm kein Glück gebracht hatte, vor dem Knie zerbricht. Bewegt und frei ist jede der zahlreichen Figuren hingestellt und das Ebenmaass der Gruppirung wird mehr empfunden, als dass es sich sichtbar aufdrängte. Der Ring aber bildet so genau das Centrum der Composition, dass, wenn man eine Linie mitten durch die Tafel ziehen wollte, sie durch ihn hindurchgehen müsste[1]).

Man könnte denken, es sei der Ring deshalb von Raphael so sichtbar bezeichnet worden, weil sein Besitz ein Ruhmestitel für Perugia war. In Förster's Leben Raphael's ist bequem zu lesen, was es mit diesem Ringe gerade für Perugia auf sich hatte und in wie sonderbarer Weise die Stadt sich in Besitz des echten Trauringes der Maria gesetzt hatte. Ein kostbares Gehäuse umschliesst ihn noch heute im Dome dort, und für die Capelle, worin es stand, hatte Perugino das jetzt in Caen befindliche Sposalizio kurz vor der Entstehung des raphaelischen gemalt, früher als Raphael's Vorbild angesehen, das nur copirt worden sei. Weder hier aber, noch, wenn wir, wie Andere thun, die Predella einer in Fano (1497) von

---

[1]) Vergl. XV. Ess. 3. Folge. S. 425. Auch Crowe und Cavalcaselle weisen auf den Umstand hin.

Perugino gemalten Tafel, als Raphael's Original auffassen, träfen wir das Richtige. Die Stellungen der Gestalten waren hergebracht, das Arrangement galt als Gemeingut: keine einzige der Gestalten des Sposalizio's von Raphael hätte vor ihm von Perugino geschaffen werden können.

Man vergleiche die Fuss- und Handstellungen auf Perugino's und Raphael's Werk, und vergleiche sie auf dem letzteren untereinander. Wenn mich etwas gegen die Krönung der Jungfrau als Raphael's Arbeit bedenklich machte, so mussten es solche Vergleiche sein. Mit bewunderungswürdigen Unterschieden hat Raphael auf dem Sposalizio diese Theile behandelt; mit dem Geschmack — oder, um das rechte Wort zu gebrauchen — der Eleganz, die nur ihm eigen war. Raphael's Eleganz drängt sich nirgends auf, was sie sonst immer thut. Dazu die Harmonie der Farben, die rein, fast grell aneinander stossend, das Ganze wie ein Blumenbeet erscheinen lassen, das als Einheit eben doch wieder harmonisch wirkt. Eine jugendliche Freude am Glanz der Farben tritt bei ihm hervor, die später anderer Auffassung Platz macht. Wie Dürer hätte auch Raphael in seiner reifsten Zeit von sich bekennen können: dass er in seiner Jugend eine gewisse Buntheit geliebt, die er später aufgegeben habe. Das Sposalizio ist eine Jugendarbeit.

Verglichen mit der Grablegung, muss es als ein kindlicher Anfang erscheinen, wie die Grablegung wieder den Malereien in der Camera della Segnatura gegenüber den eines Ueberganges annimmt: aber es sind beim Sposalizio nicht diese folgenden eigenen Schöpfungen Raphael's, sondern die vorhergehenden und gleichzeitigen Gemälde anderer Maler in Vergleich zu nehmen. Das Sposalizio könnte mit den ersten, an Haydn erinnernden Compositionen Beethoven's verglichen werden. Mir scheint, wenn wir sie nur richtig stellten, es sei dem Werke noch Antwort auf Fragen abzulocken, die Raphael's frühstes Leben betreffen. Ich versuche noch einmal in Raphael's väterliches Haus einzudringen, nicht um die Neugier nach Dingen des äusseren Daseins zu befriedigen, bei denen Tag und Stunde sich nachweisen lassen, sondern um allgemeineren Gewinnes willen.

Mochte Raphael nun 1491, oder 1495, oder erst 1500 von Urbino fort zu Perugino gekommen sein: 1504, als das Sposalizio vollendet wurde, war er dem Einflusse seines Vaters sicherlich längst entrückt gewesen. Raphael zählte 21, sein Vater war zehn Jahre todt. Was denn war während dieser Zeit in Raphael vorgegangen? War ausgelöscht, was er von Urbino in seinen Gedanken mit fortgenommen hatte, oder lebte noch etwas fort in ihm aus den Kinderzeiten, um in unbestimmter Stunde wieder aufzublühen? Ich suche nach Spuren von Giovanni Santi's Einflusse in Raphael's Entwicklung.

Giovanni Santi war kein gewöhnlicher Mann. Es steckt eine Weltanschauung in seinem Gedichte, die aus eigner Erfahrung, aber auch aus Büchern ihm zugewachsen war. Er musste, um schreiben zu können wie er that, viel gelesen haben. Er versucht in seinem Gedichte einen Aufbau der geistigen Thätigkeit seiner und der früheren Zeiten zu geben: nicht den bildenden Künstlern, sondern den Dichtern und Geschichtsschreibern wird die erste Stelle eingeräumt. Mir scheint: hätte die Ausübung der Malerei Giovanni Mittel geboten, seinem Triebe, mit den Gedanken in einer idealen Welt zu wohnen, gerecht zu werden, so würde er sich nicht in solchem Masse der Dichtkunst zugewandt haben. Sein Gedicht war ein beruhigendes Werk. Wir sehen einen mit Handarbeit und Familienlast beladenen, vielleicht kränklichen Mann im Aneinanderreihen von Terzinen, in denen er das Heldenthum seines Herrn und die Grösse seiner Zeit besingt, Genugthuung finden. Viele Jahre muss er Tag für Tag die

Einsamkeit gesucht haben, um sein poetisches Pensum zu erledigen. Ein Bedürfniss nach Sammlung und nach Vergessen des Alltäglichen redet uns aus seinen Versen an. Mehr als einmal finden wir bei ihm die Wendung: ‚i pensieri in me rivolti‘, ‚die Gedanken in mich selbst gekehrt‘; auch in einem der Sonette Raphael's wird sie gebraucht.

Campori hat zwei Briefe gefunden, in denen von Raphael's Vater in der Zeit kurz vor seinem Tode die Rede ist. Giovanni war nach Mantua gegangen, um das Bildniss eines Cardinals zu malen. Erkrankt musste er nach Urbino zurückkehren. Noch einmal machte er sich dort an diese Arbeit, begann ausserdem noch das Porträt Elisabetta's selber, der neuen Herzogin, die jene Briefe schreibt, muss aber auch da wieder abbrechen, legt sich nieder und stirbt. Am 19. August theilt die Herzogin ihrer Schwester Isabella von Este den Hingang Giovanni's mit, der ‚klaren ·Geistes und in gutem Glauben‘ verschieden sei.

Raphael wird nicht genannt. Hatte er das väterliche Haus damals noch nicht verlassen, so würden wir ihn als elfjährigen Knaben unter denen sehen dürfen, die an dem Leichenbegängniss theilnahmen. Allerlei ungewisse Gestalten drängen sich uns nun zugleich auf. Die Stiefmutter, die schwanger war. Ihr Vater, der Goldschmied Parte, der sie in den nun folgenden Processen vertrat. Eine Tochter, Elisabetta, Raphael's Schwester also, die dann auf die Welt kam [1]). Eine verheirathete Tante Raphael's vom Vater her, die in's Haus zog. Ein Onkel von mütterlicher Seite, der Vormund wurde, u. s. w. Die neueren Biographien haben den Leuten den Anschein eigner Persönlichkeiten zu geben versucht. Diese Unterschiede sind gleichgültig: jede Familie pflegt in

---

[1]) Sie starb früh. Ein in der Tribuna zu Florenz befindliches, Raphael von Einigen zugeschriebenes, von Andern mit Recht abgesprochenes Frauenbildniss ist als ‚Schwester Raphael's‘ bekannt. Es hat nichts mit ihr und mit ihm zu thun.

guten und bösen Mitgliedern ein Abbild der grossen Mensch-
heitsfamilie zu liefern[1]).

Raphael hat auf vielen seiner Gemälde Porträts Gleichzeitiger unter ideale Gestalten gemischt: ich habe nach-
geforscht, ob sein Vater nicht irgendwo sichtbar sei. Auf
dem Parnass, oder auf der Schule von Athen, wo Raphael
sich selbst doch angebracht hat. Es ist mir der Gedanke
gekommen, ob Joseph auf dem Sposalizio nicht die idealisirte
Gestalt des Vaters enthalten könne, denn diese Figur hat
etwas Eigenes, Individuelles.

Die Legende lässt dem Künstler hier Freiheit. In
Lehner's Geschichte der Marienverehrung finden wir die
was Joseph's Alter anlangt wechselnden Anschauungen der
ältesten Christen. Es gab eine Version, derzufolge er als
uralter Mann Maria zur Frau empfing, nur um sie neben
den eigenen Kindern als Vater zu behüten. Die Künstler
durften es halten wie sie wollten. Ihre Unbefangenheit
zeigt sich wenn ganze Suiten des Marienlebens dargestellt
werden. Die schönste darunter stammt von Dürer, zu derselben Zeit entstanden, wo Raphael das Sposalizio malte.
Dürer's Darstellung der gleichen Scene, freilich nur ein Holzschnitt, bleibt neben dem Werke Raphael's die reinste. Dürer
stellt Joseph als uralten Mann Maria gegenüber, der auf das
Geheiss des Priesters erst heranzutreten scheint. Es liegt
etwas Zögerndes in seinem Wesen, als schäme er sich, ein
gemeiner Mann, die hohe Ehre anzunehmen. In den folgenden

---

[1]) Ungenügend herausgegebene Bruchstücke aus Actenstücken, die
die Besitzverhältnisse der Familie Santi betreffen, haben zu allerlei Vermuthungen über die Charaktere dieser Leute Anlass gegeben, die, aus
einem Buche in's andre übergehend, den Anschein von Thatsachen angenommen hatten. Die vollständige Publication dieser Documente und
deren nun mögliche richtige Interpretation hat all das beseitigt. Jahrb.
der pr. Kunstsamml. 1882, Heft II. Drei Actenstücke aus dem Archive
von Urbino. (Oefter ohne meinen Namen citirt.)

Bildern wechselt Dürer dann mit Joseph's Gestaltung. Er
denkt nicht daran, die Aehnlichkeit stets festzuhalten. Bei der
Flucht nach Aegypten und bei der Zimmermannsarbeit dort
ist Joseph ein kräftiger Mann in den besten Jahren, mit vollem
Haar und Barte und von durchaus anderer Gesichtsbildung als
bei der Trauung. Dieselbe Freiheit nimmt sich Raphael, der
auf seinen Madonnenbildern Kahlköpfigkeit und Haarwuchs,
vollen Bart und glattes Kinn, schlichtes und geringeltes Haar
bei Joseph wechseln lässt. Auf dem Sposalizio hat Raphael ihn
bedeutender als jemals in der Folge gestaltet. Wie das Christkind auf seinen späteren Werken als Ideal dessen erscheint,
was unter dem Begriffe Kind denkbar ist, stehen Joseph und
Maria hier als das Ideal von Eheleuten vor uns. Obgleich Beide
durch ihre Handlung an sich schon als Hauptpersonen hervortreten, hat Raphael noch ein besonderes Mittel gebraucht, dieses
Hervortreten zu verstärken. Einen so unscheinbaren Kunstgriff, dass man seine Beobachtung vielleicht als Nachspüren
nach allzu grossen Feinheiten ansehen könnte. Wie bewusst
es aber angewandt worden sei, zeigt Raphael's letzte Madonna,
die Sistinische, wo er damit eine ähnliche Wirkung erzielt.

Ich spreche zunächst von dieser. Ihre Gewandung hat
das Eigene, dass die Stoffe, aus denen Kleid und Schleier
bestehen, nicht erkennbar sind. Man könnte es so auslegen,
als sei Maria von einer Hülle umgeben, die keine Laune
menschlichen Gewandwechsels zulasse. Was man vor Augen
hat, wenn man sie ansieht, sind ihr Antlitz, die Hände, die
unbekleideten Füsse. Das Kleid kommt nicht in Betracht.
Den Eindruck der über das Zufällige erhabenen Majestät,
den diese Erscheinung hervorbringt, hat Raphael dadurch
unvermerkt nun gesteigert, dass er zu beiden Seiten Maria's
zwei Heilige hingestellt hat, die mit dem Reichthum weltlicher Pracht auf's deutlichste ausgestattet sind. Die, tiefer
als Maria, rechts neben ihr mit den Füssen in den Wolken

versinkende heil. Barbara trägt ein Kleid, das ihr mit Sach-
kenntniss angepasst ist, während ihr Haar dieselbe Sorgfalt
verräth. Dazu stimmt die der Handbewegung. Bis in die
Neigung des Kopfes verfolgen wir die absichtliche Darstellung
fürstlicher Haltung. Der Heilige auf der anderen Seite zeigt
dieselben Vortheile, die zu entfalten die kostbare Ausstattung
hohen fürstlich-kirchlichen Ranges Gelegenheit bietet. Der
Gegensatz dieser beiden Gestalten zu Maria, die dergleichen
nicht bedarf, steigert deren Existenz und bringt seine Wirkung um so sicherer hervor, als sie nicht beabsichtigt zu
sein scheint.

In derselben Weise hat Raphael auf dem Sposalizio
Joseph und Maria über ihre Umgebung erhoben. Die anderen
Figuren, der Priester mit einbegriffen, sind durch Vornehmheit der Kleidung und Eleganz der körperlichen Bewegung
ausgezeichnet. Das in grossem Faltenbruch sich aufstauende
Ueberkleid der jungen Frau vorn links, die in geschmeidigen
Wendungen dem Körper sich anheftende Kleidung des vor
dem Knie den Stab zerbrechenden Jünglings vorn rechts,
all der zierliche Haar- und Hutschmuck der übrigen Figuren
zeigen die Absicht, eine festtäglich angethane Hochzeitsgesellschaft vorzuführen: wie unscheinbar dagegen Maria's Kleid,
wie auf das Nöthigste beschränkt Joseph's Rock! Seine
Füsse sind ohne Bekleidung, nichts Aeusserliches beeinträchtigt den Ausdruck feierlichen Einherschreitens bei ihm,
nichts bei Maria den ruhevoller Erwartung ihres Geschickes.
Sicherlich ist Raphael sich hier schon bewusst gewesen, wie
gross die Wirkung solcher Gegensätze sei. Die über das
Irdischzufällige hinausgehobene Erscheinung Joseph's und
Maria's gewinnt Macht über uns. Ich halte es nicht für
phantastische Willkür, Kunstwerke auf Qualitäten höchster
Art wie diese hin zu prüfen. Ich glaube von dieser Wirkung
des Gemäldes sprechen zu dürfen als von einer realen

Eigenschaft. Ich will auch nicht die Vermuthung wieder-holen, Raphael habe, als er Joseph so verklärt in jugendlich männlichem Alter hinstellte, ferne Erinnerungen an seinen Vater in die Gestalt Joseph's einfliessen lassen. Auffallend aber ist, wie ganz anders Joseph hier erscheint als auf allen späteren Werken. Ueberall spielt er später als mehr oder weniger betagter Mann seine ehrenvolle Nebenrolle, nicht um eine Spur mehr hervortretend als nöthig ist, wäh-rend er auf dem Sposalizio sogar neben Maria die vornehmste Gestalt ist. Sollte Raphael sich an den Tag erinnert haben, wo er seinen Vater sich wieder verheirathen sah?

Wem bleiben nicht für so lange er lebt die Erinnerungen an weite Ausblicke, die er als Kind gethan, zu fernen schmalen blauen Linien in unendlicher Ferne sich ziehender Berge, hinter denen Unerreichbares uns zu erwarten schien? Raphael's Sposalizio zeigt im Hintergrunde diesen unendlichen Aus-blick in das weite lichte Land, ebenso tief schon als es die Disputa ahnen lässt, wo der Blick über den Altar hin-über in's Unendliche einzudringen meint. Es ist kein Zu-fall, wenn diese Ferne in Raphael's anfänglichen Werken sich aufthut. In Urbino hatte er als Kind auf die weiten Wälder hinabgesehen, die ringsum die steile Höhe umgeben, auf der die Stadt erbaut ist.

Ich bringe mit Raphael's Kinderjahren in Urbino auch in Verbindung die wunderbare Stille, die einige seiner Werke athmen. Seine Madonna, die von dem niedrigen Stühlchen, auf dem die Jungfrau sitzt, della Sedia heisst, enthält voller als jedes andere Madonnengemälde die wunderbare Ruhe, die die Seele eines Kindes zu Hause umgibt. Nur aus dem Nachklang eigener weitester Erinnerung meint man, könne ein Maler das so fühlen, um es so darzustellen. Wie das Kind aus dem Gemälde uns ansieht! Wie Kinder blicken, die nach dem Schlafen die Augen gross aufmachen, als

wachten sie, und doch noch mitten im Traume sind. Kein
Maler, soweit die Welt ist, hat das zu malen gewusst wie
Raphael und keiner es erlebt wie er. Nur Dürer, im Marien-
leben, wie er die Jungfrau neben der Wiege sitzen lässt,
von Engeln umgeben, die des ganzen Haushaltes sich be-
mächtigt haben, während Gottvater im langen Mantel milde
aus den ewigen Höhen herabblickt, hat er in anderer Weise
erreicht. Auch er hat den Märchentraum geschildert, in den
das Leben für die ersten Zeiten sich einem Kinde auflöst.

Schon im Sposalizio athmet auch diese Stille uns entgegen. Alle Kunstwerke höchsten Ranges bringen die Wirkung hervor, dass man leise vor ihnen redet, als stehe der
Künstler hinter uns und höre was gesagt werde. Und
hierfür kann nun zugleich auch ein Meister genannt werden,
dessen Einfluss auf Raphael anzunehmen wäre, wenn auch
von Schülerverhältniss nicht die Rede sein kann: Piero della
Francesca.

Nehmen wir an, Raphael sei bis zu seines Vaters Tode
und länger noch in Urbino geblieben ehe er zu Perugino
kam, so würde er, als er bei letzterem eintrat, in seinen
künstlerischen Anschauungen einen Umschwung bereits durchzumachen gehabt haben. Denn Giovanni Santi und Melozzo
da Forli und Signorelli und auch die niederländischen Meister,
die in Urbino gemalt hatten, ja denen Raphael selbst vielleicht dort persönlich in den Weg gekommen war, gehörten
einer realistischen Schule an, die sich von der florentinischen
Auffassung Perugino's stark unterscheidet. Der Stifter der
umbrischen Schule, Piero della Francesca, arbeitete seine
Hauptwerke lange vor Raphael's Geburt, aber er lebte noch
als Raphael in Città di Castello malte nicht weit von diesem
Städtchen. Piero della Francesca verleiht seinen Darstellungen einen Hauch rauher Wirklichkeit, der wie ein scharfer
Luftzug die Gestalten umgibt, und der das Freundliche,

Festliche, Bühnenmässige über das wirkliche Erhobene der
Florentiner Art von ihnen abwehrt, das Perugino bei Verrocchio erlernte und seinen Gestalten zu geben suchte.

Diese Florentiner Art finde ich zuerst auf Ghiberti's
übermächtigen Compositionen auf den Bronzethüren von San
Giovanni in Florenz, wo die Hauptereignisse des Neuen und
Alten Testamentes als dramatische Scenen so lebendig dargestellt sind, dass sie uns wie die Strophen einer prachtvollen Tragödie anklingen. Nicht die meist genannte z w e i t e
Thüre habe ich hier im Auge, die ‚Thür des Paradieses‘:
in höherem Maasse noch als diese hat Ghiberti's e r s t e Thüre
mit den Scenen aus dem Leben Christi auf die Anschauungen
aller Florentiner Meister gewirkt, die nach ihm und neben
ihm arbeiteten. Kein Maler (obgleich es sich um Bildhauerei handelt) hat diese Ereignisse in wenig Figuren mit
so gewaltigem dramatischen Pathos hingestellt. Ghiberti
ist der, der für ein Jahrhundert lang den Ton in Florenz
angab und Perugino gehörte zu denen noch, die ihm nachzukommen suchten [1]).

Die Werke des Piero della Francesca, deren in Perugia
Raphael vor Augen stehen mussten, zeigten ihm eine andere
Art, das Geschichtliche darzustellen. Oberflächlich würde
man vielleicht nur urtheilen, Piero's Gestalten bewahrten
im Vergleich zu denen der Florentiner zu sehr eine gewisse
steife Haltung. Aber es lässt sich aus tieferer Auffassung
über diese Unbeweglichkeit reden.

Wenn wir auf der Bühne Scenen der Leidenschaft oder der
körperlichen Anstrengung sich entwickeln sehen, empfangen
wir sie in Begleitung heftiger Bewegungen und im Ausbruche einer unaufhaltsamen Lava von Worten gleichsam;
im Leben des Tages aber, wenn wir uns solcher Scenen

---

[1]) Auch Lionardo's Anfänge liegen hier, im Durchgange gleichfalls
durch die Schule des Verrocchio.

erinnern, an denen wir persönlich Theil gehabt, werden wir
von beiden Elementen nichts in unserem Gedächtnisse finden;
uns wird scheinen, als würden die wichtigsten Handlungen
schweigend gethan und wo Bewegungen eintraten, seien es,
so sehr es auch zu äusserster Kraftenfaltung kam, mässige
gewesen.   Piero della Francesca und seine Schule waren
Darsteller der Begebenheiten diesem wirklichen Verlaufe der
Dinge nach.   Auf seinem halbzerstörten Wandgemälde zu
Arezzo zeigte er das Untergehen des besiegten Maxentius
im Plusse.   Die siegreiche Reiterei ist bis an's Ufer gelangt: nun stehen in ihren Rüstungen starr zu Pferde alle
da, die Lanzen erhoben und in Ruhe gesetzt, und sehen
schweigend den Todeskampf dessen an, der mit seinem Pferde
dicht vor ihren Augen eben versinken will.   Ein anderes
Fresco Piero's ebenda stellt die Kaiserin Helena dar, wie
vor ihren Augen das tief im Boden entdeckte Kreuz Christi
aufgerichtet wird.   Das Gefühl der bewegungslosen Aufmerksamkeit, mit der sie in der Mitte ihrer Frauen den
grossen Fund betrachtet und der wortlosen Arbeit, unter
der die Männer es aus der Tiefe aufrichten, überkommt uns
selbst.   Keine unnütze Gliederbewegung: Jeder hebt und
stemmt nur soviel, als er an seiner Stelle zu thun hat.
Keiner sagt ein Wort.   Erwartung beherrscht die Scene.
Das schönste Werk Piero's ist die Taufe Christi auf der
Londoner Nationalgallerie.   Wie feierlich gerade Christus
sich aufrecht hält, damit Johannes ihm das Wasser des
Jordan übergiesse, das nur in flachem Gerinnsel um seine
Füsse geht.   Wie bescheiden zuwartend die dienenden Engel
daneben sich verhalten.   Wie selbst die Bäume, deren dichte
Blätter oben darüber einzeln jedes gezeichnet sind, mit
Flüstern inne zu halten scheinen, damit nichts die Nähe
Gottes störe, der aus dem Himmel wie aus weiter Ferne
herabblickend, seine Anwesenheit bethätigt.   Bis in die

Porträts des Piero della Francesca ist dieser tiefe Ernst seiner Auffassung eingedrungen und auch die Porträts des Giovanni Santi enthalten dies Element[1]).

Vergleichen wir die Darstellung derselben Scene, wie Ghiberti sie auf der ersten Thüre gibt. Wie Christus schlank und selbstbewusst dastehend, als sei die Menschheit bis in ihre vornehmsten Spitzen hinein Zeuge des Ereignisses, die eine Hand pathetisch zum Segen erhebt und das Haupt vorneigt, von dem das gescheitelte Haar zu beiden Seiten tief auf die Schultern herabfällt, auf denen es in Locken

---

[1]) Raphael's Vater scheint, wie schon bemerkt worden ist, vor allen Dingen Bildnissmaler gewesen zu sein. Auf seinen Altargemälden finden wir die Stifter der Werke lebensvoller als das Uebrige dargestellt. Unser Berliner Gemälde des Meisters lässt recht erkennen, wie verschieden er beide Bestandtheile behandelte. Keineswegs ist den Heiligen die beste Arbeit zugewandt: diese stehen fabrikmässig abgethan, etwas unförmlich sogar da; der Stifter dagegen, der unten links am Rande kniet, ist mit Sorgfalt behandelt und hebt sich in Zeichnung wie Malerei so sehr von den Hauptfiguren ab, als hätte Santi diese seinen Gehilfen überlassen und den Stifter sich allein vorbehalten.

Es finden sich in den italienischen Sammlungen viele Porträts in der Art des Piero della Francesca: es können Arbeiten des Giovanni Santi darunter sein. Doch ist Porträts sicher unterzubringen sehr schwer. Für den Zusammenhang Giovanni Santi's mit Piero della Francesca haben wir feste Angaben. Piero malte — lange Jahre vor Raphael's Geburt — in Urbino, und Giovanni vermittelte für den Herzog die Bezahlung. Signorelli war Piero's Schüler, auch dieser Giovanni persönlich näherstehend. Ueber Piero's Einfluss auf Raphael haben Crowe und Cavalcaselle geschrieben, über Signorelli's Einfluss auf Raphael zuletzt Vischer und Schmarsow. Werke des Piero della Francesca standen Raphael nicht nur in Perugia vor Augen. Er hatte deren schon als Kind in Urbino gesehen, in Città di Castello, in derselben Kirche, für die das Sposalizio gemalt ward, hatte Signorelli, Piero's vornehmster Schüler, gemalt. Ich wüsste nichts Directes dafür vorzubringen, dass Raphael diese Werke gekannt habe, aber durchaus natürlich scheint doch, dass er das gesehen habe, was ihm an vielen Stellen so nahe vor die Blicke gerückt war. All dergleichen ist nur so lange problematisch, als wir es wie feste Daten hinstellen wollen; wichtig und inhaltreich dagegen wird es, wenn wir es nur als möglich und wahrscheinlich behandeln.

aufliegt. In einem Monologe, dessen Worte die dienenden
Engel zur rechten Seite, die einen stehend, die anderen
eben herzufliegend, auffangen und als Chor begleiten, scheint
Christus die Gefühle auszusprechen, die ihn bewegen. Johannes
hält ihm das zum Ausgiessen umgewandte Wassergefäss über
den Scheitel: auch seine Stellung drückt aus, wie er im
Bewusstsein seiner Inferiorität neben dem Höheren sich
nur als Werkzeug fühle. Auch bei ihm die Bewegungen
wie für ein zuschauendes Publicum berechnet. Dies Theatra-
lische, diese Rücksicht auf ein urtheilendes Publicum, das
vorausgesetzt wird, kennzeichnet die Werke der Florentiner
Kunst.

In Raphael's Sposalizio haben wir eine Vereinigung
beider Elemente vor uns: der dramatischen Grazie, die
immer ein Kennzeichen Raphael's als Schüler der florentinischen Schule bleibt, und der schweigenden Tiefe der umbrischen, der er der Race und seinen frühesten Eindrücken
nach angehörte.

Wir werden sehen, wie er erst unter dem Einflusse
des Michelangelo dies umbrische Wesen aufgibt, um zur
dramatischen Bewegung der Florentiner überzugehen, so
dass seine Gestalten nun nicht mehr schweigend zu handeln, sondern zu reden und zu agiren scheinen. Wir werden
auch sehen, wie, nachdem Raphael ein Römer geworden,
die Gebäude und Ruinen Roms in seine Hintergründe eindringen, so dass nur manchmal noch die weiten Blicke von
Höhen herunter, oder die Einsicht in eine weite Ferne sich
aufschliesst. Endlich aber werden wir gewahren, wie in
den allerletzten Zeiten diese umbrische Stille bei Raphael
wieder durchbricht und ihn, wie seinen Vater einst, über dem
Anblick der Vergangenheit zu einsamer Gedankenarbeit leitet.

ZWEITES CAPITEL.

DIE GRABLEGUNG.

Wann Raphael zuerst nach Florenz gelangte, was ihn dahin brachte, wie lange er dort blieb, lässt sich aus dem vorhandenen Material mit Sicherheit nicht herausdeuten. Zwischen das Sposalizio (von 1504) und die Grablegung (von 1507) dürfen eine Anzahl Sachen gesetzt werden, welche Uebergangsstadien künstlerischer Entwicklung enthüllen, und die sammt den zum Theil dafür erhaltenen Zeichnungen von einem Fleisse Kunde geben, der in Staunen setzt. Die ausserordentliche physische Arbeitskraft, die Raphael's spätere Jahre offenbaren, muss von seiner Lehrzeit ab bei ihm gewaltet haben und ist nicht denkbar ohne ausserordentliche Gedankenconcentration.

In's Jahr 1505 setze ich die für die Nonnen von Sant' Antonio in Perugia gemalte Madonna. Vasari erwähnt sie in der ersten Auflage nicht, vielleicht weil das Gemälde, als in einem Nonnenkloster stehend, ihm anfangs verborgen geblieben war. Es soll sich heute in London unverkäuflich und in elendem Zustande befinden. Ich stehe noch unter dem Einflusse des frischen Eindruckes, den es mir 1857 in Neapel machte, als ich es im königlichen Schlosse dort sah. Nach ihm hat der unglückliche Juvara den letzten grossen Stich geliefert, der im Sinne der älteren Schule nach einem Werke Raphael's in Italien entstanden ist[1]). Für die Madonna selbst mit dem bekleideten Jesuskinde auf dem Schoosse, ist ein Gemälde Perugino's maassgebend gewesen. In dieser

---

[1]) Eine im Raphaelsaale hinter Sanssouci befindliche grosse Copie des Gemäldes ist in der Farbe verfehlt.

Gestalt liegt das Charakteristische der Arbeit nicht. Die Jungfrau und die weiblichen Heiligen zu beiden Seiten ihres Thrones halten sich in hergebrachten Formen. Das Wichtigste der Composition sind Petrus und Paulus im Vordergrunde rechts und links, zwei mächtige Apostel, die Raphael's Bestreben zeigen, der Natur nahe zu kommen und sie zur Einfachheit zu erhöhen. Die Figuren des Sposalizio haben durchweg etwas Zartes, Zurückhaltendes im Vergleich zu diesen majestätischen Heiligen, die Raphael in der Folge so oft dargestellt und zueinander in Gegensatz gebracht hat. Petrus, im Besitz der Schlüssel, als der Herrscher; Paulus, mit dem Schwerte, als der Kämpfer. Merkwürdig ist Gottvater in der Höhe. Auffallend naturalistisch, fast wie die Deutschen Maler ihn so gern darstellen, in der Art eines durch unendliche Jahre als Ururvater alles Wesens thronenden gutmüthigen alten Mannes. Raphael's Naturalismus fällt hier auf und bekundet wieder, wie er seiner Naturanlage nach zur umbrischen Schule gehörte.

Gleichfalls im Jahr 1505 entstand das Frescogemälde in San Severo, das erste, das Raphael gemalt hat. Nachdem es Raphael's ganzes Leben hindurch unfertig geblieben war, ist es nach seinem Tode erst von dem (immer noch fortlebenden) Perugino vollendet worden. Die Gestalt Gottvaters darauf ist zerstört[1]). Sodann ist das gesammte Werk in den letzten Jahren einer Ueberarbeitung unterworfen worden, die peinliches Aufsehen erregt hat. So bleibt uns von Raphael's eigner Arbeit nur das was in den Linien liegt übrig: zwei auf Wolkenbänken einander gegenübersitzende Reihen von Heiligen und die dazugehörige unantastbare, schöne Handzeichnung[2]).

---

[1]) Auf Keller's grossem Stiche ist sie nach dem Gottvater der Disputa zugesetzt worden.

[2]) Die darauf befindliche Skizze der Reiterschlacht des Lionardo ist ein späterer Zusatz.

Ein drittes Werk aus gleicher Zeit würde, wäre es zur Ausführung gelangt, vielleicht am meisten von Raphael's Fortentwicklung verrathen haben: eine Krönung der mit Christus auf dem Throne sitzenden Maria, neben denen rechts und links der heilige Franciscus und Hieronymus im Vordergrunde stehen. Diese Composition hatten die Nonnen von Monteluce bestellt und in dem sie betreffenden, erhalten gebliebenen Schriftstücke wird Raphael das Lob des ‚nach dem Urtheile vieler Bürger besten Meisters‘ gegeben. Verschiedene Skizzen des Werkes besitzen wir, und in einer Studie nach dem Leben für die beiden Heiligen eines jener Blätter, die Raphael als ausgelernten Maler erkennen lassen. Jeder Strich inhaltsvoll, geistreich und lebendig [1]).

Im Ganzen lässt diese Thätigkeit Raphael weder als einen besonders jugendlichen Meister, noch als Jemand erscheinen, von dem Viel zu erwarten wäre. Durch all seine Lebenszeit geht hindurch, dass er stets willig übernimmt was von ihm gefordert wird. Die Qualität der Werke ist verschieden. Kann er die Arbeit allein nicht zwingen, so überlässt er sie zum Theil, oder auch ganz, seinen Gehülfen. Ebenso willig tritt er selber als Gehülfe ein. Ich erinnere an den von Vasari mitgetheilten Zug: Raphael habe, wenn ein anderer Künstler etwas von ihm verlangt habe, die eigne Arbeit gleich stehen lassen, um ihm dienstbar zu sein: aus diesem Gefühle heraus vielleicht fertigte er in Perugia noch (oder auch in Siena selber: wir wissen nicht, wie er dahin kam) eine Anzahl Federzeichnungen für die sienesische Dombibliothek an, die Pinturicchio dort auszumalen hatte. Diese Blätter sind das letzte Zeichen der vorflorentinischen Epoche Raphael's. Sobald er in Florenz

---

[1]) Die Nonnen sind in der Hoffnung auf Erlangung des Werkes viele Jahre hingehalten worden, bis Raphael's Schüler es dann liefern mussten. In dieser Gestalt hat es mit den ersten Skizzen nichts mehr gemein.

festen Fuss gefasst hat, wirft er alles Bisherige ab, beginnt
neu zu lernen und schafft als erstes Hauptwerk die Grablegung. Zwar wurde das Gemälde in Perugia ihm aufgetragen
und in Perugia später dann auch ausgeführt, in Florenz
allein aber konnte es zur Entstehung kommen.

Atalante Baglioni bestellte die Grablegung für die Capelle
Baglioni in San Francesco zu Perugia. Die Baglioni waren
dort die herrschende Familie zu Raphael's Zeiten. Beinahe
selbstverständlich ist, dass sie, wie alle grossen Geschlechter
damals, nur unter fortlaufender Production von Verbrechen
im eignen Schoosse nach aussen ihre Stellung behaupteten.
Meist vollzog sich, was geschah, innerhalb der Mauern ihres
Palastes, der zu Raphael's Zeiten die Stadt beherrschte, noch
im Cinquecento jedoch schon dem Erdboden gleichgemacht
worden ist. Manchmal aber thaten sich auch seine Thore
auf und die Schlachten der Familie wurden auf öffentlichem
Platze vor den Augen der Bürger zu Ende geführt. Da lagen
dann die Todten. Raphael könnte dergleichen Ausbrüche
selbst miterlebt haben. Den Malern fiel damals nicht die Aufgabe zu, diese Thaten selbst auf ihren Gemälden wiederzu-
spiegeln, sondern Darstellungen zu schaffen, die die Menschen
darüber erheben sollten. Atalante Baglioni war alt geworden
unter Scenen furchtbarer Art, die wohl dazu führen konnten,
eine Grablegung Christi für die Familiencapelle malen zu
lassen. In Perugia, 1507, vollendete Raphael die Malerei,
in Florenz aber entstand das Werk in der Stufenfolge seiner
inneren Entwicklung. Zum erstenmale verfolgen wir bei einer
Arbeit Raphael's jetzt ein allmäliges Wachsthum.

Doch nicht bloss hierin liegt, dass die Grablegung als
der Repräsentant einer neuen Epoche bei ihm gelten muss.
Ich .habe hier etwas ausführlicher zu sprechen.

Das Sposalizio gehörte zur heiligen Geschichte, aber nicht
in's Neue Testament. Alles von Raphael bis dahin Geschaffene

trägt diesen Charakter, auch die ihm zugeschriebenen Werke seiner ersten Zeit. Diese Darstellungen von Begebenheiten aus dem Leben Christi bekunden nicht die Absicht, ihn aus eigener Durchdringung seiner Person künstlerisch neu zu formuliren, sondern sind Wiederholungen hergebrachter Scenen, an die das Publicum gewöhnt war. Perugino hat sich aus dieser Auffassung nie herausgewagt. Ihren Grundton lieferten die Aufzüge an hohen Festtagen, an denen Ereignisse aus der biblischen Geschichte unter Theilnahme prachtvoll aufgeputzter Bürgerschaaren in den Städten zur Schau gebracht wurden. Wir wundern uns deshalb nicht, auf solchen Gemälden neben und zwischen den heiligen Personen die Porträtgestalten vornehmer Bürger anzutreffen, als gehörten sie dazu: dies entsprach dem factischen Hergange, wo Mitspieler und Publicum sich als Eins fühlten und Acteurs und Zuschauer zusammengehörig sich durcheinander drängten. Das Abendmahl und die Uebergabe der Schlüssel sind in diesem Sinne von Perugino in der Sistinischen Capelle mit Personen in zeitgenössischer Tracht ausstaffirt worden, deren Theilnahme nichts Auffallendes hat. Man fühlt sich an die heutigen Photographien von Festaufzügen erinnert, auf denen das zuschauende Strassenpublicum als berechtigtes Element mitaufgenommen wird.

Nahmen Darstellungen dieser Art nun in der Kunst des Quattrocento bedeutenden Raum in Anspruch und konnte es sich bei Gestaltung der agirenden Hauptpersonen hier nur darum handeln, recht deutlich zu bezeichnen, wer und was gemeint sei, worauf dann für den märchenhaften Schmuck der Personen und der Scenerie jede Freiheit gestattet und erwünscht war, so läuft neben dieser Behandlung eine andre jedoch nebenher, die solche Zuthaten fortzulassen und die Geschichte Christi, wie wir zu sagen pflegen, rein historisch hinzustellen suchte. Die geistige Entwicklung des Quattrocento brachte mit sich, dass das Reinmenschliche in Christus mehr und mehr verstanden und was er erlebte als individuelle Charakterentwicklung betrachtet wurde. Die Sculptur ist hier, wie im 13. Jahrhundert, vorangegangen: ich komme auf die Thüren der Taufkirche von San Giovanni in Florenz zurück, die für Maler und Bildhauer in gleichem Sinne Musterstücke geliefert haben. Die erste Thüre schon, von Andrea Pisano, zeigt in den zahlreichen Scenen aus dem Leben des Johannes dramatische Behandlung der Scenen, die so gefasst sind, dass sie auch den, der nicht wüsste, was sie bedeuten, ergreifen müssten. Doch das ist immer noch die Schule des Trecento: in Ghiberti's erster Thür (der zweiten von allen drei Thüren) tritt das Dramatische voll ein. Zwar datirt der hohe Ruhm Ghiberti's von seiner zweiten, der ‚Thür des Paradieses‘ her; die erste aber enthüllt den Genius dieses Dichters in Erz in noch bedeutenderem Maasse. Auf Ghiberti's folgt, dem Entwicklungsgange des Quattrocento gemäss (wie im 18. Jahrhundert das prosaisch bürgerliche Trauerspiel auf die hohe Tragödie folgte) die Auffassung des Donatello, dessen Talent in seiner Eigenthümlichkeit vom bürgerlichen Geiste des Quattrocento als Gegensatz zu Ghiberti herausgefordert wurde. Ghiberti beherrschte in Florenz die erste, Donatello die zweite Hälfte des Jahrhunderts. Ghiberti hat ein gewisses aristokratisches Wesen. Er giebt seine Figuren in vornehmen Linien und verleiht ihnen heldenmässigen Schwung. Es ist, als ob Donatello dagegen, in seinen Anfängen zumal, so hätte arbeiten wollen, dass Jedermann sähe, wie er ja nicht etwa mit Ghiberti einverstanden sei. Es liegt etwas Herausforderndes in Donatello's Art, die Natur zu geben. Etwas hart auf den Effect Berechnetes. Ungekünstelte Natur zeigte jene erste der drei Thüren von San Giovanni, auf der wir in Andrea Pisano den edelsten Schüler Giotto's kennen lernen: dahin hätte Donatello sich zurückwenden

können. Aber das wollte er nicht. Ist Ghiberti dramatisch
bewegt, so ist Donatello theatralisch aufgeregt. Er benutzt
die Natur, um seine bis zum Schreienden realen Scenen glaub-
würdiger zu machen: hierum ist es ihm zuweilen mehr zu thun,
als um Treue der Wirklichkeit gegenüber, der er nicht frei
nahezukommen sucht, sondern die er unfrei nachbildet. Ghiberti, vor ihm, hatte die Antike nicht nachgeahmt, aber in
sich aufgenommen. Er verehrte sie, sie floss in seine Arbeiten
hinein. In seinen Schriften spricht Ghiberti von den antiken
Werken als von unübertrefflichen, in ihren Feinheiten kaum
zu erkennenden Arbeiten. (Das ist oft wiederholt worden.)
Donatello seinerseits hat den antiken Meistern nur eine Menge
Kunstgriffe abgesehen. Zu Donatello's Zeit wurden die antiken
Sculpturen schon gesucht und gesammelt, die in Ghiberti's
Anfängen zufällig nur und einzeln herumstanden, und von
denen er als von Seltenheiten redet. Ghiberti würde vielleicht nicht gewagt haben, eins dieser Stücke zu ergänzen:
er hätte seine Hand da nicht angelegt, wo die antiken Bildhauer seine Bewunderung zur Ehrfurcht steigerten; Donatello
weigerte sich nicht, defecte Statuen mit eigner Arbeit wieder
vollständig zu machen, damit sie dem Palaste der Medici,
die seine Gönner waren, besser zur Zierde gereichten.

Neben Donatello trat nun noch Verrocchio ein, der eher
etwas vom Blute des Ghiberti empfangen hatte, und Verrocchio's
Schüler sind Lionardo, Botticelli und Perugino gewesen, auch
Signorelli, lauter selbständige Geister, während Donatello's
Schüler nur in seine Art eingearbeitet waren und sich nicht
über ihn erhoben. Den Gewinn endlich, alle diese Elemente
auf sich wirken zu lassen, hatte dicht vor Raphael's Erscheinen
Michelangelo gezogen. Diese Künstler hohen Ranges sehen
wir, jeden seinem Charakter nach, bemüht, Scenen aus dem
Leben Christi und Christi Gestalt selber, nicht in erster Linie
im Dienste der Kirche, der Geistlichkeit oder der, Nahrung für

ihre Frömmigkeit suchenden Bürgerschaften, sondern so zu
schaffen, wie sie selber persönlich diese Darstellungen sich
selbst gegenüber verantworten könnten. Das Verhalten der
Künstler des gesammten Quattrocento in diesen Bemühungen,
ein überzeugendes Bild Christi zu geben, hat eine gewisse Aehnlichkeit mit den Versuchen unserer eigenen Zeit, die gleiche
Aufgabe litterarisch und künstlerisch zu lösen. Denn vorhanden ist die Aufgabe. Woran Luther nie dachte: einen
historischen Christus hinzustellen, das wird von den jetzigen
Theologen und Historikern immer wieder versucht. Bei jedem Bilde oder Buche machen wir zwar die Erfahrung von
neuem, dass das Beginnen ein unmögliches sei, aber fühlen
uns zu immer neuen Versuchen gedrängt.

Unser Standpunkt heute ist dieser. Begreiflich ist uns
nur das Individuelle, tastbar uns Entgegentretende, nach unserem Maasse Messbare, nach unserem Verstande Verständ-
liche. Der Christus der Evangelien erscheint uns mythisch,
fragmentarisch, kein Gebilde von Fleisch und Bein. Seinen
Erlebnissen fehlt in unserem Sinne der reale Boden: er
scheint zu sehr zu schweben, zu wenig zu gehen. Wir
wollen wissen, wie er seine Tage zubrachte, wie seine Worte
klangen, welches seine Gedanken, das gemeine Leben betreffend, gewesen seien, wie im actenmässigen Sinne seine
Laufbahn verlief. Wir sind geneigt, Darstellungen, wie
Muncacsy sie neuerdings gab, für nicht ganz unglaubwürdig
zu halten: bewegen lassen wir uns aber auch durch sie nicht.
Unsre Augen sind nicht geübt dafür. Weniger läge uns
heute sogar an Photographien jener Ereignisse, als an dem
Besitz von Actenstücken aus dem Munde Gleichzeitiger.
Dem Quattrocento dagegen, wie wir sahen, war an dem ge-
legen, was die Künstler lieferten.

Giotto, der Gründer der florentinischen Kunst, der seine
Kraft der Nachahmung der Natur verdankte, hatte Christus

in den Bereich seiner neuen Darstellungsart kaum hinein-
zuziehen gewagt. Der Christus Giotto's hat etwas von dem
Starr-Allgemeinen des Christus der früheren Jahrhunderte
bewahrt. Seine Bewegungen unterscheiden sich von denen
der Uebrigen. Sie sind majestätisch und gemessen, wie dem
‚Könige aller Menschen‘ geziemt. Seine Gewänder scheinen
einfacher gefaltet. Er hat etwas von einer blossen Erscheinung gewahrt. Wir sehen aus Dante, wie sehr die Auffassung
des Mittelalters, das zwischen Christus und Gottvater auch
bildlich keinen Unterschied machte, die Menschen im Trecento
noch beherrschte. Giotto hatte sich ihr anzubequemen und
wenn er die Ereignisse der Evangelien darstellte, das Erhabene, Ruhige, Uebermächtige auch da zu geben, wo
Christus sich in den Kreisen des gewöhnlichen Daseins wie
einer der Andern bewegte.

Dem gegenüber war Ghiberti's Auffassung eine wahre
Verwandlung. Er lässt die Gestalt Christi, als Hauptperson
der erschütternden Tragödie der Evangelien, sich nach denselben Gesetzen poetischer Production bewegen, denen die
anderen Theilnehmer sich zu unterwerfen haben. Gross,
kraftvoll, gewaltig, ist Christus nicht mehr wie früher gleichsam nur anwesend, als wisse man nicht, woher er gekommen
sei und wohin er gehe, sondern er tritt auf, greift ein, handelt, duldet und leidet, und zeigt sich in seinen Aeusserungen
als den höchsten Repräsentanten der Menschheit. Gehört ihr
entschieden aber an.

Aber auch das genügte bald nicht mehr; die Grenze
war überschritten: als Individualität sollte Christus erscheinen
und in heute noch unübersehbaren Bildungen suchen die
Künstler des Quattrocento dieser Anforderung zu entsprechen.
Wir staunen über die Verschiedenheit der Antlitze und Gestal-
tungen: aus keinem dieser Werke aber tritt uns das Bild entgegen, das wir zu sehen verlangten. Donatello, wie gesagt,

repräsentirt für die letzten Jahrzehnte, in denen Lionardo, Michelangelo und Raphael emporkamen, die maassgebende Anschauung: er producirte was im Durchschnitte verlangt wurde. Einen Christus wollte er schaffen, dem eine gewisse bürgerliche Echtheit aufgeprägt wäre; das Dichterische, Mythische des Ghiberti war überwunden. So ging das Jahrhundert dahin. Auch Lionardo[1]) hatte kein Christusbild geliefert: als im Uebergange zum Cinquecento Michelangelo jetzt seine Pietà meisselte! Von Ghiberti bis Donatello hatte er Alles sich angeeignet und seine eigene Natur dazugethan. Und Michelangelo's Christus vor Augen zu haben, war Raphael's Loos jetzt, als er die Grablegung malte. In diesem Werke haben wir den ersten Act der Unterwerfung Raphael's unter Michelangelo.

Die Grablegung ist durch Amsler's ausgezeichneten Stich zugleich fast zu einem Deutschen Werke geworden. Das Gemälde ist in sehr verdorbenem Zustande. Grössere Photographien lassen erkennen, wieviel fremde Pinselzüge darauf sitzen. Dies wohl der Grund, warum (in früheren Zeiten) einzelne Kunstfreunde bezweifelt haben, dass die Ausführung des Gemäldes von Raphael ganz herrühre. Man hat nachzuweisen versucht, wo seine Schüler den Pinsel geführt. Rumohr erkennt Ridolfo Ghirlandajo's und Garofalo's Hand auf der Tafel, und Unger, der diesen Gedanken aufgenommen hat, verfolgt die kritische Unterscheidung ihrer Thätigkeit so weit, dass er Stellen nachweist, wo einer von beiden untermalt habe und Raphael mit einer Lasur darübergegangen sei[2]). Dagegen müsste doch eingewandt werden, das Garofalo erst zu Raphael kam, als dieser bereits in Rom war, Ridolfo Ghirlandajo dagegen in Perugia nichts zu thun hatte. Dort

---

[1]) Der Christuskopf auf Lionardo's Abendmahl ist unsichtbar.
[2]) Unger, Forschungen 115 ff.

also, wenn Unger und Rumohr Recht haben, hätte die Grablegung nicht gemalt werden können. Wäre sie aber in Florenz gemalt worden, so hätte auch dann Garofalo wenigstens nicht daran mitgearbeitet. Derartige Untersuchungen sind bedenklich sobald sie mehr bezwecken als im allgemeinen den Nachweis, ein Meister habe sich bei einem Gemälde helfen lassen. Warum dies bei der Grablegung weiter noch als etwa über die Untermalung hinaus der Fall gewesen sein müsse, weiss ich nicht. Die Tafel ist streng, in einzelnen Theilen fast hart gemalt. Die Zeichnung herrscht vor, man fühlt den Werth, den der Meister auf die Linie legte. Raphael aber hat so oft die Manier dem Gegenstande angepasst, er hat so durchaus verstanden, wo er es für rathsam hielt, je nachdem mehr Colorist oder mehr Zeichner zu sein, dass er auch hier genau gewusst haben wird, was er wollte.

Das Erste, was auf dem Gemälde unsere Blicke auf sich zieht, ist das der Schulter leise zusinkende Haupt Christi und der lang herabhängende nackte Arm. Kein willenloser Leichnam, sondern ein Schlafender scheint dahingetragen zu werden. Nicht starr und ausgestreckt, wie bei Signorelli, wird der Körper fortgeschleppt, sondern, auch darin dem Christus der Pietà Michelangelo's ähnlich, mit eingesunkenem Schoosse liegt er in dem Leintuche, in dem sie ihn tragen, und die darüber hinausstehenden Beine hängen halb abwärts frei in der Luft. Zwei Träger haben sich in die Last getheilt. Am Fussende hält sie ein kräftiger Jüngling, vorwärtsschreitend, mit gestrafftem Arme den Saum des Bahrtuches gefasst, am Kopfende ein rückwärts die Stufen, die zur Grabhöhle führen, mit den Hacken der Füsse gleichsam suchender bärtiger Mann, sich zurücklehnend, um gegen den Andern das Gegengewicht inne zu halten; neben ihm, hinter dem Leichnam, eine andre männliche Gestalt, ihm behülflich und die Stufen ebenfalls, aber vorwärts, heraufschreitend.

Zwischen ihnen wird Johannes sichtbar, der mit unter dem
Kinn gefalteten Händen auf den Leichnam von oben herabblickt. Zwischen den letzteren Dreien und dem Träger am
Fussende, schreitet hinter dem Leichnam eine weibliche Gestalt, die schluchzend neben dem Zuge hergehend, die linke
Hand Christi emporhält, während sie mit der Rechten eine seiner langen Locken aufhebt. Diese ganze Gruppe, alle Gestalten
in Eins gerechnet, nimmt nicht genau die Mitte der Tafel ein,
sondern ist ihrer gesammten Masse nach nach links gerückt,
dass zwischen ihnen allen und dem Rande rechts ein freier
Raum bleibt, der die mit geschlossenen Augen ohnmächtig
umsinkende, von ihren Begleiterinnen emporgehaltene Maria
erblicken lässt. Den fernen Hintergrund nimmt eine in zarten
Details sich zusammenschiebende Landschaft ein, während
links vorn der Felsen dunkel emporragt, in dessen Höhlung
der Weg hineinführt. Raphael Urbinas pinxit MDVII. zeigt die
Inschrift. (Einige haben fälschlich MDVIII lesen wollen. Es
geht dicht hinter der Zahl ein Riss durch die Tafel.)

Darstellungen des vom Kreuze genommenen, beweinten,
zum Grabe getragenen, in's Grab hineingelegten Christus
sind seit dem 12. Jahrhundert hergebracht. Alles herauszufinden, was Michelangelo oder Raphael in der Erinnerung
getragen haben könnten und was stärker oder schwächer seine
Wirkung bei Herstellung ihrer Werke auf sie ausgeübt hätte,
würde heute unmöglich sein. Allüberall stand ihnen und
ihrem Publicum dergleichen vor Augen.

Es ist eben unterschieden worden zwischen Darstellungen heiliger Begebenheiten im Sinne der Legende und in
dem des historischen Ereignisses: es gab noch eine dritte
Art, diese Momente künstlerisch zu fassen: ihre symbolische
oder, wie Einige sagen, mystische Darstellung. Der Vorgang wird hier losgelöst vom irdisch Zufälligen auf ein höhe-

res Gebiet verlegt, das der Vision begeisterter Frömmigkeit sich erschliesst. Gestalten und Handlungen verbinden sich hier zu Erscheinungen, die, indem sie an das Geschehene nur erinnern, es völlig enthalten ohne es doch irgend greifbar darzustellen. Historisch wird die Grablegung Christi gegeben, indem die in den Evangelien genannten Personen den Leichnam so dahintragen, wie die Worte der Erzählung diese Scene uns in der Phantasie gestalten. Im Sinne der Legende wird sie dargestellt, indem eine Fülle von Volk und alle diejenigen an der Bestattung betheiligt werden, die der Legende nach etwa als zugegen angenommen werden könnten: sämmtlich in lebhaftem breitem Aufzuge eine Beisetzung repräsentirend. Im mystischen Sinne stellt sich das Ereigniss dar, indem vielleicht nicht eine einzige dieser Gestalten zugegen ist, (weder das Volk, noch die Personen, die die Evangelien nennen), sondern Engelgestalten allein den Leib Christi in einen Sarkophag legen. Ja, Christus kann hier ganz einsam dargestellt werden, wie er auf dem Rande des geöffneten Sarkophages sitzt, und diese Scene dann soweit wieder ausgedehnt werden, dass um den so dasitzenden Christus betende Heilige sich drängen. Und diese wieder können so realistisch gegeben sein, dass dieser blosse Traum eines Ereignisses zugleich Züge scharfer Wirklichkeit bietet. Die Künstler aber durften sich, den speciellen Wünschen der Besteller nachkommend, in voller Unbefangenheit ergehen, da das Publicum wusste, wie es die Dinge zu nehmen habe.

Eine Raphael zugeschriebene Federzeichnung gilt als die erste Skizze zu seiner Grablegung. Christus, vom Kreuze genommen, liegt, umgeben von den sich herandrängenden Gestalten derer, die hier zur nächsten Trauer berechtigt waren, im Schoosse der ohnmächtig zurücksinkenden Mutter. Hier also waltete die legendare Auffassung. Eine andre, von

Marcanton gestochene, spätere Zeichnung Raphael's, zeigt
uns den vom *Kreuze* genommenen Christus breithin der Länge
nach ausgestreckt und Maria allein hinter ihm aufrecht stehend
in einer jener Stellungen, die tiefe Trauer, Resignation und
Gebet zugleich ausdrücken: hier ist die Scene symbolisch
gefasst.   Symbolisch auch ist eine andre früher Raphael
zugeschriebene Grablegung des Berliner Museums, ein kleines
Gemälde: Christus auf dem Rande des Sarkophages sitzend.
So aber, wie die Grablegung im Palazzo Borghese den Vorgang
giebt, ist er historisch real gegeben.   Auch wer nicht wüsste, was
hier geschähe, würde vom reinmenschlichen Inhalte des Ereignisses getroffen werden.   Schon beim Sposalizio hatte Raphael die Dinge so fassen wollen, sich von der Legende aber
doch nicht frei gemacht: wie viel näher aber ist er hier seinem Ziele gekommen.   Freilich aber auch bot sich reichere
Gelegenheit dar, denn die Vermählung der Jungfrau selber
war legendarer Stoff.

Jene eben genannte Federzeichnung halte ich nicht mehr
für Raphael's Werk: wir haben, ohne von ihr auszugehen,
die Geschichte der Grablegung Raphael's zu geben.

Bestattungen überhaupt sind wohl dargestellt worden solange es eine *Kunst* giebt und es scheint die Anordnung der
Figuren eine so natürlich nöthige, dass uns nicht in Erstaunen
setzt, wenn wir die ältesten Denkmale sie nicht anders enthalten sehen als die neuesten.   Auf griechischen Vasen, auf
heidnischen und christlichen Sarkophagen finden wir dergleichen; auf letzteren nicht als Grablegung Christi, denn
diese Darstellung lag, wie alles Leiden Christi, der früheren
christlichen *Kunst* fremd, aber als Hinwegtragen anderer
Todten.   Es scheint, dass Raphael eine jener antiken Darstellungen kannte.   Schon im Quattrocento war der heute
im Palaste Doria stehende Sarkophag berühmt, auf dessen
bildlichem Schmucke wir den todten Meleager herbeigetragen

sehen, vor dem die Mutter in Ohnmacht zusammenbricht, sie zumal an Raphael's Maria erinnernd. Aber schon von Masaccio war ihre Gestalt in einem Wandgemälde in San Clemente in Rom wiederholt worden. Ob Raphael diese Darstellungen, die eine oder die andre, oder beide, sei es von den Originalen oder aus Nachbildungen gekannt habe als er an seiner Grablegung arbeitete, lässt sich nicht sagen. Wichtig erscheint mir die Frage nach Vorbildern, die Raphael in der Phantasie gelegen haben könnten, nur bei drei Werken: der Pietà Michelangelo's, dem Stich Mantegna's, dessen Copie als frühe Federzeichnung von Raphael's Hand erhalten blieb,. und bei dem Wandgemälde Signorelli's in der Capelle des Domes in Orvieto, in der Signorelli das Jüngste Gericht und ausserdem eine Fülle ornamentaler Malereien arbeitete, zu denen eine Grablegung gehört.

Michelangelo's Pietà, von der ein Abguss in Florenz wohl sichtbar sein konnte, wenn das Werk Raphael nicht in Rom sah, ist besprochen worden. Mantegna's Stich stellt das Ereigniss im heftigen Geiste des Donatello dar, von dem gleichfalls verschiedene Grablegungen existiren. Christus wird auf Mantegna's Stiche in einem Leintuche, an dessen Enden und Seitentheilen Einige anfassen, zum Sarkophage getragen. Er liegt da in der Ruhe eines älteren Mannes, dessen schmerzzerarbeitete Züge endlich sich der Stille des Todes gefügt haben. Aus diesem letzten Schlafe wird er zu neuen Qualen nicht wieder erweckt werden. Manches auf Mantegna's schöner Composition zeigt Verwandtschaft mit Raphael's Auffassung, aber eine ferne, als habe Raphael sich des Stiches doch nur erinnert. Wichtiger ist Signorelli's Werk. Eine jener symbolischen Darstellungen, die realen Stempel tragen. Christus liegt lang hingestreckt mit dem Haupte auf dem Schoosse seiner Mutter, der ein Kopfkissen für ihn abgiebt. Hinter seiner Gestalt hockt eine andre Frau auf dem Boden,

die seine Hand in die ihrige genommen hat und mit Küssen
bedeckt. Dicht und nah, als Hintergrund der Scene, ein
Sarkophag der Breite nach sichtbar, oder aber, wenn
man so will, eine den Anblick einer Sarkophagseite darbietende Marmorarchitektur, auf der wieder in Gestalt eines
Basreliefs das Hintragen des Leichnams zum Grabe sichtbar ist: drei Figuren, die den lang ausgestreckten, wage-
recht im Profil sichtbaren Körper Christi, einer von hinten
ihm unter die Arme greifend, einer an den Füssen sie zu-
sammenfassend, und einer in der Mitte des Körpers hinter
ihm stehend und mit gestrecktem übergreifendem Arme ihn
hier gleichfalls umfassend, dahinschleppen. Dieser Darstellung entspricht zum Theil eine Federzeichnung Raphael's,
die zwar nur in einigen (als Fälschungen zu bezeichnenden)
Copien bekannt ist, echt jedoch entweder irgendwo noch liegt
oder die verloren ging und die den seltsamen Namen ‚Tod
des Adonis‘ führt: meinem jetzigen Urtheile nach die erste
vorhandene Niederschrift Raphael's für das, was auf dem Gemälde dann so ganz anders schliesslich zur Erscheinung gekommen ist, und zugleich als Product Raphael's der frühste
wirkliche Beweis für Vasari's Behauptung, dass die Grablegung zwar in Perugia gemalt worden, der Carton aber in
Florenz entstanden sei. Bei der ersten Auflage fehlte Vasari diese Kenntniss noch; woher sie ihm für die zweite zu-
floss, wissen wir nicht. Beistimmen aber müssen wir ihm.

Es handelt sich bei Weiterentwicklung dieser Anfänge
jetzt um den ersten grossen Umschwung in Raphael's künstlerischer Entwicklung, den wir zu verfolgen im Stande sind.

Ich habe an anderer Stelle ausgeführt, wie die Meister
des Quattrocento bei der ersten Conception ihrer Arbeiten von
der bekleideten menschlichen Gestalt ausgehen. Sie wissen
das Nackte wohl darzustellen, empfinden die gesammte Bewegung des Menschen aber nicht, wie die Meister des Cin-

quecento oder die antiken Künstler, als unter der Gewandung in den Körperformen hervortretend. Die Phantasie der Meister des Quattrocento arbeitet mit dem, was sie sichtbar umgiebt. Michelangelo war der erste, den die Antike und anatomische Studien zu einer höheren Behandlung des Körperlichen leiteten. Sein Carton der Badenden Soldaten zeigte den staunenden Florentinern, dass unser Körper eine Architektur enthalte, ohne deren Kenntniss die Darstellung menschlicher Bewegung unvollkommen sei. Eine Composition auch aus bekleideten Gestalten, durch deren Gewandung diese Architektur nicht gleichsam durchleuchtete, könne auf den höchsten Rang als Kunstwerk keinen Anspruch erheben. Das innere Auge des Schaffenden müsse eine neue Schule durchmachen, um so viel zu leisten. Die, denen sie abgehe, träten als veraltet zurück.

Dies einer der Gründe, warum Michelangelo dem Ruhme Perugino's ein Ende machte, der sich nachträglich so weit weder erheben wollte, noch konnte. Hier lag die Ursache, warum Michelangelo's Carton eine Revolution hervorbrachte und der Reiterschlacht des Lionardo vorgezogen wurde. An sich waren Michelangelo's Badende Soldaten ja fast ohne Interesse. Der Handlung fehlte die Mitte. Nackte Krieger, die aus dem Flusse an's Ufer und in ihre Kleider und Rüstungen stürzen. Kein Angriff, kein Kampf, keine Erwartung; nicht einmal ein Feind sichtbar. Nur eine eilende Bewegung, der das sichtbare Ziel fehlt. Wie ganz anders enthielt das Alles Lionardo's geschlossene, das Aeusserste an kämpfender Wuth darbietende Reiterschlacht. Im Sinne der bisherigen Florentiner Kunst, wie Jeder sie kannte, war von Lionardo das Grösste geleistet worden. Michelangelo's nackte Gestalten aber liessen erkennen, dass in anderer Richtung ein Grösseres sich erreichen lasse.

[1]) L. M.

Grimm, Leben Raphael's. 2. Aufl. 18

Schon der ‚Tod des Adonis‘ als Raphael's erste Skizze zur Grablegung zeigte, dass Michelangelo auf ihn gewirkt hatte. Ich war früher, wo mir nicht Photographien sämmtlicher hierhergehörigen Zeichnungen Raphael's vorgelegen hatten, der Meinung gewesen, Fra Bartolomeo oder Signorelli hätten den gleichen Umschwung in ihm bewirken können. Allerdings sind Zeichnungen nach dem Nackten auch von diesen vorhanden, deren Einfluss auf Raphael sogar, wie wir sehen werden, sich beweisen lässt: Michelangelo aber fügt nackte Gestalten zuerst in Gruppen so zu einander, dass die Bewegung der einen die der anderen bedingt und aus vielen Körpern ein von gemeinsamer Bewegung erfülltes einheitliches Ganzes sich bildet. Dies aber ist die besondere Eigenschaft der ersten Skizze Raphael's für die Grablegung. Die nackten Träger des nackten Leichnams sind zu einem lebendigen Ganzen vereinigt, und zwar mehr in der Art eines Basreliefs als einer runden Gruppe, an deren Anblick von allen Seiten her gedacht wird. Von jetzt ab sehen wir Raphael all seine Werke in diesem Sinne arbeiten. Zwei Auffassungen seiner Gestalten: die eine in voller Gewandung und die andre in nackten Figuren, laufen von nun an in seiner Phantasie stets nebeneinander her. Von jetzt ab auch beginnen bei ihm die sich folgenden Umarbeitungen der Compositionen, das Fortlassen und Hinzusetzen von Gestalten, das Umwerfen des gesammten Figurenaufbaus, sowie die schliessliche Rückkehr zu bereits ausgestossenen Elementen. Die Grablegung hat drei Phasen durchgemacht. Von der ersten Auffassung (Tod des Adonis) sehen wir Raphael zunächst sich nun zu einer neuen erheben, für die kostbare Studienblätter vorliegen.

Die Richtung des Zuges war bis dahin die gewesen, dass der Leichnam mit dem Füssen voran fortgetragen wurde und dass derjenige, der diese zusammengefasst hielt, die Führung hatte, während der, der mit den Händen unter den Schultern des Todten, ihn am Kopfende emporhielt, nachfolgte. Raphael lässt bei der Umgestaltung der Composition den Zug jetzt die entgegengesetzte Richtung einschlagen. Der die Leiche am Kopfende Emporhebende hat nun die Führung. Rückwärts schreitend sucht er mit den Hacken die Stufen sich hinaufzutappen, die zu der nun auf diese Seite verlegten Grabhöhle führen. Auch wird der Leichnam nicht mehr von den Trägern unmittelbar angefasst, sondern liegt in einem Leintuche, das am Kopfende von zwei Figuren nun, statt einer, emporgehalten wird, während der Träger am Fussende die Beine des Todten nicht mehr mit den Armen umschliesst, sondern nur die Zipfel des Bahrtuches hält, über dessen Saum die Beine, von den Knien an, frei hinausragen.

Für diese Fassung der Composition haben wir in einer zu Oxford befindlichen Federzeichnung eines jener maassgebenden Blätter, auf das hin wir eine Anzahl anderer nun als Fälschungen bezeichnen dürfen. Es lässt zugleich erkennen, wie tief Raphael den Carton des Michelangelo in sich aufgenommen hatte. Und wiederum zeigt es die gleichen sicheren Strichlagen, wenn auch in anderer Kreuzung nun, die wir auf den im ersten Capitel besprochenen Silberstiftzeichnungen für die Krönung Mariae vor uns hatten.

Noch einmal nun ging Raphael zu einer Aenderung der Composition über.

Die drei Träger des Leichnams, wie das Oxforder Blatt sie zeigt, bilden mit Christus eine compacte Gruppe. Der in der Verkürzung zusammengeschobene und nur geringen Raum einnehmende Leichnam, ist wie eine verbindende Masse zwischen ihnen. Seine Umrisse sind mit leisen Strichen hinzugezeichnet: die Träger in ihren verschiedenen Stellungen waren diesmal die Hauptsache. Möglich, dass Raphael im allzustarken Zurücktreten der Gestalt Christi nachträglich eine Einbusse erkannte, die der Wirkung des Gemäldes

18*

schadete. Auf einem Florentiner Blatte sehen wir, wie Ab-
hülfe dafür gewonnen wird. Der Leichnam dehnt sich nun
wieder aus, die Träger dagegen sind in zwei Massen geschieden.
Zwar ist die Stellung jedes Einzelnen die alte geblieben, aber
während es sich vorher darum handelte, den Leichnam mit
concentrirten Kräften als Last gemeinsam fortzubewegen, ist
ihre Aufgabe jetzt, das Leintuch straff zu halten, damit der
Körper ohne zusammenzusinken ausgestreckt darauf liegen
könne. Die so sich verdoppelnde Anstrengung macht es nöthig,
die Thätigkeit der Tragenden in schärferer Anspannung heraustreten zu lassen, und der Künstler schafft sich die herrliche
Aufgabe, die Entfaltung lebendiger Kraft in verschiedener
Weise in den Gestalten der Träger der lastenden Todes-
ruhe Christi entgegenzusetzen. In der Durchführung dieses
Contrastes sucht Raphael sich jetzt genugzuthun und die
Unterschiede der Florentiner Zeichnung, von der ich hier rede,
und wiederum des fertigen Gemäldes bekunden, mit welcher
Kunst er ihn schliesslich noch zu steigern wusste.

Eine Zeitlang scheint dieses Florentiner Blatt die Form
gewesen zu sein, in der Raphael das Gemälde ausführen
wollte. Die darauf gezogenen Quadrate deuten vielleicht
an, dass mittelst ihrer aus dieser Skizze der umfangreichere
Carton hergestellt werden sollte, nach dessen Form die
Ausführung auf der Tafel dann erst erfolgte[1]). Die Florentiner Zeichnung scheint das Gemälde selbst schon so sehr
zu enthalten, dass Rumohr sie seiner Zeit für eine ‚ängstlich
genaue Vorbildung‘ desselben erklären durfte. Wie tief-
gehende Veränderungen aber wurden noch vorgenommen!

---

[1]) Sie konnten indessen auch von fremder Hand gezogen worden
sein, die die Zeichnung als solche copiren wollte. Auch die Quadrate
auf der einen Handzeichnung für die Libreria von Siena können so aufgefasst werden. Warum aber, wenn man die Zeichnung nur copiren
wollte, die Linien der Quadrate so hart in das kostbare Blatt hinein-
ziehen? (Ich habe früher einmal geglaubt, das Blatt sei überhaupt nur
als Copie anzusehen. Dieser Meinung bin ich nicht mehr.)

Dies ist immer das Wunderbare, wenn wir die Entstehungsgeschichten der raphaelischen Gemälde aus den vorbereitenden Studien verfolgen: geht es an die letzte Ausführung, so scheint er sich noch einmal völlig frei zu machen: wie zum erstenmale stellt er sich dem Hauptgedanken gegenüber, auf dessen Verkörperung seine Kunst gerichtet ist. Alles Vorbereitende weiss er abzuschütteln und baut die Composition von frischem auf. So wie seinen geistigen Blicken jetzt die Dinge sich darbieten, werden sie nun in Farben festgehalten.

Raphael's letzte Umänderungen der Grablegung sind bedeutend genug. Die Gruppe der den Leichnam Tragenden hält nicht genau die Mitte der Tafel inne: das ist bei der letzten Umgestaltung der Composition erst so eingerichtet worden[1]. Links nur, wo der Felsen sich erhebt, in dessen Höhlung der Leichnam hineinsoll, stösst der Zug an den Rand des Gemäldes; nach rechts hin ist zwischen dem letzten Träger und dem Rande der Tafel Raum geschaffen für den Anblick der ohnmächtigen Mutter. Die Stufen, die zum Eingang in die Höhle führen, sind steiler nun als auf der Florentiner Skizze, um die Austrengung der beiden Träger am Kopfende noch steigern zu dürfen. Der zumal, der sich rückwärts mit den Hacken die Stufen hinauftastet, scheint nun den bedeutenderen Theil der Last zu tragen. Geistige und körperliche Anspannung mischen sich auf dem stark zurückgeneigten Antlitze. Zwischen ihm und der ihn als zweiter Träger am Kopfende hier unterstützenden Gestalt drängt sich der wie verzweifelt dem Todten die letzten Blicke zuwendende Kopf des Johannes ein, jetzt erst als Johannes kenntlich gemacht. Dieser zweite Träger am Kopfende aber, auf der Skizze bartlos und unbedeutend, ist durch volles Haar

---

[1] Eine der Zeichnungen für Siena zeigt eine ähnliche Schiebung zur Seite.

und Bartwuchs nun gegen den etwas Frauenhaftes zeigenden Johannes in Gegensatz gebracht. Die Frau, die Christi Hand mit der ihrigen emporhält, ist nun allein an ihrer Stelle und die auf der Florentiner Skizze neben ihr sichtbare als bei der Handlung entbehrlich ausgelöscht. (Auf der ersten Skizze [Tod des Adonis] war es ein Mann gewesen.) Dadurch nun ist mehr Raum um den einzigen Träger zu Füssen Christi herum gewonnen. Auf der Florentiner Skizze ein bärtiger Mann, ist auf dem Gemälde ein unbärtiger Jüngling daraus geworden. Diese Figur ist nächst der Christi nun die, welche die Blicke am meisten auf sich zieht und dem Gedächtnisse sich einprägt: den auf der Skizze sich gegen die Last anstemmenden starken, aber, gleich den übrigen, angestrengten Mann, sehen wir in ihr wie um zwanzig Jahre verjüngt. Die Mühe ist diesem Jüngling ein Spiel. Er nähme den Leichnam allein in seine Arme und trüge ihn wie ein schlafendes Kind in sein Grab[1]). Dieser Gegensatz eines Ueberflusses jugendlicher Stärke zu dem Sichabmühen, das die andern Figuren, jede in ihrer Art, bekunden, ist eine jener im Stillen wirksamen Schönheiten, von denen Raphael's Werke erfüllt sind und durch die das Gefühl der Harmonie im Betrachtenden hervorgebracht wird, das bei ihrem Anblicke uns überkommt ohne dass wir es gleich auf seinen Ursprung zurückzuführen wüssten.

Zwischen diesem Träger und dem rechten Rande hindurch wird die auf dem Florentiner Blatte fehlende Maria mit ihren Frauen nun sichtbar, eine mit ausserordentlichem Kunstverstande aufgebaute Gruppe.

So mühte Raphael sich ab, das zu schaffen, was ihm selbst endlich als vollendet erscheinen dürfte. Anfänglich gehört nichts ihm eigen an. Von vielen Seiten nimmt er was

---

[1]) Bei den Teppichen scheint es auf der Bekehrung des Paulus in anderer Stellung wiederzukehren.

sich darbietet. Antike Basreliefs, ein Kupferstich Mantegna's, ein Gemälde Signorelli's, ein Marmorwerk Michelangelo's dringen am kräftigsten in seine Phantasie ein. Er ahmt unbedenklich nach. Der Tod des Adonis erinnerte an Signorelli's Basrelief in Orvieto, die zusammensinkende Mutter an den Sarkophag im Palaste Doria, die Gestalt Christi an Michelangelo's Pietà. Wo aber hat er etwas genommen, das nicht unter seinen Händen zu dem erst geworden wäre, was er brauchte? Man glaubt ein Werk der schaffenden Natur zu erblicken, wenn man, nur das Gemälde im Palazzo Borghese vor Augen, es als etwas von Anfang an Fertiges, in jeder Linie Nothwendiges vor sich zu haben vermeint. Alles, scheint uns, sei Raphael so in die Phantasie hineingeflogen: es könne sich nur darum gehandelt haben, es zu ergreifen. Und, im Gegentheil, so viel tastende Arbeit bei ihm, solches Schwanken, so viel Unbestimmtheit als Vorstufe der letzten Vollendung! So viel Verwirrung und Unklarheit zuerst. All diese Gestalten, die sich im ersten Augenblicke rein hervortretend ihm aufgedrängt zu haben scheinen, hat er langsam fortschreitend mühsam erst herausgearbeitet! Raphael's Grablegung ist ein Meisterwerk, aber ein allmählig hervorgebrachtes. Sie ist das Werk eines jüngeren Mannes — Raphael war 23 Jahre als er sie begann —, erscheint aber doch nur dann so, wenn wir sie mit den späteren Werken vergleichen. Von diesen musste sie freilich überboten werden. Anzunehmen aber haben wir, um ihr die richtige Stellung zu geben, all dies Nachfolgende sei noch nicht vorhanden.

Versetzen wir uns auf den Standpunkt des toscanischen Publicums von 1507. Lionardo hatte in der Art der Grablegung in seiner Heimath bisher überhaupt nichts geleistet. Michelangelo's Madonna Doni und was er sonst bis dahin als Maler geschaffen, war nebensächlicher Natur; die Sisti-

nische Capelle wurde 1508 erst begonnen. Mantegna, Perugino, Signorelli, Botticelli, Filippino, Francia waren die Meister,
mit denen Raphael damals in Vergleich kommen konnte:
weder in Malerei noch in Tiefe des Gedankens vermochte
einer von diesen ihn zu erreichen.

Vergleichen wir Mantegna's Stich der Grablegung nun
der Composition nach mit der Raphael's. Nur in einer der
Nebenfiguren tritt die Neigung des Künstlers hervor, in
die Darstellung des an's Wahnsinnige streifenden Schmerzes
zu verfallen, den Donatello auf verschiedenen Grablegungen
seiner Hand die Theilnehmenden zur Schau tragen lässt.
Mantegna ist gefasster in seinen Anschauungen. Der
schlaffe, schwere Leichnam Christi, mit tiefeingeschnittenen
Leidenszügen im Antlitze, wird dem Sarkophage, in dem er
ruhen soll, halb zugetragen, halb zugeschleppt. Derjenige
von den Trägern, welcher die beiden Zipfel des Bahrtuches
am Kopfende fasst und sie mit im am Ellnbogen aufgeknickten
Armen starkfaustig emporhält, damit die Last in der Mitte
nicht auf dem Boden schleife, vereinigt den Ausdruck körperlicher Energie und verhaltenen Schmerzes. Der das Fussende
trägt, das weniger angestrengte Kraft erfordert, kann sich der
Trauer mehr hingeben. Mit abgewandtem Gesicbte steht er da.
Zwischen beiden, quer über den Leichnam herübergreifend,
die Mutter in aufschreiendem Schmerze; hinter ihr, gleichsam um diese drei zuerst beschriebenen Personen in einer
gewissen Fassung erscheinen zu lassen, in Jammer aufgelöst,
mit erhobenen Armen, die andre Maria. Und zwischen ihnen
der Leichnam: die Hände, bei enganliegenden Armen, über
den Leib gekreuzt: das Bild eines zu Tode gequälten Mannes,
aus dessen Körper mit der Seele die ihm geistige Spann-
kraft verleihende Macht völlig gewichen ist. Fast sollte es
scheinen, als habe die bildende Kunst als Erklärerin der
Evangelien hier das Aeusserste geleistet. Jedenfalls mehr

als Michelangelo in der ihm zugeschriebenen, in England heute befindlichen, halb zur Unkenntlichkeit vernichteten Grablegung aus früher Zeit, keinem Werke, das neben Raphael's Grablegung und neben Michelangelo's Pietà hier in Betracht kommen könnte.

Wie anders fasst Raphael die Scene und gewiss nicht weniger im Geiste der Evangelien.

Der laute Jammer ist gedämpft und die zusammenbrechende Maria in den Hintergrund des Gemäldes gedrängt. Entfernt vom Leichnam ihres Sohnes, als sei sie umgesunken als der Zug vorwärtsschreitend an ihr vorüberkam und sie zurücklassen musste, giebt sie gleichsam den Anblick irdischen Todes im Vergleich zu dem Christi, der wie von ewigem Leben erfüllt nur schlummernd daliegt. Die zweite Maria, dicht neben dem Leichnam, scheint nur deshalb dem Zuge sich angeschlossen zu haben, weil sie die Hand Christi nicht sinken lassen wollte, die erhoben zu tragen ihr Amt war: sie scheint noch einen letzten Blick auf ihn zu werfen, um sich - dann wieder seiner ohnmächtigen Mutter zuzuwenden. Die Träger des Leichnams schreiten im Gefühl, die edelste Last zu tragen, einher. Und Christus selber: Milde und Ruhe und Schönheit scheinen in vollerem Maasse noch in ihm zu wohnen, als erfüllte sein Geist noch seinen Leichnam und verklärte ihn. Das konnte nur Raphael zu malen unternehmen. Keiner vor ihm und nach ihm hat den Abglanz himmlischen Lichtes auf irdischen Formen so einfach natürlich darzustellen gewusst.

Michelangelo's Pietà war vorausgegangen: ohne sie wäre Raphael's Gemälde nicht entstanden: in Einem aber wird Michelangelo's Werk dennoch übertroffen von dem Raphael's.

Die Natur lässt unter den Individuen, aus denen sie Völker zusammensetzt, von Zeit zu Zeit so gewaltige Erscheinungen sich erheben, dass sie inmitten von Millionen hervorragen. Sind solche Männer schaffende Künstler, so werden Leistungen ausserordentlicher Art entstehen.

Eine Eigenschaft wird diesen Werken stets innewohnen, die sie so entschieden von den Schöpfungen mehr der Durchschnittsgrösse der Nationen sich anpassender Künstler trennt, wie diese Künstler selbst von jenen abstehen: sie werden immer den Charakter des Ausserordentlichen tragen, dessen letzte Tiefe zu ergründen, den Massen des Volkes nicht gegeben ist. Daher mehr Staunen als völliges Verständniss, mehr Ehrfurcht als Liebe, die sie erwecken. Die Werke werden sich nie mit dem dargestellten Gegenstande gänzlich decken.

Hier nun überbietet Raphael alle anderen Künstler. Er schafft absichtslos wie die Natur. Eine Rose ist eine Rose; nichts mehr und nichts weniger; Nachtigallengesang ist Nachtigallengesang: keine Geheimnisse sind da noch weiter zu ergründen. So auch sind Raphael's Werke frei von persönlicher Zuthat.

Ein gewisser Glanz, der über ihnen liegt, lässt uns aussprechen: Raphael hat das gemalt!

Niemals werden wir mit solcher Freiheit ein Werk Michelangelo's geniessen. Immer wird eine leise Stimme aus ihnen zu sagen scheinen: ich bin das Werk des Michelangelo, nur durch seine Person geht der Weg zum vollen Verständnisse. Das auch klingt in Dante's Versen mit. Niemand wird jemals die stille Mahnung an die Person des schaffenden Meisters vergessen, der den todten Christus im Schoosse der Mutter sieht: Michelangelo's erste grosse römische Arbeit. Nicht Christus und seine Mutter allein, sondern Michelangelo unsichtbar mit ihnen ist dargestellt. Sein Geist spricht zu uns aus diesem Marmor. Und wiederum: nicht sein Geist als allgemein formende Macht strömt aus seiner Arbeit uns entgegen, sondern als der eines besonderen Menschen, der unter eigenen trüben, schweren Gedanken dies Abbild höchster Trauer langsam entstehen liess, es, seinem eignen Bilde zufolge, mit Meisselschlägen dem Marmor entlockte.

Bei Raphael tragen auch die erschütterndsten Dinge, die er darstellt, kein beschwerendes Gewicht von Individualität, sondern ein erleichterndes Fehlen aller persönlichen Besonderheit ist ihr Kennzeichen. Er scheint nicht zu denen zu gehören, welche den Durchschnittscharakter ihrer Nation überragen, sondern er steht da als eine Personificirung dieses Durchschnittscharakters eben [1]). Er hält das Maass, mit dem die grosse Menge gemessen worden ist. Er steht Jedem nah, ist Jedermanns Freund und Bruder: Keiner fühlt sich geringer neben ihm. Es bleibt kein Rest vom Geheimniss unerklärt und ungenossen zurück. Dürer würde ihm hier vielleicht gleich stehn, hätten seine Formen sich völlig über die des Deutschen Quattrocento erhoben. Nur in seinen letzten Werken aber ist ihm dies geglückt. Dürer hat mehrfach Grablegungen gezeichnet: den Weg zum Grabe sowohl, als die Einsenkung in den Sarkophag. Am einfachsten ist die in der Reihe der sogenannten kleinen Holzschnittpassion und hier bietet sich ein auffallender Unterschied dar, wenn wir Dürer's Auffassung mit der Raphael's vergleichen.

Schon beim Sposalizio trat Raphael's natürliche Neigung hervor, Männer als in jüngeren Jahren stehend darzustellen. Auch bei der Grablegung zeigt sie sich. Das sind, Maria abgerechnet, lauter jugendliche Personen. Bei Dürer dagegen hat das Alter den höheren Preis [2]). Seinen Christusgestalten prägt er den Typus eines älteren Mannes auf. Ueberall tritt

---

[1]) Ich bin an anderen Stellen meiner Schriften in anderer Weise noch zu ähnlichen Ausführungen gekommen.
[2]) Weiter ausgeführt XV. Ess. I. Folge, 3. Aufl. S. 555 u. 557 ff.

dies hervor, am schönsten bei seinem Crucifixe von 1523 (1521), zu dem Ephrussi die Zeichnung zuerst veröffentlichte[1]). Die Erfahrungen eines langen Lebens scheinen in diesem Haupte und diesem Leibe verkörpert. So fasst Dürer auch die Grablegung, verwandt darin Mantegna. Aeltere Männer sehen wir Einen, der im Leben wie sie war, in das Grab hinabsenken. Aeltere Männer waren in den Deutschen Städten das ausschlaggebende Element: sie bilden überall bei Dürer die Hauptmasse wo er Publicum auf seinen Darstellungen anbringt. Bei Raphael dominirt immer die Jugend. Selbst auf Disputa und Schule von Athen, wo das Alter den Vorrang haben muss, hat Raphael so viel jugendliche Gestalten der Composition zugemischt, dass sie vorzuherrschen scheinen. Der Anblick der Jugend hat etwas Befreiendes, Erquickendes. Mir kommen unter den jungen Leuten, deren Blicke in den Vorlesungen auf mich gerichtet sind, die besten Gedanken. Es ist als lockten sie sie hervor. Raphael muss empfunden haben, dass einem Gemälde, wenn es recht wirken solle, dieser Bestandtheil so reich als möglich verliehen werden müsse. —

Bedenken wir im Rückblicke auf das Sposalizio auch noch Folgendes.

Das heutige Leben producirt im äusseren Anscheine der unserem Auge sich darbietenden Dinge wenig, das dem bildenden Künstler sich als Stoff für Bethätigung seiner Kunst aufdrängte. Porträts und Statuen sind grossartige Aufgaben, werden nie aber das Talent eines Malers oder Bildhauers bis in die Tiefe in schaffende Bewegung setzen. Was soll er darstellen? Welches Werk soll ihm das Gefühl geben, ein für die Lebensarbeit der Zeit unentbehrliches Element geschaffen zu haben? Auch eine reiche Phantasie wird fragend heute manchmal nicht wissen, was.

---

[1]) Ephrussi, A. Dürer et ses Desseins S. 321.

Wie sicher schrieben die beiden Jahrhunderte, in denen
Raphael gelebt hat, den Künstlern ihre Arbeiten vor. Scheinbar ein geringer Umkreis von Stoffen, die sich darbieten: immer wieder Madonnen und heilige Geschichte, dazu allmählig
Darstellungen antiker Mythen, diese aber mehr ornamental
gefasst. Und wie völlig nehmen diese Dinge, die von den
Künstlern verlangt werden, deren schaffende Kraft in Anspruch! Eine Vermählung Maria's! Eine Grablegung Christi!
Ein Künstler, dem das darzustellen obliegt, kann Alles in sein
Werk hineinlegen, was in der Seele eines Menschen an Gefühl und Gedanken Platz hat. An seine Kunst darf er bei
solchen Stoffen die höchsten Anforderungen stellen und das
Publicum von ihm das Höchste begehren, dieses dann aber
auch beim Anblicke solcher Werke in seinen tiefsten Empfin-
dungen sich berührt fühlen. Dies der Grund, weshalb die
Epoche der Kunstgeschichte am eindringlichsten zum Studium
auffordert, in der unter solchen Vorbedingungen Kunstwerke
zur Entstehung gekommen sind. —

Noch eine letzte Vergleichung.

Welches war der Gang gewesen, in dem Raphael's Composition nach dreifachem Ansatze sich zu ihrer endlichen
Gestalt entwickelte? Drei Männer sehen wir zuerst, die
einen Todten forttragen. Die Leiche ist die zu bewegende
Last: der eine fasst sie oben, der andere unten, der dritte
umfängt sie in der Mitte: die natürlichste Arbeitstheilung.
Und wohin war Raphael beim Abschlusse gelangt? Zwei
Hauptkräfte nur, die sich in die Last theilen: am Kopfende ein
bärtiger Mann, am Fussende ein Jüngling, der Leichnam wie
der Körper eines Schlafenden zwischen ihnen. Alle übrigen Gestalten sind entbehrliche Zuthat. Nur die die eine Hand Christi
emporhaltende Frau dürfte nicht fehlen, bleibt immer aber eine
begleitende Gestalt nur. Wir haben auch gesehen, wie die

Scheidung von Jung und Alt bei den Trägern eine allerletzte Nüance war, die Raphael's künstlerischer Takt fand.

Und nun stellt sich heraus, dass dieses letzte individuelle Erzeugniss Raphael's doch nichts Anderes sei als die Rückkehr zu der edelsten Formel, die die griechische Kunst zweitausend Jahre vielleicht vor Raphael und diesem unbekannt, für Grablegungen gefunden hatte!

In griechischer Malerei besitzen wir so gut wie nichts. Allerlei Bruchstücke aber sind doch wieder an's Licht gekommen, die uns ahnen lassen, was die Augen der griechischen Maler der Natur absahen und wie ihre Hände es niederzeichneten. Die Scherben athenischer Todtenvasen, die, in das Grab dem Leichnam nachgeworfen um zu zerbrechen, nun wieder zu Tage gefördert und neu zusammengesetzt worden sind, verrathen uns entzückende Gebilde griechischer Malerei. Auf solchen Todtenvasen, die heute in Berlin und in London stehen[1]), erblicken wir Grablegungen.

Da dehnt sich ein Leichnam vor uns aus: ein Todter, und zugleich doch nur ein Schlafender. Zwei Gestalten tragen ihn. Der eine zu Häupten, hinter ihm stehend, ihm unter die Achseln greifend. Der eine Arm des Todten, dessen Kopf sich der Schulter leise zusenkt, hängt herab. Die andre Hand des Todten ist leise erhoben: offenbar ist eine Gestalt hier hinzuzudenken, die sie emporhält. Der zweite Träger, am Fussende, fasst nach den Beinen des Todten. Jener ein geflügelter Jüngling; dieser, auch geflügelt, ein bärtiger Mann. ‚Tod‘ und ‚Schlaf‘ werden beide erklärt. Was Raphael dunkel tastend einsam gefunden hatte, war von den Griechen längst zur gemeingültigen Formel ausgebildet worden. —

Mit welcher Sorgfalt Raphael sein Werk ausgeführt habe, zeigt auch die Predella, die aus einer Reihe grau in grau

---

[1]) Robert, Thanatos, Programm zum Winckelmannsfeste 1879. Man vergleiche die verschiedenen darin gegebenen Abbildungen.

leicht gemalter Figürchen besteht, Darstellungen von grosser
Schönheit[1]). Sie befindet sich heute in der vaticanischen
Gallerie, während die Grablegung, wie wir sahen, im Palaste
Borghese steht. Eine Copie ist in Perugia an ihre Stelle
getreten. Die darüber angebrachte Tafel mit Gottvater,
welche Passavant für Raphael's Arbeit hält, wird ihm von
Andern mit solcher Sicherheit abgesprochen, dass Passavant
hier geirrt zu haben scheint[2]).

DRITTES CAPITEL.

DIE CAMERA DELLA SEGNATURA.

I. Allgemeines.

Es lässt sich nicht feststellen, wenn Raphael nach Rom
ging, um die Wände der Camera della Segnatura auszumalen. Vasari scheint widersprechende Notizen darüber
empfangen zu haben. In der Vita Raphael's giebt er uns
nur darin einen Anhaltspunkt, dass er sagt, Raphael habe,
als er Florenz verliess, eine Madonna dem Ridolfo Ghirlandajo hinterlassen, damit er das blaue Gewand fertig malte.
Die ‚bella Giardiniera‘ des Louvre ist für diese Madonna erklärt worden und die darauf befindliche Jahreszahl würde,
träfe dies zu, von Gewicht sein. Aber man ist nicht einmal
sicher, ob MDVII oder MDVIII zu lesen sei.

---

[1]) Diese Figuren sind von Wichtigkeit für die in diese Zeit an-
gesetzten Madonnen.
[2]) Vgl. den Artikel ‚Stefano Amadei‘ in J. Meyer's Künstlerlexikon.

In der Vita des Garofalo giebt Vasari eine Jahreszahl an: 1505 soll Garofalo nach Rom berufen worden sein, wo ein ferraresischer Edelmann ihm zu thun geben wollte. Und zwar soll er diesem Rufe um so lieber gefolgt sein, als er die ‚Wunder Raphael's, von denen die Welt voll war‘, zu sehen begierig gewesen sei. Doch setzt Vasari hinzu, auch die von Michelangelo vollendete Sistinische Capelle habe Garofalo damals mächtig angezogen, dessen Gefühle beim Anblicke beider Werke von ihm geschildert werden. 1509 aber erst ist die erste Hälfte der Capelle aufgedeckt worden.

Im Leben des Giuliano di San Gallo endlich berichtet Vasari über Giuliano's Wettstreit mit Bramante, wem von ihnen beiden der Neubau der Peterskirche zufallen sollte. Bramante habe den Sieg davongetragen, weil sich unter anderen Leuten von Bedeutung auch Raphael in Rom damals in der für ihn thätigen Partei befunden hätte. Das hätte sogar 1504 also gewesen sein müssen. Hier nun hat es den Anschein, als habe Vasari unbedacht darauf losgeschrieben, denn in demselben Leben des Giuliano da San Gallo erzählt er weiter, wie Giuliano, nachdem Bramante den Sieg davongetragen, erzürnt nach Florenz gegangen sei, von wo Giulio II. ihn dann mit guten Worten erst zurückholen musste, da Giuliano anderer Arbeiten wegen dem Papste unentbehrlich war. Endlich habe er sich dann zur Rückkehr verstanden und den Papst jetzt auf den Gedanken gebracht, die Sistinische Capelle durch Michelangelo ausmalen zu lassen. Und zwar habe Giuliano deshalb durchgesetzt, dass Michelangelo dieser Auftrag zu Theil ward, weil Raphael, inzwischen von Bramante nach Rom gebracht, die päpstlichen Gemächer (die Camera della Segnatura also) ausgemalt hätte und der Papst höchst befriedigt von dieser Arbeit gewesen sei.

Vasari erzählt die Dinge so fast mit den gleichen Worten in beiden Auflagen. Hatte er nicht bemerkt, dass er Ra-

phael so zweimal nach Rom gelangen lässt? Einmal war
Raphael schon dort, um Bramante zu unterstützen, und dann
bringt es dieser dahin, dass der Papst Raphael, während Giuliano's Abwesenheit beruft. Vielleicht ging Vasari's Meinung aber nicht dahin, es dürfe Raphael wenn der Papst
ihn für die Camera della Segnatura berief, nicht doch vorher
schon in Rom gewesen sein. Auch Michelangelo, als Giulio II.
ihn für die Sistinische Capelle nach Rom berief, war, wie wir
wissen, vorher schon dort gewesen, und schon 1504, als derselbe
Papst ihn zum erstenmale hatte kommen lassen, war er vorher
dort gewesen. Nach Rom strebten damals alle Leute von Talent,
zumal die Künstler. Wir sehen, wie Jeder an der ewigen grossen
Concurrenz dort theilnehmen möchte, die den Höchstbefähigten
zu den höchsten Errungenschaften gelangen liess. Raphael also
konnte beliebig oft in Rom gewesen und von da nach Perugia oder
Florenz zurückgegangen sein — genau so wie die übrigen Künstler
thaten — bis es ihm glückte, eine Bestellung in Rom zu erhalten.

Hier ersetzen Raphael's Handzeichnungen den Mangel
schriftlicher Nachrichten: ich sehe die ersten Skizzen zu den
Malereien in der Camera della Segnatura als zu einer Zeit entstanden an, wo Raphael die Grablegung noch nicht vollendet
hatte. Während der Arbeit an ihr muss er die anfängliche
erste Redaction der Entwürfe gemacht und (persönlich oder
durch Andre) dem Papste vorgelegt haben. Nehmen wir
dies an, so würde Vasari's Erzählung des Verlaufes der
Dinge im Leben des Giuliano da San Gallo, was die Reihenfolge der Dinge anlangt, das Richtige getroffen haben und
auch Condivi's Bericht damit stimmen, demzufolge Raphael
als schon vorhandene Macht, mit der in Rom gerechnet
werden musste, von Michelangelo für Ausmalung der Sistinischen Capelle dem Papste vorgeschlagen wurde, da Michelangelo selber anfangs, wie bekannt ist, den ihm unerwünsch-
ten Auftrag loszuwerden bemüht war.

Wann Raphael mit der Malerei aber begann und in welchen Zwischenräumen er für die Camera della Segnatura thätig war, wissen wir nicht. Denn dieselben Jahre sind es, in denen Michelangelo die Decke der Sistinischen Capelle gemalt hat, und wie wenig günstig diese Jahre der Kunst waren, und mit welchen Unterbrechungen er in der Sistina arbeitete, weil seitens des Papstes, der durch auswärtige Kriege fern gehalten wurde, keine Bezahlung erfolgte, verfolgen wir in Michelangelo's Briefen. Ohne Zweifel litten die in Rom beschäftigten Künstler unter der Ungunst dieser Lage gleichmässig und sie erklärt vielleicht, warum wir in Raphael's Vorarbeiten für seine Wandgemälde Epochen nachzuweisen im Stande sind.

Raphael's erste Entwürfe gleichen den Gemälden, wie sie dastehen, wenig und seine Fortschritte sind augenscheinlich. Sie sind so auffallend, ich möchte sagen: inhaltreich, dass wir in diesen Zeichnungen und Studien nicht nur für ihn, sondern für die gesammte moderne Kunst wichtiges Material besitzen. Bei keinem Meister vermögen wir das geistige Wachsthum stufenweise so zu verfolgen wie bei Raphael in den Vaticanischen Gemälden.

Die Camera della Segnatura liegt mit den übrigen Gemächern, in denen Raphael malte, in einer Flucht. Sie ist viereckig, gewölbt, weit und gross, aber doch den Charakter eines Wohnzimmers tragend. Die bunten Fenster, die Wilhelm von Marseille gemalt hatte, sind verschwunden, auch das Täfelwerk ist nicht mehr da, das ringsum bis zum Beginn der Gemälde auf Manneshöhe die Wände und Fensterleibungen bedeckte. Dennoch empfängt man den Eindruck des Festlichen, Fürstlichen, Vornehmen, den die Renaissance ihren Bauten durch das feine Abmessen der Verhältnisse zu verleihen weiss. Wie behaglich neben den grossen Fenstern die kleinen Thüren in den Ecken das Private dieser Ge-

mächer kennzeichnen. Wie angenehm diese lichten Fenster
selber, mit den breiten Marmorsitzen in ihren Leibungen.
An zwei Wänden, nach Osten und Westen einander gegenüberliegend, schneiden die Fensteröffnungen hoch und breit
in die Wände ein und verringern hier die für die Malerei bestimmte Fläche, während an den beiden andern Wänden die
Thüren nur mit der einen Ecke ein Unbedeutendes fort-
nehmen. An den Fensterwänden sind über und um die Fenster oben hier der Parnass, dort verschiedene auf das Jus bezügliche Darstellungen gemalt; auf den beiden vollen Wänden thronen Disputa und Schule von Athen von Angesicht
zu Angesicht. Tief herab neigen sich in den Ecken die
Spitzen des Kreuzgewölbes, alle vier Wände nach oben
hin halbmondförmig abschneidend. Auch das Gewölbe
ist bedeckt von Malerei: unberührbar und dem Staube
keine Ruhefläche bietend, haben diese Darstellungen am
besten den ursprünglichen Zustand bewahrt und lassen (soweit Raphael sie eigenhändig ausgeführt hat) im Vergleiche
die Verderbniss erkennen, der die Wandgemälde im Laufe
von nun über viertehalb Hundert Jahren anheim gefallen sind.

Die ersten Angriffe erduldeten die Wände bald nach Raphael's Tod, 1527, als Bourbon Rom stürmte. Ihre ungeschickte Wiederherstellung erregte den Aerger Tizian's, der
sie zwanzig Jahre später sah. Wieder hundert Jahre später
etwa schreibt ein Niederländer aus Rom, der die Wände zu
copiren hatte, in Bälde werde dem allgemeinen Urtheile nach
von diesen Sachen nichts mehr zu sehen sein. Um 1700
reinigt und restaurirt sie Maratta. Von da ab erfahren wir
nichts Officielles mehr. Zu Goethe's Zeit, 1787, hatten
Schmutz und unverschämte Manipulationen der Copisten sie
in traurigen Zustand versetzt. Heute zeigen sie eine trübe
Reinlichkeit, die erkennen lässt, wie man in der Stille geputzt und aufgefrischt habe.

Indessen, es wohnt den Werken grosser Meister die
Fähigkeit inne, unter ungünstigen Umständen noch eine bedeutende Wirkung hervorzubringen. Das auffallendste Beispiel hiervon ist das Abendmahl des Lionardo in Mailand.
Wer davor gesessen hat, wird die Erfahrung gemacht haben.
Nicht einmal mehr oder weniger gut erhaltene Stellen giebt
es hier, sondern Alles ist gleichmässig ruinirt. Durch Feuch-
tigkeit gleich anfangs abgeblättert, natürlicher Verwitterung
400 Jahre weiter ausgesetzt, scheint das Gemälde anfangs
nichts als eine Anzahl Flecken zu sein. Nach einiger Zeit
jedoch fangen diese an sich wie zu beleben, das Auge entdeckt immer mehr Zusammenhänge und zuletzt liegt Lionardo's Gedanke wie eine Art Schimmer oder Traumbild auf
der Wand vor uns. Unsere Phantasie hat die sich darbietenden Hindernisse überwunden gleichsam und giebt sich dem
Wenigen, was noch vorhanden ist, hin. Einen ähnlichen
Process machen wir durch vor Raphael's Wandgemälden in
der Camera della Segnatura. Die kalte, abgeputzte Oberfläche wird warm und durchsichtig, die Gestalten, die be-
staubt und abgeblasst dastehen, treten in den alten natürlichen Glanz zurück und die lebensvolle Atmosphäre liegt
über dem Werke wieder, die ihm anfangs eigen war.

Die Disputa, die ich zuerst nenne weil diese Reihenfolge heute so hergebracht ist[1]), zeigt eine um einen auf ganz
sanft ansteigenden Stufen errichteten Altar, der genau die
Mitte der Composition einnimmt, versammelte Gesellschaft,
und über ihr, im Gewölk oben, eine zweite Versammlung der
himmlischen Heerschaaren. Der Altar, auf dem die Hostie
steht, bildet gleichsam die Vereinigung beider Welten, der
irdischen und überirdischen, denn auf diesen Altar senken sich
vier Engel, die aufgeschlagenen Evangelien über sich haltend,

---

[1]) Vasari, wie wir sahen, beginnt mit der Schule von Athen.

aus den tief herabgedrückten Gewölken herab. Was den
Blick zu allererst aber fesselt, ist der unendlich scheinende
lichte Horizont, in den das Auge über den Altar hinweg
eindringt. Bald stört uns die Verderbniss nicht mehr,
der dieser Theil des Gemäldes zumeist anheimgefallen
ist. Man glaubt in die weite Klarheit der Luft einzudringen, in die es uns wie hineinlockt, und sieht darüber
nun, im rund abgeschnittenen oberen Theile des Gemäldes
den geöffneten Himmel sich aufbauen, dessen oberste Spitze
Gottvater selbst bildet. Man möchte das Wort ‚unendlich‘
für Alles gebrauchen, was man hier sieht[1]). Unendliche
Engelschaaren scheinen heranzuschweben, unendliche Heilige
auf dem untersten Saume des Gewölkes zu sitzen, nach allen
Seiten hin scheint, wie beim wirklichen Himmel, den die Natur
selbst bietet, oder wie beim Meere, nichts das Auge zu hem-
men: und doch steht uns nur eine kleine Fläche vor Augen
mit einer Anzahl Figuren, die sich leicht zählen liessen. Aber
die Empfindung des Meisters, aus der heraus das Werk entstand, geht in uns über und verleitet die Phantasie, etwas
zu erblicken, was überhaupt nur von der Phantasie erblickt
werden kann.

Was uns nach dieser ersten Begrüssung des Gemäldes
sodann berührt und zum Fragen anregt, ist die Würde der
irdischen Versammlung unten um den Altar und zugleich die
geistige Bewegung, die jeden Einzelnen erfüllt, alle irgendwie offenbar von dem betroffen, was der sich öffnende Himmel
ihnen darbietet. Ob die unten wirklich in den Himmel hinein-
sehen oder nur im Geiste schauen was er enthält, ist nicht recht

---

[1]) ‚Infinito‘ ist Vasari's Lieblingsadjectiv, das er unaufhörlich anwendet wo er den Eindruck des unbestimmt Massenhaften oder über-
raschender Fülle andeuten will. Auch entspricht der Effect des Wortes,
selbst wenn es, wie von Vasari, missbraucht wird, stets dem erwarteten
Dienste.

nichts von dem über ihr sich Ereignenden, während Andere
ausdrücklich das Gegentheil wollen. Was stellt das Werk dar?

Auf der gewölbten Decke, gerade über der Wandfläche
die es einnimmt, sehen wir in einem Runde eine herrliche
weibliche Gestalt thronen, nicht mit der Inschrift ‚Theologia‘,
sondern mit den Worten ‚Divinarum rerum notitia‘ ‚die Kenntniss der göttlichen Dinge‘. Die Illustration dieses Gedankens
enthält das Gemälde: die Darstellung des Momentes, wo das
der Menschheit sich offenbart, was ihr in der Hostie auf
dem Altare während der Messe, dem Glauben der katholischen Kirche nach, wie in körperlicher Berührung zu Theil
wird. Die Hostie verwandelt sich in den Leib Christi. Daher
Vasari's enger gefasste Deutung des Gemäldes, es sei darauf
die erste Messe dargestellt, durch die zum erstenmale hier
die Menschen des Göttlichen in dieser Gestalt theilhaftig wurden. Als Inhalt der Bewegung um den Altar unten, die
gelehrte Thätigkeit, deren Resultat die Constituirung der
Messe war, zugleich der Moment, wo diese gelehrte Thätigkeit ihren Abschluss fand, durch die Erscheinung der himmlischen Heerschaaren selber, in deren Gegenwart nun nur
noch Anbetung und nicht mehr wissenschaftliches Verhandeln Platz greifen konnte. Diesen Uebergang erblicken wir:
Einige lesen und schreiben und denken und verhandeln noch,
Andere schauen bereits was sich über ihnen aufgethan hat
und ihre Gedanken sind von der Concentrirung auf Einzelnes
zum Aufnehmen des Allgemeinen, was über alle Gedanken
hinausgeht, hingewandt.

Es ist gestritten worden und wird noch gestritten bei
Deutung der Disputa. Nachdem man sich so tief in diese
Dinge eingelassen hatte, bis endlich keine Figur der Com-

position ohne Darlegung ihrer besonderen Mission geblieben war, hat man das Uebermaass dieser Bemühungen erkannt und hält das Allgemeine wieder mehr für das Wichtige. Bellori war um 1700 der erste dieser gelehrten Erklärer, Passavant ist der letzte gewesen. Mein Bemühen war stets, darauf hinzuweisen, dass Raphael weder hier als gelehrter Theologe, noch bei der Schule von Athen als Kenner der Philosophie, geschichtlich symbolische Tableaux habe liefern wollen, sondern dass das Schöne, malerisch Verwendbare als das Vorzüglichste in erster Linie von ihm berücksichtigt werden musste.

Disputa und Schule von Athen liegen einander, wie gesagt, auf den vollen Wänden gegenüber, während in die beiden anderen Wände die Fenster mit ihren gewaltigen Vierecken hoch in den Halbkreis einschneiden, der zu bemalen war. So kommt es, dass das anstossende Gemälde, zu dem ich nun übergehe, der Parnass, auf viel beschränkterer Fläche gemalt worden ist. Raphael hat die aufragende Fensteröffnung selbst dazu benutzt, als ideale Masse den Parnass zu repräsentiren: was rechts und links vom Fenster dargestellt ist, hält sich gleichsam am Fusse des Berges, darüber erheben sich andere Figuren zu dessen halber Höhe und es wird so die Verbindung mit denen in der Höhe über dem Fenster vermittelt, in dessen Mitte, unter einem durchsichtigen Wäldchen zarter Lorbeerbäume, Apollo sitzt, nackt, wie ein Gott sein darf, unter den zum Theil in vornehmer zeitgenössischer Tracht ihn umgebenden Musen die Violine spielend. Links, ein wenig hinter ihm stehen Homer und Virgil, Homer, als langte er eben auf dem Gipfel an, die Uebrigen alle, als ob sie von seiner Ankunft berührt seien. Homer, den jedes Zeitalter als den höchsten aller Dichter anerkannt hat, blickt mit den blinden Augen empor und singt: er ist der einzige von allen Dichtern, der seine

Stimme erhebt: die andern lauschen und gebieten einander
Schweigen, damit er nicht gestört werde. Auch Apollo
schweigt, er begleitet mit der Violine nur den Gesang
Homers. Raphael hat, allgemein genommen, denselben Gedanken hier zum Inhalte seines Werkes gemacht, den er
der Disputa zu Grunde legte, wo die verhandelnde Menge
verstummt weil der Himmel sich aufthut.

Das Gemälde ist besser erhalten als die beiden grossen,
weil es höher und unerreichbarer ist und weil die Sonne es
nicht bescheinen kann, die oft genug über die beiden andern
langsam mit ihren Strahlen mag gegangen sein. Dagegen ist
der Parnass wiederum des blendenden Fensters wegen, dessen
Höhlung er umgiebt und dessen Licht uns entgegenspringt,
dem Auge nicht gut sichtbar und Braun's bei künstlicher Licht-
wirkung hergestellte Photographie gewährt bei anfänglicher Bekanntschaft mehr als der Anblick des Gemäldes. Auch steht der
Gegenstand uns ferner, weil wir diese Vermischung der Antike und des Modernen weniger unbefangen aufnehmen. Der
höhere Inhalt des Parnasses ist uns heute gleichgültig. Wichtig
ist uns, wie die Römer in den Tagen Raphael's, die auch die
der Jugend Luther's waren, theologische und philosophische
Dinge auffassten: wir suchen uns ein Bild zu gestalten,
wie die mächtige Kirche, gegen die die Deutschen sich
erhoben, in ihren höchsten Gedanken beschaffen war; die
weltliche Poesie und Musik dieser Zeiten aber ist uns fremd,
und trägt wenig in sich was unsere Neugier erregt. Selbst
mit den besten Namen von italienischen Dichtern und Musikern jener Tage, deren Ruhm in aller Munde damals war,
wissen wir nichts anzufangen. Pontan, Sannazar, Polizian,
Pulzi, sogar Ariost sind Leute, von denen Niemand einen
Vers gelesen hat, und Dante und Homer stehen auf Raphael's
Parnass wie Fremde vor uns, in unbekannter Gesellschaft. Beinahe ist uns die herrliche Gestalt der Poesie, die als Ueber-

schrift in den Malereien der Decke über dem Parnass ihre Stelle fand, vertrauter als alles was der Parnass selbst an einzelnen Gestalten darbietet.

An dritter Stelle nun ist die Schule von Athen zu beschreiben.

Wir blicken in hohe Hallen hinein, Bogengänge, die einen Palast oder einen Tempel bedeuten sollen. Ueber breiten Wänden, in denen Statuen stehen, erhebt sich die gewölbte Decke, weiter im Hintergrunde ahnt man eine Kuppel, dann geht es durch Säulen wieder in's Freie. Eine herrliche grossartige Architektur. Der Raum ist erfüllt von Männern, Greisen und Jünglingen. Eine gelinde Treppe von wenig Stufen, der Breite nach das ganze Gemälde durchschneidend und von Menschen belebt, die hinauf- und hinabsteigen, führt zu der Plattform empor, auf der der Bau sich erhebt, und zu den Gestalten, die den eigentlichen Kern der Composition bilden, während am Fusse dieser Treppe, vorn rechts und links starke Massen von Gestalten durch jene Hinan- und Hinabsteigenden mit der oberen Menge in Verbindung gehalten werden. Von diesen unteren beiden Gruppen zeigt die, welche nach links hin in den Rand des Gemäldes verläuft, Greise, Männer, Frauen und Kinder: alle lesend oder schreibend, während die auf der anderen Jünglinge zeigt, die sich mit Mathematik beschäftigen. Aber diese beiden unteren Gruppen, obgleich uns am nächsten, treten zurück gegen die Gestaltenfülle auf der Höhe der Treppe, geschaart um zwei Männer, die, die Mitte der Composition bildend wie der Altar bei der Disputa und wie Apoll auf der Höhe des Parnass, nebeneinander stehend, im wichtigsten Gespräche befangen erscheinen und die die Uebrigen umstehen. Dargestellt ist, wie Paulus in Athen unter die griechischen Philosophen tritt und den einen Gott und die Unsterblichkeit der Seele verkündet. Und wie auf dem Parnass der Gesang Homer's nur

die Nächsten erst anzieht, während die Andern, Entfernteren
allmählig erst verstummen, um auch ihrerseits dann zu lauschen; oder wie auf der Disputa nur die dem Altar zunächst
Sitzenden und Stehenden verstummend aufblicken, weil
der Himmel selbst sich aufthut, während die Entfernteren
allmählig erst erfahren, welches Wunder sich ereigne, so
auch auf der Schule von Athen: nur die Nächsten hören
staunend, wie Paulus den Zusammenklang heidnischer und
christlicher Philosophie darthut, während die Andern, allmählig erst die eignen Gespräche aufgebend, langsam an
seinen Worten Theil zu nehmen beginnen.   Wie ein in's
Wasser fallender Stein weiter und weiter seine sanften Kreise
ausdehnt und jede andere Bewegung in diese hineinzieht, so
hier ein von der Mitte ausgehender geistiger Anstoss, dessen
Ausbreitung vor unseren Augen sich vollzieht.

Die vierte Wand ist anders ausgeführt als ursprünglich
beabsichtigt worden war und trägt Darstellungen, die in einem
andern Geiste durchgeführt worden sind als die eben beschriebenen: den Papst, wie ihm das geistliche, den Kaiser,
wie ihm das weltliche Gesetzbuch überreicht wird.   Zu den
beiden Seiten des Fensters sind diese Compositionen angebracht.   Ihre naturalistische Auffassung zeigt, wie nach Vollendung der drei ersten Raphael zu einer anderen Auffassung
übersprang; und in der gleichen Manier sind über dem Fenster Stärke, Mässigung und Klugheit gemalt, ornamentale
Allegorien, wohl das Letzte was zum Abschlusse dieses Gemaches geschah. Ungewiss ist, ferner, wann Raphael die Decke
malte, die tief niedergehend grosse Flächen darbot und deren
geschmackvolle Eintheilung von ihm selbst nicht ausging,
sondern von Soddoma, einem der Maler, die vor ihm im
Vaticane diese Zimmer malen sollten und die er, wenn
Vasari Recht hat, allmählig erst verdrängte.   Die Decke,
um dies zu wiederholen, ist im Vergleiche zum Uebrigen

von Verderbniss fast unberührt. Nichts verräth uns so deutlich, wie die Gemälde an den Wänden einst gewesen waren.
In die grösseren und kleineren Umrahmungen, welche sie darbietet, brachte Raphael eine Reihe grösserer und kleinerer Darstellungen hinein. Zuerst jene vier Gestalten, in runden Feldern
über jeder der vier Wände, gleichsam als Ueberschriften der darauf befindlichen Darstellungen. Jeder Strich an ihnen bezeugt,
dass sie zu der grossen geistigen Familie gehören, die Raphael's Namen trägt, zugleich aber ist jede Gestalt der anderen unähnlich und eine für sich bestehende Schöpfung.
Raphael's Florentiner Madonnen gleichen sich untereinander
mehr als diese vier allegorischen Frauen. Es ist ihnen ein
heroisches Element eigen, dem wir bei Raphael hier zum
erstenmale begegnen. Seine Madonnen neigen zum Einfach-
menschlichen, sie scheinen Gedanken zu beherbergen, die
jede junge Frau, die zu ihnen aufblickt, bewegen könnten,
es umwebt sie zuweilen nur ein leiser Hauch jenes prinzes-
sinnenhaften Wesens, das die zweite Hälfte des Cinquecento
den Madonnen meist verleiht, als ob eine Mutter Gottes anders nicht gemalt werden dürfe; Poesie, Theologie, Jurisprudenz und Philosophie aber, wie Raphael sie hier in weiblichen Gestalten an die Decke gebracht hat, haben etwas
Irdisch-königliches, als ob sie sich voll bewusst wären
wie wichtige Gebiete zu ihren Füssen ausgebreitet liegen.
Wie kühn die Gestalt der Philosophie den einen Fuss vor-
setzt auf das Gewölk, das den Grund ihres Thronsessels
bildet, wie energisch der andere zurückgezogen ist! Raphael
hat den Geist der schaffenden Natur in ihr verkörpern wollen.
Ihr Obergewand ist von Sternen besäet, auf ihrem Untergrunde
ein Muster von Blättern und kleinen bewegten Fischen, ihre
ganze Erscheinung phantastisch, aber, wie sie mit dem
nackten rechten Arme, vorn querüber nach dem auf dem
linken Schenkel ruhenden Buche fasst, von lebendiger Natur-

wahrheit. Und ebenso die Füsse, die Hände, der Hals, das Antlitz: nichts Schattenhaftes in ihrer Erscheinung. Zwei dienende Genien: Amoren oder Engel, oder vielmehr nur Knaben denen die Flügel fehlen, tragen auf zwei Tafeln die Firma der Göttin: Causarum Cognitio: die Philosophie, als forschende Wissenschaft aufgefasst, entsprechend dem Inhalte der Schule von Athen, auf der das Suchen nach der Wahrheit dargestellt worden ist, dem Paulus durch die Verkündung höherer Wahrheit einen Abschluss giebt.

Bei der Theologie tritt das Frauenhafte, Mütterlicbe mehr hervor als bei der Philosophie. Die Arme sind bekleidet, ein Schleier umwallt sie, zum Theil auch das Haupt, das ein Olivenkranz umgiebt, nur das Gewölk ist ihr Sessel, aber nicht weniger energisch ihre Bewegung als die der Philosophie. Diese scheint mit gespannter Aufmerksamkeit etwas zu erwarten: den Ausgang der Unterredung zwischen Paulus und den athenischen Philosophen, die Theologie dagegen auf's äusserste überrascht zu sein von der Offenbarung, die den Männern der Kirche zu Theil wird.

Die Absicht, in den allegorischen Personen die Thätigkeit zu charakterisiren, welche das Gemälde unter ihren Füssen darstellt, tritt noch auffallender hervor bei der Jurisprudenz, die mit erhobenem Schwerte dasitzend, ‚Jedem sein Recht ertheilt‘, ‚Jus suum unicuique tribuit‘, und bei der Poesie, mit der Bezeichnung ‚Numine afflatur‘, ‚von der Gottheit wird sie angehaucht‘. Die Poesie mit ausgebreiteten Schwingen, einem Lorbeerkranze um die Stirn und mit jugendkräftigen entblössten Armen, die so recht an das Reinmenschliche auf dieser Gestalt erinnern, hat die nackten Füsse unter sich übereinander geschlagen: in dieser Stellung unbeschreiblich schön. Auch die Amoren mit den Tafeln neben ihr, sind die schönsten, die wir auf allen vier Darstellungen finden. Raphael hatte ihnen auf seiner anfäng-

lichen Skizze andere Stellungen gegeben, die auf einem
Stiche Marcanton's noch sichtbar sind: so, wie er sie schliesslich formte, wirken sie entzückend. Von anderen Darstellungen an der Decke wird hernach gesprochen werden.

II. Die Disputa.

Die Malereien in der Camera della Segnatura werden heute
als Raphael's inhaltreichste Leistung angesehen. Sie waren anfangs wenig bekannt. Auch der Inhalt der Darstellungen
scheint dem römischen Publicum gleichgültig geblieben zu
sein. Giovio, wie schon bemerkt worden ist, erklärt den
Parnass unrichtig: Apollo sei dargestellt, dem die Musen
applaudirten: das Gegentheil von dem was Raphael zeigen
wollte, und Vasari, wie wir sahen, beschreibt den Parnass nicht
nach dem Gemälde, sondern nach Marcanton's, auf Grund
einer früheren Skizze Raphael's gemachtem Stiche, auf dem
die von ihm angeführten in der Luft flatternden, Kränze
werfenden Amoretten allerdings sichtbar sind. Am auffallendsten aber erging es der Schule von Athen. Nachdem
dieses Werk fast vierzig Jahre dagestanden ohne irgendwo
erwähnt zu werden, erschienen in dem gleichen Jahre 1550
zwei sich widersprechende Erklärungen. Die eine in Vasari's
Buche, dessen Meinung nach die beiden Mittelfiguren auf der
Höhe der Treppe Plato und Aristoteles wären, die andere
als Unterschrift eines Kupferstiches in zwei Blättern von
Ghisi, derzufolge Paulus dargestellt worden sei, wie er,
unter die auf dem Areopage zu Athen versammelten Philosophen tretend, den unsichtbaren Gott verkündet. Ueber
diesen Zwiespalt hat man sich noch nicht vereinigt und hält
die Angelegenheit heute für so wichtig, dass, wer sich mit
Raphael's Werken beschäftigt, in der Lage sein muss, sich

vor allen Dingen über diesen Punkt ein eignes Urtheil zu bilden.

Man kann die Deutung dieses Gemäldes von verschiedenen Seiten her versuchen. Entweder man zieht es in Betracht, wie es fertig dasteht: als Inbegriff bestimmter, in vielen Figuren, die zu diesem Zwecke jede an ihren Platz gestellt worden sind, zum Ausdruck gebrachter Gedanken, die es durch Heranziehung der bezüglichen Litteratur zu ergründen gilt. Dieser Weg bietet den Anschein grösserer Sicherheit und auch den Vortheil, dass man sich mit derartigen Darlegungen an ein umfangreiches Publicum wenden darf. Oder aber, man fasst weitere Gesichtspunkte in's Auge, welche die übrige Thätigkeit Raphael's liefert, und erblickt in dem Gemälde mehr als die vorgeschriebene Verkörperung bestimmter Gedanken, welche den Kennern der Geschichte der antiken Philosophie geläufig sind. Dieses Verfahren hat den Nachtheil, vielfache, in sich verschiedenartige Elemente kritisch vereinigen zu müssen. Es handelt sich hier jetzt nicht bloss um das Gemälde wie es fertig dasteht, sondern auch darum, wie es in den Epochen seiner Entstehung successive ausgesehen haben könnte. Künstler beginnen oft mit sehr einfachen Gedanken, die sich im Laufe der Arbeit ausdehnen. Meine Untersuchungen haben mir höchst wahrscheinlich gemacht, dass eine fortschreitende Ausdehnung des geistigen Inhaltes beim Parnass und bei der Disputa stattgefunden habe, und ich glaube auf gewisse Indizien hin auch bei der Schule von Athen einen Fortschritt vom Einfacheren zum Complicirten annehmen zu dürfen.

Doch ich breche mit diesen Ausführungen hier ab, um sie erst später wieder aufzunehmen: weil wir für die Disputa am vollständigsten mit erklärendem Materiale ausgerüstet sind, mache ich mit deren Erklärung nun den Anfang. —

Wenn Vasari dem Gemälde den Namen ‚Disputa‘ nicht beilegt, so unterlässt er es wohl nur zufällig, da diese Be-

zeichnung für Versammlungen ernste Dinge verhandelnder
Männer ihm sonst geläufig ist. Wie Raphael es nannte, wissen wir nicht. Disputa z. B. pflegt der Disput des zwölfjährigen
Christus mit den Gelehrten im Tempel genannt zu werden.
Schon in dem ältesten Versuche, eine Geschichte der italienischen Kunst zu schreiben: den Commentarien des Ghiberti, wird von einer ‚disputazione di savi‘ gesprochen, die mit
dem zwölfjährigen Christus disputirten [1]). Angelo Gaddi, Taddeo's Sohn, malte dieselbe Darstellung in Or San Michele zu
Florenz. Von Andrea del Sarto finden wir im Kloster von San
Gallo ein Gemälde erwähnt, ‚vier stehende Gestalten, die über
die Dreieinigkeit disputiren‘. Bei einem Feste, das die Rucellai
in Florenz gaben, wurde eine Disputation der Philosophen über
die Dreieinigkeit zur Anschauung gebracht (wahrscheinlich mit
lebenden Figuren), wobei ein Heiliger Andreas ‚einen offenen Himmel mit allen Engelchören‘ zeigte, ‚eine wahrhaft
ausserordentliche Schaustellung‘. Vasari gebraucht, wo er
solche Dinge beschreibt, die Ausdrücke: dottori, filosofi, savi,
ohne Unterschied. Dies war das Gewöhnliche damals. Was
Francia im Palaste der Bentivogli zu Bologna dargestellt
habe, wo er ‚una disputa di filosofi‘ im Privatzimmer des
Giovanni Bentivogli auf die Wand malte, ist nicht ersichtlich. In Rom steht uns heute noch die Disputa des Filippino
Lippi in der Kirche Santa Maria sopra Minerva vor Augen.
Hier war der grosse Thomas von Aquin, ‚San Tommaso in cat-
tedra‘ dargestellt, welcher die Kirche gegen eine ‚Scuola d'ere-
tici‘, eine Gesellschaft von Ketzern, vertheidigt, wobei die Haupt-
ketzer Sabellino, Arius und Averroes als Besiegte erscheinen[2]).

---

[1]) Vas. I, XX. Diese Darstellung hatte Taddeo Gaddi, ein Schüler
Giotto's, über die Sacristeithüre einer Kirche gemalt, von wo sie zu
Ghiberti's Zeit wegen baulicher Veränderungen zu Zweidrittel herab-
geschlagen worden war.

[2]) Vas. V, 248.

Von Raphael also, wenn er dergleichen malen sollte,
wurde weder etwas Ausserordentliches verlangt, noch ihm
zugemuthet, ohne Anlehnung an Vorhandenes nur aus sich
zu schöpfen. Sein frühester Entwurf hat so gut wie nichts
von der heutigen Composition. Während das fertige Gemälde Raphael als einen Künstler zeigt, der den beschränk-
ten Raum, welchen die Wand darbot, zu gleichsam unbe-
grenzter Weite ausdehnte, stand er der ersten Skizze zufolge ihr wie einer allzugrossen Fläche verlegen gegenüber. Die Wand hat die Form eines auf der Schnittlinie
aufliegenden Halbmondes. Raphael suchte sie zu verklei-
nern, indem er auf beiden Seiten eine leichte gefällige Architektur in sie einbaute, welche ziemlich weit zur Mitte vorgeht: Säulen mit verbindenden Architraven, auf denen Amoretten sitzen, die mittelst zierlichen Bandwerkes schwebende
Wappen als Schmuck daran befestigen. Rechts, mit der
übrigen Composition unverbunden, eine grosse Engelsgestalt,
mit dem Arme quer über die Brust auf das Geschehende
hindeutend und gleichsam zur Architektur gehörend. Sie erinnert an jenen obenerwähnten Heiligen Andreas, der den
offenen Himmel zeigt. Den zwischen den Säulenstellungen
in der Mitte der Wand verbleibenden freien Raum schliesst Raphael nach hinten mit einer ihn völlig durchschneidenden Balustrade ab, und auf der so gebildeten architektonisch um-
grenzten, wir wollen sagen, Veranda, sitzen eine geringe
Anzahl von Männer in zwei Massen von den beiden Seiten
her einander gegenüber, lesend oder schreibend oder mit
einander im Gespräche. Andre dann wieder, die gleichsam
dienenden oder zweiten Ranges zu sein scheinen, zeigen
eine leidenschaftliche Neugier auf das, was von den ersteren
geschrieben und gelesen wird. Sie suchen herantretend, auch
auf den Knieen herankommend, in die Bücher hinein zu blicken
und theilen einander durch Geberden mit, was sie erhascht

haben. Einige auch von den Erstgenannten blicken empor als sähen sie über sich was im Himmel geschieht. Der auf dem fertigen Gemälde die Mitte einnehmende Altar fehlt. Alles das ist mit Kraft und Kühnheit und starken Linien und Schatten rasch und energisch hingeschrieben.

Der offene Himmel über dieser Scene ist noch ohne Construction. Bedeckt hat Raphael die Wand hier nur mit einer Anzahl zusammenhangsloser kleiner Wolken und symmetrisch jedes dieser Gewölke, als Sessel und Fusschemel zugleich, einem Paare heiliger Persönlichkeiten angewiesen, welche Christus mit Maria und Johannes, die die Mitte halten, umgeben. Alle noch steif bei geringer Bewegung, aber jedes dieser Paare doch zum andern in Beziehung gebracht.

Was Raphael darstellen wollte und sollte, ist nicht schwer zu errathen: die Versammlung einer Anzahl von Kirchenvätern und andern vom Papste wahrscheinlich näher bezeichneten heiligen Gelehrten. In einer der stehenden Figuren liesse sich Dante erkennen. Wann und unter welchen Umständen entstand die Zeichnung? Man würde kaum an Raphael bei ihr denken. Manches erinnert fast an Perugino. Man vergleiche Maria und Christus in der Höhe: fast noch Perugino's Handführung in zierlicher Wiederholung bekannter Typen. Ich weiss den zahm und ängstlich zusammengebrachten oberen Theil der Composition kaum mit dem unteren zu reimen.

Wir wissen nicht, in wieweit diese ersten Skizzen[1] dem Papste als Besteller des Wandgemäldes vorgelegen, oder seine Approbation gefunden oder nicht gefunden haben. Wie dem nun sei, Raphael ging in einem zweiten Entwurfe von ihnen ab, auf dem er das Ganze so völlig umbildete, dass nur wenig blieb. Jetzt erst beginnt die Disputa die Gestalt anzunehmen, in der wir sie auf dem fertigen Gemälde erblicken. Wir dürfen dies aussprechen, ob-

[1] Es sind mehrere Blätter.

gleich wir über diesen zweiten Zustand der Arbeit nur
nach einzelnen Theilen der Composition zu urtheilen im Stande
sind, denn es liegt nur deren linke Hälfte vor. Nicht etwa weil
die rechte abgerissen ward und verloren ging, sondern weil bei
der damals hergebrachten Art, symmetrisch zu componiren,
die Zeichnung der einen Hälfte der Composition genügte,
um über den Eindruck des Ganzen zu orientiren. Wahrscheinlich nahm die beschränkende Architektur noch immer
rechts und links einen grossen Theil der Fläche fort, so dass
nur diejenigen Personen zur Erscheinung kamen, die den nun
die Mitte der Composition bildenden Altar zunächst umgeben,
alles Uebrige aber noch fehlte. Der Anblick ist auch jetzt noch
so weit entfernt von dem, was die Freske darbietet, dass
immer nur noch von allgemeiner Aehnlichkeit die Rede sein
kann. Der Himmel scheint, wie einige geschwungene Linien
andeuten, jetzt bereits mit einer Zusammenfassung der einzelnen, ihn erfüllenden Gruppen und in perspectivischer Vertiefung gedacht worden zu sein. Der Altar, als Centrum der
Bewegung, hat die Gestalt eines antiken Sarkophags, auch hebt
sich diese Mitte auf leisen breiten Stufen bereits empor, und
um den Altar ist die ihn halb umgebende Bank gezogen, auf
der die Vornehmsten der Versammlung sitzen.

Eine einzige Figur von den früheren ist hier geblieben: die
des sitzenden Mannes, welcher mit gesteiften Armen ein auf
seinen Knieen ruhendes Buch vor sich hält, in dem er mit
leise gesenktem Haupte liest. Ein Bewegungsmotiv sehen
wir ausserdem beibehalten: die, halb knieend, ehrfurchtsvoll
heranschleichende Gestalt, ganz im Profil, welche auf der
ersten Skizze dicht neben diesem Lesenden sichtbar ist, hier
aber durch zwei weitere Figuren in gleicher Stellung verstärkt, sowie durch eine andere sitzende Figur (die eines
Bischofs oder Papstes) von jener getrennt ist. Auf der frühesten
Skizze hatte sie als Apostel oben im Himmel figuriren müs-

sen, von wo herab sie nun zu anderer Dienstleistung in
einen antik ornamentirten Stuhl neben dem Altar versetzt
worden ist.

Raphael hatte bei dieser Umgestaltung des Gemäldes
vielleicht die Absicht, nun nichts weiter zu ändern. In
Frankfurt besitzt man die kostbare, grosse Federzeichnung,
auf der wir diese sämmtlichen Figuren der linken Seite im
Nackten zusammengestellt sehen: eine Anzahl männlicher
Gestalten, so kunstreich componirt, so abgemessen in der
Bewegung, so sehr jede im Hinblick auf die andere durch-
geführt, dass wir die vollendete Meisterschaft aus jedem
Striche hervorleuchten sehen. Das kann nach der Grab-
legung erst entstanden sein, während ich die erste Skizze vor
diese setze. Dabei nun aber im Hinblick auf die Grablegung
Eines jetzt auffallend: noch nichts von dem Triebe ist sichtbar,
den Michelangelo's Carton bei den ersten Zeichnungen zur
Grablegung in Raphael erweckte: die Natur scharf und rauh zu
geben und den Menschen in edler Anstrengung darzustellen.
Dagegen tritt der Einfluss eines anderen Meisters hervor: Fra
Bartolomeo's, und die Anlehnung an diesen sagt uns zugleich,
dass Raphael in den ersten Jahren seiner römischen Thätigkeit nicht aufgehört haben könne, auch in Florenz heimisch zu
sein. Diese erste Actzeichnung nackter Figuren zur Disputa
trägt nicht nur in der Strichlegung Fra Bartolomeo's Factur,
sondern auch Stellungen, die ihm geläufig waren, und da diese
äussere Mache des Fra Bartolomeo später auch in andern
Blättern Raphael's hervortritt, so scheint mir Fra Bartolomeo's Einfluss als Thatsache behandelt werden zu
dürfen. Dieser Einfluss läuft neben dem Einflusse des
Michelangelo nebenher und bleibt bei Raphael eine Zeit lang
erkennbar.

Ich baue in der Phantasie die Composition nun völlig
auf, wie sie in dieser Umarbeitung sich darbietet.

Ein im Ornament an antike Sarkophage erinnernder
Altar bildet die Mitte, den eine zahlreiche (hier darf
schon von ‚unendlichen‘ Figuren gesprochen werden) Gesellschaft in nach vorn sich aufschliessendem Halbkreise umgiebt. Die dem Altare Nächsten sind die Vornehmsten: sie
sitzen auf der halbmondförmig architektonisch aufgebauten
Bank. Die weitere Menge um sie her drängt knieend oder
stehend zu ihnen hin, jede Gestalt geistig in lebhafter Bewegung; weiter dem Rande zu, rechts und links, scheinen
die Gestalten, die hier zu beiden Seiten einen dem Betrachtenden näher gerückten Vordergrund bilden, mehr unter sich zu
verhandeln. Ueber Allem sitzt in grossem, nach vorn ebenfalls geöffnetem Kreise die Gesellschaft der Himmlischen,
Christus mit Maria und Johannes in der Mitte, und Gottvater
über sie emporragend.

Nun verfolgen wir, wie auf Grund dieser neuen Anordnung weitere Umgestaltungen erfolgen.

Dieselbe Gruppe, die das Frankfurter Blatt zeigt, (die
linke Seite der unteren beiden sich gegenübergestellten
Massen also) findet sich auf einer in der Albertina in Wien
vorhandenen Zeichnung in voller Gewandung. Beim ersten
Anblick glauben wir die Actstellungen des Frankfurter Blattes
vor uns zu haben, allein nur die Bewegung der einzelnen
Gruppen ist dieselbe geblieben, die Figuren sind in solchem Grade umgestaltet, dass man bei eindringenderer Vergleichung über den schöpferischen Reichthum der Phantasie
Raphael's und über seine Fähigkeit staunt, scheinbar Dasselbe
in neuer Gestalt zu geben. Nur zwei unter siebzehn Gestalten sind die nämlichen der Stellung nach. Ich verfolge
hier nicht im Einzelnen, was der Augenschein allein zeigen
kann, zwei Veränderungen jedoch müssen erwähnt werden.
Die erste. Früher knieten drei in Anbetung gebückt sich
heranbewegende männliche Profilgestalten (welche sich aus

Stellungen auf der allerersten Skizze entwickelt hatten) derart
einer neben und hinter der andern, dass für den vordersten
die hohe Einfassung des antiken Sitzes, auf dem jene aus
der Reihe der oberen Heiligen herabgenommene Gestalt
thront, den Hintergrund bildete. Diese drei Figuren finden
wir jetzt weit zurückgewiesen, und an der Stelle, wo der
Vorderste früher knieete, ist ein uns den Rücken zuwenden-
der bärtiger Mann in die Composition neu hineingebracht,
eine aufragende Gestalt, die stark in's Auge fällt. Die zweite
Aenderung. Als zweiter Figur rechts vom Rande ab begegnen wir unter der Gestalt eines Jünglings unverkennbar jenem
Engel wieder, welcher auf dem allerersten Entwurfe ziemlich
an derselben Stelle ausserhalb der übrigen Composition jedoch auf einer Wolke stand.

Aber auch diese Skizze der Albertina zeigt den letzten Zustand der vorbereitenden Arbeit für das Gemälde noch nicht!
Was Raphael wollte, wird erst auf der Freske selbst sichtbar.
Vergleichen wir jenen ebenbesprochenen stehenden Mann,
den letzten Zusatz der Albertinischen Skizze, mit der Gestalt, welche auf dem Gemälde daraus geworden ist! Andere Stellung, anderer Faltenwurf, Hoheit und Stärke über
ihn ausgegossen. Und dazu die andern, auf der Freske selbst
zum erstenmale nun sichtbaren Figuren links von dieser Gestalt, zumal der sich über die Balustrade uns entgegenlehnende
Alte, mit dem Buche vor sich, aus dem heraus er zu beweisen versucht! Und, entsprechend diesem Alten, auf der andern Seite des Gemäldes der sich überlehnende, auf Sixtus IV.
deutende Mann, den man für einen Bauhandwerker etwa
zu nehmen hat.

Diese beiden letztgenannten Figuren treten nicht eher
ein, als bis Raphael ihrer bedurfte. Wir haben prachtvolle
Studienblätter für sie, mit zum Werthvollsten gehörend, was
von Raphael da ist. Sie lassen erkennen, wie jede dieser

beiden Gestalten, mögen sie auf dem Gemälde noch so realistisch
wirken, von Raphael über das hinaus, was die Natur zeigte
(die er auf den Studienblättern mit der höchsten Treue nachgeahmt hatte), in eine idealere Sphäre versetzt worden ist.
Die Studie für die äusserste Figur rechts auf der rechten
Seite des Gemäldes (im Besitz des Museum Fabre zu Montpellier) giebt die Figur des Mannes, zweimal wiederholt.
Jedesmal eine andere Wendung, die eine besonders so lebendig, dass Raphael vielleicht nichts gezeichnet hat, was die mo-
mentane Bewegung einer Gestalt in den geistreichsten Feder-
strichen besser zeigte: und dennoch übertrifft die von beiden
Auffassungen abweichende Freske diese Studien bei weitem.

Das Wirksamste auf der Disputa ist der grosse Halbkreis der Himmlischen. Wir erinnern uns, wie steif ähnlich
placirte Figuren auf Raphael's Freske von San Severo zu
Perugia dasitzen. Auf der Disputa haben diese Heiligen nun
fast zuviel Weltliches. Sie thronen da ein wenig wie Cardinäle bei kirchlichen Sitzungen. Einige mit einer Eleganz
in der Bewegung, die mit den colossalen, weltbewegenden
Gedanken, die sich an ihre Personen knüpfen, nicht im
Einklange steht. Das Römische Leben, wo man zu genau
sah, wie menschlich es in der höchsten Verwaltung der theo-
logischen Reichthümer der Welt zuging, mag seinen Antheil
daran gehabt haben. Michelangelo freilich konnte die Riesen-
gestalten seiner Propheten unbekümmert wahrhaftig hin-
setzen: das Ungeheure hob das realistische Element wieder
auf; bei Raphael, dessen schaffende Phantasie nicht über das
menschliche Maass hinausging, macht dies Menschliche nun
vielleicht zu stark sich geltend. Nicht alle Figuren seines
Halbkreises jedoch erscheinen so: desto schärfer macht sich
der Gegensatz merklich.

Man vergleiche auf der linken Seite die Eckfigur mit
der daneben. Petrus, beinahe in Profilstellung, hat wenig,

was ihn von den Heiligen des Frescogemäldes von San Severo unterscheidet. Auf jeder dem Cultus gewidmeten Darstellung könnte er so erscheinen. Nichts von diesem Wesen ist dem neben ihm sitzenden Adam eigen. Passavant sagt[1]), ‚Neben ihm sitzt Adam in der Stellung des Erwartens und Hoffens der göttlichen Gnade und Hülfe'. Soll das über das Knie gelegte Bein das ausdrücken? Jemand, der zu warten hat, also einen Zeitraum der Unthätigkeit vor sich sieht, mag eine erleichternde Stellung suchen, allein anzunehmen, Raphael habe die Erwartung des höchsten geistigen Gutes dadurch andeuten wollen, dass er den Erzvater der Menschheit in einer gewissen Resignation die angenehmste Beinstellung wählen lässt, scheint nicht statthaft. Unbefangen und ohne Hinblick auf die gesammte Composition betrachtet, haben wir hier einen Mann vor uns, der vornehm und im Gefühl seiner Würde, sich einem gewissen Behagen hingiebt. Bellori[2]) fasst die Sache denn auch einfacher. ‚An Petrus', sagt er, ‚schliesst sich Adam an, unser Aller Stammvater, nackt und müde, als ruhe er aus von den als Strafe für seinen Fall erduldeten Mühsalen. Ruhig dasitzend schlägt er ein Bein über's andre und legt die Hände um das Knie, nachsinnend über die Schuld der Menschheit und deren Erlösung durch die Menschwerdung Christi'. Anders wieder redet J. W. J. Braun[3]). ‚Neben Petrus erblicken wir den Stammvater des Menschengeschlechtes. Adam sitzt, aber nicht in der Stellung des Erwartens und Hoffens der göttlichen Gnade, denn diese ist ihm geworden; so würden wir ihn nicht im Himmel erblicken. Seine Stellung drückt nicht bloss Denken an die Zukunft aus, sondern auch an die Ver-

---

[1]) Pass. I, 141.
[2]) Descrizione delle Immaggini etc. Im Anhange an Missirini's Schrift von diesem wieder abgedruckt. Roma, 1821. p. 12.
[3]) Raphael's Disputa, Düsseldorf, 1859. p. 136.

gangenheit; es ist die Stellung, in der man nicht bloss über-
legt, was zu thun sei, sondern auch was man gethan habe,
mit dem Bewusstsein endlichen glücklichen Ausganges. Adam
ist als vollendet schöner Mann, wie er aus der Hand des
Schöpfers hervorging, dargestellt; er ist unverhüllt dargestellt
wie der zweite Adam, Christus, der Erlöser der Sünde. Auch
im Paradiese des Dante finden wir Petrus und Adam zusammen.' Auf diese Deutung Braun's scheint die Bellori's
nicht ganz ohne Einfluss gewesen zu sein. Allen drei Er-
klärern aber ist nicht aufgefallen, wie hier das Symbolische,
mag es nun in höherem oder geringerem Maasse Einfluss geübt
haben, zurücktritt gegen das Künstlerische. Raphael kam es
mehr darauf an, einen schönen Mann in eleganter Stellung, als
einen Adam zu malen, durch den die Sünde in die Welt kam.

Neben Adam erblicken wir Johannes, dasitzend in innerer
Anschauung der seiner Phantasie geoffenbarten prophetischen
Gesichte. Zugleich aber ist doch etwas Individuell-mensch-
liches in seine Gestaltung gebracht worden. Die gekreuzten
Füsse, die elegisch vorgebeugte Haltung des Kopfes drücken
ein Element jünglingshaft bescheidener Demuth aus, das ich
ihm als Evangelisten bis dahin nicht gegeben finde, das sich
aber erklärt wenn wir den Daniel Michelangelo's in der
Sistina vergleichen.

In derselben Weise, menschlich angenehm, ist David
neben Johannes gebracht: ein ehrfurchtgebietender älterer
königlicher Musiker. Die fünfte Gestalt, die, wenn die
Ausleger Recht haben, den heiligen Stephan darstellt, hat
eine fast genrehaft natürliche Bewegung, die mit der heiligen
Stille der Scene dicht daneben, die Christus, Maria und
Johannes in höchstem symbolischen Ernste zeigt, in Con-
trast steht.

Die entsprechende andere Seite braucht auf diese Anschauungen hin nicht genauer durchgenommen zu werden.

Die Kunst der malerischen Abwechselung finden wir hier in demselben Maasse thätig. Auf die Namen kommt es weniger an, da nirgends der Versuch Raphael's durchschimmert, auf den Charakter der Personen einzugehen. Moses würde ohne seine Gesetztafeln und Lichtstrahlen am Kopfe nichts besonders Moseshaftes an sich tragen. Das Element der inneren Arbeit eines Charakters, das Michelangelo so gewaltig ausprägt, fehlt; Raphael's mit einfacheren Mitteln arbeitende Phantasie versagte das hier. Das höchste Ziel seiner Darstellung ist offene, gesunde, schöne Menschennatur, ohne Zumischung eines Uebermaasses.

Wie verhält sich nun diesem technischen Wachsthum des Werkes gegenüber dessen Deutung auf den geistigen Inhalt, die Vorschrift des Papstes hin?

Unmöglich scheint mir, dass Raphael mit der anfänglichen Skizze dasselbe sagen wollte, was das fertige Gemälde enthält. Jene erste Skizze lässt sich leicht erklären. Die Herrlichkeit des geöffneten Himmels wird von den unten versammelten Männern mit anbetendem Staunen erblickt. Noch bis zum Blatte Albertina ist dies so deutlich festgehalten, dass über das von Raphael Gewollte kein Zweifel walten darf. Das fertige Gemälde aber zeigt die Scene anders! Die Darstellung ist hier so unklar geworden, dass Roscoe[1]) meinen konnte, was wir im Himmel da erblicken, bleibe den unmittelbar darunter versammelten Personen durch die sich dazwischen lagernde Wolke verhüllt. Viele von den unten Versammelten blicken aber doch empor und ihre Ueberraschung ist sichtbar und soll es sein. Wohl aber ist der früher einfach durchgeführte Gedanke später durch andre Züge gekreuzt worden, so dass eigenthümliche Deutungen herausgefordert wurden. Bellori hat seinen Scharfsinn hier ausgebreitet,

---

[1]) Leben Lorenzo's dei Medici (Wien 1818) III, 405.

und viele Nachfolger gefunden. Passavant, dessen Phantasien in seinem Buche nachgelesen werden können, macht Raphael zum Organ tiefsinnig kirchenhistorischer Symbolik, und Braun baut diese Aufführungen noch gründlicher aus. Ihnen kommt es darauf an, jede einzelne Figur in ihrer eigenthümlichen Bewegung als bewussten Symbolträger bestimmter Phasen der Kirchengeschichte, alle zusammen aber als eine Harmonie dieser Geschichte zu erklären. Beiden ist das Gemälde die verkörperte Erscheinung des Katholicismus. Zwar weichen sie voneinander in vielen Punkten der Erklärung ab, stimmen darin aber überein, dass der eigentliche Sinn von Vasari verkannt und unter den von ihm mit Namen angeführten Männern einige nicht zu finden seien. Die nähere Angabe dessen, was so von ihnen und Andern entdeckt ward, ist hier jedoch gleichgültig. Heiden, Juden, Judenchristen, Ketzer, Repräsentanten der christlichen Nationen etc. werden nachgewiesen. Die Frage, ob diese Deutungen überhaupt in das Gemälde hineingetragen werden dürfen, werfen sie nicht auf. Sobald man sie jedoch verneint, löst sich was sie bringen in ein kunstvolles Gewebe von Conjecturen auf.

Die Unterschrift des Ghisi'schen Stiches lautet: ‚Es preisen hier des dreieinigen Gottes Majestät die Himmelsbewohner. Es staunen und beten in Frömmigkeit an die vornehmsten Vertreter der hochheiligen Kirche. Wer sollte, von ihrem Beispiele erweckt, sich nicht zur Frömmigkeit entflammt fühlen[1]?‘ Diese Erklärung ergänzt die Vasari's, die den Gedanken nur zur Hälfte ausspricht. Vasari sagt was geschieht, Ghisi setzt hinzu wie es geschehe. Was bei Vasari ein Zustand ist, wird bei Ghisi eine Handlung: es sind Männer versammelt, welche über die Symbole der Kirche

---

[1] ‚Collaudant hic trini uniusque Dei maiestatem coelites. Admirantur ac religiose adorant sacrosanctae ecclesiae proceres. Quis vel istorum exemplo provocatus ad pietatem non inflammetur.‘

verschiedene Meinungen hegen, da öffnet der Himmel sich und
unmittelbare Erleuchtung macht den Abschluss wo menschliche
Logik die Gedanken nicht zu vereinigen vermocht hätte. Sobald wir annehmen, dass nicht der Streit, sondern das Auf-
hören des Streites durch die Alle beruhigende Offenbarung
Gegenstand des Gemäldes sei, erweisen jene Deutungen sich
als unnöthig, die man in die Composition hineintragen wollte.
Einen Moment der höchsten Ueberraschung gewahren wir.
Er ist als dramatischer Effect zuletzt erst von Raphael
zum vollen Ausdruck gebracht worden. Die Minute hat
er zur Anschauung bringen wollen, wo der Widerstreit der
Meinungen und Gedanken sich erschöpft hat, und die vonein-
anderreissenden Gewölke die Majestät Gottes selber zeigen.

Einige sind noch versunken in Gespräche oder in Bücher.
Andre, getroffen vom Lichte der himmlischen Glorie, haben
die Bücher zur Erde geworfen, die nun nichts weiter nützen.
Dieses symbolische Hinwerfen der Bücher finden wir auf
einem Gemälde Pinturicchio's: Christus unter den Schrift-
gelehrten, oder auf jener Disputa des Filippino Lippi in
der Minerva [1]. Am schönsten hat Raphael den gleichen Gedanken für seine Heilige Cäcilia ausgebeutet. Die erste
Skizze zeigt sie begeistert dastehend mit der Orgel in den
Händen, und über ihr im geöffneten Himmel musiziren die
Engel, deren Getön die Heilige gleichsam den Menschen
mitgetheilt hatte. Bei der Ausführung des Gemäldes hat Raphael diese Symbolik auf's Höchste verfeinert. Cäcilia steht da,
sie vernimmt die himmlische Musik und lässt, getroffen von
der unerwarteten Harmonie, die Arme sinken, so dass die
Orgel, wie ein Instrument, das hiergegen nichts vermag, im
Augenblicke unnütz wird. Deshalb die herausfallenden einzelnen Pfeifen und die zu ihren Füssen auf dem Boden

---

[1] Auch an anderen Stellen noch.

liegenden zerbrochenen Musikinstrumente, dasselbe bedeutend, was auf der Disputa die hingeworfenen Bücher sagen
sollen.

Nachzuweisen, dies sei es, was Raphael auf der Disputa
gewollt, ist wichtiger als die Nachforschung, wie die einzelnen Figuren, die in den verschiedenen Stadien der Composition rein malerischen Rücksichten zu Liebe oft genug geändert worden sind, schliesslich zu benennen seien. Niemand
wird annehmen wollen, Raphael habe von Anfang an für die
an derselben Stelle sichtbare Figur dieselbe Bedeutung im
Sinne gehabt, und die späteren Veränderungen seien nur dem
Bestreben entsprungen, das eigentlich Charakteristische der
Gestalt als historischen Trägers bestimmter Ideen immer
schärfer hervortreten zu lassen. Raphael's successive Veränderungen verdanken solchen Rücksichten ihre Entstehung
nicht. Sobald wir dies anzuerkennen gezwungen sind, fällt
aber auch der Gedanke, als sei Raphael ein vorher im
Einzelnen festgestellter Ausführungsplan für das Gemälde
gegeben worden. Bei einer Anzahl der dargestellten Figuren verstand sich von selbst, dass sie vorhanden sein mussten.
Möglich auch, dass man, nachdem das Werk der schliess-
lichen Vollendung nahe war, für weitere Figuren bestimmte
Persönlichkeiten als Unterlage annahm, so dass zu allerletzt
noch deren Namen oder sonst leicht fassliche Erkennungs-
zeichen auf das Fresko kamen: sobald wir jedoch die Idee
eines anfänglichen Systems aufgeben müssen, verliert die
Forschung hier den grössten Theil ihrer Wichtigkeit. Und
ferner: Conjecturen nach dieser Richtung mögen noch so
sinnreich und scheinbaren Beweises fähig aufgestellt worden
sein: es braucht nur Jemand zu sagen, er halte sie nicht
für möglich, und die Sache hat ihr Ende. Um ein Beispiel
zu geben. Die rechts neben dem Altare mit aufgerichtetem,
empordeutendem Arme sichtbare Gestalt eines kahlhäuptigen,

bärtigen Alten erklären Passavant und Platner für Petrus
Lombardus. ‚Nichts kann unwahrscheinlicher sein‘, beginnt
Braun jedoch seine Darlegung[1]), welche mit Gründen ganz
allgemeiner Art diese Annahme umstossen und zugleich be-
weisen soll, Justin der Märtyrer sei darunter zu verstehn.
‚Nichts sei unwahrscheinlicher‘, könnten Platner und Passavant
erwidern. Die in der rechten Reihe der Himmlischen dicht
neben und hinter Johannes dem Täufer und von ihm fast
verdeckte Gestalt eines antik gewaffneten Mannes wird von
Braun für Josua, von Passavant für den Heiligen Georg,
Schutzpatron von Ligurien, Papst Giulio's Heimath, von
Paliard für den Heiligen Martin (denn Giulio II. sei am
Martinstage gekrönt worden und auch in Bologna einge-
zogen), von Andern noch anders erklärt. Die sich über
die Balustrade stark vorbeugende Gestalt des Mannes vorn
rechts am Rande des Gemäldes soll Passavant zufolge ein
junger Heide sein, welchem der neben ihm stehende Lehrer
mit der deutenden Hand den zu Füssen des Augustinus auf
den Stufen des Altars sitzenden und auf die über's Knie
fallende Rolle schreibenden Jüngling zeigt, der ihm zum vor-
leuchtenden Beispiel dienen möge. Offenbar deutet der nackte
Arm des Mannes aber gar nicht auf den schreibenden Jüngling, sondern auf den Papst dicht daneben, dessen in ganzem
Anblick auftretende Figur auf der rechten Seite des Vordergrundes eine so bedeutende Stelle einnimmt. Hier muss
etwas Besonderes gewollt sein.

Das im scharfen Profil gegebene Gesicht trägt individuelle Züge. Man vermuthete Innocenz III. oder Urban IV.
in der Gestalt. Ein Vergleich mit Gemälden und Medaillen
lässt vielmehr Sixtus IV. erkennen, Giulio's Oheim, den
Schöpfer seiner Grösse, dem er die Anfänge seiner Carrière

---

[1]) p. 91.

und deren Abschluss zu danken hatte[1]). Diesem Papste musste ein Ehrenplatz auf dem Gemälde gegeben werden. Durchaus natürlich die Art und Weise, wie durch die Neugier des sich vorbeugenden Mannes, sowie die deutende Geste dessen daneben, die Gestalt des Papstes dem Beschauer als diejenige bezeichnet werden sollte, auf welche der Besteller des Bildes die Blicke zu lenken wünschte.

Für die untere rechte Seite des Gemäldes ergiebt sich noch ein zweites Problem.

Fast am Rande des Gemäldes sehen wir, die Gestalten der Versammlung um ein geringes überragend, die sich vordrängenden mächtigen Anfänge eines Baues, den als nur blosse ausschmückende Architektur zu nehmen nicht anginge. Sie müssen ihre beabsichtigte Bedeutung haben. Auf der Landschaft, die auf der andern Seite den Hintergrund bildet, erblicken wir in der Ferne den Bau einer Kirche, die Gerüste mit den arbeitenden Handwerkern darauf besonders sichtbar. Jene Architektur aber hat darin ihr Eigenes, dass sie die Darstellung eines begonnenen Bauwerks und nicht etwa nur stehen gebliebener Substructionen sein soll, deren Ueberbau zerstört worden wäre, ähnlich verschiedenem ruinenhaften Mauerwerke, das wir auf Hintergründen raphaelischer Gemälde finden. Nehmen wir hinzu, dass im Jahre 1506 die Grundsteinlegung der neuen Peterskirche stattgefunden hatte und dass für diesen Neubau die von Nicolaus V. vor langer Zeit begonnenen Umfassungsmauern der Tribune, welche seit seinem Pontificate unverändert dastanden, benutzt wurden[2]), so liegt es nahe, in dem Gemälde der Disputa

---

[1]) Es sind vielfache Porträts erhalten. Medaillen, Gemmen etc. Man vergleiche Braun's Kohlendruck des Wandgemäldes von Melozzo da Forli im Vatican, welches Sixtus und die Seinigen darstellt.

[2]) Condivi Vita di M. cap. XXVII. — Era la forma della chiesa allora a modo d'una croce, in capo della quale papa Niccola V. aveva

gleichsam eine Verherrlichung dieser neu aufgenommenen Unternehmung zu suchen, deren ungemeine Bedeutung damals bereits gefasst wurde, obgleich noch Niemand ahnte, dass an dem gewaltigen Werke über hundert Jahre würde fortgebaut werden müssen. Ein Theil der Cardinäle stand in offener Opposition damals gegen die Absichten Giulio's II. dessen Ehrgeiz die uralte, wenn auch zum Abbruch reife Basilica von St. Peter, das Mutterhaus der katholischen Kirche, dem Untergange weihte. Auch wurde amtlich nur von einer Reparatur und Vergrösserung gesprochen[1]). Beabsichtigt jedoch waren Umsturz und Neubau. Nichts natürlicher, als dass Giulio, wenn er im Palast der Päpste Wandgemälde bestellte, die seine Regierung verherrlichten, diese grösste von ihm begonnene Unternehmung als eine Handlung darstellen liess, zu der alle Heiligen und die segnende Dreifaltigkeit in Person sich einfanden. Deshalb vielleicht ist an dem auf den Stufen errichteten Altare sein Name sichtbar, wie er auf dem Grundsteine selber zu finden war[2]).

cominciato a tirar su la tribuna di nuovo; e già era venuta sopra terra, quando morì, all' altezza di tre braccia. Da die nebenstehenden Figuren einen natürlichen Maasstab liefern, so ergiebt sich die Höhe von 3 Braccien als durchaus stimmend mit der Höhe des auf dem Gemälde sichtbaren Mauerwerkes.

[1]) Quis merito non admiraretur coeptam a nobis ad omnipotentis Dei ejusque intactae genetricis Mariae ac principis Apostolorum St. Petri honorem et laudem necessariam basilicae ejusdem Sancti jam vetustate collabentis reparationem et ampliationem? Raynaldus s. anno 1508. N. E. 210.

[2]) Auf dem Gemälde haben wir nichts als Schnörkel, welche die vordere Fläche des Altares überdecken, und in deren oberster Reihe IV | LI | VS | II | PO | NT | MA steht. Auf den Skizzen hat der Stein, wie oben gesagt worden ist, antikisirende, an den Ecken mit starker Ornamentik hervortretende Form, während die Schrift, auf der Skizze jedoch nur mit Strichen hingekritzelt, von einer in der Mitte der Vorderseite angebrachte Tafel getragen werden sollte. Die Inschrift des Grundsteins lautete Albertini (pag. LXXV) zufolge: Julius II Pont. Max. aedem

Nehmen wir nun jenen sich energisch vorbeugenden
Mann im Vordergrunde am Rande rechts als einen Hand-
werker, etwa einen der arbeitenden Maurer; bemerken
wir, wie er sich von dem Manne mit nacktem Arm, der
neben ihm steht und auf die Gestalt des Papstes weist, von
dem ich annehme, dass es Sixtus IV. sei, diesen Papst zeigen
lässt, auf den er erstaunt hinblickt; sehen wir, wie Sixtus
selber, obgleich die am wenigsten malerisch günstige Gestalt
des Gemäldes, dennoch am meisten sichtbar ist; gewahren
wir, wie seine ganze Stellung ihn als denjenigen charakterisirt,
auf dessen Wink (oder Gebet) das Wunder der Erscheinung
des sich aufthuenden Himmels sich vollzieht: so lässt dies
Alles den Urheber der Grösse der Rovere hier an rechter
Stelle erscheinen. Anaklet, so wird durch eine Inschrift im
Heiligenscheine die zweite Papstgestalt, weiter zum Altare
hin und dicht an dem begonnenen Mauerwerke stehend,
erklärt, war der Gründer der ältesten Peterskirche[1]): auch
er musste bei der Grundsteinlegung des neuen Tempels zugegen sein.

Will man meiner Vermuthung, der Bau der Peterskirche
sei in der Disputa symbolisirt, beistimmen, so würde jener
Heilige Georg, oder Josua, oder Georg, oder Martin, vielleicht auch Constantin genannt werden können, unter dem
Sylvester die alte Peterskirche erbaute, und dessen Schenkung
die äussere Macht der Kirche begründete. Erinnern dürfen
wir uns dann auch, dass der architektonische Theil der Schule
von Athen, der Disputa gegenüber, für die Peterskirche in
ihrer einstigen Vollendung erklärt worden ist. Was Constantin jedoch anlangt, so erklärte sich das Vorhandensein

---

divo Petro dicatam vetustate collabentem in digniorem amplioremque for-
mam ut erigat fundamenta jecit. Anno Christi MDVI. Antonio de Chia-
relli war der Verfasser.

[1]) v. Reumont Rom I, 375.

einer Gestalt in Waffen an dieser Stelle, zugleich aber auch
aus dem Bedürfnisse Raphael's, in die Monotonie des Kreises
der Himmlischen Abwechslung zu bringen.

III. Die Schule von Athen.

In Zukunft, wenn von dem Gemälde die Rede ist, wird
man sich damit begnügen dürfen, den noch unausgefochte-
nen Streit, was es bedeute, kurz abzuthun; heute jedoch
muss ich das Meiste dessen noch wiederholen, was in der
ersten Auflage über das Fortwirken von Vasari's unrichtiger
Erklärung gesagt worden ist.

In welchem Sinne der Papst den Auftrag gab und wie
Raphael das Gemälde und die einzelnen der Figuren darauf be-
naunt haben wollte, wissen wir nicht. Kopfzerbrechen scheint
sein Inhalt Anfangs Niemandem gemacht zu haben. Erwähnt
wird es vor Vasari nicht: aus den vierzig Jahren, die seit
seiner Entstehung verflossen waren bis Vasari schrieb, existirt
nichts, woraus wir die Meinung der Zeitgenossen herleiten
möchten, als der ungeschickte Kupferstich des Agostino Veneziano, eines Schülers des Marcanton, vom Jahre 1524, den
schreibenden Greis im Vordergrunde links mit einigen Figuren, die sammt ihm eine Gruppe bilden, wiedergebend
und im allgemeinen Vasari's Behauptung bestätigend, es sei
in diesem schreibenden Manne, dem ein Knabe eine Tafel
vorhält, einer der Evangelisten dargestellt. Denn auf den
Blättern des Buches, in das er schreibt, sowie auf der Tafel
selbst zeigt der Stich Stellen des Neuen Testamentes. Ihrem
Textlaute zufolge hätten wir Lucas vor uns, während Vasari,
vielleicht weil der Evangelist Matthäus einen Engel neben
sich zu haben pflegt, ihn Matthäus nannte.

In demselben Jahre jedoch, in dem Vasari's erste Auflage herauskam, erschien ein Stich Ghisi's, dessen Inschrift die Deutung ‚Paulus in Athen' giebt. In der zweiten Auflage wiederholt Vasari seine frühere Erklärung ohne Ghisi zu erwähnen. Trotzdem aber, es muss von dem Widerspruche die Rede gewesen sein, denn Borghini, dessen ‚Riposo' 1585 erschien und der kaum mehr als Vasari im Auszuge giebt, vermeidet die Mittelfiguren zu nennen, während Lomazzo, dessen ‚Trattato' im gleichen Jahre herauskam und der ebenfalls meist doch nur Vasari abschreibt, ‚Paulus in Athen' als Inhalt des Gemäldes angiebt. Stiche von J. B. de Cavaleriis und von Thomassin, aus dem Anfange des folgenden Jahrhunderts (1617), verleihen sogar beiden Mittelfiguren Heiligenscheine. Es würden Plato und Aristoteles dabei zur Noth bestehen können, die, weil Christus von ihnen prophezeit sein sollte, von der griechischen Kirche sogar ausdrücklich in den Cyclus der christlichen Malerei aufgenommen worden waren[1]). Auf späteren Abdrücken der 1648 aufgekratzten Platte Thomassin's sind diese Heiligenscheine wieder auspolirt. Scanelli erklärt im ‚Microcosmo della pittura' die betreffenden Gestalten für Petrus und Paulus, welche den griechischen Philosophen das Christenthum predigten.

Bellori zuerst, Ende des 17. Jahrhunderts, stellte auf, es sei mit Plato und Aristoteles als Hauptpersonen zugleich die Entwicklung der griechischen Philosophie in ihren Hauptvertretern gegeben[2]). Platner, im zweiten Bande der Beschreibung der Stadt Rom, hat ziemlich zusammengebracht, was die Späteren im Einzelnen bei Bellori's Erklärungen abund zugethan, giebt seinerseits diese Einzelbenennungen aber nur als Conjecturen, deren eine die andere aufzuwiegen scheine.

---

[1]) Schnaase, Gesch. d. B. K. im Mittelalter, III, 293.

[2]) Descrizione delle immagini depinte da Raffaello nelle Camere del Vaticano, Roma 1695.

Quatremère de Quincy liess sich auf Deutungsversuche nicht ein. Passavant dann aber bearbeitete mit Hülfe von Tennemann's Grundriss und Rixner's Handbuch die Composition so gründlich, dass jede Figur Namen und Rang empfing, und vier Jahre nach Erscheinen seines Buches lieferte Trendelenburg dem Publicum eine Erklärung des Gemäldes, die auf noch feineren Unterscheidungen beruht und deren Resultate Passavant im dritten Theile (1858) und in der französischen Uebersetzung (1860) wiederum annahm.

Trendelenburg aber hatte weder gezeigt, warum Ghisi oder Vasari irrten, noch nachgewiesen, es habe zu der Zeit, als das Gemälde in Auftrag gegeben wurde, in Rom die Idee überhaupt gefasst werden können, als Repräsentanten der gesammten Philosophie nur die älteren griechischen Philosophen auszuwählen. Ich trat seiner Auffassung zuerst in einem Aufsatze entgegen [1]), worin dargelegt wird, was für Vasari's sowohl als auch für Ghisi's Erklärung sich etwa doch sagen lasse. Es waren kritische Untersuchungen, bei denen es mir nur darauf ankam, die zweifelhaften Punkte zu erörtern ohne auf bestimmte Ziele loszugehen. Herr von Wolzogen entnahm in seinem ‚Rafael Santi‘ diesem Aufsatze damals mehr als ich gesagt hatte, indem er mich bereits für den Vertreter der Meinung hielt, Paulus in Athen sei von Raphael dargestellt worden. Auch Springer behandelte die neueren Deutungsversuche in meinem Sinne und wies, indem er ausser den bekannteren Stellen Dante's und Petrarca's einen Passus der Chronik des Giovanni Santi zuerst anführte, auch die Bibliothek des Herzogs von Urbino heranzog [2]), darauf hin, dass die in der Camera della Segnatura ausgeführten Gemälde Ideen darstellen müssten, welche der Zeit Raphaels geläufig waren. Springer war

---

[1]) Preuss. Jahrb. 1864. Wiederabgedr. N. Ess. S. 717.
[2]) Bilder aus der neueren Kunstgeschichte. 1867. p. 127.

gegen ein Wiedererkennen bestimmter Personen bei den Philosophen, und dies muss auch als Jacob Burckhardt's Meinung angenommen werden, welcher im Cicerone[1]) von diesen Namengebungen absieht.

Mir selbst stellte sich damals nur noch die Unmöglichkeit heraus, abzuschliessen: die Berechtigung verschiedener Ansichten nebeneinander trat hervor, ohne dass es möglich gewesen wäre, der einen oder der andern den Vorzug zu geben. In der ersten Auflage dieses Buches (1872) sprach ich mich in diesem Sinne aus. Ich legte dar, was auf der einen Seite für die Deutung Plato und Aristoteles, auf der andern für Paulus in Athen zu sagen sei, indem ich weitere Untersuchung vorbehielt. Für wahrscheinlich sei zu halten, dass auf dem Gemälde eine Darstellung des zu Anfang des 16. Jahrhunderts üblichen Studiums auf Schule und Universität beabsichtigt gewesen sei. Die Gruppe im Vordergrunde links repräsentire vielleicht das Lesen und Schreiben als den primären Unterricht; die rechts die Unterweisung in den mathematischen Wissenschaften; die Versammlung, zu der man auf den Stufen hinaufsteigt, die eigentliche Philosophie. Welche Namen man bei dieser Auffassung des Ganzen den einzelnen Gestalten gebe, sei ziemlich gleichgültig, und ob Plato und Aristoteles oder Paulus in Athen in den Mittelfiguren zur Erscheinung gebracht worden seien, sogar unerheblich. Denn wenn Raphael den athenischen Philosophen Paulus habe entgegenstellen wollen, brauchten nicht die zufällig zu Paulus' Zeit in Athen lebenden gemalt zu werden, sondern es konnte die gesammte Philosophie als grosser geistiger Körper im Allgemeinen zu ihm, als Repräsentanten des Christenthums, in Gegensatz gebracht werden.

---

[1]) Erste Auflage p. 914.

Ein neues Element kam in die Bewegung, als Wilhelm Scherer in einer Besprechung der ersten Auflage meines Buches die Quellen nachweisen zu können glaubte, aus der der historische Inhalt der Composition zu erklären sei.

Bereits beim Wiederabdrucke des Vortrages von 1843 in der Sammlung seiner kleinen Schriften hatte Trendelenburg (1871) in einer Anmerkung hingeworfen, Agostino's Stich mit den Versen aus dem Evangelium des Lucas, sowie Ghisi's Stich mit der Erklärung Paulus in Athen, und nicht weniger Vasari's Hineinbringen der Evangelisten seien vielleicht ‚von einem klugen Kopfe in Umlauf gesetzt worden, der schon damals der heidnischen Philosophie die Ehre im Vatican missgönnte, und daher das natürliche Verständniss der Gestalten zu Gunsten des Evangeliums umdeutete‘. Diesen Gedanken nahm Scherer auf. Es habe schon früh, nimmt er an, eine doppelte Deutung des Gemäldes stattgefunden im Sinne zweier Parteien. Die eine nennt er die ‚geistliche‘, die für Paulus in Athen, die andere die ‚weltliche‘, die für Plato und Aristoteles gewesen sei. Eine von beiden könne doch nur der Weisung des Papstes und der Ansicht Raphael's entsprochen haben. Welche nun aber?

Scherer entdeckt den Punkt, wo sich die Frage entscheidend packen lasse, in der vor dem schreibenden Alten der Vordergruppe links stehenden Tafel, welche der kniende Knabe aufrecht hält und die, wie wir sahen, auf Agostino's Stich (1524) Verse aus dem Lucasevangelium trug, während heute Figuren darauf sind, denen zufolge man den Alten für Pythagoras erklärt hat. Meiner Ueberzeugung nach ist diese Tafel neuerdings übermalt, und nicht mehr zu beurtheilen, was früher darauf stand. Zwar kann natürlicherweise auch vor der Uebermalung genau dasselbe dagestanden haben was heute sichtbar ist, allein es nöthigt nichts zu dieser Annahme. Scherer, auf den Ausspruch einer Autorität hin, deren Irrthum jedoch unzweifelhaft ist, nahm an, die Tafel sei von Raphael selbst so bemalt worden, wie sie heute erscheint [1]). Damit waren in seinen Augen die Lucasverse auf Agostino's Stich und Vasari's Angabe, dass der Alte ein Evangelist sei, ausser Rechnung gesetzt. Hiervon ausgehend zeigt Scherer nun, woher die Idee der gesammten Composition geflossen sei.

Schon von Trendelenburg war der Versuch gemacht worden, unter den Gestalten, welche Paulus auf der Höhe der Treppe in nächster Nähe umgeben, den Florentiner Uebersetzer des Plato, Marsilio Ficino, zu erkennen. Im Dome von Florenz steht auf Marsilio's Grabdenkmal dessen zwar zweiundzwanzig Jahre nach seinem Tode (1499) gearbeitete, jedenfalls aber individuell ähnliche Büste. Denn ausserdem erkennen wir Marsilio's Porträt auf verschiedenen Frescogemälden, wo er im Gefolge der Medici erscheint [2]). Keins derselben deckt sich mit einer der Figuren der Schule von Athen. Wahrscheinlich hat Trendelenburg solche Vergleichungen nicht vorgenommen, sondern auf gut Glück die Aehnlichkeit behauptet. Auch Scherer hat dies unterlassen, wohl aber, woran Trendelenburg nicht gedacht hatte, Marsilio's Schriften darauf hin untersucht, wobei er auf den Auszug aus Plato's Büchern über die Republik stiess: Scherer's Meinung nach hat Raphael eine Verkörperung des hier gegebenen Systems der Platonischen Philosophie in der Schule von Athen unternommen und bis zu genauester Uebereinstimmung an manchen Stellen durchgeführt. Von einem Anhänger des Marsilio,

---

[1]) Herr Professor L. Jacoby, der auch in Betreff des Raphael'schen Selbstporträts auf der Schule von Athen irrte. Vgl. Springers Besprechung meines L. R's. im dritten Hefte der Lützow'schen Zeitschrift 1873, wo er sich auf Jacoby beruft. Meine ,Abwehr' (Berlin 1873, bei Dümmler) S. 7. Meine Notiz in der Nationalzeitung vom 30. November 1878. Springer's heutige Meinung ist nicht klar. Von Jacoby ist der neueste Stich der Schule von Athen.

[2]) Vasari IV, 187. (Botticelli in Pisa); V, 76 (Ghirlandajo in Florenz).

glaubt Scherer deshalb, müsse die Raphael zugegangene Instruc-
tion für das Gemälde verfasst worden sein. Auch für die Deutung
des Parnass nahm Scherer Marsilio's Schriften in Anspruch.

Hätte Scherer Recht, so wäre Paulus in Athen beseitigt.
Und in der That wird Marsilio Ficino schon so sicher als
der geistige Urheber der Schule von Athen allgemein heute
angesehen, als bedürfe es keines Beweises mehr. Die einzige
Stelle, wo ich jetzt noch, unabhängig von dieser Hypothese,
eine für meine Untersuchungen sprechende Meinung fand,
blieb Burkhardt's Cicerone. Auch in der letzten Auflage
dieses ausgezeichneten Werkes sah ich meine Idee, es habe
im Allgemeinen nur der Unterricht in seinen verschiedenen
Stadien dargestellt werden sollen, festgehalten und die persönliche Deutung der Mittelfiguren als gleichgültig übergangen.
Ein späterer Aufsatz, in dem ich die Frage dann noch einmal
ausführlich behandelt und dargelegt habe, warum sowohl
kirchenhistorisch als aus künstlerischen Gründen angenommen werden müsse, Vasari, der oft geirrt habe, werde auch
hier Unrichtiges vorgebracht haben und Ghisi's Meinung sei
die wahrscheinlichere, ist, soviel ich sehe, von den neueren
Kunsthistorikern unbeachtet geblieben.

Ich gebe nun meine heutige Meinung.

Der Versuch, Paulus in die Schule von Athen hinein-
zubringen, muss allerdings wie ein Einbruch in die historischen Güter erscheinen. Eine gewisse Anschauung der Re-
naissancezeit ist uns in's Blut übergegangen, und mit ihr steht
im Einklange, die Darstellung der griechischen Philosophie,
mit Plato und Aristoteles in der Mitte, sei in den Gemächern
des Vaticans von Raphael auf die Wand gemalt worden.
Ein freisinniger, unbefangener Papst, der den Befehl dazu
ertheilt! Ein junger, unstudirter Maler, ein Genius aber,
in dessen Seele jeder grosse Gedanke sofort Blüthen und
Früchte trägt, als vollführende Kraft dieses Auftrages! Die

ersten Geister und Gelehrten Roms wahrscheinlich, die ihm
dafür zutragen was die Wissenschaft des Tages und des Alterthums bietet! Solche Zeiten waren einmal: sie können vielleicht wiederkehren, denken wir. Ein beruhigender Anblick,
in den Tagen der höchsten künstlerischen Entwickelung
Europa's solche Aufgaben gestellt zu finden. Für Michelangelo die Weltschöpfung und das Weltgericht, für Raphael
die Blüthe der griechischen Gedankenwelt.

In diesem Sinne hatte auch Goethe eine schöne Erklärung des Werkes gegeben. In der Farbenlehre[1]), sicherlich einem der herrlichsten Bücher historischen Inhalts,
die in Deutscher Sprache erschienen sind, sagt er: ,Plato
verhält sich zu der Welt, wie ein seliger Geist, dem es be-
liebt, einige Zeit auf ihr zu herbergen. Es ist ihm nicht
sowohl darum zu thun, sie kennen zu lernen, weil er sie
schon voraussetzt, als ihr dasjenige, was er mitbringt und
was ihr so noth thut, freundlich mitzutheilen. Er dringt in
die Tiefen, mehr um sie mit seinem Wesen auszufüllen, als
um sie zu erforschen. Er bewegt sich nach der Höhe, mit
Sehnsucht, seines Ursprungs wieder theilhaft zu werden.
Alles was er äussert, bezieht sich auf ein ewig Ganzes,
Gutes, Wahres, Schönes, dessen Forderung er in jedem
Busen aufzuregen strebt. Was er sich im Einzelnen von
irdischem Wissen zueignet, schmilzt, ja man kann sagen,
verdampft in seiner Methode, in seinem Vortrag.

,Aristoteles hingegen steht zu der Welt wie ein Mann,
ein baumeisterlicher. Er ist nun einmal hier und soll hier
wirken und schaffen. Er erkundigt sich nach dem Boden,
aber nicht weiter als bis er Grund findet. Von da bis zum
Mittelpunkt der Erde ist ihm das Uebrige gleichgültig. Er

---

[1]) Goethe XXXIX, 65. Ausg. v. 1840. — Heinse giebt im Ardinghello,
II, 32, eine schöne Beschreibung des Gemäldes, wobei er wunderlicher
Weise annimmt, Vasari erkläre es für Paulus und Aristoteles. Vgl. auch
Braun's Leben Raphael's 202. Auch was er 288 sagt.

umzieht einen ungeheuren Grundkreis für sein Gebäude, schafft Materialien von allen Seiten her, ordnet sie, schichtet sie auf und steigt so in regelmässiger Form pyramidenartig in die Höhe, wenn Plato einen Obelisken, ja einer spitzen Flamme gleich, den Himmel sucht.

,Wenn ein Paar solcher Männer, die sich gewissermassen in die Menschheit theilten, als getrennte Repräsentanten herrlicher, nicht leicht zu vereinender Eigenschaften auftraten; wenn sie das Glück hatten, sich vollkommen auszubilden, das an ihnen Ausgebildete vollkommen auszusprechen, und nicht etwa in kurzen lakonischen Sätzen, gleich Orakelsprüchen, sondern in ausführlichen, ausgeführten, mannigfachen Werken; wenn diese Werke zum Besten der Menschheit übrig blieben, und immerfort mehr oder weniger studirt und betrachtet wurden: so folgt natürlich, dass die Welt, insofern sie als empfindend und denkend anzusehen ist, genöthigt war, sich Einem oder dem Andern hinzugeben, Einen oder den Andern als Meister, Lehrer, Führer anzuerkennen. —

,Wie die Völker, so theilen sich auch die Jahrhunderte in die Verehrung des Plato und Aristoteles, bald friedlich, bald in heftigem Widerstreit; und es ist als ein grosser Vorzug des unsrigen anzusehen, dass die Hochschätzung Beider sich im Gleichgewichte hält, wie schon Raphael, in der sogenannten Schule von Athen, beide Männer gedacht und einander gegenüber gestellt hat.'

Warum nicht Raphael diese Weltanschauung zutrauen? Wir wissen aus andern Werken seiner Hand, wie er das Historische in Männern und Ereignissen darstellend zu erschöpfen wusste. Wenn Menschen auf der geistigen Höhe stehen, so blicken sie in die Tiefen aller Thäler rings herum mit leicht streifendem Blick von oben hinein, zu denen Andere den Zugang unten vergebens suchen. Raphael gleicht Goethe darin, dem der Genius der Geschichte die Worte in die

Feder gegeben zu haben scheint, mit denen er das Gemälde
so einfach aus den höchsten Gedanken der nach Wahrheit
ringenden Menschheit deutet.

Wie würde Goethe erst sich gegen Paulus gewehrt
haben! Unbegreiflich wäre ihm gewesen, dass man den
finstern Repräsentanten der kriegführenden Kirche, auf dessen Namen mit so Viele gemartert, gehangen oder ver-
brannt worden waren, an die Stelle des Aristoteles setzen
möchte. Goethe hätte aus eignem Majestätsrechte an Plato
und Aristoteles festgehalten. Die gute Sache der Menschheit
würde seinem Gefühl nach gelitten haben, wenn er das
Eintreten des Paulus für Aristoteles hier hätte zugestehen
sollen. Hat Raphael und seine Zeit aber Plato und Aristoteles so angesehen wie Goethe will? Dieser würde die Discu-
tirung dieser Frage vielleicht abgewiesen haben. Wir sehen
ihn die Machtvollkommenheit, so zu verfahren, bei einer anderen Gelegenheit in Anspruch nehmen. Auch er hatte in
dem Streite über die Bedeutung der Aristotelischen ‚Reini-
gung der Leidenschaften‘ Stellung genommen. Von philo-
logisch fachmännischer Seite wurde ihm widersprochen. Es
sei möglich, sagt er, dass von ihm Etwas in den Aristoteles
hineingetragen sei, was nicht in diesem liege. Ihm, Goethe,
komme es jedoch darauf an, einen Gedanken aus Aristoteles
herauszulesen, der für ihn, Goethe, fruchtbar sei. Wollte
man das nicht gelten lassen, so könne er es Niemand ver-
wehren, er aber — dies der Sinn seiner Worte — werde
trotzdem an seiner Erklärung festhalten, deren Consequenzen
ihm für seine eignen Anschauungen unentbehrlich seien[1]).

Schon Bellori hatte von diesem Gesichtspunkte aus geurtheilt. Seiner Zeit herrschte in Rom jene antiquarische
Begeisterung, aus der Winckelmann und die Deutsche Philo-

[1]) Jacob Bernays, Zwei Abhandlungen über die Aristotelische Theorie
des Drama, S. 84.

logie schliesslich so schöne Kräfte zogen. Bellori war Antiquar. 1685 bereits hatte er in abscheulichen Kupferstichen nach römischen Antiken die Bildnisse der berühmten Männer des Alterthums, voran die der Philosophen, herausgegeben; als er zehn Jahre später die Schule von Athen erklärte, lag ihm wahrhaftig nichts darin, wie Raphael und sein Jahrhundert persönlich sich zu den Dingen gestellt, die diese Philosophen lehrten, sondern er wollte Gestalten von Philosophen auf dem Gemälde nachweisen.

Trendelenburg ging ebenso unbefangen persönlicher Neigung nach. Hätte es sich um Aristotelische oder Platonische Textinterpretation gehandelt, so würden die geringsten Umstände sorgfältigst zu Rathe gezogen worden sein, hier aber glaubt er Raphael's Gemälden gegenüber den Standpunkt eines Dilettanten offen eingestehen zu dürfen. Seiner Zeit war für die Erklärung von Kunstwerken jedes Zeitalters die Methode der älteren Archäologen die hergebrachte. Fast immer hatten diese mit Material zu thun, welches weder verrieth, wie es zu Stande gekommen, noch wie es an den Ort gerathen war, wo man es entdeckte. Man operirte mit Hypothesen jeden Werthes und setzte sich nach eigner Wahl zu den Sachen in ein persönliches Verhältniss. Dieser hergebrachten Freiheit sich zu bedienen, schien bei einem Werke Raphael's nun gar das Erlaubteste. Beim Wiederabdruck des Aufsatzes in den kleinen Schriften, 28 Jahre später, erkennt Trendelenburg in einer Nachschrift an, dass er nicht als fachmännischer Kunsthistoriker geschrieben habe.

Scherer hatte das Verdienst, auf Grund des gesammten literarischen Materiales eine annehmbare Hypothese aufgestellt zu haben. Er begiebt sich auf den Boden des 16. Jahrhunderts und fragt, was in seinem Sinne als möglich anzunehmen sei. Ich habe seine Ansicht in dem oben erwähnten Aufsatze bekämpft, welcher 1880 erschienen ist. Hier trat ich zum erstenmale bedingungslos für Paulus ein. Das Studium des Marsilio Ficino, dem ich andere Resultate entnahm als Scherer gethan, sowie neue Untersuchungen über den Zustand der öffentlichen Meinung zu Rom in kirchlichen Dingen, endlich die in immer zahlreicheren Beispielen hervortretende Unzuverlässigkeit Vasari's liessen mich nun für Ghisi Partei nehmen[1]).

Worin konnte das „praescriptum‘ des Papstes bestanden haben?

Bekannt ist Giulio's Ausspruch gegen Michelangelo, als dieser seiner Statue ein Buch in die Hand geben wollte: ‚Was Buch? Einen Degen! Ich verstehe nichts von den Wissenschaften.‘ Ein mit so entschieden politischer Absicht hingeworfenes Wort braucht jedoch nicht zu exact genommen zu werden. Der Papst war ein fein gebildeter Mann und das, worauf es in der Camera della Segnatura ankam, gehörte jenerzeit zur Bildung der höheren Classen. Der Auftrag an einen Künstler, eine Reihe von Philosophen zusammenzustellen, war nichts, was als ungewöhnliches philosophisches Gelüsten gelten durfte.

Wie aber konnte ein solcher Auftrag damals gemeint werden und welches Material bot sich dar, ihn auszuführen?

In der Bibliothek des herzoglichen Palastes zu Urbino befanden sich Porträts von Philosophen[2]), von denen, wie von den Zeichnungen danach in Raphael's venetianischem Skizzenbuche, oft gesprochen worden ist. Passavant führt daraus an: Aristoteles, Seneca, Plato, Cicero, Homer, Virgil, Anaxagoras, Vittorino aus Feltre (Lehrer Federigo's von Urbino), Ptole-

---

[1]) XV. Ess. Letzte Folge, 1882.

[2]) Bibliotheken nannte man damals die mässigen Räumlichkeiten, wo die Manuscripte aufbewahrt wurden, aus denen die Bibliotheken bestanden.

maeus, Quintus Curtius. Crowe und Cav. nennen von den nach
Paris gelangten Originalen ausserdem den Heiligen Thomas,
Bessarion, Solon, Pietro Apponio, Dante, Augustinus, Hieronymus, Sixtus IV. Grosse Männer aus allen Zeitaltern, von
denen einige Vasari als auf Disputa und Parnass vorhanden
nennt. Anzunehmen scheint, dass ihre Disposition in dem
herzoglichen Bibliothekssaale der Eintheilung der Bücher-
sammlung des urbinatischen Palastes entsprochen habe, die
Giovanni Santi's Gedicht enthält. Da finden wir die Werke
der Theologen, der Philosophen, der Poeten, der Legisten,
der Aerzte und der Linguisten, letztere unter die übrigen
vertheilt. Es würde, die Aerzte ausgenommen, die gleiche
Eintheilung in vier Haupttheile, vielleicht den vier Wänden
eines Gemaches entsprechend, herauskommen, welcher wir
in der Camera della Segnatura begegnen, und die Vorschrift
des Papstes also hätte gelautet haben können, er wünsche
Theologie, Philosophie, Jus und Poesie in symbolischen Compositionen auf den Wänden seines Zimmers zu sehen.

- In ähnlichem Sinne malt, lange nach Raphael's Zeiten,
noch Tintoretto zwölf Philosophen für eine Bibliothek [2]).
Franz I. bestellt sich bei Aretin in Venedig zwei Gemälde: Aristoteles und Plato, die er in seinem Arbeits-
cabinet hat [3]). Am ausführlichsten finde ich die Aus-
schmückung eines den Büchern geweihten Saales in den
Deckenmalereien der Bibliothek beschrieben, die Tibaldi,
ein Bolognese, im Jahre 1568 im Escorial zu Madrid ausführte [4]). Da ist zuerst die ‚Philosophie‘ als schöne ernste
Frau dargestellt, die Socrates, Plato, Aristoteles und Seneca, welche neben ihr stehen, am Erdglobus Erklärungen

---

[1]) fr. II, 412.
[2]) Borghini, Riposo, 557.
[3]) Pittoriche, V, 148.
[4]) Le Arti Italiane in Ispagna, Roma 1825 (von Quilliet) p. 56.

giebt. Ihr gegenüber die ‚Theologie‘, mit einer Königskrone auf Gewölk sitzend: um sie her die vier ‚Santi Dottori della chiesa latina‘, denen sie die Heilige Schrift darreicht. Es folgen Figuren von Dichtern und Rednern auf Piedestalen. Die ganze Wölbung dieses Saales theilt sich in sieben Compartimente: über jeder von den Wänden darunter ist eine der sieben freien Künste gemalt, und unter jeder dieser Figuren, rechts und links von den Fenstern, sind berühmte Männer, je nach der Kunst, welcher sie sich weihten, dargestellt. Ein Kuppelsaal mit sieben Wandflächen also. Ich zweifle nicht, dass Paläste in Italien genannt werden könnten, in denen heute noch Reste dieser oder einer ähnlichen Ornamentik in Räumen zu finden sind, die sich so als ehemalige Bibliotheken documentiren würden. Es wäre nicht unmöglich, dass auch die Camera della Segnatura zuerst diesen Zweck gehabt, und das Holzwerk darin in Bänken bestand, auf denen man die Bücher damals auszulegen pflegte [1]).

Nichts natürlicher als die Annahme, man habe sich für solche Aufgaben das zu Nutze gemacht, was die antiken Bildhauer und die antiken und neueren Autoren über das Aussehen der Philosophen lieferten. Passavant zufolge wäre das Buch des Diogenes von Laerte für die Schule von Athen benutzt wor-

---

[1]) Die Laurentiana in Florenz zeigt eine solche Bibliothek heute noch in ihrer ursprünglichen Einrichtung. In diesem Sinne scheint die Bemalung von Wänden mit Bildnissen von Philosophen, sowie mit allegorischen Figuren, welche die Wissenschaften charakterisirten, zu dem gehört zu haben. was ein Maler als nothwendigen Theil seiner Ausbildung zu lernen hatte. Lomazzo in seinem Trattato, einem Compendium dessen, was ein Maler zu wissen brauchte, giebt Vorschriften darüber. p. 626. Für die Deutung der Schule von Athen ist aus dem Buche nichts brauchbar als etwa, dass Xenophon ‚costumato e grazioso‘ und ‚als Soldat‘ zu malen sei, was auf die für Alcibiades oder Alexander erklärte Figur der Schule von Athen (dem Socrates gegenüber) anzuwenden wäre.

den. Dieser giebt wenig Andeutungen über das Aeussere seiner Philosophen; was er jedoch giebt, finden wir von keinem Maler angewandt. Aristipp, sagt er, habe in einem Purpurgewande getanzt. Raphael hätte dann doch wohl dem von Passavant so getauften Philosophen (rechts neben Diogenes die Treppe ansteigend) ein Purpurgewand gegeben. Ebensowenig könnte dessen Vorbeigehen an dem auf den Stufen liegenden Diogenes mit Diog. Laert. II, 8, 4 in Verbindung gebracht werden, wo eine völlig andere Scene dargestellt wird[1]). Xenocrates empfängt von den Bewohnern von Chios einen Kranz als Sieger im Trinken bei einem Gelage. Antisthenes trägt ein durchlöchertes Gewand, durch dessen Risse, wie Diogenes sagte, seine Eitelkeit hindurchsehe. Diogenes selbst ist niemals ohne seinen Stab, der zu den unabkömmlichen Attributen gehört, von Raphael aber fortgelassen wurde. Auch seine Laterne und sein Hund werden genannt, von denen Raphael nichts gewusst zu haben scheint. Menedemus geht im wunderlichen Aufzuge einer Furie, wie sie auf der tragischen Bühne gekleidet waren, was weitläufig beschrieben wird. Zeno aus Kition, den Passavant in der hervorragenden, nach links gewandten Profilgestalt des bärtigen, kahlköpfigen Greises gerade über dem liegenden Diogenes erkennen will[2]), hatte Diogenes Laertius zufolge eine schiefe Schulter, hohe Gestalt, schwarzdunkle Haut, dicke Beine, aufgedunsenen Körper, während Aristo kahlköpfig gewesen wäre. Chrysipp

---

[1]) Aristipp geht bei Diogenes vorbei, der sich gerade allerlei frugales Wurzelwerk zum Mittagessen wäscht, und verspottet ihn. Diogenes giebt den Spott zurück: Aristipp würde nicht so reden, wenn er nicht ein Speichellecker der Vornehmen sei. Auf der Schule von Athen bemerken Diogenes und der sogenannte Aristipp einander gar nicht. Uebrigens hätte Raphael diese Begegnung, wenn er sie ja hätte darstellen wollen, näher liegenden andern Schriftstellern entnehmen können. Cf. Forcellini sub voce 'olus'.

[2]) Fälschlich und ohne Grund öfter für den damals noch jugendlichen Bembo erklärt, der auch viel später erst Cardinal wurde.

ist elend und unansehnlich. Pythagoras schön wie Apoll,
und sein entblösster Schenkel erscheint golden. Empedokles'
Gewand zeigt edlen Faltenwurf. Weder Raphael aber, noch
sonst ein Künstler seiner Zeit jedoch hat sich um diese
sämmtlichen Merkmale gekümmert. Und ebensowenig finde
ich, dass man den Inhalt der Lehre eines Philosophen, oder
ihr historisches Verhältniss zu einander, oder gar ganze Entwicklungen solcher Verhältnisse hätte darstellen wollen. Weder auf der Disputa, noch auf dem Parnasse bemerken wir
Aehnliches. Jede Gestalt steht zeitlos gleichsam für sich
da. Bramante, der nicht bloss Baumeister war, hatte auf
eine Façade in Mailand Demokrit lachend und Heraklit
in Thränen gemalt[1]). Das war verständlich. Luca della
Robbia hatte Philosophen und Vertreter von Künsten als
Basrelief für den Glockenthurm des Florentiner Domes angefertigt[2]): Donat für die Grammatik, Plato und Aristoteles
für die Philosophie, Ptolemaeus für die Astrologie, Euklid für
die Geometrie. Es handelte sich weder um griechische, noch
sogar speciell um antike Philosophie, sondern, wie schon das
oben genannte Verzeichniss der Porträts in der Bibliothek
des Herzogs von Urbino zeigt, um die Philosophie aller Zeiten,
die eigene mit eingerechnet.

Es lag in den Anschauungen des Mittelalters, wie man
die Kirche als in fortwährender Weiterentwicklung begriffe-
nes geistiges Reich dachte, auch die Philosophie, d. h. die
weltliche Gelehrsamkeit, so aufzufassen. Die ‚Philosophen‘
bildeten eine Masse für sich. Wir sehen im Roman der ‚Sieben weisen Meister‘ den Kaiser seinen Sohn einer Gesellschaft von Weltweisen zur Erziehung übergeben, welche Rom
bewohnen und dort ein mythisches Collegium bilden. Die Idee
der ‚Sieben weisen Meister‘ des alten Griechenlands, die als

---

[1]) Crowe und Cav. North Italy II, 13.
[2]) Vas. III, 61.

eine gleichzeitig zusammenwirkende, historisch permanente
Corporation aufgefasst werden, mag der Ursprung dieser An-
schauung sein. Dante stellt die berühmten Philosophen des
Alterthums als gruppirtes Gemälde hin[1]):

> Und nun, als ich die Augen ein wenig aufhob,
> Sah ich den Meister derer welche wissen
> Sitzen zwischen den andern, die ihm dienten.
> Alle staunen ihn an mit Ehrerbietung;
> Socrates erblickte ich dort und Plato,
> Die, vor den andern, neben ihn näher gestellt sind.

Democrit, zählt er weiter auf, Diogenes, Anaxagoras, Thales,
Empedocles, Heraclit, Zeno, Dioscorides, Orpheus, Cicero,
Livius, Seneca, Euclid, Ptolomaeus, Hippocrates, Avicenna,
Galen, Averrois, die ‚filosofica famiglia‘ des mit Socrates und
Plato in der Mitte thronenden Aristoteles bildend.

Eine ausgiebigere Beschreibung hat Petrarca im dritten
Capitel des Trionfo di Fama. Die Denker und Dichter des
Alterthums ziehen vorüber, voran Aristoteles, dann Pythagoras, Socrates, Xenophon, Homer, Virgil, Cicero, Demosthenes,
Aeschïnes, Solon, Varro, Sallust, Livius, Plinius, Plotin,
Crassus, Antonius, Hortensius, Galba, Calvus, Pollio, Thucy-
dides, Herodot, Porphyrius, Heraclit, Galen, Anaxagoras,
Archimedes, Democrit und so weiter viele Verse, bis Zeno
und Cleanthes den Zug abschliessen. Ich habe die Namen aufgezählt, um erkennen zu lassen, wie auseinanderliegende Jahrhunderte und der Unterschied der Nationalität auf Auswahl und Anordnung keinen Einfluss hatten.
Gelehrte, Redner, Dichter, Aerzte, Philosophen im eigentlichen Sinne: Römer und Griechen, ältere und neuere, sind
die geistigen Repräsentanten des Alterthums, das wie ein
gleiche Zeit und gleichen Volksursprung schaffendes Element
sie umfasst und einander ähnlich macht. Man nahm diese

---

[1]) Inferno, IV, 131.

Männer als fortexistirend an in einer gemeinsamen Unsterblichkeit. der gegenüber nicht ins Gewicht fiel, dass Zeit
und Raum einstmals trennend gewaltet hatten. Diese Anschauung war die allgemeine. Solche Aufzählungen liebte
man in Italien. Jemehr Namen gebracht wurden, desto angenehmer, scheint es, war die Dichtung. Boccaccio's Amorosa Visione wäre ohne diese Vorliebe des Publicums nicht
denkbar. Hier finden wir bei dürftigen Gedanken ein aus-
gedehntes Gewebe von Namen nach vielen Richtungen hin.

Der Dichter sieht im Schlafe eine Frau mit sonnen-
leuchtender Krone, einem Scepter in der einen, einer goldnen
Kugel in der andern Hand, veilchenfarbenem Gewande und
lächelnd lieblichem Antlitze. Sie geleitet ihn zu einem Palaste, er tritt ein und was seinen Blicken hier sich bietet, ist
ein Saal mit Wänden ,wie Giotto allein sie hätte malen können' [1]). Einer der vier Wände wendet der Dichter sich zu und
erblickt eine schöne Frau, sanft lächelnd, in der Linken ein
Buch, in der Rechten ein Scepter [2]). Ihr Gewand Purpur.
Ihr zu Füssen, d. h. unter ihr sitzen auf einem beblümten
Wiesengrunde viele Männer, einige mehr, andere weniger
hervorragend, neben ihr selbst aber, zur Rechten und zur
Linken, thronen sieben andere Frauen, jede der anderen
unähnlich; alle, mit heiterem Antlitze, schienen sie zu singen.
Nun tritt der Dichter näher, um die Männer unten einzeln
zu betrachten, und erblickt zuerst Aristoteles ,in frommer

---

[1]) Cap. IV. Ed. Firenze 1833, p. 17:

> Humana man non credo che sospinta
> Mai fosse a tanto ingegno, quanto in quella
> Mostrava ogni figura lì distinta :
> Eccetto se da Giotto, al qual la bella
> Natura, parte di sè somigliante
> Non occultò, nell' atto in che suggella.

[2]) Verga real.

Geberde, schweigend, mit sich allein beschäftigt, gedanken-voll dastehend'. Nicht weit davon ,sitzt' Isocrates. ,Da war ferner' Plato, Melissus, Anaximander, Thales und Speu-sippus, Heraclit und Hippocrates, dieser ,in einer Stellung als sei er noch immer als Arzt thätig'. Da ,sass' Galen, mit ihm Zeno und Euclid. Darauf Democrit und Solon. Mit ihnen, in unterthäniger Stellung, sass Ptolemaeus, eine Kugel vor sich betrachtend. Mit ihm Tebico und Abracis, sie gleich-falls betrachtend. Averrois und Phaedon bewundern dagegen die Frau, dasselbe thun Anaxagoras und Timaeus. Orfeo, Ambepece, Temistio, Esiodo, Lino, Timoteo werden ferner zusammen genannt. Darauf:

> O quanto quivi in grazioso gioco
> Pittagora onorato si vedea
> E Diogene in sì beato loco!

wohl nur allgemeine Wendungen, die nichts Anschauliches in sich tragen. Seneca und Cicero (Tullio) sitzen im Ge-spräche nebeneinander. Etwas vor ihnen Parmenides und Theophrast, jeder beglückt, die Frau anzuschauen. Ver-schämt und bescheiden sass Boethius da mit Avicenna, und noch andere schliesslich, die der Dichter zu nennen Scheu trägt, um den Leser nicht zu ermüden.

Diese Namen aber bezeichneten nur diejenigen, welche zur Rechten der Frau, mit den sieben Frauen um sich, zu erblicken waren. Der Dichter wendet sich zur linken Seite des Gemäldes. Hier zähle ich die gegebenen Namen ein-fach auf, ohne näher anzugeben, wie einige sitzen, andere stehen, einige unter sich im Gespräch, andere zur Frau emporblickend. Virgil, Homer, Horaz, Lucan, Ovid, Juvenal, Pamphilius, Pindar, Statius, Apulejus, Varro, Caecilius, Euripides, Antiphon, Simonides, Archytas, Sallust, Vegetius, Claudian, Persius, Martial, Livius, Valerius, Orosius, zuletzt, mit überschwänglichem Lobe, Dante. Gegenüber erblickt der

22*

Dichter sodann den ‚weltlichen Ruhm' ‚la Gloria mondana‘ als thronende Herrin einer der andern Wände. Dies und das Weitere gehört nicht hierher [1]).

Man sieht also, wie die malerische Gruppirung von Philosophen den Anschauungen des Publicums vertraut war. Dante, Petrarca und Boccaccio waren so tief in den Geist der Italiener eingedrungen wie Cicero und Virgil einst in den des römischen Volkes. Sie wirkten stets neu und waren in allen Zeitaltern erste Autoritäten. Wir dürfen die Schule von Athen, mag sie nun darstellen was sie will, im Allgemeinen mit dem in Verbindung bringen, was diese Dichter enthalten.

---

[1]) Es ist merkwürdig, wie Dante's, Petrarca's und Boccaccio's Darstellungen sich unterscheiden.

Dante, obwohl der anschaulichste, giebt nichts Malerisches. Man glaubt mitten unter seinen Gestalten zu sein, sie bewegen sich wie der Verkehr lebender Menschen: sie halten nicht still in fester Stellung, man sieht weder Umrisse, noch Licht und Schatten. Bei Petrarca schon mehr. Hier wenigstens ist der Leser als abgetrennter Zuschauer gedacht, an dem der Zug vorbeigeht, dem Wagen des Ruhmes nach. Wir sehen Figur auf Figur folgen, jede von e i n e r Seite sichtbar, jede in einer gewissen Ferne, welche den Anblick gestattet. Boccaccio dagegen ordnet absichtlich malerisch an. Das seinem Wandgemälde zu Grunde liegende Schema ist dasjenige, nach welchem seiner Zeit die Darstellung symbolischer Versammlungen gewöhnlich war. In der Mitte oben Gottvater en face, rechts und links die mit ihm thronenden Heiligen. Unten zwei grosse Massen zur Rechten und Linken, beide von ihrer Seite her, meist im Profil, der Mitte, welche über ihnen die Höhe hält, zugewandt mit den Blicken. So disponirte hundert Jahre später noch Fiesole, und nach dieser Anordnung sehen wir Raphael's Disputa aufgebaut.

Keiner von den Dreien aber giebt künstlerische Motive, nach denen eine der Figuren der Schule von Athen sich wiedererkennen liesse. Petrarca's Verse:

Vidi Archimede star col viso basso

und weiter:

E Diogene Cinico, in suoi fatti
Assai più che non vuol vergogna, aperto

scheinen mir kaum citirbar. Denn Raphael hat weder Diogenes in unanständiger Entblössung, noch Archimedes ‚col viso basso' dargestellt,

Sobald wir das Gemälde daraufhin aber im Einzelnen zu deuten beginnen, bietet sich kein Zusammenhang mehr.

Nur ein einziger Autor ist ausfindig gemacht worden, dem Raphael für bestimmte Figuren seines Werkes als verpflichtet angesehen werden darf, hier aber auch nur für die malerischen Motive.

1497 war Sidonius Apollinaris zum erstenmale wieder gedruckt worden. Er, Claudian, Ausonius und Boethius sind die letzten Lichtpunkte der römischen Schriftstellerei. Sidonius, der die Deutschen in Gallien, seine Heimath, einströmen und dort Königthümer gründen sah, erlebte die äussersten Zeiten römischer Literatenthätigkeit. Bis zu diesen Autoren ist eine auf ein gebildetes römisches Publicum basirte Continuation der lateinischen Stilentwicklung vorhanden, die nach ihnen abbricht. Gedichte und Briefe des Sidonius haben wir: von beiden scheint Raphael, oder wer ihn berieth, Notiz genommen zu haben.

In einem seiner bis zur Unverständlichkeit oftmals gezierten Hochzeitsgedichte wird von Sidonius ausgeführt, wie der Bräutigam, ein der platonischen Philosophie zugethaner junger Mann, im Tempel zu Athen, der den hohen Denkern der Menschheit als Ruhesitz angewiesen ist, ihrer Lehren theilhaftig wurde. Als Bewohner dieses Tempels gehen die grossen

---

was doch nicht mehr als ‚mit gesenkten Blicken‘ bedeutet [1]). Lanzi freilich (Storia Pitt. Firenze 1822, II, 50), der diesen Mangel gefühlt zu haben scheint, macht, wo er die Stelle anführt, ‚col capo basso‘ daraus.

Marsilio Ficino enthält in seinen Schriften nichts was auf das äussere Aussehen des Philosophen Bezug hätte.

[1]) Wie Dante Inf. III, 79 sagt

— gli occhi vergognosi e bassi

Alessandro Vellutello bringt in seiner Expositione (Ausg. Venedig 1547 p. 202) den viso basso des Archimedes damit in Verbindung, dass ihn bei der Eroberung von Syracus der Römische Centurion in seine auf den Boden gezeichnete Figuren ganz versenkt fand. Mir scheint das etwas zu weit hergeholt. Keinenfalls, wenn Raphael hierauf hindeuten wollte, brauchte er es erst Petrarca zu entnehmen.

Philosophen des Alterthums jeder da seinen Studien nach
und belehren ihre Anhänger. Die Idee dieses Baues ist Plato's
Schrift über die Gesetze entnommen, wo ein solcher Tempel
als die höchste Blüthe griechischer städtischer Entwicklung
beschrieben wird: bei Sidonius erscheint er als die zu idealem
Leben erhobene Darstellung eines Gymnasiums der damaligen Zeit, in welchem Philosophie gelehrt ward.

Ueber die Einrichtung dieser Gymnasien, an deren Wände
die Gestalten der berühmtesten Philosophen gemalt waren,
giebt einer der Briefe des Sidonius genauere Angaben. Er
sagt darin einem jungen Geistlichen Schmeichelhaftes über
ein frisch herausgegebenes Buch philosophischen Inhaltes.
Sidonius vergleicht die Philosophie Plato's mit einer Braut,
welcher der junge Autor sich durch sein Buch vermählt
habe. ,Mit diesen Gaben des Geistes und diesen Kenntnissen ausgestattet, redet er ihn an, hast du dir ein schönes
Weib zu rechter Ehe verbunden: das du, obgleich es auf
gegnerischer Seite[1]) stand, trotzdem in immer noch jugendlicher Kraft mitten aus den Reihen deiner Feinde mit von
Sehnsucht gestähltem Arme siegreich geraubt hast: die Philosophie, die aus ihrer unheiligen Umgebung mit Gewalt
herausgerissen, von dem überflüssigen Beiwerke heidnischen
Glaubens, weltlicher Vielwisserei und althergebrachter Wort-
und Gedankenfloskeln befreit, neu geheiligt und geweiht sich
dir anvermählt hat. Diese, einstmals deine Wärterin, als du
noch ein Kind warest, ist jetzt deine unzertrennliche Genossin geworden, magst du nun im Gewühl der Stadt weilen
oder die Einsamkeit suchen. In den Pflanzstätten der
Wissenschaft wird sie vom weltlichen ab zu geistlichem Studium dich hinleiten, und wer dich dieser deiner Ehe wegen

---

[1]) Sidonius ist Christ. Plato gehörte zu den heidnischen Autoren,
die von den Christen anerkannt wurden. Auch Cassiodor nennt Plato
den Theologus.

antasten sollte, der wird empfinden, wie die platonische
Akademie streitend eintrete für die Kirche Christi, deren
eigentliche Grundprincipien sie anerkennt, während sie allem
äusserlichen Wesen des gemeinen Sophistentreibens entgegen
ist. Da heisst es nicht das Haar lang wachsen zu lassen,
mit Mantel und Purpurstreifen aufzufallen, durch Eleganz
blenden zu wollen oder in Vernachlässigung der Kleidung Ver-
achtung der Dinge vorzugeben, auch nicht in der äusserlichen
Haltung die Philosophen nachzuahmen, wie sie in den athenischen Gymnasien oder im Prytaneum abgemalt werden: Zeusippus mit vorgebeugtem, Aratus mit aufgerecktem Halse;
Zeno mit zusammengezogener Stirn, Epicur mit glattge-
spannter Hautfläche; Diogenes mit wallendem Barte, Socrates
mit schwindendem Haupthaare; Aristoteles mit vorgestreck-
tem Arme, Xenocrates mit herangezogenem Beine; Heraclit
mit vor Weinen sich schliessenden Augen, Democrit mit
lachend geöffneten Lippen; Chrysippus mit zusammengenom-
menen Fingern der Zahlangabe wegen, Euclid mit ausein-
andergestreckten der Maassangabe wegen, Cleanthes des
einen wie des andern wegen mit angekauten Fingern. Im
Gegentheil, wer von derartigen Gesellen jetzt mit dir an-
bindet, den wirst du durch deine Kenntniss ihrer philosophischen Irrlehren mit den eignen Waffen schlagen.'

Sidonius' stilistischer Kunstgriff besteht überall in der
oft geschmacklosen Häufung von Gegensätzen. Diesmal
kommt uns das sehr erwünscht. Er kannte die seiner
Zeit noch geläufigen Philosophenbildnisse aus eigner Anschauung. Die Gegensätze, die er paarweise vorbringt, sind,
meist in derselben paarweisen Zusammenstellung, auf Raphael's Schule von Athen erkennbar.

Erstes Paar: Zeusippus mit vorgebeugtem, Aratus mit
aufgerecktem Halse. Bei Aratus sollte damit wohl die zu den
Himmelskörpern empor sich wendende Aufmerksamkeit an-

gedeutet werden. Beide sehen wir auf der Schule von Athen
dicht bei einander, in der Gruppe links unter der Apollostatue.
Der eine ein alter gebeugter Mann, der andere den Kopf an
den auf die Architektur mit dem Ellenbogen aufgestützten
Arm gelehnt. Zweites Paar: Zeno mit gefalteter Stirn,
Epicur mit glatter Haut. Beide nebeneinander im Vordergrunde links, dicht am Rande. Zeno im Profil, mit langem
Barte, Epicur mit Weinlaub bekränzt und ein Buch haltend,
das auf dem Piedestal einer noch unaufgerichteten Säule
ruht. Drittes Paar: Diogenes mit wallendem Barte, Socrates
mit spärlicher werdendem Haar[1]). Beide zwar nicht nah zusammen, aber durch keine Figur zwischen ihnen getrennt
und leicht herauszufinden. Viertes Paar: Aristoteles mit vor-
gestrecktem Arme: die eine der beiden oft besprochenen
Mittelfiguren rechts; Xenocrates mit herangezogenem Beine:
links unter ihm am Fusse der Treppe sitzend. Fünftes
Paar: Heraclit mit geschlossenen Augen: die Figur rechts
neben Socrates; Democrit mit lächelndem Munde: der Jüngling im Profil rechts neben ihm, welcher auf Plato hinblickt
und das Haupt ein wenig vorneigt. Sechstes Paar: Chrysipp
mit eng aneinandergeschlossenen halb gekrümmten Fingern:
die Figur links unter der Statue Apollo's; Euclid mit aus-
einandergestreckten Fingern: rechts die nächste Gestalt, die
ihm gegenüber den Arm mit gespreizten Fingern emporhält.
Diese zwölf Gestalten nun sind die Hauptfiguren der Schule
von Athen. Nehmen wir als unverkennbar Archimedes, Ptolemaeus und Zoroaster hinzu, so bleiben fast nur die raumaus-
füllenden Nebenpersonen der Composition ohne Namen. Das

---

[1]) Ich lese cadente statt candente. Für den auf den Stufen der
Treppe, welche den Aufgang zum Tempel bildet, liegenden Diogenes den
Vers des Sidonius Carmen XV, 124:

Exclusi prope jam Cynici, sed Emine restant

zu citiren, würde zu weit führen.

Verdienst, zuerst auf Sidonius hingewiesen zu haben, gehört Dubos, welcher in seinen, auch in Deutschland ihrer Zeit hochgeschätzten ‚Réflexions critiques sur la Poèsie et sur la Peinture' die betreffende Stelle des Briefes abdruckte, ohne freilich mehr hinzuzusetzen als: ‚Raphael s'est bien servi de cette érudition dans son tableau de l'école d'Athènes [1]). —

Hätte Raphael nur darstellen wollen, was zu Sidonius' Zeiten als Characterisirung der griechischen Philosophie das officiell Herkömmliche war, so würde nicht Paulus, sondern Aristoteles in dem Mann erblickt werden müssen, der auf der Treppe oben als das geistige Centrum der Versammlung mit ausgestrecktem Arme dasteht.

Nehmen wir hinzu, dass das Buch, welches er auf seinen Schenkel stützt, die Inschrift ‚Etica' trägt, so scheinen für die Deutung Paulus alle Anhaltspunkte zu schwinden. Zwar wird die Form ‚Etica' als eine auf den Wänden der Camera della Segnatura unmögliche Italianisirung preisgegeben und der Verdacht damit ermöglicht, als sei ‚Etica' sogut wie ‚Timeo' auf Vasari's Autorität allein in späteren Zeiten aufgefälscht worden. aber es könnte doch erwidert werden, dass die Namen vorher in anderer Orthographie an denselben Stellen gestanden hätten und nur in unverständiger Weise erneuert worden wären.

Hierin also sehen wir nichts Entscheidendes. Meine Bedenken gegen Aristoteles liegen überhaupt aber auf anderem Gebiete.

Plato und Aristoteles hatten für Raphael's Zeiten die Bedeutung nicht mehr, die sie eine Generation früher besassen. Bekannt ist — denn diese Dinge sind oft besprochen worden — dass römische und florentinische Gelehrte eine bis zum Excess

---

[1]) I, 278 der Ed. von 1755, welche mir zur Hand ist.

gehende Verehrung Plato's hegten, mit der Marsilio Ficino's
Arbeiten im Zusammenhange standen, allein diese Bestrebungen waren schon in den neunziger Jahren als zu Boden
gesunken anzusehen und es ist zu der Zeit wo Raphael die
Schule von Athen malte nichts mehr von ihnen nachweisbar.
Ich habe in meinem Aufsatze von 1880 diese Verhältnisse in
genaueren Daten besprochen. Die von Savonarola ausgehende
Bewegung, verbunden mit gewaltsamen äusseren Ereignissen
hatte einen, man kann wohl sagen, plötzlichen Umschwung
herbeigeführt und andern Gedanken Bahn gebrochen. Die Versuche, die Concordanz der Lehren Plato's und Christi darzulegen, waren antiquirt. Als der Mann aber, der unmittelbar nach
den Tagen Christi selber die brauchbarsten Resultate aus seiner
Lehre gezogen hatte, stand in den Augen des beginnenden Jahrhunderts der Reformation Paulus da. Wie Aristoteles früher
ohne weiteres ,der Philosoph' gewesen war, ist Paulus nun
,der Apostel'. Nicht nur Luther hat sich zumeist auf ihn
berufen. Auch in Italien wurde er als der Grundstein anerkannt, auf dem die Kirche der Zukunft stehen müsse. Ich
verweise auf meinen Aufsatz, wo gezeigt ist, in welcher
Weise schon Marsilio Ficino sich zu Paulus stellte.

Wenn wir bedenken, mit welcher fast göttlichen Autorität
so viele Jahrhunderte lang Aristoteles dagestanden hatte und
wie Plato, ,der Theologe', neben ihm verehrt worden war, so
erstaunen wir über den Fanatismus, der jetzt gleichmässig
gegen Beide sich vorwagt, nur weil sie ,Philosophen' sind.
Durch Reumont's Hinweis [1]) lernte ich zuerst das merkwürdige
Buch ,Ueber die wahre Philosophie' kennen, welches Castellesi, einer der in Rom mächtigsten Cardinäle, in der Zeit, in
welcher Raphael den Auftrag für die Gemälde der Camera
erhalten haben könnte, unter den Augen Giulio's II., in dessen

---

[1]) Gesch. d. St. R. III ᵃ, 269 u. 361.

'Gefolge er sich befand, 1507 in Bologna erscheinen liess [1]). Auf kurze Stellen, zumeist des Augustinus und Hieronymus hin wird die antike Philosophie, Aristoteles und Plato an der Spitze, verdammt. „Nicht was Aristoteles sagt, sondern was Paulus sagt, darauf kommt es mir an' ist das Thema der Schrift [2]). Es waren das nicht die Ansichten einer neuen extremen Partei. Castellesi, ein gelehrter Mann, hatte sein Buch lange schon vorbereitet. Er ging mit der Majorität. Ich erinnere an Luther's Abneigung gegen Aristoteles, den er mit Schimpfworten belegt und für so gut wie den Teufel in Person erklärt [3]). Auch an Holbein's Caricatur sei erinnert, auf der, Aristoteles und Plato voran, die ganze römische Cleiisei in den Abgrund wandert, während Aristoteles obendrein in sein Schwert stürzt. Luther's Aeusserungen und Holbein's Zeichnungen sind aus ihren frühesten Zeiten.

Wie nun hat Raphael sich verhalten? Wenn wir die kirchliche Kunst des Jahrhunderts der Reformation mit der des vorhergehenden vergleichen, so fällt das Eintreten des persönlichen Elements auf, das von Lionardo da Vinci ab durchbricht. Welcher Maler vor diesem hätte der Darstellung des Abendmahls die dramatische Wendung zu geben, die er in sein berühmtes Mailänder Werk hineinlegte und die dessen Eindruck auch heute noch, wo es so gut wie ganz zerstört ist, zu einem unfehlbaren macht? Christus sagt: Einer unter euch wird mich verrathen! Die Wirkung dieses Wortes auf die Apostel er-

---

[1]) Er schrieb es keineswegs erst 1507, wie Hettner (Ital. Stud. 221) angiebt, er begann das Buch nach 1492, als er aus England zurückkehrte. Ferrius XXIV. Ebensowenig ist es auf Savonarola's Einfluss zurückzuführen.

[2]) L. IV. cap. VI.

[3]) Princeps tenebrarum. Brief an Eck vom November 1519. De Wette CLXX. Daneben viele andere Stellen. Natürlich meint Luther nur den Aristoteles der Scholastiker, die, wie er sagt, vom wirklichen Aristoteles kein Capitel verständen.

blicken wir. Was hat das zu thun mit der hergebrachten Aufgabe im Speisesaal eines Klosters das Abendmahl zu malen? Betrachten wir in diesem Sinne auch Michelangelo's Pietà und bemerken ihren wahrhaftigen historischen Inhalt als Product ihrer Zeit. Welch eine persönliche Theilnahme, in die wir da hineingerissen werden!

Dies persönliche Element war es, das Raphael's frühesten Sachen schon, die noch in den Formen des verflossenen Jahrhunderts gehalten sind, so tiefen Inhalt verleiht. Raphael drängt los auf das einfach Menschliche. Nach Paulus' reiner Lehre hörte er um sich her wohl rufen: ein Gefühl konnte ihn jetzt ergreifen: an die Stelle des inhaltlosen Paulus, der ihm in jeder Kirche, an jeder Strassenecke in Rom in Malerei und Bildwerk begegnete als märchenhafter Greis, müsse der wahrhaftige historische Paulus nun gebracht werden. Wenn irgendwo Entwickelung in Raphael's Anschauungen zu erkennen ist, so ist es der Fortschritt zum Realen in der Darstellung des Paulus, dem er wieder zu historischer Existenz verholfen hat.

In drei Formen finden wir Paulus bei Raphael. Als einen der Himmelsbewohner im hergebrachten Sinne zeigt ihn noch die Disputa. Hier nimmt er auf dem Gewölk rechts den äussersten Sitz ein. Auf sein Schwert geneigt, erscheint er als ein starker Mann zwischen 60 und 70, ein Greis, wie Dante ihn ausdrücklich nennt[1]), das kahle Haupt mit einem Kranz kräftiger Haare umwachsen und auf der umfangreichen Stirn die mächtig in sich selbst verwickelte Locke, die zumal im 17. Jahrhundert als Schmuck der Heiligen nicht fehlen darf. Er entspricht der gleichgearteten Gestalt des Petrus ihm gegenüber. So war Paulus von Raphael schon auf der Madonna von Perugia dargestellt worden: als Kämpfer für die Kirche, der ohne das

---

[1]) Due vecchi, d. h. S. Luca und S. Paolo. Purg. XXI, 24 ff.

zweihändige Schwert nicht denkbar ist. Seine Figur ist die lebendigste auf dem Gemälde. Dies ist der Paulus der Legende, der, bis in den dritten Himmel entrückt, von Geheimnissen wusste, die kein anderes Auge geschaut hatte. Als solcher war er eine populäre Gestalt. Wie Paul, als er aus dem dritten Himmel wieder herabgekommen war, nicht habe sagen können, was er gesehen hatte, beginnt Raphael in einem seiner Sonette, so schweige auch er: keine Sprache vermöge zu sagen, was er in jener Nacht in den Armen seiner Geliebten erlebte. Ebenso gehört der Paulus in die Legende, den Raphael im zweiten vaticanischen Zimmer darstellt: Paulus und Petrus kommen mit gezückten Schwertern vom Himmel herab, um Attila zurückzuscheuchen. Um zwanzig Jahre jünger jedoch erscheinen sie hier als drüben, mit vollem zurückfliegendem Haar und Bärten, bei Paulus zumal in fast jupiterhaftem gewellten Wuchse[1].

Wie wenig es Raphael damals noch darauf ankam, feste Typen der Apostel durchzuführen, zeigt die Befreiung Petri auf dem Gemälde daneben, wo Petrus anliegendes Haar und dichten, aus runden, kurz in sich zurückkehrenden Locken gebildeten Bart zeigt. Diese Verschiedenheit des Petrus in demselben Gemache lässt auch für ihn Raphael's Meinung erkennen, der Petrus der Legende sei anders aufzufassen, als der historische. Offenbar hält er diesen Unterschied für beide Apostel nun fest, denn auch auf der Darstellung der ,Fünf Heiligen': Christus mit Maria und Johannes in den Wolken,

---

[1] Man erkennt den beabsichtigten Gegensatz: Petrus' Haar ist fester, struppiger, das des Paulus länger und sanfter geschwungen. Raphael benutzt es in dieser Fülle für beide Gestalten nur als malerisches Motiv, um durch seinen flatternden Flug das Herabstürmen der Schutzherren Roms mit einem Hilfsmittel mehr auszudrücken. Weder Volpato's noch Anderloni's Stich geben die Köpfe der beiden Apostel hier so richtig wieder wie Marcucci's neuerer Stich, der sich freilich sonst mit jenen nicht messen kann.

und Paulus und die Heilige Katharina unter ihnen auf der Erde,
erscheint Paulus legendenhaft, das Haupt von zottig zugespitz-
ten, dicht in sich abgeschlossenen Locken umhüllt, das ganze
untere Antlitz von langherabreichendem, in viele Spitzen sich
theilenden Barte überfluthet. Ebenso in der Reihe der von
Marcanton nach Raphael's Zeichnungen gestochenen Apostel.

Eine Vermittlung zwischen dem mythischen und dem historischen Paulus bietet Raphael's Heilige Cäcilia. Der Grundge-
gedanke des Gemäldes tritt uns wie ein Nachklang dessen entgegen, was auf der Disputa sich enthüllt. Auch über Cäcilia
und ihren Begleitern eröffnet sich der Himmel. Musicirende
Engel werden sichtbar und ihr Spiel klingt zu den unten
zusammenstehenden Heiligen plötzlich herab[1]). Paulus steht
in sich versunken da. Er greift mit der Hand in den dunkeln Bart[2]), während das geneigte Haupt den vollen, weichen
Haarwuchs eines Mannes erkennen lässt, der zwischen 30 und
40 Jahren steht. Auf der ersten Skizze des Werkes ist das
Haar kürzer und wie aus härterem Stoffe, auf dem Gemälde
sanft und locker. Die wilde Kraft (fierezza), sagt Vasari
in seiner Beschreibung, sei bei Paulus von Raphael hier zu
tiefem Ernste (gravità) gemildert worden. Diese Milderung
hat Raphael erst bei der Ausführung des Gemäldes eintreten
lassen.

In voller menschlicher Wirklichkeit aber sehen wir
Paulus auf den Teppichen Raphael's. 1511 wurde die
Schule von Athen vollendet, 1513 etwa die Cäcilia gemalt[3]),

---

[1]) Auch hier, wenn wir die in Marcanton's Stich erhaltene erste
Skizze des Werkes mit dem Gemälde selbst vergleichen. sehen wir, wie
das ‚Ueberraschende‘, das dramatische Element, in vollem Umfange erst
später in die Composition hineingebracht worden ist.

[2]) Anfängliches Motiv der Handbewegung des Paulus auch auf einer
Zeichnung für den Paulus der Disputa.

[3]) So nehme ich an in Uebereinstimmung mit Passavant, während
Marcanton's erster Entwurf etwa 1510/11 entstanden sein mag In die

1514 jenes Buch Castellesi's, das in Rom Aufsehen erregt
hatte, neu gedruckt, um dieselbe Zeit etwa die Vertreibung Attila's gemalt und die Cartons zu den Teppichen
begonnen. Ich nehme hier vorweg, was weiterhin genauer
ausgeführt werden wird. Jetzt erst wurde für Petrus und
Paulus die überzeugende Gestalt gefunden. Beide Apostel
sehen wir hier den festen Boden des römischen Reiches
betreten, innerhalb dessen sie ihre Sendung erfüllen. Alles
Visionäre ist bei Seite gethan: Geschichte entrollt sich vor
uns. Auf den Cartons zu den Teppichen kehrt Paulus, in
den verschiedenen Compositionen erkennbar immer als derselbe Mann wieder, die energischste, leibhaftigste Männer-
Individualität, die Raphael überhaupt geschaffen hat. Sein
Haar ist kurz, die eckige Kopfform bleibt überall sichtbar:
man meint, das Haar nehme Theil an der Bewegung, die
den ganzen Mann erfüllt. Nirgends ist aus dem Herzen
quellende Beredsamkeit künstlerisch so erfasst worden, wie
auf dem Teppich mit der Predigt des Paulus zu Athen.

Auf der Schule von Athen und auf einem der Cartons für
die Teppiche Darstellung derselben Scene also? Allerdings.
Und zwar 1511 und 1514 aus verschiedenen Gesichtspunkten.
Vergleichen wir. Der Paulus der Schule von Athen entspricht
mehr dem der Heiligen Cäcilia als dem der Teppiche. Noch nicht
voll im historischen Sinne hat Raphael ihn erfasst. Seine Absicht war auf der Schule von Athen noch nicht, uns fühlen zu
lassen, wie Paulus, der praktische Missionar, die heidnischen
Philosophen aus den alten Bahnen in neue herumwirft. sondern mit legendenhaftem Schimmer noch lässt Raphael Paulus
unter seinen heidnischen Collegen gleichsam erscheinen, um
ihnen darzulegen, dass das Christenthum nichts als die

Jahre 1512/13 muss, der technischen Behandlung der Zeichnung nach
die Composition der ‚Fünf Heiligen‘ fallen. Ein wenig später die Zeichnungen für die Apostel des Marcanton.

letzte Erfüllung der Worte ihrer eigenen Dichter und Philo-
sophen sei. Es scheint, dass Raphael noch schwankte, wie er
Paulus hier zu malen habe. Auf dem Mailänder Carton der
Schule von Athen sehen wir ihn in zurückgeworfenem, fast
lockig herabfallendem Haarwuchse, der bis in den Nacken
reicht, während der Bart in gleicher Bewegung auf die Brust fällt.
Auf dem Fresko dagegen entsprechen Haar und Bart mehr
dem des Paulus neben der Heiligen Cäcilia.[1]) Mit dem
Paulus der Schule von Athen vergleiche man den Paulus, den
Marcanton in der oben erwähnten Folge der Apostel gestochen
hat, wie, die Bewegung des rechten Armes allerdings ausgenommen, beide Gestalten identisch sind. Für diesen ‚vor-
gestreckten Arm‘ aber hätten wir dem Sidonius, bei dem wir
ihn als Kennzeichen des Aristoteles finden, die Apostelgeschichte entgegenzusetzen, die zugleich für die Höhe der
Treppe, auf der Paulus steht, dann die Quelle würde. Im
XXI. Capitel wird erzählt, wie Paulus im Tempel von Jerusalem von den Römern verhaftet wird, wie die Soldaten auf
ihn losschlagen und das Getümmel des Volkes so gross ist,
dass die Soldaten ihn, als er an die Stufen kam, tragen
mussten. Nun wird er in das Lager hineingeführt, offenbart
sich als römischen Bürger und verlangt, dass ihm zum Volke
zu reden gestattet werde. Als der Hauptmann es ihm aber
erlaubte, heisst es da weiter, trat Paulus auf die Stufen
und winkte dem Volke mit der Hand. Da nun eine
grosse Stille ward, redete er zu ihnen auf hebräisch und
sprach: Ihr Männer, lieben Brüder und Väter, höret meine

---

[1]) Man könnte sagen, der Kopf der Freske sei problematisch und
nur die Redaction des Mailánder Cartons als die authentische aufzufassen.
Beide aber erscheinen als annehmbar. Der Kopf auf Volpato's Stiche ist
ein erfundener, der weder dem der Freske, noch dem des Cartons entspricht. Der Kopf auf der Freske erscheint mir als durch keine Uebermalung verändert.

Verantwortung u. s. w. Dazu die Stelle Cap. XXVI, wo
Paulus vor Agrippa steht: da begann Paulus mit ausge-
streckter Hand Rechenschaft abzulegen. (Tunc Paulus
extensa manu coepit rationem reddere.) Keine Gestalt des
Neuen Testamentes ist im modernen Sinne so lebendig wie
Paulus. Er geht organisatorisch vor. Wir sehen ihn in
Situationen, in die wir uns hineinzudenken vermögen. Wenn
Raphael das Neue Testament gelesen hat — wofür die Be-
weise sich noch stärker ergeben werden — so mussten diese
Stellen ihn treffen und sich in seiner Phantasie mit Paulus'
Gestalt verbinden. —

Wie aber, wenn die Deutung ‚Paulus‘ für die Entstehungs-
zeit der Schule von Athen die natürliche war, ist die Deutung ‚Plato und Aristoteles‘ in Vasari's Buch hineingekommen?
Zwei Parteien, meint man, hätten an beiden Deutungen ein
Interesse gehabt: gut, nehmen wir an, Vasari habe im Sinne
der einen von diesen beiden Parteien geschrieben: warum
fasst er seine Beschreibung des Gemäldes so, dass er trotz
‚Plato und Aristoteles‘ vielmehr zur Partei ‚Paulus‘ zu gehören scheint? Es kann nichts als Gedankenlosigkeit gewesen sein, dass er den sogenannten Pythagoras zum Evangelisten Matthäus macht, es kann ebensogut aber etwas dahinter stecken, was wir nicht wissen. Woher floss Vasari die
seine Beschreibung eröffnende Phrase in die Feder, dargestellt
sei auf dem Fresco, wie die Theologen — mehrere also — die
Philosophie und Astrologie mit der Theologie vereinigten?
Vasari muss sich etwas darunter gedacht haben. Welche
Theologie wird hier vereinigt und welche Theologen thun
dies? Nennt er Plato und Aristoteles Theologen? Oder wird
seinem Sinne nach die Theologie durch den Evangelisten
vorn links repräsentirt? Aber es sollen mehrere Evangelisten
sein: einige darunter ‚welche schreiben‘: andre also doch

auch, welche nicht schreiben? Welche Figuren hat er dabei
im Sinne?

Wie kommt Vasari zu diesen christlichen Elementen,
mit denen er die Arbeit der Astrologen (im Vordergrunde
rechts) in directe Verbindung bringt? Sollte er selber,
als er die Schule von Athen beschrieb, Anfangs ‚Paulus‘ im
Manuscripte gehabt und Giovio, als dieser die Arbeit durch-
sah, die beiden Philosophen dafür hineingebracht haben? Ich
gebe dies nur als einen Gedanken, der mir bei der Bemühung
gekommen ist, Vasari's Angaben irgendwie zu retten. Wenn
wir von zwei Parteien in Rom aber sprechen wollen, die ein
Interesse an beiden Deutungen gehabt, so scheint mir nicht,
dass die Liberalen oder die Conservativen zu Giulio's II.
Zeit etwas darin gesucht haben könnten, die eine oder
andre Darstellung vorzuziehen. Vorhanden waren die Parteien. Castellesi's Buch ist ein Beweis dafür. Auch bei der
Grundsteinlegung der neuen Peterskirche sehen wir Oppo-
sitiou bei manchen Cardinälen, die das Bestehen der Kirche
an den Bestand der alten Basilica geknüpft glaubten, wie
officiell denn auch von keiner Neugründung, sondern nur
einer Wiederherstellung der alten Kirche die Rede war.
Aber, dass der Papst sich Plato und Aristoteles mit den
griechischen Philosophen hätte in's Zimmer malen lassen, um
seine Parteistellung zu bethätigen, passt nicht dazu. Aristoteles wäre vielmehr der Held der alten Scholastiker gewesen,
gegen die die liberale Strömung sich erhob, und Paulus hätte
eher dem Sinne des Papstes entsprochen, als der Mann, zu
dessen Verherrlichung Gemälde auszuführen wären. Wohl
aber konnte in Vasari's Tagen von den Leuten, unter deren
Einfluss sein Buch entstand, eine stille Genugthuung darin
gesucht werden, Paulus aus der Schule von Athen heraus
und Plato und Aristoteles dafür hineinzuerklären. Denn in
den vierziger Jahren des Jahrhunderts trat in Rom jene ent-

scheidende Wendung gegen die Reformpartei ein, die zu der
Verfolgung der protestantisch Gesinnten in Italien selbst
führte. Was damals in Rom in der Stille noch liberalen Gedanken huldigte, flüchtete zu der gefahrlosen Beschäftigung
mit dem Alterthume und jene Männer, zu denen Giovio, Vasari's Beschützer zählte, bildeten eine Art Akademie die ihre
Bemühungen der antiken Architektur, als indifferentem Thema
geistiger Arbeit, geweiht hatte. Diese meist in höheren
Stellungen und Gesellschaftsclassen stehenden Leute sahen
vielleicht einen erlaubten unschuldigen Triumph darin, Paulus
auf Raphael's Gemälde zu beseitigen, und Vasari, der neben
der Gabe naturalistischer Schriftstellerei in Allem was die
höheren Handgriffe das Metiers anlangt, äusserst ungeschickt
war, corrigirte seinen Text in der Hauptsache und liess das
Capitel übrigens wie es gewesen war. Noch einmal: Alles
dies nur, um irgend einen Sinn in seine Angaben hinein-
zubringen statt sie, wie Andre gethan haben, zu übergeben
oder sie für Unsinn zu erklären.

Hiermit nun wäre, soweit mein Horizont reicht, das erschöpft, was für und gegen ‚Paulus‘ auf dem Wege des In-
dicienprocesses sich sagen liesse. Sicherheit gewinnen wir
nicht damit. Immer wird freistehen, das Eine oder Andre, je
nach individueller Ueberzeugung. bei Seite zu schieben oder
als nicht unerheblich zu erachten. Ich selbst verfahre so.
Aber ich würde mich nicht für berechtigt halten, der Deutung
‚Paulus‘ entschieden den Vorzug zu geben, wenn nicht noch
Gründe allgemeiner Art für sie sprächen, die aus der Natur
des Gemäldes als Kunstwerkes und aus Raphael's Individualität als schaffenden Künstlers fliessen.

In allen Compositionen Raphael's tritt das Bestreben
hervor, dem Betrachtenden etwas vor Augen zu bringen, das
ohne Erklärung und ohne Unterschrift, aus der blossen Ge-

walt der dargestellten Bewegung heraus, verständlich wäre.
Ich komme auf das obenerwähnte Abendmahl Lionardo's zurück: was bliebe an Reinmenschlichem übrig, wenn wir bei
ganzen Reihen von Abbildungen dieser Scene ohne Kenntniss
dessen, was die Composition bedeute, nur das sprechen liessen,
was wir factisch erblicken?   Eine Anzahl Männer, die in
feierlicher Weise zusammenspeisen, einer darunter der Vornehmste. Mehr nicht. Da erfasst Lionardo den Stoff: Jeder
fühlt, dass die die Mitte haltende Person etwas gesagt haben
müsse, das alle übrigen in Aufregung versetzt. Sie springen
auf zum Theil. Jeder will sprechen und sucht einen der ihn
anhören solle. Es ist, als drängte es Jeden, sich zu recht-
fertigen. Wir erkennen auch die zwei, die hier eine Ausnahme bilden: Johannes, weil er zu genau weiss, dass er
nicht gemeint sein könne bei dem Ausspruch: Einer von euch
wird mich verrathen, und Judas, weil er ganz genau weiss,
dass er es sei. All das dramatisch packend, durchaus verständlich, sich selbst erklärend.

Nun wiederhole ich, Raphael drängt in seinen Compositionen stets dahin, ihnen dies Element, klar zu sein aus
eigner Kraft, zu verleihen, und wo hier etwas fehlt, trägt,
wie wir in einzelnen Fällen sehen werden, nicht sein Wille
oder gar seine Schwäche die Schuld. Wir erkennen auch,
wie er im Fortgestalten seiner Compositionen aus den anfänglichen Skizzen heraus dies allein im Auge hat: immer
reiner soll der Punkt heraustreten, um den die Handlung
sich dreht. Man soll sehen, dass sich etwas ereigne und was
sich ereigne. Was aber könnte sich auf der Schule von
Athen ereignen, wenn nichts als die Entwicklung der griechischen Philosophie als gelehrt-belehrendes Tableau darauf
gegeben wäre? Trotz Plato und Aristoteles in der Mitte
würde die Composition dessen durchaus entbehren, was ich
im Sinne des obengewählten Beispieles im Werke des Lio-

nardo das bewegende Centrum nenne. Was denn könnten
Plato und Aristoteles in so scharfem Gegensatze verhandeln,
das die gesammte Gesellschaft in Aufregung versetzte? Oder
verneint man überhaupt, dass diese Männer alle erregt seien?
Sollen nur eine Reihe von Meinungsverschiedenheiten in
Gruppen zu Zweien, Dreien, Vieren etc. lebhaft verhandelt
werden und nirgends wüsste man, um was gestritten werde?
Solche scheinbar bewegte Darstellungen haben wir heute
allerdings in Fülle. Sogenannte Collectivgemälde, auf denen
wir unsere berühmten Musiker, Dichter, Parlamentarier etc.
in lebhaft discutirenden Gruppen, einzelne auch wieder
schweigend und in sich versenkt, zusammensehen, während
rein menschlich genommen weder etwas geschieht, noch geschehen ist, oder geschehen soll. Raphael würde sich kaum dazu
verstanden haben, dergleichen zu malen. Einzelne Gestalten
sind so dargestellt worden, ich brauche nur an Michelangelo's
Propheten und demgemäss an Raphael's Propheten Esaias zu
erinnern; ganze Compositionen aus solchen Persönlichkeiten
zu schaffen, war keine Aufgabe die er sich hätte stellen
lassen. Wir sehen, wie er auf Disputa und Parnass den versammelten Theologen und Dichtern Bewegung um einen bestimmten Punkt verleiht, wie ihre Gesten sich auf etwas
beziehen, das sie gemeinsam betrifft: wie sollte bei der
Schule von Athen so ganz davon abgesehen worden sein?
Völlig ausserhalb seiner Gedanken sowohl, als der seiner
Auftraggeber würde doch gelegen haben, die grosse Scheidung der gesammten Philosophie in platonische und aristotelische zu gestalten. Freilich, hätte er in der Art wie Goethe
die Sache ansah, dies gewollt, so würde die Deutung ,Paulus‘
vielleicht zu umgehen sein; aber weder konnte diese Aufgabe
seiner Zeit so formulirt werden, noch würde dann auch für alle
die Composition bildenden Figuren die Möglichkeit verbleiben,
die Namen zu tragen, die ihnen verliehen worden sind.

Ich frage mich, worin das Prachtvolle, Festliche, Freudige liege, das wie morgendliche Frühlingsluft aus Tempelhallen aus dem Gemälde mich anweht. Es ist der Athemzug des römischen Daseins, wie es Raphael umfing als er sich anschickte, dem höchsten Herrscher seiner Welt das auf die Wände seines Wohnzimmers zu malen, was ein Widerschein der edelsten Gedanken sein sollte, die für jene Jahre gehegt werden konnten.

Ueber der Menschheit schwebt zu allen Zeiten, zugleich als Erinnerung vergangner goldner Tage und Traum der Zukunft, eine Ahnung der Erfüllung alles Ringens innerhalb der Nationen und des Verständnisses ihrer aller untereinander in Betheiligung an der dahin führenden Arbeit. Auch heute ist das Leben nur erträglich im Glauben daran. Die christliche Theologie nennt diesen Zustand das Reich Gottes auf Erden; weniger mystisch schon klingt: Friede auf Erden und den Menschen ein Wohlgefallen; ohne jeden Vergleich in planen Worten gesagt: Auflösung allen politischen Ehrgeizes und Verwendung der geistigen Kraft nur auf Erforschung der Menschenseele und der natürlichen Erscheinungen.

In verschiedenen Jahrhunderten sind Versuche gemacht worden, für ideale Zustände dieser Art irdische Scenerie zu schaffen. Jede Nation wird insgeheim die Zuversicht hegen, ihr werde bei dieser letzten Auflösung in Harmonie die leitende Stelle denn doch zufallen, ihre besten Eigenschaften als die der Menschheit im Allgemeinen zukömmlichsten anerkannt werden. Ihre Geschichte sei es, die diesem erwünschtesten Abschlusse als zuleitende Vorstufe vorangegangen sei. Nirgends aber ist dieser Traum von Vergangenheit und Zukunft sicherer und in grossartigeren Bildern geträumt worden, als in Rom zu den Zeiten wo Raphael dort eintrat.

Rom war bis dahin nur die Stätte gewesen, wo hinge-
schwundener Grösse gedacht werden konnte. Im Laufe des
Quattrocento aber schon, als nach der Rückkehr der Päpste
aus Avignon die Stadt sich langsam wieder mit neuen Werken zu schmücken und aufzurichten begann, waren Pläne zu
Bauten dort gefasst worden, die die Würde der die Welt
beherrschenden Macht auch in äusserem Umfange repräsen-
tirten. Wir wissen, was Nicolaus V. vorhatte. Wir sehen,
wie seine Nachfolger bauen und wie in den drückenden Zeiten
der Borgia's an der Umgestaltung der Stadt weiter gearbeitet
wird. Diesen Bemühungen aber lag die Prachtliebe der
Päpste und Cardinäle zu Grunde und der Gedanke, über den
Ruinen der Stadt eine neue Stadt zu errichten, die mit der
alten wetteiferte, ist nicht gefasst worden. Damit aber sehen
wir Giulio II. jetzt den Anfang machen. Mit unerhört grossartigen Unternehmungen wollte er sein Leben, soviel davon
noch übrig war, abschliessen. Als Politiker und Soldat für die
Würde des Papstthums und Italiens, als Kunstliebhaber und
Regenerator der Stadt für die Wiederherstellung Roms eingreifend, ging er aus dem Bereiche blosser Projecte zu that-
kräftigem Anfassen der Dinge über. Italien wollte er unter
die Botmässigkeit der Kirche bringen, das war seine Absicht;
dahin lautete sein Programm aber nicht, sondern Giulio zog
an der Spitze einer Armee aus, um die italienischen Städte
als ‚Befreier‘ von den inneren Tyrannen und das Land, im
Ganzen, von der Herrschaft der fremden Barbaren zu er-
lösen. Und in diesen Feldzügen war er siegreich, und,
was Rom anlangt, wurde die Peterskirche, an die, obwohl
ihre Säulenreihen längst umzufallen drohten, doch Niemand
die Hand anzulegen den Muth besass, eingerissen und mit
der Ausführung der ungeheuren Pläne Bramante's thatsächlich
ein Anfang gemacht. Und ebenso wurden für den Vaticanischen Palast die colossalen Entwürfe zur Ausführung ge-

nehmungen, welche Rom die beiden Monumente geschenkt haben, die es zu einem Wunder unter den Städten machen.

Wir haben zu erwägen, was darin lag, dass Raphael, in der Mitte der Zwanziger stehend, beseelt von der unerschöpflichen Phantasie und der schaffenden Kraft, die wir in ihm bewundern, zwischen diese beiden Männer gerieth, die alt und durch alle Stürme des Lebens hindurchgegangen einer wie der andere, dieses Kind als Dritten im Bunde neben sich aufnahmen. Denn wie nah Raphael beiden stand, zeigen die Verhältnisse.

Es ist schwer, sich mit unseren heutigen, das Endliche zu so ungeheuren Raumbegriffen ausdehnenden Gedanken in die engen Anschauungen der Tage des beginnenden Cinquecento hineinzuversetzen. Der antiken Menschheit war es gegeben, die Welt als eine innerhalb des unendlichen leeren Raumes schwebende Kugel zu denken: ein gestaltetes Etwas innerhalb eines gestaltlosen, unendlichen Nichts[1]). Raphael's Generation war ein Rest dieser Fähigkeit noch verblieben. Die Erde war seiner Epoche noch die allein Gestalt habende Mitte der Schöpfung und über den Gewölken eröffneten sich um sie her die Wohnungen der Seligen. Dieser Himmel lag dicht und niedrig auf der Erde. Er war gleichsam das vornehme erste Stockwerk des göttlichen Weltpalastes, dessen Keller die Erde bildete. Man stieg absehbare Treppen hinauf und hinunter, wie ein paar tausend Jahre früher den Griechen die untersten Säulen des Palastes, in dem die Götter wohnten, durch die Gewölke durchzuschimmern schienen, in denen der Gipfel des Olymp verborgen war. Jene Wolken, auf denen die Heiligen und Seligen der Disputa sitzen, hingen dem Glauben derer zufolge, die das Gemälde anstaunten als es eben entstanden war, wirklich so tief auf die Altäre herab. Wenn sie sich öffneten, durfte in menschlicher Nähe das

_____

[1]) Nitzsch, Metaphysik (ed. Wiese).

sonst Unsichtbare sichtbar werden. Dante war der erste,
der das Paradies als den Aufenthalt der Seligen und Gottvaters zugleich künstlerisch constructiv so mit der Erde verbunden hatte.

Wenn den Griechen der Olymp die Stelle aber war,
wo irdisches und überirdisches Dasein sich berührten, so
ist der Epoche Raphael's Rom dieser Platz gewesen. In
kirchlichen und politischen Dingen galt Rom als die ewige
Stadt. Hauptstadt der Welt von jeher und für alle Zukunft.
Keine Stelle der Erde war denkbar, die an Würdigkeit Rom
gleichkäme. Seit uranfänglicher Zeit hatte es die Geschicke
der Völker bestimmt. Noch wer heute nach Rom kommt,
fühlt sich Angesichts der zu Tage stehenden Reste ehemaliger
Kraft und Grösse ergriffen von den Gegensätzen, deren Widerstreit auf dieser Stätte ein Schlachtfeld gehabt, wo immer
neuer Schutt sich anhäufte und immer neues Gewaltiges über
Zerstörtem sich erhob. Die Schwachheit und Vergänglich-
keit der Völker wie der einzelnen Männer tritt nirgends uns
so entgegen wie hier: nirgends aber auch so sehr ihre
Grösse. Alles erscheint von vornherein als vergänglich und
als eine Beute des Todes: nirgends aber zeigt sich so glänzend auch, was die kurze Spanne Leben, die dem Menschen
vergönnt ist, an Thaten aus ihm hervorzulocken vermöge.
Steigen uns Nachgeborenen, die ausserhalb der römischen
Kirche und der italienischen Nationalität stehen, solche Gefühle und Gedanken noch auf, in welchem Maasse müssen sie
diejenigen erfüllt haben, die zu Raphael's Zeiten an diese
Stätte kamen, die dem Ehrgeiz die höchsten Ziele setzte. Wo
nichts Werth hatte als geistige Potenz, der gegenüber Geld
und Familie und mitgebrachte Verbindungen in zweiter Linie
standen. Wo Jeder nur das war was er im Momente zu sein
Kraft besass. Diese Reducirung des Menschen auf sich selber
allein war das Geheimniss Roms. Dort galt nur Eins: stärker

zu sein als die Uebrigen oder denen sich unentbehrlich zu
machen die stärker waren als man selber.

In Raphael's Anfangszeiten war auch der Graf Castiglione
eines Tages in Rom eingeritten, um dort sein Glück zu versuchen. Hier das Sonnett, in dem er den ersten Eindruck
darstellt.

> Ihr Hügel Rom's und ihr geweihten Trümmer,
> Die ihr den Namen nur der Stadt gerettet:
> So Manchem ward in eurem Schutt gebettet,
> Der einst gestrahlt und dann verlöscht auf immer.
>
> Colosse, Säulen, hochgeschwungne Bogen,
> Einst im Triumph, im Glück, im Glanz errichtet —
> Fort! — oder, schlimmer noch: beinah vernichtet,
> Und um den alterworbnen Ruhm betrogen!
>
> Ein Volk, das euch nicht kennt, hängt seine Sagen
> An eure Reste. Tausend Jahre thürmen
> Was wieder tausend Jahre nun verzehren.
>
> Und ich! Wird nicht nach kurzgemessnen Tagen
> Mit all den Qualen, die es noch durchstürmen,
> Mein Herz als Staub zu diesem Staub gehören?

Castiglione schreibt von Rom dann an seine Mutter über
die Zukunft eines seiner Brüder, den er in den Dienst eines
Cardinals zu bringen hofft. ,Er wird, schreibt er[1]), eine
unabhängige Existenz in Rom führen und sich gleich ein
bedeutendes Ziel stecken können.' ,Sich im Vatican Verbindungen schaffen, heisst es in einem anderen Briefe, wird
nichts Geringes sein. Wer nichts wagt, gewinnt nichts. Rom
ist der eigentliche Ausgangspunkt der Gelehrsamkeit.' ,In
Rom nur bemerkt zu werden, schreibt Erasmus von Rotterdam
damals von dort an einen Freund, ist schon ein ungemeiner
Erfolg.' Und nun denken wir Raphael über all solch vorbereitende Bemühungen, die den Talentvollsten doch nicht
erspart blieben, hinausgehoben und gleich auf die Höhe ge-

---

[1]) Lettere I, 17.

stellt, zu der die Gemeinschaft mit Giulio II. und Bramante
ihn berechtigte! Nicht als Geistlicher, Gelehrter oder Politiker nur mit Erwartungen allgemeiner Art sich tragend und
auf gelegentliche Befriedigung seines Ehrgeizes angewiesen.
sondern unabhängig und als schaffender Künstler an der
greifbaren Ausführung dessen gleich fest betheiligt, was als
symbolische Verwirklichung der grossen Gedanken, die gehegt
wurden, deren unmittelbare Realität bezeugte. Bedenken
wir Raphael's jugendliches Alter. Seine Fähigkeit, sich an-
zuschmiegen. Seine Gabe, fremde Gedanken in sich aufzunehmen. In Geymüller's genialen Zeichnungen stehen uns die
Aufrisse der Peterskirche vor Augen, wie Bramante, um den
Ansprüchen Giulio's zu genügen, einen nach dem andern
erfand: im Grossen und Ganzen entspricht das Innere des
Baues auch in der Vollendung heute dem noch was Bramante
wollte. Im Vaticanischen Palaste dagegen erhebt sich die
wunderbare Nische vor uns, mit der Bramante den inneren
Hof des von ihm neu erdachten Baues schmückte: Alles was
wir an irdischen Bauten als colossal und gross und schön
und frei rühmen, steht in diesen Werken vor unsern Augen.
Damals allerdings nur Pläne, Phantasien, von denen Bramante's Gedanken unablässig erfüllt waren, zugleich aber
doch der Anfang gemacht, sie auszuführen.

Konnte Raphael da nicht als etwas Naheliegendes die
Idee kommen, in der Disputa die Fundamentirung der neuen
Kirche zu symbolisiren und in der Schule von Athen deren
letzte Vollendung vorweg zu nehmen?

Was sollte die Schule von Athen darstellen? Einen
Tempel, der im Sinne der damaligen Weltanschauung zugleich Kirche und Akademie war.

Bedenken wir, wie in jenen Tagen von der Reform der
Kirche Alles im weitesten Umfange noch erhofft wurde, was
innerhalb menschlicher Erwartungen überhaupt lag. Wie

vor den Zeiten der französischen Revolution wurde an die
Möglichkeit eines alle Menschen umfassenden geistigen Zustandes geglaubt, der ihre Wünsche befriedigen würde. Alterthum und eigne Zeit würden gleichmässig an ihm betheiligt
sein. Raphael's Phantasie durfte wohl den Flug wagen, die
Peterskirche in ihrer einstigen Vollendung als die Stelle
hinzustellen, in der die Religion der Zukunft ihren Central-
punkt besässe. Es gab kein Ereigniss, in dem das Gelingen
all dieser Hoffnungen sich einfacher symbolisiren liess, als
die Predigt des Paulus in Athen. Die Aufgabe der Philosophen bestand den Anschauungen der Zeit Raphael's nach
darin, dass die Lösung der Zweifel über die Natur des Göttlichen von ihnen vorbereitet wurde, die der Anblick der
Dinge in uns erregt. Die Lösung selbst aber konnte nur
von der Religion ausgehen. Und so denn, wie drüben der
Himmel sich öffnet, um durch den Anblick der Dreieinigkeit
die dissentirenden Meinungen zu vereinigen, tritt hier unter
die Philosophen Paulus, um auszusprechen, dass das, was er
bringe, nur das letzte Resultat ihrer eignen Lehre sei. —

IV. Der Parnass.

Beim Parnass kann die stufenweis erfolgende Ausbildung
der Composition fast noch reiner als bei der Disputa dargelegt werden. Die vorbereitenden Epochen des Parnass
entsprechen denen der Disputa in innerer und äusserer Beschaffenheit.

Durfte bei der ersten Skizze Raphael's zur Disputa schon
hervorgehoben werden, wie weit Raphael als er sie anfertigte
noch von dem Einflusse Michelangelo's entfernt war, so zeigt
sich dies bei der ersten Skizze des Parnasses, die Marcanton's
Stich überliefert, noch mehr. Als Vermuthung darf nun

ausgesprochen werden, Raphael habe die ersten Skizzen für
die Camera della Segnatura vor Beendigung der Grablegung
gemacht.· Die zum Parnasse zeigt als neues Phänomen
aber, wie Raphael unter dem Eindrucke antiker Sculpturen
arbeitete, die in Rom als Schmuck alter Bauwerke noch
sichtbar waren. Daher die basreliefartige Haltung, die Profil-
ansichten, die Behandlung der Gewänder, die flach nebeneinander gestellten Figuren. Während bei der Disputa Architektur zu Hülfe genommen wurde, gebraucht Raphael im
gleichen Sinne hier den sich in starken Laubmassen breit
machenden, von fliegenden Amoren bevölkerten Wald.

Steif und mit kahlem, ungeschicktem Faltenwurfe um-
hangen sitzt Apollo da, die Leier spielend, aus der später
erst eine Violine ward. Von Figurengedränge noch keine
Spur. Profile herrschen bei den *K*öpfen vor und ärmliche
Bewegungsmotive wiederholen sich. Hier und da Nachahmung etwas gezierter Körperstellungen des Fra Bartolomeo,
ohne Rücksicht auf Gruppenbildung jedoch jede Figur als
eine - einzelne für sich behandelt. Raphael's Ungeschick, den
gegebenen Raum zu benutzen, zeigt sich auch darin, dass die
Gestalten am Fusse des Berges, rechts und links vom Fenster,
beinahe ohne Verbindung mit den oberen sind.

Die erste Umgestaltung des Parnasses giebt die (in Oxford) vorhandene alte Copie eines verlorenen ächten Blattes:
nackte Figuren, wie das Zeichnen nach dem Leben sie lieferte,
zu Gruppen vereinigt: als Fortbildungsstufe des Werkes betrachtet, dem Frankfurter Blatte der linken Seite der Disputa
in nackten Figuren entsprechend. Weitere Studienblätter,
endlich nun von Raphael's Hand, zeigen, wie er diese Figuren
zu bekleiden gedachte, und Hände und Füsse nach dem Leben
zeichnete. Sie führen uns in ihrer *K*raft und Schönheit ebenso
zur Beurtheilung der höheren Stufe, auf der Raphael nun
stand, wie die betreffenden Blätter zur Disputa bei dieser.

Zugleich tritt eine Verwandtschaft mit den Federzeichnungen
der Grablegung hervor. Ich nehme an, dass die zweite Epoche
der Weiterbildung des Parnasses wie der Disputa in die Anfänge von 1508 falle. Von nun an lässt sich, bei der gesammten Composition und den einzelnen Figuren der fernere
Fortschritt bis zu der höchsten Vollendung erkennen. Was
das fertige Gemälde, als Abschluss, vor dem Anblicke der
Composition auf dem Oxforder Blatte voraushat, sind vor allen
Dingen die, wie auf der Disputa erst zuletzt zugesetzten Figuren
des Vordergrundes: Sappho und der lorbeergekrönte bärtige
Dichter. Freilich meint man, Angesichts dieser grosswirkenden
Gestalten, sie müssten von Anfang an dagewesen, Raphael
müsse von ihnen ausgegangen sein. Zur Rechten und Linken
der Fensteröffnung aufgebaut, lassen sie den über dem Fenster
befindlichen oberen Theil der Composition, Apollo mit den
Musen um sich her, in den Mittelgrund zurücktreten. Durch
sie erst schliesst das Ganze sich zusammen. Dass Raphael
wichtige Gestalten dieser Art dicht vor Vollendung des Gemäldes erst dem Vordergrunde zugefügt habe, beweist auch
die Schule von Athen. Von dieser, für die sonst fast alle vorbereitenden Skizzen mangeln, besitzen wir (was bei den anderen Gemälden dagegen fehlt) den abschliessenden Carton [1]),
mit dem das Fresco beinahe stimmt, nur dass der am Fuss der
Treppe uns entgegenliegende Philosoph noch fehlt, der mit
seiner mächtigen Masse dem Vordergrund erst die wahre
rückstossende Kraft verleiht. So besorgt ist Raphael beim
Parnasse gewesen, Sappho und auf der andern Seite die Gestalt des lorbeergekrönten Dichters dem Betrachtenden näher-
zubringen, dass er einen Kunstgriff anwendet. Die in das
Gemälde glatt einsetzende Fensterhöhle ist mit einem gemalten
Rande umgeben: über diesen hinaus lässt Raphael beide
Gestalten vorgreifen als sprängen sie plastisch vor.

---

[1]) In Mailand.

Das Basreliefartige der Composition des Parnasses, überhaupt das an antike Vorbilder Mahnende scheint mit Absichtlichkeit aus dem Werke, wie es gemalt dasteht, entfernt worden zu sein. Vasari's Angabe, die Köpfe der alten Dichter seien nach Medaillen und dergleichen hergestellt worden, finde ich bei keinem bestätigt. Von den Dichtern, die er aufzählt, zeigt keiner auch etwas in seinem Habitus, das die Namengebung als die richtige erscheinen liesse [1]). Nur Homer und Dante sind unverkennbar. Ohne Zweifel aber sind von den modernen Dichtern der eignen Zeit manche als Porträts angebracht worden und zwar, wie Raphael das liebte, in der Art, dass nur die Köpfe zur Ausfüllung von Lücken benutzt werden. In den beiden ersten Epochen der Composition fehlen diese. Auf der Disputa und Schule von Athen ist ein ähnliches Verfahren erkennbar, wo die zuletzt zugesetzten Porträtelemente hier und da eingeschoben sind.

Neben Disputa und Schule von Athen erscheint der Parnass bewegter, freier, unbefangener, realistischer. Raphael weiss der Composition bereits jenen Schein des Zufälligen zu verleihen, den die späteren Werke haben. Die Gewandung ist den Gestalten des Parnass mehr auf den Leib gewachsen und hat die letzte Spur des Arrangirten verloren: die Philosophen der Schule von Athen bewegen sich in ihren Gewändern nicht ganz so behaglich wie die Dichter des Parnass in den ihrigen. Wie leicht der Sappho das Hemd von der Schulter sinkt; wie die äusserste Figur vorn rechts, der sogenannte Horaz, real und elegant einherschreitet: wie die Musen, in einer Mischung antiker und

---

[1]) Montagnini und Fea haben sich Mühe gegeben, die einzelnen Dichter namentlich herauszufinden. Sie widersprechen einander oft; es ist unnöthig hier darauf einzugehen, nachdem Platner (Gesch. d. Stadt Rom II, Abth. I, p. 331 ff.) eine Aufstellung dieser Versuche gegeben hat, denen er selber nur zum Theil beistimmt.

moderner Gewandungen, ahnen lassen, dass Raphael auch
in den Palästen Roms damals heimisch geworden war! Die
jüngeren urbinatischen Herrschaften hielten sich in jenen
Jahren am Hofe des Papstes auf. Guidobaldo von Montefeltro
war kinderlos und ein Rovere (die Familie Giulio's II.) von
ihm adoptirt worden. Die junge Herzogin war eine schöne
Frau und der Mittelpunkt der vaticanischen Festlichkeiten [1]).
Raphael, schon als Sohn des Giovanni Santi dem herzoglichen
Hause nahe stehend, hatte ohne Zweifel eine bevorzugte Stellung inne. Er hat für seine Herrschaften Verschiedenes gearbeitet, von dem wir noch wissen.

Der richtigen Deutung des Parnasses steht nichts entgegen. Giovio wie Vasari, die beide dem Gemälde so hohen
Rang zuertheilen, haben es nicht erkannt. Wir dürfen bei
Erklärung der Composition uns rein an das halten, was wir
vor Augen haben. Auf der Schule von Athen stehen in den
drei Massen des Mittelgrundes oberhalb der Treppe, sowie des
Vordergrundes zur Rechten und Linken vorn am Fusse derselben, drei abgetrennte Handlungen vor uns: der Parnass,
obgleich noch deutlicher in drei Theile zerfallend, da die
Fensterhöhlung von unten auf in die Composition eindringt,
hat gleichwohl nur einen einzigen Mittelpunkt. Er stellt
sich heraus, dass, wenn wir die Bewegung jeder Person, als
Linie gedacht, verlängern, alle Linien sich da in einem Punkte
schneiden: in Homer, welcher singt. Vorn links die Figuren:
die mittelste weist durch eine auf Homer deutende Bewegung
die andern auf ihn hin. Vorn rechts die Figuren: die eine
weist durch auf den Mund gelegten Finger die andern zum

---

[1]) Bembo schreibt im Frühjahre 1510 an Latino Giovenale (Lettere
III, 42 der Veroneser Ausg. v. 1743) von den Festlichkeiten, die der
Papst im Frühjahre 1510 zu Ehren der urbinatischen Herrschaften in
Rom gab: ‚La Duchessa nuova, bellissima fanciulla, riesce ogni dì più
delicata e gentile e prudente che supera gli anni suoi‘.

Schweigen. Und in der Mitte: alle Gestalten Homer sich
nähernd; die Musen ihm zugewandt und in sich versunken;
Dante neben ihm; der lauschende Jüngling begierig, seine
Worte niederzuschreiben. Nur Apoll auf sich beschränkt:
aber auch er, bei geschlossenen Lippen, mit der Violine den
Gesang seines Lieblings begleitend und hervorlockend.

Dass man Homer Anfang des 16. Jahrhunderts besonders geschätzt habe, ist mir nicht bekannt. Die Anschauung des Alterthums aber, der alle späteren Zeiten sich
unterworfen haben, war auch damals die herrschende: dass
Homer der grösste Dichter sei. Auf der Randleiste eines
Basler Druckes aus jener Zeit — ich citire was mir eben
zur Hand ist — sehen wir den Parnass dargestellt, wie
Homer darauf gekrönt wird. Dies war das Natürliche.
Vier grosse Poeten lässt Dante als Repräsentanten der
antiken Dichtung auftreten: Homer, Horaz, Ovid, Lucan.
Homer ist der ‚poeta sovrano‘. ‚jener Grieche der kräftiger
als die Andern alle an den Brüsten der Musen sog‘[1]). Daraus allein schon dürfen wir bei Raphael den Gedanken ableiten, Homer zum geistigen Centrum der Composition zu
machen[2]).

Disputa und Schule von Athen würden abgetrennt von
dem, was die Camera della Segnatura weiter enthält, nicht aus-
reichen, das römische Leben, in das Raphael versetzt worden
war, zu charakterisiren. Der Parnass gehört dazu. Diese Zeiten,
in denen Jeder so völlig seine eigenen Wege ging und Keiner
mehr vom Andern wusste als der Zufall offenbarte, Keiner
auch das Chaos von Gedanken und Charakteren übersah, in
dessen Mitte er sich bewegte, waren für die zumeist geschaffen,
die leichtlebig und unbekümmert und lebenskräftig den Men-

---

[1]) Inf. 4, 88. Purg. 22, 101.

[2]) Dass er Homer's Gedichte gekannt habe, ist nicht nachzuweisen.
Man las lateinische Dichter über die trojanischen Ereignisse.

schen und den Ereignissen sich hingaben, Zeiten waren es,
wo der Papst, der selber Verse machte, für ein Gedicht,
worin Jupiter gelobt wurde, dem Dichter eigenhändig eine
Lorbeerkrone auf's Haupt setzte, indem er mit einer leichten
Anmerkung die Vornahme einer so heidnischen Handlung
entschuldigte. Zuerst hatte er widerstrebt und den Mann an
die Conservatoren der Stadt gewiesen (denen das Amt der
Dichterkrönung zustand), ihm schliesslich aber, nach einer
fröhlichen Mittagsmahlzeit, dennoch mit der Formel: Nos
auctoritate apostolica facimus te poetam[1]) den Kranz verliehen.
Den gebildeten Classen damals waren Horaz, Virgil, Catull
und die Uebrigen, directe Vorfahren und die Zeit, die sie
von ihnen trennte, ein leichter Sprung nach rückwärts. Man
fühlte sich mit und neben ihnen: Raphael's Parnass stellte
die ganze Familie dar als lebte sie noch.

Und die, welche dieses bunte Dasein in Scene setzten,
waren Geistliche! Dieselben Leute, die ihre Tage und Nächte
in solchen Anschauungen und Gedanken durchlebten, hatten
Messe zu lesen und über Leben und Tod, Verdammung und
Seligkeit zu entscheiden. Auf welchen Wegen waren sie
geistig emporgekommen? Ueberall geschulte Kraft, Energie,
Erfahrung: nirgends aber sichtbar, wie sie gewonnen wurde.
Keine Erziehung nachweisbar. Jeder das Geschöpf ganz besonderer Umstände. Ein Halbdunkel liegt über ihnen. Diese
grosse Gesellschaft entbehrte der Frauen als legitimen Be-
standtheiles und doch fehlen Frauen so wenig. Die Kunst
muss für die Natur oft eintreten. Marienbilder ersetzen das
Glück des Familienlebens. Blühende Gestalten sehen wir
auf geweihten Wänden, ja, üppig ausgestreckt in Marmor
auf Grabmälern der Päpste. Niemand gereicht es zum An-
stosse. Unverhüllte Laster wandeln mit erhabenen Tugenden

---

[1]) Notices et Extraits II, 571.

die gleiche Strasse: man scheint einander nicht zu bemerken.
Beide erscheinen gleichberechtigt. Rom weist nichts ab. Rom
vermischt Alles. —

Wir haben ein merkwürdiges literarisches Denkmal, das
die Mühe zeigt, mit der man den christlichen Himmel poetisch
damals zu construiren suchte: Sannazar's dem Papste Clemens
·geweihtes Gedicht ,Von der Geburt der Jungfrau'. In breit
berichtenden, antik uns anmuthenden Hexametern wird erzählt,
wie die Verkündigung Mariae von Gottvater bewerkstelligt
wurde. Gleich dem homerischen Zeus, ja menschlicher noch
als dieser, beruft der christliche Gott als souveräner Herr des
Himmels eine Versammlung seiner Heerschaaren, um ihrem
Votum zu unterbreiten was er beschlossen habe. Beschrieben
wird, wie er den prachtvollen Mantel umlegt, in dem er der
Versammlung der ,Himmlischen' zu präsidiren beschlossen hat.
Die Stickereien dieses kostbaren Stückes hat die ,Natur' mit
kunstfertigen Fingern selbst verfertigt. Nun tritt er auf. Nun
·sitzen· die Himmlischen alle um ihn her und nun hält er ihnen,
·denen Sannazar gewisse constitutionelle Befugnisse zuzu-
schreiben scheint, eine Rede, in Folge deren dann der Engel
Gabriel seine Aufträge empfängt. Man ist erstaunt, dergleichen
einem Papste zugeeignet zu sehen. In Raphael's Disputa
haben wir doch auch nichts anderes sichtbar vor uns. —

Und doch sind solche Darstellungen uns nicht fremd
·eben weil es wirkliche Märchen sind. Um recht zu fühlen,
wie wahrhaft sie gemeint waren, brauchen wir Raphael's Werk
nur mit den Gemälden zu vergleichen, die, nach der gewaltsamen
Auffrischung der christlichen Mythologie besonders durch die
Jesuiten des 17. Jahrhunderts, die Meister dieser späteren Zeit,
Maler wie Rubens z. B., geliefert haben. Mit wie weihevoller
Hand zeichneten Raphael und seine Genossen ihre Gestalten!

24*

Wo Rubens Gottvater und den Verkehr der Himmelsbewohner
erscheinen lässt, liefert er in der That nur ein prachtvolles
Puppenspiel, das als Decoration benutzt werden sollte, und
an das weder er, noch die, die es bestellt hatten, glaubten.
Raphael's Gemälde, obgleich aus Anschauungen und Gefühlen hervorgegangen, in deren Verständniss wir heute
uns mit einer gewissen Mühe hineinarbeiten müssen, haben
auch ohne Kenntniss dieser Dinge unbefangen betrachtet
soviel einfach Wahres, dass sie uns ganz vertraut sind und
nichts darin unser Gefühl stört. —

Zu derselben Zeit vielleicht stellten Michelangelo an
der Decke der Sistinischen Kapelle und Raphael an der
der Camera della Segnatura den Sündenfall, die Verführung
Adam's, dar. Michelangelo fasst die Scene in Erinnerung
daran, dass hier das geschehe, dessen Folgen auf der Menschheit lasteten, bis die Erlösung eintrat. Eva, schön aber
gewaltig, wie auch Dante sie erscheinen lässt, streckt die
Hand nach dem Apfel empor und die Schlange windet sich
wie das verkörperte Verhängniss um den Baum. Raphael
wehrt all das von sich ab. Eva, wie eine süsse, reife Frucht
steht da und hält mit den feinen Fingern ihrer schönen
Hand die Feige (die hier die Stelle des Apfels vertritt) Adam
entgegen. Wir haben nichts vor Augen als ein reizendes
Geschöpf, das im Gefühl dessen, womit die Natur es geschmückt hat, Adam, nicht einmal zögernd, verlocken will.
Wer dächte bei diesem Anblicke an Sündenfall und Ver-
dammniss? Es lag ausser Raphael's Natur, hieran hier zu
erinnern, und ausserhalb deren Giulio's II., sich, wenn er
die Augen einmal zur Decke seines Zimmers aufschlug, daran erinnern zu lassen.

Raphael's Sündenfall ist das Gemälde in der Camera
della Segnatura, das · am meisten vielleicht die ursprüng-

liche Frische bewahrt hat. Auch hier haben wir mehrere Epochen der Composition. Anfangs stehen die Figuren ziemlich theilnahmlos nebeneinander. Adam, an den Stamm eines Baumes gelehnt, greift nach der Frucht, ohne einen Schritt aber vorwärts zu thun. In dieser Gestalt besitzen wir die Figur in einer wundervollen Naturstudie, der zweiten Epoche von Disputa und Parnass entsprechend. Auf dem Gemälde hat Raphael Adam gänzlich umgewandelt. Adam sitzt uns zugewandt da. Es ist als hätte ein Wort Eva's ihn aus Gedanken erweckt, in die er versunken war: plötzlich wendet er sich ihr zu und sieht sie in voller Schönheit vor ihm stehen, die verhängnissvolle Frucht zwischen den Fingern. Wie weit lag die Phantasiewelt Raphael's ab von der des Michelangelo! Raphael's und Michelangelo's Richtungen liefen neben einander her ohne sich auszuschliessen. —

VIERTES CAPITEL.

DIE CARTONS ZU DEN TEPPICHEN.

I. Uebergänge.

Die Camera della Segnatura war Raphael's letzte vollendete Arbeit für Giulio II. Vor Beendigung des zweiten vaticanischen Zimmers starb der Papst. Der Cardinal Giovanni de' Medici, Lorenzo Medici's jüngster Sohn, wurde als Leo X. an seine Stelle gebracht. Die Gunst der Rovere konnte Raphael jetzt nicht viel mehr nützen, das persönliche Wohlwollen Leo's und der Seinigen ersetzte den Ausfall. Raphael sah sich bald zu einem künstlerischen

Machtumfange erhoben, der eine andre Oekonomie seiner
Kräfte verlangte. Er war dreissig Jahre alt.

Der neue Papst begehrte nicht bloss Gemälde von Raphael. Auch Bramante war bald nach Giulio II. gestorben
und Raphael wurde in sein Amt eingesetzt[1]). Für den Bau der
Peterskirche galt es nun frische Pläne anzufertigen. Bramante
war die Mitte einer ausgebreiteten Thätigkeit gewesen, die
Raphael in Bewegung zu halten hatte. Zu bedenken ist,
wieviel persönliche Schicksale jetzt von ihm abhängig waren,
wie Verschiedenartiges durch seine Hände ging. Lionardo
da Vinci hatte bei Lodovico Sforza wohl eine ähnliche Stellung innegehabt, Michelangelo kam erst in hohem Alter
in Rom dazu. Raphael bewältigte die neuen Aufgaben mit
Leichtigkeit. Einer seiner damaligen Briefe an einen Oheim
in Urbino ist so recht aus dem Gefühl heraus geschrieben,
dass er sich im guten Fahrwasser fühle.

Auch über Raphael als Architekten hat Geymüller
gehandelt und was von Material erhalten ist, gedeutet. Den
Hintergrund der Schule von Athen hätte Vasari zufolge Bramante gezeichnet. Wohl möglich: jedenfalls aber müsste
Raphael auch selber doch das zu leisten im Stande gewesen
sein wenn er sobald Bramante in dessen ganzer Machtsphäre
ersetzte. Als Schüler Bramante's haben wir ihn zu denken,
der früh daran dachte, ihn als seinen Nachfolger vorzube-
reiten[2]).

---

[1]) H. von Geymüller's umfangreiche und, wie man wohl sagen darf,
schöne Arbeit über Bramante vindicirt diesem grossen Feinde Michelangelo's und Freunde Raphael's die Stelle, die ihm früher nicht gegeben
werden konnte. Es liegt in der Natur der Sache, dass Bücher über
Architektur doch immer nur für Architekten geschrieben werden, diese
Lebensarbeit des Verfassers würde sonst noch grössere Beachtung gefunden haben als ihr verdientermaassen zu Theil geworden ist.

[2]) Man könnte behaupten, schon die Art wie Raphael die Gestalten,
einzeln und in Massen, auf seinen Compositionen zu einander stellt, zeige
den Architekten.

Durch die Sorge für Beschaffung des Baumateriales zur Peterskirche wird Raphael auf die antiken Bauten Roms über und unter der Erde hingewiesen. Man betraut ihn mit der Oberaufsicht über die Ausgrabungen. Kein antikes Stück ornamentirten Marmors durfte zerschnitten werden ohne sein Gutheissen. Und neben diesen neuen Dingen und dem Fortgange der Wandmalerei im Vatican und den Aufträgen der Privatleute, und zwar jetzt nicht bloss von solchen Malereien, die er selbst ausführt, sondern die in immer wachsendem Maasse seine Schüler und Mitarbeiter unter seiner Leitung übernehmen, lässt Raphael dem Papst in den Loggien ein colossales biblisches Bilderbuch auf die Wände malen. Dem Cardinal Chigi schmückt er ein Badezimmer aus. Für den König von Frankreich malt er Heiligenbilder und verspricht wer weiss wie zahlreichen anderen hohen Herren soviel Arbeiten als sie nur bestellen wollen, die er freilich nicht immer leisten kann. Vasari ist im Rechte, wenn er die bunte Masse dieser Thätigkeit bunt vor uns ausschüttet[1]). Uns liegt ob, die Werke herauszuerkennen, worin Raphael's Natur am vollsten steckt, und, indem wir diese für sich aneinanderfügen, die Linie seines geistigen Fortschrittes zu ziehen.

Ich finde, dass bei dieser Rangordnung auf die Gemälde der Camera della Segnatura die Cartons zu den Teppichen folgen. Die Malereien im zweiten vaticanischen Gemache sowie einige Tafelgemälde gleicher Zeit ergeben sich als geringer an innerem Gehalte. Zu besprechen aber sind sie doch schon deshalb, weil sie in neuer Richtung einen Fortschritt

---

[1]) Schon bei der Besprechung der letzten Zeiten Giulio's sehen wir Vasari zu einem notizenhaften Zusammenfassen der Production Raphael's übergehen. Das Wort ‚darauf‘ und allerlei chronologisch lautende Wendungen, mit denen nun oft von einer Arbeit zur andern übergegangen wird, verlieren ihren Werth. Es erscheint überflüssig, in einzelnen Fällen darauf hinzuweisen.

im Colorit bekunden, der Raphael's Fähigkeit zeigt, sich anzueignen was im Bereiche der bildenden Kunst irgend für
ihn zu verwerthen war.

Er hatte sich bis dahin als Colorist verschiedenen Vorbildern zugewandt und zwar jedesmal mit einer gewissen
Energie. Die Meister aber, deren Werke Einfluss auf ihn
hatten oder, als in ihren Werken ihm erreichbar, hätten gewinnen können, glichen sowohl sich untereinander als ihm selbst
darin, dass ihre Gemälde dem ersten Gedanken nach nicht
farbig entstanden waren: die Farbe blieb letzter, höchster
Zusatz, nirgends ist sie anfängliche Lebensbedingung für die
Darstellung.

Dagegen gingen die Venezianer, unter dem Vortritte eines
neuen Meisters, nun von der Farbe aus. Nur mit dem, was
farbig ist, schien es, als ob ihre Phantasie zu arbeiten vermöge. Licht und Schatten waren ihnen künstlerisch nur begreiflich, insoweit sie durch Farben repräsentirt werden. Ein
Gemälde von Giorgione, wenn Raphael eines sah, musste wie
eine Offenbarung für ihn sein. Ich wiederhole, der Unterschied zwischen venezianischer und florentinisch-römischer
Malerei, in der Raphael bis dahin befangen gewesen war, lag
darin, dass bei letzterer die Farbe der Linie und Modellirung,
bei jener die Linie und Modellirung der Farbe diente. Man
könnte mit einem Vergleiche sagen, dass die Florentiner Maler
eine Spur kühlen Mondscheins in ihre Farben hineinreiben,
die venezianischen ein Paar Tropfen der untergehenden Sonne
in die ihrige hineinfliessen lassen. Vielleicht hatte Sebastian
del Piombo Proben der Malerei Giorgione's, dessen Schüler
er war, nach Rom gebracht.

Wie immer in den Tagen der ersten Bekanntschaft die
Beispiele am verlockendsten sind, mit einemmale sehen wir
Raphael nun als einen Schüler der Venezianer. Er sucht sich
die Geheimnisse der neuen Manier schöpferisch anzueignen.

Das herrliche Frauenbildniss der Tribuna, mit 1512 darauf, findet so seine Erklärung. Sebastian del Piombo, der doch niemals eine Frau so darzustellen im Stande gewesen wäre, soll es dem heute allgemein angenommenen Urtheile nach gemalt haben[1]). Raphael aber malte es sicherlich. Und weiter: in auffallendem Gegensatze zu einander zeigen die beiden in der Zeichnung identischen Bildnisse Giulio's II., in den Ufficien und im Palaste Pitti, Raphael's Uebergang zur venezianischen Manier. Das erstere gehört noch nicht in sie hinein, das andre ist so völlig in ihr gehalten, dass es für eine spätere Venezianer Copie sogar erklärt werden konnte. Am vollständigsten aber giebt die Aneignung des neuen Farbenelementes sich kund auf dem Fresco der Messe von Bolsena im zweiten vaticanischen Zimmer.

Dieser Raum gleicht dem ersten: zwei grosse und zwei von Fenstern durchbrochene Wände sich gegenüberliegend, dazu eine gewölbte Decke, die zu bemalen waren. Raphael hat 1512 und 1513 darin gearbeitet. Drei von den Wandgemälden sind unter Giulio II. noch vollendet worden: das vierte trägt Leo's X. Gestalt, wie er das vordrängende Heer Attila's Halt zu machen zwingt. So interessant diese Darstellungen sind, so kraftvoll die Wand der ‚Vertreibung Attila's‘ gegenüber Giulio II. zeigt, der mit Hülfe vom Himmel kommender

---

[1]) Meine Notizen über das Bild, vom Jahre 1873: ‚Das Frauenbildniss der Tribuna kann nur Raphael gemalt haben. Wunderbar, wie der Schatten unter der Nase dazu dient, die Oberlippe zu modelliren. Weisse Pünktchen in den Augen. 1512 in Gold links. Leises Doppelkinn. Zartes Härchen, das nah am Ohre über die Wange fällt. Gold im Achselbande, in der Borte des Mieders, dem Rande des Hemdes, dem Drathe um den Hals, dem Ohrringe, dem Kranze. Erwartungsvoller, fragender Blick. Finger, der sich in den Pelz eingräbt‘. Ich habe das Gemälde 1875 und 1885 wiedergesehen. Sebastian del Piombo hätte nie soviel warmes Leben zusammengebracht.

Streiter Heliodor im Tempel zu Boden schlagen lässt; so kunstvoll und in seinen Lichteffecten erstaunlich das dritte Gemälde ,die Befreiung Petri' ist: diese drei Werke haben etwas, wie wir heute sagen, Akademisches im Vergleich zur Messe von Bolsena. Dem Sposalizio war schweigende Würde zuzusprechen, der Grablegung und den Werken der Camera della Segnatura dichterische Stimmung, die in wohlabgemessenen Versen jedoch sich bewegt: mit dem Wunder von Bolsena beginnen die Werke, die in der Sprache des Tages zu uns reden, der Prosa, die, in vollendeter Gestalt, das vollendetste Mittel gebildeter Völker ist, ihre Gedanken zu erkennen zu geben. Man empfindet sich wie aus persönlicher Nähe an den Ereignissen betheiligt.

Dargestellt ist auf dem Gemälde ein in Bolsena geschehenes Wunder, als dessen nachträglicher Zuschauer Giulio II. fungirt. Wie viel aber liegt in seiner handlungslosen blossen Gegenwart. Er kniet vor einem Sessel ohne Lehne [1]), auf den er die Arme mit erhobenen, betend zusammengelegten Händen aufgelegt hat. Einige Stufen tiefer, hinter ihm, knieen Cardinäle; unten, am Fusse der Treppe, auf deren Höhe wir ihn erblicken, die bewaffneten Schweizer, wie sie heute noch im Vaticane Dienste thun.

In einer Kirche begiebt sich das Wunder, deren Architektur wir den Hintergrund des oberen Theiles des Gemäldes ausfüllen sehen. Der Altar nimmt die Mitte der Höhe über dem Fenster ein; von beiden Seiten führen Treppen zu ihm hinan. Auf der anderen Seite dieses Altares, Profil gegen Profil Giulio's, kniet der die Messe lesende Priester, hinter ihm die dienenden Knaben und auf der Treppe, die hier hinabführt, das zu Staunen und Anbetung hingerissene Volk, wie es die Kirchen bei grossen Gelegenheiten erfüllt.

---

[1]) Dem faldistolio, Stuhl, der sich bei gekreuzten Beinen zusammenlegen liess.

Das Wunder ist, dass vor dem zweifelnden Priester die Hostie sich in blutendes Fleisch verwandelt. Der Papst mit eiserner grossartiger Würde blickt gerade aus, als sei ihm nichts dergleichen fremd. Die Cardinäle, hinter ihm, ebenso gelassen wie er, als erlebten auch sie täglich dergleichen in der Umgebung ihres Herrn. Die Schweizer unten fühlen sich im Dienste, sie haben sich um Andres nicht zu kümmern. Man hat die allmächtige Souveränität des Vertreters der göttlichen Macht vor Augen, in deren Besitz die Päpste sich empfanden und anerkannt waren, gleichgültig, wie ihre Individualität sich dazu verhielte.

Und all diese Gestalten nun gemalt in dem warmen sanften Tone Tizian's, der zuerst neben Raphael die Kunst verstand, soviel auf seinen Gemälden nur zu geben als das Auge bequem fassen kann. Nie liefert er zu viel Detail, nie aber auch zu wenig. Neben Raphael ist er der populärste Künstler, weil er menschliches Durchschnittsmaass innezuhalten weiss und auch deshalb, weil er, wie Raphael, sich dessen was er kann, nie zu rühmen scheint. Dürer ist hier der dritte im Bunde. Alle anderen grossen Künstler sprechen mit ihren Werken aus: wir können etwas, was wir allein können. Michelangelo, Lionardo und Correggio, Rubens, Vandyk und Rembrandt lassen uns merken, sie seien sich ihrer Macht bewusst. Schöpfungen besonderer Art hervorzubringen. Auch wird ein gewisses Staunen unsererseits immer bekunden, dass wir in ihnen den hohen Adel anerkennen, mit dem man sich nicht auf Du und Du stellt. Raphael und Tizian dagegen sind uns verwandt und vertraulich und ihre Bildnisse geben die Menschen wieder als erinnerten wir uns ihrer aus alter Bekanntschaft. Raphael zeigt uns Giulio II. nah und lebendig. Wie man bei grossen Gelegenheiten im Gedränge ein Kind auf den Arm nimmt, wo der Kaiser dicht vorbeizieht, und ihm sagt: das ist er, sieh ihn dir wohl an! so lässt Raphael

uns auf der Messe von Bolsena Giulio sehen, wie er im
Gefühl seiner ungeheuren Macht und Würde selbst Wundern
gegenüber die Haltung nicht verliert.

Raphael hat den Papst öfter gemalt. Immer aus einer
dominirenden Stimmung heraus, deren mehr als eine der
Beobachtung sich bot. Raphael hat ihm mit diesen Darstellungen ein Denkmal gesetzt, ohne das Allem, was
wir von Giulio II. nur läsen, der rechte Accent fehlen
würde. Wie einem alten Seemanne unendliche stürmische
Tage das Antlitz umprägen, sind dem Papste, der nie die
Ruhe kannte, die Züge durchgearbeitet worden. Heftigkeit, Zähigkeit, Verschlagenheit, Bedürfniss grosse Pläne zu
hegen und mit Gewalt durchzuführen, sind die Elemente,
unter denen er emporkam und die bis zu seinen letzten
Augenblicken ungemildert ihn beherrschten. Sturm und
Sonnenschein wechseln plötzlich bei ihm, der letztere aber
fehlt nicht. Das Interesse für künstlerische Monumente seiner
Macht scheint fast eben so gross als das politische. Giulio
gehörte zu den jugendlichen Naturen, bei denen die Gedanken an die Gegenwart die Erinnerung an das Ver-
gangene übertäubt, der jeden Tag mit frischen Angriffen
auf das beginnt was sich nicht beugen will. Aber neben
der Energie das Bedürfniss nach Ausruhen in Um-
gebungen die schön sind. Für all das glauben wir in Raphael's Porträts die Bestätigung zu finden. Wie leise gut-
müthig gebeugt Giulio auf dem des Palastes Pitti dasitzt,
fast als wolle von ferne ein Lächeln heraufziehen. Seine
doppelte Natur ist erfasst worden. Das massige Knochen-
gerüst des Kopfes und der Stirn erinnert an die furchtbare Heftigkeit des Greises. Beinahe zartgebaut aber sind
die Hände, mit langen spitzen Fingern. Riesenhaft starke
Handgelenke dagegen. Giulio hat seinen Vortheil wohl
verstanden, indem er Raphael und Michelangelo zu Ver-

kündern dessen machte, was gross und erfreulich in seinem
Wesen lag[1]).

Raphael als Porträtmaler leidet darunter, dass die zufällig erhalten gebliebenen Tafelgemälde als die maassgebenden Musterstücke seiner Thätigkeit in dieser Richtung angesehen werden. Diese ungleiche, unzusammenhängende, über-
dies durch Einschwärzungen ihm nicht angehöriger Stücke
gefälschte Reihe darf unser Urtheil aber nicht bestimmen.
Die Porträts der ersten Florentiner Zeit, die Raphael's Namen tragen, gehören ihm zum Theil gar nicht an. Leo X.
mit den Cardinälen ist sein bestes Werk neben Giulio's
Bildnisse. Von den späteren Tafelgemälden, die nichts als
Porträts sein wollen, sind viele verdorbene Stücke, manche
von problematischer Herkunft. Die berühmte, zu sehr bewunderte Giovanna von Arragonien rührt von seinen Schülern her.
Sein feinstes Bildniss aus der späteren Zeit ist der Violin-
spieler im Palaste Sciarra, sein bestes aus der früheren das
der jungen Frau im Palaste Barberini in Rom, die für seine
Geliebte angesehen wird und deren Schönheit nicht beeinträchtigt, dass Einige unter den Neueren sich als ihre
Widersacher aufgethan haben. Auch der im Gebet kniende
Sigismondo Conti, derjenige der die Madonna di Euligno
bestellt und sich selbst darauf mit abbilden lassen hatte, gehört an dieser Stelle zu Raphael's edelsten und inhaltreich-

---

[1]) Ueber Giulio's II. Porträt im Palazzo Pitti notirte ich 1873:
‚Wirkt gegen Leo X. mit den Cardinälen wie ein Tizian. Weich, un-
bestimmt, coloristisch, der Pinsel überall sichtbar. Die weiche, flüssige
Farbe. Nachzeichnung der Gesichtslinien mit dem Pinsel. Weichheit
der Hände. (Die Linke oben übermalt.) Weichheit des Bartes und des
Pelzbesatzes. Durchsichtigkeit der Schatten. Grossartig breite Behandlung der Nebensachen. Glanz über dem Ganzen. Völlig neue Behandlung des rothen Seidenkragens. Tiefdunkelgrüner Hintergrund.‘
Ich theile diese Bemerkungen mit, weil sie auch meinem jetzigen
Gefühl (1885) nach die Punkte treffen, auf die der beobachtende Blick
zuerst fällt. Weiteres in den ‚Ausführungen‘.

sten Bildnissen. Am besten aber lernt man Raphael als Darsteller lebendiger Menschen aus den ‚unendlichen‘, auf den
Fresken der vaticanischen Zimmer zerstreuten Porträts kennen.
Das ist seine natürlichste Art, zu sehen und den Anblick festzuhalten. Raphael hat sicherlich den gesammten Hofstaat Giulio's
und Leo's hier verewigt. Freilich, wir wissen die Namen nicht
mehr. Ich habe oft gedacht wenn alle diese Gesichter auf
mich herabblickten, als bäten sie mich, ihnen ihre Namen
wiederzugeben [1]). Es sind vornehme und stolze Herren
darunter: wer weiss noch von ihnen? Wer verriethe uns
von ihren Thaten? Schon in der Camera della Segnatura
hat Raphael Porträts in seine Compositionen hineingebracht,
in der Camera dell' Incendio finden wir sie zum Theil im
Uebermaasse: in der (der Entstehung nach) dazwischen liegenden Stanza dell' Eliodoro dagegen erscheint seine Kunst am
höchsten, ideale und reale Gestalten zu mischen, damit sie
einander gegenseitig hervorheben. Raphael hat dies reale
Element, wie bemerkt, zuletzt hineingebracht. Auf dem Parnasse sind die Porträts sämmtlich spätere Zusätze. Auf der
Schule von Athen ist Raphael's eignes Bildniss und das des
neben ihm sichtbaren Mannes (den Vasari fälschlich Perugino
nennt) im Mailänder Carton noch nicht vorhanden. Bei der
‚Vertreibung des Heliodor‘ fehlt auf der ersten Skizze ebenso
der vorn links in das Ereigniss so leibhaftig in breiter Masse
hineingetragene Papst mit seinen Leuten, wie auf der ersten
Skizze der ‚Vertreibung Attila's‘ Leo X. Bei der ‚Messe
von Bolsena‘, zu deren Besprechung ich nun zurückkehre,
war, wenn wir die Entwürfe zu Rathe ziehen, das Ganze
Anfangs in gleichmässig idealen Figuren aufgebaut und

---

[1]) Raphael muss diese Personen für seinen Zweck nach der Natur gezeichnet haben. Seltsam ist, dass von den betreffenden Blättern
so gut wie nichts erhalten blieb. Gewiss aber würde sich, wenn man
Medaillen und Werke andrer Maler zur Vergleichung heranzöge, noch
für manche Gestalt der Namen herausfinden lassen.

bei der Umarbeitung erst ward durch Hereinbringen der por-
träthaft gehaltenen Schweizer im Vordergrunde der Gegensatz
geschaffen, der das Werk so anziehend macht. Raphael hatte
andre Absichten. Das Fenster ragt derart in die Wand hinein,
dass links eine schmälere, rechts eine breitere Portion der Fläche
sich darbietet: diese rechte Seite sehen wir auf der Skizze nicht,
wie das Fresco zeigt, dem Papste, sondern dem Volke zugetheilt. Giulio II. (den wir auf der entgegengesetzten Seite,
nach rechts hin also gewandt, zu denken hätten) waren auf
der schmäleren Seite nur wenig Begleiter gegeben und seiner
Anwesenheit bei dem Eintreten des Wunders damit an Wichtigkeit genommen. Hätte Raphael bei seinem ersten Gedanken
bleiben dürfen, so würde das staunende Volk der Hauptgegen-
stand seiner Darstellung geworden sein und die Composition
dadurch an geistigem Inhalte gewonnen haben. So wie sie
nun sich zeigt, ist sie das grossartigste historische Repräsenta-
tionsstück das ich kenne. Es übertrifft die venezianischen Gemälde an ruhiger Einfachheit ohne geringeren Pomp zu entfalten. - Hier ist gezeigt, wie gleichzeitige Persönlichkeiten
porträtmässig behandelt werden können: real, reine Natur, und
zugleich die volle Macht idealer Auffassung. Zu bedenken
auch ist, wie das Gemälde gewirkt haben müsse als es entstand, als die noch lebend umhergingen, die darauf dargestellt sind, und als die heute durch den Staub gedämpften
Farben ihr ursprüngliches Licht noch besassen.

Man gestatte mir, mich hier noch etwas auszubreiten.

Meinem Gefühle nach hat Raphael an den beiden grossen
Wänden des Zimmers nur geringen Antheil. Die Compositionen sind durch jene nachträglichen Aenderungen, zu denen
die Eitelkeit Giulio's II. sowohl als Leo's X. ihn nöthigten,
in solchem Maasse aus dem Gleichgewichte gebracht worden,
dass es natürlich erscheint, wenn er die Ausführung schliesslich seinen Mitarbeitern übertrug.

Bei der ersten Skizze der Vertreibung des Heliodor war
Raphael weit entfernt davon, die Möglichkeit des späteren Zusatzes Giulio's: II. mit Gefolge, vorauszusehen. Die
Skizze befindet sich in Privatbesitz in Berlin. Hier sehen
wir links vorn nur die von dem Raube ihrer Habselig-
keiten wie von der Erscheinung der rächenden Engel
gleich erschütterte Masse der Wittwen und Waisen, rechts
den zu Boden stürzenden Heliodor, zwischen beiden in
der Mitte den betenden Priester. Wieder also wäre das bewegte Volk mit dem Hauptaccente bedacht worden. Durch
den in realer Porträtähnlichkeit gehaltenen Einzug des
Papstes wird diesen Gruppen Harmonie und Gleichgewicht
genommen und nur dem ausserordentlichen Talente Raphael's
konnte es gelingen, die disparaten Elemente künstlerisch
als Ganzes zusammenzuhalten.

Er durfte sich die Aufgabe, den Papst auf das Gemälde
zu bringen, dadurch hier aber noch erleichtern, dass er
Giulio und seiner Umgebung den Anschein unbetheiligter
Zuschauer gab[1]; auf der Vertreibung des Attila, gegenüber, musste Leo X. mit seinem Gefolge in die Action selbst
nachträglich hineinverflochten werden. Die erste Skizze verräth, was fortgelassen wurde, um Platz für den Papst zu gewinnen. Dargestellt war, wie dem mit seinem Heere auf Rom
losziehenden Attila die aus dem Gewölke herunterstürmen-
den Apostel Paulus und Petrus Halt gebieten, deren Eingreifen ebenso donnerschlagmässig wirkt, wie die Erscheinung
Christi selber bei Paulus auf dem Wege nach Damaskus.
Vorn links, wo auf dem Fresco der mit ausgebreitetem Hofstaate heranreitende Papst erscheint, sehen wir auf dem
der ersten Skizze eine Anzahl Soldaten, die ohne zu wissen

---

[1] Vasari behauptet, das Volk mache dem voranziehenden Papste
Platz, damit er durchkönne. Vasari ist voll von solchen Beobachtungs-
fehlern.

was geschieht wie von einem Blitzschlage getroffen dastehen. In verschiedenen Stellungen dahin und dorthin gewandt suchen sie nach der Ursache des Schreckens, während auf der andern Seite die Pferde der Reiter sich in Carriere setzen. Statt dieses in Bestürzung gebrachten Vortrabes erblicken wir nun den mit erhobener Hand ruhig heranreitenden Papst, den sein Gefolge ebenso ruhig umgiebt. Die Hauptsache ist damit fortgeschnitten und der Rest undeutlich geworden. Denn wenn der Papst den König zurückweist, so brauchen es die Apostel nicht zu thun, von denen doch wieder allein aller Schrecken auszugehen scheint[1]). Und dann auch ist weniger begreiflich, warum das ganze Heer von Furcht ergriffen wird. Michelangelo, hätte der Papst ihm zugemuthet, seine Arbeiten so umzuformen, würde kaum nachgegeben haben. Denn die zugesetzten Theile schädigten die Compositionen da, wo für Raphael ihr entscheidender Werth lag. Je mehr Raphael an Erfahrung gewann, um so mehr musste er gewahren, dass die Dinge nicht einfach genug dargestellt werden können, und nun wurde ihm aufgedrängt, Darstellungen, in denen er bedeutende Effecte vorbereitet hatte, mit Zusätzen anzufüllen, die sie zu gleichgültigen Repräsentationsstücken herabdrückten. Deshalb überliess er bei der Ausführung auch so viel seinen Schülern. Raphael tritt in dem zweiten vaticanischen Zimmer an keiner Stelle mit seiner ganzen Persönlichkeit hervor. In der Camera della Segnatura empfindet man: er müsse, solange die Arbeit daran dauerte, von seinem Werke völlig befangen gewesen sein; jetzt sagt man sich, Anderes und Tieferes habe nebenher laufen können.

---

[1]) Dass nicht die beiden Apostel als Vertheidiger Roms die Hauptpersonen seien (wie bei der ersten Skizze), sagt Vasari. Raphael selbst deutet es an, indem er den vorn stehenden, sich in der Körpermitte gewaltsam umdrehenden Soldaten mit ausgestrecktem Arm auf den Papst hinzeigen lässt.

Und so hat auch die auf der der Messe von Bolsena gegenüberliegenden zweiten Fensterwand gemalte Befreiung Petri (die Vasari so überschwänglich lobt) zumeist nur das Interesse in ausserordentlichem Maasse hervortretender künstlerischer Geschicklichkeit. In dieser Beziehung ist das Gemälde durch seine Composition wichtig, die den besten Uebergang zu denen der Cartons für die Teppiche liefert. In der complicirten Art, verschiedene Handlungen zu scheinbar einer einzigen zu verbinden, hat die Befreiung Petri nichts zwar von der einfachen Gruppirung der auf den Teppichen dargestellten Scenen, zeigt aber, wie hier schon, im Anschlusse an die Schule von Athen, der Inhalt eines der Abenteuer der Apostelgeschichte in seinen verschiedenen Phasen zu einem Ganzen zusammengefasst werden sollte. Wenn der Befreiung Petri zum Vorwurfe gemacht wird, das Werk vereinige chronologisch auseinanderliegende Handlungen zu einer einzigen Scene und gebe als gleichzeitig was nicht so gedacht werden könne, so erscheint darin eben Raphael's hohe Kunst, der so vollkommen seinen Zweck erreicht, dass Niemand im Anblicke des Gemäldes die Bedenken erheben wird, zu denen späteres Nachrechnen führen konnte[1]).

Die Form der Wandfläche war der Herstellung dreier, in sich eng verbunden erscheinender, der Zeitfolge nach aber unmöglich gleichzeitig darzustellender Scenen günstig. Wie bei der Messe von Bolsena erstreckt sich die Fenster-

---

[1]) Ich wiederhole hier die X. Ess. 2. Aufl. S. 400 ff. gegebene Beschreibung. Das Werk selbst setze ich noch in Giulio's II. Zeiten. Angenommen wird, es spiele auf die Befreiung Leo's X. aus der Gefangenschaft an, in die er noch als Cardinal nach der Schlacht von Ravenna gerathen war, allein viel näher liegt, eine Verherrlichung der Vergangenheit Giulio's II. darin zu erblicken, der als Cardinal den Titel S. Pietro in Vincula führte, dieselbe Kirche, in der heute sein Grabdenkmal von Michelangelo steht. Auch die augenscheinliche Art, wie die Ketten des Apostels malerisch hervorgehoben sind, spricht für diese Vermuthung.

öffnung mitten in sie hinein: über dieser, als enthielte sie die
Fundamente des Baues, erhebt sich der Kerker. Wir sehen
durch die sich kreuzenden schwarzen Stäbe des Gitters, das
zwischen zwei aus Quadern sich aufthürmenden finstern Pfei-
lern ausgespannt ist, in das Innere. Rechts und links führen
ausserhalb Treppen zum Gefängnisse hinan, auf denen die
Wache haltenden Soldaten ihren Platz gefunden haben. Eine
dreifache Handlung umfassen wir nun mit einem Blicke: im
Kerker Petrus, den der Engel erweckt; rechts ausserhalb
abermals Petrus und der Engel, wie sie durch die schlafenden Wächter hinausschreiten; links ausserhalb, die Soldaten,
die aufgestört die erste Nachricht der Flucht empfangen und
zugleich, mit einer seltsamen Zurückholung des bereits Geschehenen, das Gefängniss nicht zu betreten wagen, das die
überirdische Helle noch erfüllt, während es der Zeitfolge
nach doch längst wieder dunkel liegen müsste. So natürlich
hat Raphael diese drei zeitlich auf einander folgenden Scenen
als in ein und demselben Momente sich ereignend und als
Ganzes hingestellt, dass wir erst nachträglich über die Unmöglichkeit dieses Spieles uns klar werden.

Wie Petrus quer hinter dem Gitter mit leise angezoge-
nen Knien daliegt, scheinen wir selber neben ihm zu stehen
und die Athemzüge des friedlich schlafenden Mannes zu
hören. Seine Ketten laufen zu den beiden Soldaten hin,
die zu seinem Haupte und Füssen, an die innern Seiten der
Pfeiler, zwischen denen das Gitter sich ausspannt, gelehnt,
schlafend gleich ihrem Gefangenen, die Oberkörper auf die
Spiesse neigen. Hinter Petrus beugt der von Glanz um-
flossene geflügelte Engel sich zu ihm herab.

Rechts ausserhalb, wo Petrus und der Engel zum zweitenmale erscheinen, um über die auf der uns entgegenlaufenden
Treppe schlafend ausgestreckten Soldaten wie über eine ver-
sperrende Barrikade hinunterzusteigen, liegt Alles in Dämme-

rung. Nur der Engel strahlt mildes Licht aus, von dem Petrus, den er an der Hand hat und der sich im Dunkel hinter ihm hält, nur schwach gestreift wird. Wir empfinden, wie Raphael andeuten will, Petrus habe den Engel nur für eine Vision gehalten. Auf der anderen Seite drüben, links, fahren die Soldaten aus dem Schlafe auf. Einer, mit einer Fackel in der Hand, heranstürzend, stösst den Andern, der auf den Stufen sass. Wieder Andre eilen zur Thüre, die der Kerker nach dieser Seite hat, empor und schützen erschreckt die Augen vor dem entgegenquellenden Lichte. Dazu der Schein des Mondes, der durch Wolkenstreifen herabsieht, und der flackernde Brand der Fackeln, sich abspiegelnd auf den blanken Rüstungen der Soldaten. Vasari's Bewunderung stimmen wir bei. Das Gemälde erschöpft in diesen Gegensätzen bereits, was spätere Meister an künstlichen Effecten ähnlicher Art versucht haben. Die dramatische Spannung, die jeder Fluchtversuch in allen seinen Momenten zu erregen pflegt, ist vollständig zum Ausdrucke gebracht worden. Das Aufspringen der Soldaten aus dem Schlafe auf der linken Seite hat Raphael ganz aus eigner Erfindung zugefügt, denn der Apostelgeschichte zufolge wird die Flucht erst am Morgen bemerkt. Fortgelassen dagegen sind die Schuhe, die Petrus auf Geheiss des Engels anlegen musste: Petrus' Fortgehen mit blossen Füssen charakterisirte, das Unhörbare seiner Schritte besser. Auch von den gewaltigen Himmelsschlüsseln, die Raphael Petrus in die Hände gegeben hat, besagt die Apostelgeschichte nichts: die geistliche Etiquette nöthigte dazu, den Vorgänger aller Päpste nicht ohne das Attribut seines Amtes zu lassen. Diese Schlüssel bilden den einzigen mythischen Zusatz.

Wir werden nun sehen, in wie viel einfacherer Weise Raphael bei den Cartons zu den Teppichen ganze Abschnitte der Apostelgeschichte zusammenzufassen weiss. Von farbigen

Effecten aber durfte bei diesen Werken nicht die Rede sein. Raphael war bei den Teppichen, so bunt sie sind, fast allein auf Linie und Modellirung angewiesen.

II. Die sieben Cartons.

Weder Vasari noch das mitlebende römische Publicum hat die von Raphael auf Papier gezeichneten, leicht colorirten Cartons zu den Teppichen, seine höchste Leistung, je gesehen. Direct aus Raphael's Atelier gingen die Zeichnungen nach Flandern, von wo sie nicht zurückgekehrt sind[1]). Wir sehen heute Cartons und Teppiche nur im elendesten Zustande.

Das Historische ist: Leo X. wollte Teppiche weben lassen für die unteren Wände der Sistinischen Kapelle und Raphael machte grosse Zeichnungen dafür, nach denen ohne seine Aufsicht in der Ferne gearbeitet wurde. Nach einigen Jahren kamen die Teppiche in Rom an, wo ihre Schönheit und Kostbarkeit Aufsehen erregten. Gleichzeitige Briefschaften bekunden, wie gross der Eindruck war, den sie hervorbrachten. Bekannt aber sind sie auch dann nicht geworden, da sie nur bei grossen Festlichkeiten aufgehangen wurden, bei denen sie wiederum nur Wenige genau betrachten durften. 1527 wurden sie aus Rom entführt und später erst zurückgebracht.

Scenen aus dem Leben der Apostel Petrus und Paulus haben wir vor Augen. —

Ich hatte davon gesprochen, wie die Gestalt Christi im Lauf des Quattrocento immer menschlicher und am Schlusse des Jahrhunderts individueller wurde. Bei den Aposteln und Heiligen war dieser Uebergang ein leichterer, weil sie in geringerer Höhe über die Masse der sterblichen Menschen

---

[1]) Ein Stück ausgenommen, das sich zufällig wieder nach Italien verlor, heute jedoch verschwunden ist.

erhoben. Aber er vollzieht sich auch bei ihnen im Quattrocento erst allmälig. Johannes, der, als Vetter des Jesus-
kindes, der heiligen Familie so nahe stand, ist am frühesten
in menschlichem Sinne künstlerisch durchgearbeitet worden.
Hier beginnt im Trecento bereits die Individualisirung, als
deren schönste Frucht wir das Leben des Johannes auf jener
oben erwähnten ersten Thüre der Taufkirche von San Giovanni in Florenz besitzen, die Andrea Pisano, Giotto's bester
Schüler, in Erz arbeitete. Allein Johannes bietet in seinen
Schicksalen doch nur allgemeine Züge. Als Spielgenosse
des Christkindes mit diesem in der Wüste lebend, als Jüngling, mit Fellen bekleidet, in der gleichen Einsamkeit, endlich als Täufer, Bussprediger und als Gefangener bietet er
nur Züge eines einfachen Lebenslaufes dar. Ganz anders
individuell erscheint Petrus. Dennoch waltet auch bei diesem, so bewegt die Situationen seines Daseins sind, die
einfache Ruhe und Kraft des steinernen Mannes vor, auf den
die Kirche gegründet war. Paulus dagegen entwickelt sich
als complicirter Charakter. Schon Masaccio hatte das erkannt, indem er, um Paulus darzustellen, ihm den individuellen Kopf des Bartolo Angiolini verlieh. Oben bereits
verfolgten wir, wie Raphael sich allmälich von dem legendaren Elemente frei macht, bis er auf den Cartons die Gestalt des Paulus nur auf das basirte, was die Schriften des
Neuen Testamentes enthalten [1]).

Mögen neuere Historiker in ihrer Abneigung gegen
Paulus noch so weit gehen immer wird Paulus als die
Persönlichkeit dastehen, die uns am verständlichsten ist.
Johannes und Petrus haben etwas nur in allgemeinen
Umrissen sich Bewegendes: Paulus hat seine beson-

---

[1]) Man lese Vasari's weitere Bemerkungen in der Vita des Masaccio,
Dass Raphael bei· Paulus auf Masaccio zurückgegangen sei, bemerkte
schon Reynolds.

derste Natur. Er ist nicht ein Fels, sondern die gedanken-
volle Gewalt die Felsen sprengt. Paulus weiss die Menschen zu fassen wo sie zu fassen sind. Paulus' Briefe
nennt Luther in seiner Vorrede zur ersten Bibelübersetzung
die eigentliche Quelle der christlichen Lehre[1]). Paulus darzustellen, war die moderne Aufgabe zu Raphael's Zeiten.
Plato und Aristoteles hatten zu den Helden des Quattrocento
gehört, ihre Waffen waren in den neuen Kämpfen, deren
Bevorstehen Jeder empfand, nicht mehr zu gebrauchen. Man
sehe, wie bei Dürer's Apostelbildern Paulus auf dem einen
die erste Stelle einnimmt, eine Gestalt von unbezwinglicher
Thatkraft (während auf dem andern der alte Petrus in der
Tiefe hinter Johannes steht). Der Unterschied zwischen
Dürer's und Raphael's Auffassung zeigt sich hier wieder:
Dürer's Phantasie drängt Paulus in die höheren Jahre
hinein, während Raphael ihm so wenig Jahre als möglich
giebt. Alles soll jung und elastisch sein bei Raphael.
Auch davon ist schon gesprochen worden. Ich greife
weiter noch zu Obengesagtem zurück: am jüngsten ist
Paulus neben der heiligen Cäcilia von Raphael dargestellt worden, wie der Apostel, in Erinnerung dessen was
er selber in seiner Fahrt durch die Himmel erlebte, der
Musik der Engel lauschend, in sich versinkt. Nahe verwandt ist diesem Paulus der der Schule von Athen, auch
hier Haar und Bart gelockt und jugendliche Kraft noch
über die Gestalt ausgegossen: auf den Teppichen aber tritt
er uns, weder jung noch alt, als Mann entgegen. Dieser
Unterschied ist ein tiefgehender. Denn könnte uns etwa
dünken, als spreche Paulus auf der Schule von Athen
den Athenern in ihrer eignen Sprache noch, in platonisch
wohlgefügten Sätzen, so klingt aus den Teppichen das dürre,
aber kraftvolle Latein der Vulgata uns entgegen, die harte

---

[1]) Diese Vorrede sollte vor keinem Neuen Testamente fehlen.

Prosa, in der Raphael, wie ich denke, die Gedanken des Paulus nachgelesen hatte ehe er die Compositionen für die Teppiche in Angriff nahm. Freilich gehören diese nur zur Hälfte dem Paulus an. Die ihn betreffenden aber wirken am lebendigsten. Sie sind wie die Scenen eines Dramas, bei dem Paulus' Persönlichkeit das entscheidende Element bildet. Von Nachlesen der Vulgata aber darf gesprochen werden, da den Cartons zu den Teppichen eigen ist, dass sie als Darstellung biblischer Ereignisse zum grösseren Theile nach dem Wortlaute der Bibel gewählt und neu erfunden wurden. Raphael verfuhr wie heute ein Künstler verfahren würde, dem ein Gedicht oder historisches Werk zur Illustration übergeben ward: er las die Schriften des Neuen Testamentes und liess sie auf seine Phantasie wirken [1]).

Die der geschichtlichen Folge nach die Cartons eröffnende Scene gehört Petrus: der wunderbare Fischzug.

Im fünften Capitel des Lucas-Evangeliums lesen wir: ‚Was geschehen ist, als die Menge auf Jesus eindrängte, das Wort Gottes zu hören, und er am See Genezareth stand. Und sah zwei am See stehende Fahrzeuge. Die Fischer aber waren ausgestiegen und wuschen Netze. Einsteigend aber in das Boot, dessen Eigenthümer Simon war, bat er ihn, es eine Kleinigkeit vom Lande abzustossen. Und sitzend belehrte er von dem kleinen Schiffe aus die Menge. Als er aber zu reden aufhörte, sagt er dem Simon: fahre tiefer hinaus und werft die Netze zum Fange aus. Und antwortend sagte ihm jener: Lehrer, die ganze Nacht bei der Arbeit haben wir nichts gefangen; auf dein Wort aber werde ich das Netz auswerfen. Und da sie es gethan hatten, umgarnten sie eine

---

[1]) Ueber die Vulgata im Verhältniss zu Raphael vgl. X. Ess. 2. Aufl. S. 398 ff. Die Paulus betreffenden Legenden sind in der Legenda aurea erzählt.

grösse Menge Fische. Es wu. ╷ aber ihr Netz zerrissen.
Und sie winkten ihren Genossen, die im andern Schiffe waren,
dass sie kämen und ihnen hülfen. Und sie kamen und füllten
beide kleine Schiffe derart an. dass sie beinahe untergingen.
Als Simon Petrus dies sah, fiel er vor Jesus' Knie nieder
mit den Worten: gehe heraus von mir, weil ich ein sündiger
Mensch bin, Herr. Denn Entsetzen überkam ihn und alle,
die mit ihm waren, über den Fang Fische den sie gethan
hatten, und so auch den Jacobus und Johannes, die Söhne
des Zebedäus, die Simon's Genossen waren. Und es spricht
Jesus zu ihm: habe keine Furcht, von jetzt an wirst du
Menschen fangen'[1]).

Beim ersten Blicke auf den Carton gemahnt uns etwas
an Dinge, die beim Sposalizio zur Sprache gekommen sind.

Zehn Jahre waren vergangen seit der Entstehung dieses
Gemäldes: wer würde beide Werke, wenn ihm die Urheber-
schaft unbekannt wäre, nun demselben Künstler zuschreiben?
Ich hatte bei der den Hintergrund des Sposalizio bildenden
weiten Ferne auf etwas hingewiesen, das heute mit ‚Stimmung' bezeichnet wird. Von Stimmung sprechen wir bei einem
Gemälde, wenn sein Anblick eine leise, gleichsam aus ihm
ertönende Melodie in uns erweckt. Das beruhigende Gefühl,
das die in stillem Reichthume sich erschliessende Natur in
uns legt, entspricht am meisten dem Begriffe und dies ist
die Ursache, dass, wenn von Stimmung die Rede ist, an land-
schaftliche Darstellungen gedacht wird.

Beim Sposalizio macht sich die vom Ausblicke in die Ferne
hervorgerufene Stimmung kaum bemerkbar. Auch bei der
Disputa ist sie nur ein hinzutretendes Element. Beim wunderbaren Fischzuge beherrscht sie die Composition. Und
zwar als eine Schönheit wieder, die Raphael im Laufe der

---

[1]) X. Ess. 2. Aufl. S. 403 ff.

Arbeit sich erst erschloss. Er lässt den See unter fern sich verlierendem Gewölke hin sich ausspannen und erweckt ein ergreifendes Gefühl von Einsamkeit und Verlassenheit und Wehmuth in uns. Wenn wir Abends über ein weites Feld sehen, in dem wir fremd sind, und ein paar Vögel kommen von ferne hoch herangeflogen, bis sie über unser Haupt hinweg in die Gipfel dämmernder Bäume sich einsenken, steigen Gedanken an Heimath und an Abende auf, wo man mit den Blicken einmal irgend etwas so suchte das nirgends zu finden ist. Die Worte kehren uns in die Gedanken zurück: Jeder Vogel hat sein Nest, aber des Menschen Sohn hat nicht da er sein Haupt hinlege.

Was in den Fahrzeugen geschieht, spricht sich aus. Petrus ist anbetend vor Christus in die Knie gesunken, weil, dem Ueberflusse von Fischen gegenüber, die die Kähne bis zum Rande anfüllen, in ihm, als Fischer, gleichsam aus seinem Metier heraus, das Gefühl mächtig wird, dass eine höhere Macht in Christus wohne, die nicht in Gefahr kommen dürfe. Einer von seinen beiden Genossen, hinter ihm, steht im Begriffe, wie er zu thun (während vom dritten nichts sichtbar ist). Die Bemühungen der mit dem Aufziehen der Netze beschäftigten Fischer im zweiten Boote, nur von den Gedanken an das erfüllt, was als Arbeit vom Momente dargeboten wird und wofür sie da sind, haben als Gegensatz hier dieselbe Wirkung wie die Schweizer am Fusse der Treppe auf der Messe von Bolsena. Christus mit erhobener Hand redet Petrus an. So aber zugleich doch, dass er die Stellung eines Predigenden hat. Ganz vorn zieht der Strand sich hin, mit allerlei Muschelwerk das da liegt, und ein paar Reihern, die ihre Nahrung suchen. Der See spielt in flach gekräuselten Wellen heran.

So wie Raphael hier die Scene darstellt, genügten einige Verse des betreffenden Capitels, sie zu erklären: die erste

Skizze dagegen, die in sorgfältig getuschter Zeichnung vorliegt, zeigt, wieviel mehr er Anfangs zusammenfassen wollte.
Das am See Genezareth überhaupt damals sich Ereignende
formte sich in Raphael's Phantasie. Das den See um-
wohnende Volk geräth in Aufregung. Die Leute machen
sich auf den Weg und kommen herbei, um Christus zu sehen.
Er soll Kranke heilen. Bald hier bald dort zeigt er sich am
Ufer, predigend, hülfreich, mit Hoffnung erfüllend. Dies am
Ufer seiner harrende Volk gehört mit zur Landschaft in unseren Augen und belebt sie, es wird zu einer Art von Gemeinde um die Gestalt Christi, den der wunderbare Fischzug, allein genommen, einsam mitten im See zeigen würde.
Geistig bewegte Massen waren der Lieblingsgegenstand für
Raphael's schaffende Gedanken. Die Darstellung des lebhaft
discutirenden Volkes, sowie derer, die in Krankheit und Be-
dürftigkeit still auf Christus warteten, erschien ihm als das, worauf es ankäme. Männer stehen da und erörtern, was es mit
dem neuen Propheten auf sich habe. Der nationale Zug,
Christus, der als Lehrer und Arzt auftritt, bürgerlich erst
fest unterzubringen, damit man, ehe man an ihn glaube, genau
wisse, wie man nach allen Richtungen mit ihm daran sei, wird
von Raphael in den Gestalten dreier Männer scharf charakterisirt. Neben diesen, die lebhaft verhandeln, sitzen drei
Frauen am Ufer des Sees. Die eine, recht wie man in langes
Erwarten des Arztes ergebene Kranke sitzen sieht, hat den
Kopf auf die Knie gelegt, als die andre sie an der Schulter
emporzieht, weil die Schiffe mit Christus sichtbar werden und
das Wunder sich begiebt. Ein kleines Kind deutet lebendig
mit ausgestrecktem Aermchen darauf hin. Die dritte Frau, die
ein Kind auf dem Arme hat, das das Köpfchen auf ihre Schulter
legt und die Aermchen um ihren Hals schlingt, greift nach dem
kleinen tragbaren Tönnchen mit Wasser neben sich, um ihm
zu trinken zu geben. Auch sie hat die nahenden Schiffe noch

nicht bemerkt. Wer die betreffenden Capitel durchliest, findet
die Verse sogleich, die Raphael den Anstoss zu diesen Darstellungen lieferten. Raphael's Bestreben, eine Reihe von Momenten zu einem Ganzen zu verbinden, das in seiner Form
keinem einzelnen daraus genau entspricht, sie sämmtlich aber
desto sicherer enthält, zeigt sich hier deutlich. Die Anfänge
des öffentlichen Eintretens Christi und, in der Berufung des
Petrus, die der katholischen Kirche waren auf dieser ersten
Skizze dargestellt. Bei der definitiven Fassung der Composition ist das Ufer mit dem Volke dann weit in den Hintergrund
gebracht worden. Die Menge der Menschen konnte hier
breiter noch hervortreten, ist so fern aber nun, dass sie fast
mit der Landschaft zusammenfliesst.

Sobald Raphael entschieden war, dass die beiden Kähne
in den Vordergrund gehörten und dass sie diesen allein beherrschten, musste auch den sie füllenden Gestalten eine andre
Zusammenstellung gegeben werden. Erstaunlich ist die Aenderung, die Raphael mit dem gerade die Mitte der gesammten
Composition haltenden Genossen Petri vorgenommen hat. Auf
der anfänglichen Skizze ist er, mit einer Ruderstange das
Schiffchen lenkend, an dem was Petrus thut unbetheiligt: jetzt
steht er, Christus zugewandt, sich vorneigend mit sich ausbreitenden Armen hinter Petrus, als wolle auch er in die Knie
sinken. Man würde für unmöglich halten, dass die Gestalt
in so sprechender Stellung später erst eingefügt worden sei,
da sie als von Anfang an unentbehrlich erscheint.

Dies also die Darstellung der ersten Berufung des Petrus:
der folgende Carton zeigt die zweite. Zwischen beiden Ereignissen liegt all das, was Petrus mit Christus während
dessen Laufbahn erlebt hatte. Wieder der See Genezareth
ist der Schauplatz, wo Christus nach seinem Tode den
Jüngern sichtbar wird und an Petrus die drei Fragen und

die drei Befehle richtet von denen, als Wiederholung der ersten Verheissung, die Päpste ihre Herrschaft ableiten.

Raphael's erste Absicht war wieder, die Dinge so darzustellen wie das Evangelium Johannis sie erzählt. Wie eine Anzahl Anhänger Christi zusammen waren, Fischer, die ihrem Handwerke nachgehen. Wie sie nichts fangen. Wie Christus plötzlich unter ihnen ist und nun die Netze von der Fülle der gefangenen Fische zu reissen drohen. Wie er am Ufer dann nach Speise verlangt. Wie sie Anfangs nicht wissen, dass es Christus sei und plötzlich inne werden, dass er es sei [1]). Diesen Augenblick: den Uebergang vom Nichtwissen zum Wissen, hatte Raphael darstellen wollen und wiederum hat er seiner Auffassung auch hier später eine andere Wendung geben müssen.

Die erste Skizze liegt nicht vor, aber Studienblätter besitzen wir, die sie ersetzen. Auf der einen Seite steht Christus, mit nach oben deutender rechter Hand; ihm gegenüber die Jünger, scheu und zusammengedrängt; Petrus, kniend, an ihrer Spitze; hinter ihm Johannes, der anbetend vorgeneigt zu nahen zögert; und hinter und neben Johannes sich herandrängend die andern, die, in dem Maasse als sie Christus als das, was er sei, zu erkennen beginnen, von dem Gefühl des Momentes erfüllt werden. Wieder eine Menge, in der ein Umschwung sich vollzieht! Nichts entsprach Raphael mehr, als Darstellungen solcher geistiger Uebergänge, und dass er die Dinge zuerst in dieser Weise fasste, und dass er fest war, sie so auszuführen, zeigt eine prachtvolle Rothsteinzeichnung in Windsor. Bereits hatte er, sehen wir, begonnen, die Gestalten nach Maassgabe seines ersten Entwurfes durchzuarbeiten, die er als definitive Form der Composition ansah: da — ich nehme an, vom Papste — empfing er die Weisung,

---

[1]) Die Uebersetzung der Stelle nach der Vulgata a. a. O. S. 406.

die Scene in stricterem Sinne zur ‚Berufung Petri‘ umzu-
gestalten. Der Befehl ‚weide meine Lämmer‘ machte
nun eine andre Stellung Christi nothwendig. Aus, wie
Johannes erzählt, zufällig am See sich zusammenfindenden
Anhängern, deren Zahl nicht genannt wird, mussten nun die
(ohne Judas) elf Apostel werden: aus den Armbewegungen
Christi, der vorher Allen zu gleicher Zeit sich zu erkennen
gab, musste ein Hindeuten, mit der einen Hand auf die Schafe
in seinem Rücken, mit der andern auf Petrus werden, der als
Zeichen seiner neuen Würde nun auch die Schlüssel empfing[1]).
Auf einer neuen Skizze finden wir die Scene so gefasst.

Immer aber noch war von Raphael Christus so dargestellt
worden, dass er in Kleidung und Auftreten einer der Uebrigen
hätte sein können, und wäre es hierbei verblieben, so hätte
in der That die scheue Zurückhaltung der Apostel zu den
falschen Deutungen neuerer Erklärer kaum führen können.
Nun aber wird Raphael genöthigt, der ganzen Erscheinung
Christi das mythisch heldenmässig Gewaltige noch zu verleihen, in der er nach seinem Tode meist dargestellt zu
werden pflegt: mit nacktem Arme und halbnackter Brust,
umwallt von einem mit Sternen besäeten Gewande. Damit
war der ursprüngliche Gedanke fortgenommen. Denn während die Jünger Anfangs zweifelnd dastanden, ungewiss, getheilt zwischen Scheu und Sehnsucht, scheinen sie alle nun
sich ehrfurchtsvoll zurückzuhalten und nur Johannes will es
wagen, hinter Petrus hervor. Christus näherzutreten. Es
kann sie nicht mehr Ungewissheit erfüllen, ob die früher
unbekannte Persönlichkeit, die sich zu ihnen gefunden hatte
und sich als Christus zu erkennen gab, wirklich Christus sei,
sondern Scheu und Schrecken, Christus in übermenschlicher

---

[1]) Man sieht, wie auf der Rothsteinskizze von Windsor die Schlüssel
nachträglich zugezeichnet worden sind. Ich erinnere an ihren Zusatz auf
dem Wandgemälde der Befreiung Petri.

Gestaltung vor sich zu erblicken, muss nun in ihnen lebendig werden. Henry Smith [1]) hat das vortrefflich dargelegt.
Die Apostel wissen nur das Eine jetzt nicht, ob sie Christus
als einem wirklichen Menschen, oder nur einer Erscheinung
gegenüberstehen die seine Gestalt trägt.

Dies nun ist verkannt worden. Dubos war der erste, der
mit einer falschen, seitdem allgemein angenommenen Deutung
kam. Raphael, sagt er [2]), indem er die Berufung des Petrus
darstellt, sucht in dem Verhalten der übrigen Apostel die
Gefühle zu verkörpern, welche diese unerwartete Bevorzugung
eines Einzelnen in ihnen erweckt. ‚Johannes — fährt Dubos
fort, nachdem er mit einigen Worten den in verehrender
Dankbarkeit hingesunkenen Petrus gekennzeichnet hat —
Johannes, jung und mit den Bewegungen eines Jünglings,
billigt in der seinem Alter so natürlichen Unbefangenheit
die Wahl des Meisters: er selbst würde nicht anders gewählt haben. Die Lebhaftigkeit, mit der er seine Meinung
zu erkennen giebt, zeigt sich in der sich vordrängenden
Stellung - deutlich genug. Der Apostel neben ihm, dem
Gesichtsausdruck und der Haltung nach ein älterer Mann,
begnügt sich, seine Beistimmung mit einfacherer Hand-
und Kopfbewegung zu bezeugen. Am andern Ende der
Gruppe macht sich ein Mann von, wie seine Gesichtsfarbe
zeigt, gallichtem aufgeregten Temperament bemerklich: sein
Bart geht ins Röthliche, die Stirn ist breit, die Nase gedrungen
und eckig: Alles deutet an, dass er sich mit Gedanken plagt.
Verächtlich mit gerunzelter Stirn dreinblickend, muss er die
seinem Urtheil nach ungerechte Bevorzugung des Petrus

---

[1]) S. 16.

[2]) Reflexions I. 94. Dubos muss hier nachgelesen und mit den
Neueren genau verglichen werden. Dasselbe gilt für seine Erklärungs-
versuche der Zuhörerstimmungen auf dem Carton der Predigt des
Paulus. Die Geschichte der Erklärungen der einzelnen Werke Raphael's
wird in grösserem Umfange in den ‚Ausführungen‘ gegeben werden.

erleben. Er glaubt nicht weniger werth zu sein als alle
Uebrigen. Ein Anderer neben ihm ringt vergebens nach
Fassung: ein Melancholiker, wie das bleiche, abgemagerte
Gesicht, der schwarze straffe Bart und die gesammte Haltung
verrathen. Mit gekrümmtem Rücken den Kopf vorgestreckt,
hat er die Augen starr auf Christus gerichtet, dumpfe Eifer-
sucht verzehrt ihn. Er wird kein Wort verlauten lassen,
niemals aber auch vergessen, was er hier mitansehen muss:
Judas, so deutlich dargestellt als man ihn wiedererkennt,
wenn man ihn den leeren Beutel in der Hand am Feigen-
baume hängen sieht.' Dubos vergisst, dass Judas sich vor
der Kreuzigung Christi längst aufgehangen hatte, also nicht
mehr unter den Aposteln war. Auch hat Raphael, wie schon
bemerkt worden ist, ihrer nur elf dargestellt. Wie sehr die
Anschauungen aber auseinandergehen! —: von dieser selben
Figur, die Dubos zum Judas stempelt, sagt Braun, es sei
‚ein schöner, obgleich Judenphysiognomie tragender Apostel
mit wallendem Haar und neugierig forschender Gutmüthig-
keit‘ [1]). Einige von den Aposteln, andre jedoch als Dubos
nennt, werden von Braun für neidisch und eifersüchtig erklärt.
Dubos' Voraussetzung aber, Raphael habe die Apostel als im
Widerspruch oder auch nur in der Kritik der Erhöhung des
Petrus befangen dargestellt, muss uns heute doch unannehm-
bar erscheinen. Denn wie sollte Raphael auf eine so ver-
schrobene Interpretation der Erzählung des Johannes verfallen
sein, und wie würde ein Papst dergleichen verlangt oder geduldet haben? Für das Zeitalter in dem Dubos lebte war sein
Erklärungsversuch eine geistreiche Idee, wie sie Voltaire
selber hätte vorbringen können wenn Sinn für bildende Kunst
in ihm gelegen hätte. Obendrein treffen Dubos' Beobachtungen im Einzelnen nicht zu. Die beiden Apostel, denen er
so scharfe Gefühle von den Stirnen abliest, verhalten sich

---

[1]) Raphael und seine Werke, 1819, S. 167.

nicht anders als die übrigen: sie nehmen ihre Fassungskraft zusammen, ob Christus wirklich oder nur ein ihnen vor den wachenden Augen aufsteigendes Traumbild sei. Ihr Verhalten ist auf der ersten Rothsteinskizze überzeugend einfach zum Ausdrucke gebracht worden. Hier nämlich, da die Gewänder den Gestalten noch fehlen, spielen die Handbewegungen sichtbarer mit, die den Ausdruck des Geistigen verschärfen.

Der folgende Carton illustrirt das dritte Capitel der Apostelgeschichte: wie Petrus den Mann heilt, der vom Mutterleibe an lahm war. Die Stelle lautet[1]): ‚Petrus aber und Johannes stiegen zum Tempel hinauf in der neunten Stunde des Gebetes. Und ein Mann, der hinkend war vom Mutterleibe an, wurde von Trägern getragen, den setzten sie täglich an die Thüre des Tempels, die die Schöne genannt wird, damit er von den in den Tempel Hineingehenden ein Almosen erbäte. Dieser, als er Petrus und Johannes gesehen hatte, die in den Tempel einzutreten im Begriff waren, bat sie, ihm ein Almosen zu reichen. Petrus aber mit Johannes ihn betrachtend sagte: blicke uns an. Aber jener sah zu ihnen hin in der Hoffnung etwas zu bekommen. Petrus aber sagte: Silber und Gold fehlt mir, aber was ich habe, dies gebe ich dir: im Namen Jesu Christi erhebe dich und gehe umher. Und indem er seine rechte Hand ergriff, hob er ihn auf und sofort wurden seine Füsse und Sohlen fest. Und aufspringend stand er und ging umher und trat mit ihnen in den Tempel ein, umhergehend, springend und Gott lobend. Und alles Volk sah ihn umhergehen und Gott loben‘.

Die bis hierher besprochenen Cartons waren in der Composition Raphael's Eigenthum: bei der Heilung des Lahmen ist er abhängig von einem Meister, dem wir ihn nicht hier

---

[1]) Uebersetzung der Vulgata; X Ess. 2. Aufl. S. 411.

allein verpflichtet sehen. Raphael kannte Albrecht Dürer's
Stiche und Holzschnitte genau. Jenes von Vasari bei der
Vertreibung des Heliodor lobend hervorgehobene Motiv des
Mannes, der den Arm um eine Säule schlingt, hatte Raphael
in Dürer's Leben der Maria gesehen. Ebendaher ist der
eine kandelabertragende dienende Knabe bei der Taufe
Constantin's genommen, die nach Raphael's Tode im grossen
Saale der Constantinschlacht nach seiner Zeichnung gemalt
wurde. Und ferner, jene vierte Wand der Camera della
Segnatura sollte Anfangs eine später ganz aufgegebene Sym-
bolisirung der göttlichen Gerechtigkeit tragen, die auf einer
getuschten Zeichnung (des Louvre) erhalten blieb. Hier sehen
wir um die Fensteröffnung herum eine einheitliche Composition: Gottvater vertheilt die Posaunen an die Engel, mit
deren Getön die furchtbaren Zerstörungsscenen der Apoka-
lypse ihren Anfang nehmen. Diese Scene hatte Raphael
dargestellt wie Dürer sie in seinen Holzschnitten zur Offenbarung gezeichnet hatte. Als Raphael nun an den Teppichen
arbeitete, standen er und Dürer in persönlichem Verkehr
und hatten einander von ihren Arbeiten zugeschickt[1]). Das
war 1515. Mit dem Datum 1513 aber sind eine Anzahl
Blätter in Dürer's kleiner gestochener Passion versehen und
unter ihnen finden wir das Vorbild zu Raphael's Heilung des
Lahmen. Zwar hat Raphael nur den Gedanken in sich aufgenommen und völlig neu aus eigner Phantasie reproducirt,
trotzdem verleugnet sein Werk in nichts die Abstammung.

---

[1]) Das von Vasari beschriebene eigne Porträt, das Dürer Raphael
damals schickte, ist verloren; die Handzeichnung, die Raphael Dürer
zusandte. mit dessen eignem Vermerke darauf, dass sie von Raphael
ihm zugekommen sei, besitzen wir noch: zwei männliche Gestalten,
Actstudien in Rothstein zu einem Gemälde, das nie zur Ausführung gekommen ist: einem Repräsentationsbilde: die Ertheilung des Gonfalo-
nariates der Kirche an Giuliano dei Medici. Die Rothsteinskizze zum
Ganzen auf der Ambrosiana.

Wiederum hat Raphael auf diesem Carton eine Reihe
zeitlich getrennter Momente zu einem einzigen verschmolzen.
Der Schauplatz ist erfüllt von Säulenreihen, die aus der Tiefe
sich uns entgegen entfalten. Zwischen ihnen sieht man links
hinten die freie Luft durchleuchten, rechts in den dämmernd-
dunklen Tempel hinein: die Scene kann sowohl den Eingang
des Tempels, als die Halle Salomon's bedeuten. Die beiden
mittelsten, uns entgegenlaufenden Säulenreihen stossen mit
den vordersten an den Rand der Darstellung und machen
was zwischen ihnen geschieht zu einer Scene für sich. Hier
vollzieht sich das Wunder. Diese Mitte ist wie besonders ein-
gerahmt; die beiden anderen Theile der Composition sind,
rechts und links, vom Gewühle des Volkes erfüllt. Raphael hat
das Staunen, das die vollbrachte Heilung des Lahmen her-
vorruft, und zugleich Erwartung des Wunders vor seiner Vollendung, dargestellt. Wie bei der Messe von Bolsena, während
oben das Wunder erst geschieht, das Volk unten an der Treppe
sich schon davon wie von etwas Geschehenem erzählt. Nicht
also, den Worten der Apostelgeschichte zufolge, vor der Thüre
des Tempels, sondern in dessen Innern, und nicht einsam,
sondern umgeben vom Gedränge des Volkes lässt Raphael
die Apostel den Lahmen heilen. Und nicht bloss ein Lah-
mer oder Hinkender, sondern ein Krüppel, dessen Glieder
ineinander verwachsen sind, wird von Petrus an der auf-
gestreckten Hand emporgehoben. Man glaubt mitzuerleben,
wie ein Dehnen und Krachen in den Gliedmaassen geschieht,
wie die verschränkten Beine sich, auseinandergreifend, plötzlich strecken, man sieht, wie das halb zum Thier gewordene arme Geschöpf zum Apostel aufblickend mit seinen
Augen die Funken eines neuen geistigen Daseins auffängt.
Zu beiden Seiten sind unter den Säulen des Tempels
Kommende und Gehende dargestellt; solche die nichts
wissen von dem was geschieht; solche die nur einen neu-

gierigen Blick dafür haben; dicht um die Apostel erst in
sprachloser Neugier diejenigen, welche den übernatürlichen
Einfluss zu begreifen beginnen, der vor ihnen sein Werk
thut. Links ein nackter Knabe, sich vergeblich bemühend,
den auf den Stab mit dem Kinn gestützt stehenden, wie fest-
gewurzelten Alten, zu dem er gehört, am Gürtel fortzuziehen.
Rechts auf den Knien mühsam sich heranschiebend ein
zweiter Krüppel, hässlich, aber gerade deshalb um so auffallender durch den Blick unbegrenzten Vertrauens, mit dem
auch er seine Heilung nun erwartet und, wie ein Hund der
still einen Bissen erwartet, sie mit den Augen gleichsam
herbeifleht. Von grosser Schönheit, hinter diesem, tiefer
zwischen den Säulen, die junge Frau mit dem Kinde an der
Brust, das sie, hinüberblickend nach dem was vorgeht, für
den Augenblick ganz zu vergessen scheint. Von gleicher
Schönheit, auf der andern Seite, der nackte laufende Knabe
mit dem Stab über der Schulter, von dessen Ende, seinen
Rücken herab, ein paar mit den Füssen angebundene Tauben
hängen, die zum Opfer bestimmt sind. Das Ganze von der
Unruhe belebt, die das in den Kirchen aus- und einströmende
Volk der Beobachtung bietet, und die Säulen selber, mit
den in schwülstiger Masse gewundenen, von Canellirungen
und von Basreliefs abwechselnd bedeckten mächtigen Schäf-
ten, deuten die ornamentale Ueberladung an, mit der Kirchen im Innern beschwert zu werden pflegen. Petrus steht,
zwischen den Mittelsäulen, dem auf dem Boden hockenden
Krüppel rein im Profil zugewandt. Seine Stellung erinnert
von ferne an die Gottvaters, wie er der eben aus Adam's
Seite hervorsteigenden Eva, auf Michelangelo's Freske in
der sistinischen Capelle, gegenübersteht. Doch hat Petrus
nicht das Haupt vorgebeugt wie das Gottvaters ist, sondern
er neigt von seinem starren Nacken das Antlitz nur ein
wenig herab. Die uns zugewandte linke Hand ist erhoben,

als wolle er mit ihr dem Krüppel gleichsam den Weg, sich
emporzuheben, andeuten; mit der Rechten hat er dessen
Linke fest gefasst: man sieht dem gestrafften Arme des
Dasitzenden an, wie unwiderstehlich kraftvoll der Apostel
ihn emporreisst. Hinter beiden und zwischen ihnen sichtbar
steht Johannes, in lang herabwallendem lockigen Haar. Seine
auf den Krüppel herabweisende Hand scheint dem sich zu-
drängenden Volke zuzudeuten, in wessen Namen das Wunder
vollbracht werde.

Auch Dürer hatte auf seiner figurenarmen und einfachen
Composition eine gewisse Reihe von Momenten zu vereinigen gewusst und denjenigen als den hauptsächlichsten gewählt, wo Petrus dem Lahmen, der bei ihm noch er-
barmenswürdiger die Gattung repräsentirt, die Hand abwärts
zustreckt, während der arme Mensch die seinige, abgemagert
und, den übrigen Gliedmaassen entsprechend, von Krankheit
verzerrt, mühevoll aber vergebens ihm entgegen zu erheben
versucht. Hinter Petrus steht Johannes, in fast zu üppigem
Lockenschmuck; umher einige alte Männer, die das Weitere
erwarten. Gleich ihnen ist Petrus alt und mit kahler Stirn
und Schädel. Bei Raphael erscheint sein Haupt von dichtem,
kurzanliegendem Haar bedeckt und die ganze Person bekundet den starken Mann in seinem kräftigsten Alter. Wer
weiter vergleichen wollte, würde übrigens bemerken, dass dieser
Haarwuchs, wie ihn Raphael Petrus hier verleiht, weder mit
dem stimme, den dieser beim wunderthätigen Fischzug hat,
noch mit dem er beim Tode des Ananias auftritt. Raphael
schafft die Gestalt der Apostel jedesmal von neuem, ohne sich
darum zu kümmern, wie er sie an andern Stellen gebildet hatte[1]).

Diejenige vielleicht von allen Compositionen Raphael's,
auf der das Dramatische am reinsten durchgeführt wurde,

---

[1]) Bei den Marien nun gar scheint es beinahe Bedingung gewesen
zu sein, dass keine der andern ähnlich sehe.

ist der Tod des Ananias, wo Petrus und Paulus nebeneinander erscheinen. Die Darstellung scheint im Carton so vor uns zu stehen, wie sie von Anfang an gefasst worden war. Neben dem Beginne des fünften Capitels der Apostelgeschichte, wo wir die Thatsache finden, müssen, um deren allgemeinen Boden zu gewinnen, die letzten Verse des vierten noch in Betracht gezogen werden. Raphael sucht einen ganzen Abschnitt des frühesten christlichen Daseins darzustellen. Die Reichen, die ihr Geld und ihre Gaben den Aposteln zu Füssen legen, die Hilfsbedürftigen, denen sie wiederum zu Theil werden; Sapphira, die das von Ananias der Gemeinde vorenthaltene Geld sich selber in die Hand zählt; die Apostel in der Mitte dieses Verkehrs, durch einfache Schranken, zu denen Stufen aufführen, als regierendes Collegium abgeschlossen; Petrus [1]) unter ihnen, der mit erhobener Hand in schrecklicher Stimme Ananias anredet; und dieser selbst zu Boden stürzend und Entsetzen um sich her verbreitend. Auch hier drei Theile der Handlung, aber nicht einander räumlich gleichgestellt, sondern das Zutragen und Inempfang-

---

[1]) Neben Petrus ein andrer Apostel, Paulus, wie ich annehme, der genau die Mitte der Composition innehält und auch für Petrus angesehen werden könnte. Um jeden Zweifel zu vermeiden, lässt Raphael den einen der Beiden, welche zu dem gestürzten Ananias sich herabbeugen, mit der Hand auf Petrus deuten. Man bemerke, wie Paulus und Petrus hier das Motiv der Mittelfiguren der Schule von Athen in höchster Ausbildung wiederholen. Vielleicht ist diese Aehnlichkeit der Grund, warum auf dem Stiche der Schule von Athen von 1617 die beiden Gestalten zu Petrus und Paulus gemacht worden sind. Von den individualisirend durchgeführten übrigen Aposteln stimmt keiner hier mit denen überein, die wir auf der Berufung des Petrus sehen. Nur Johannes, der vorderste von den beiden, die links über die Schranken herab Gaben empfangen und vertheilen, ist, wie auch sonst, an den langherabhängenden Locken und der Bartlosigkeit kenntlich. Goethe über die Composition, Ital. R. II, 5. 56. (Ausg. v. 1840.) Ueber das Verhältniss zu der in Marcanton's Stiche erhaltenen Skizze X Ess. 2. Aufl. S. 413. Andere Eigenthümlichkeiten und einige Verwandtschaftsverhältnisse der Figuren werden in den Ausführungen besprochen werden.

nehmen rechts und links im Hintergrunde spielend, während das Zusammenbrechen und das Entsetzen den Vordergrund der Breite nach füllt; die Apostel ragen in der Mitte darüber hinaus, als ein Tribunal, dessen Sprecher Petrus ist. Die Darstellung, in freier Bewegung und doch streng architektonisch aufgebaut, wirkt theatralisch wie die letzte Scene einer Tragödie. Als Composition ist sie unter den figurenreicheren Compositionen Raphael's seine höchste Leistung. Mit ihr schliessen die Petrus betreffenden Cartons ab.

Die Scenen aus dem Leben des Paulus beginnen in der Reihe der Teppiche mit seiner Bekehrung, für die kein Carton vorhanden ist und für die Raphael vielleicht den Carton auch nicht gezeichnet hat[1]). Nur drei Cartons besitzen wir: die Erblindung des Elymas die auf Paphos sich ereignete, das Opfer von Lystra und die Predigt zu Athen.

Henry Smith möchte die erste der drei Darstellungen lieber die Bekehrung des Proconsuls benennen und ich würde ihm beistimmen wenn dieser, der allerdings die Mitte der Composition hält, eine Person von grösserer Tragweite wäre. Dass Raphael die Bekehrung des Sergius als Titel der Composition ansah, zeigt die unter des Proconsuls Sitze angebrachte Inschrift[2]). Das aber was als der Inhalt der Darstellung hervorspringt, ist trotzdem das Erblinden des Elymas, das mit sensationeller Realität zur Anschauung gebracht wird. Ich gebrauche die ganz moderne Wendung, da es sich um einen mit modernen Mitteln erlangten Effect handelt. Ueberall, wo wir Raphael's Gemälde mit den dafür gezeichneten Naturstudien vergleichen, bemerken wir, wie er diesen bei der Benutzung den Naturgeruch gleichsam

---

[1]) Für die Steinigung des Stephanus habe ich das gleiche Bedenken ausgesprochen a. a. O. S. 414.

[2]) L. Sergius Paullus Asiae Procos. christianam fidem amplectitur Pauli predicatione.

vorher nahm, den unmittelbar nach dem Leben gemachte
Zeichnungen grosser Künstler haben; bei der Erblindung
des Elymas dagegen scheint er die Modelle beinahe direct
auf den Carton gebracht zu haben. Man vergleiche mit dem
Tode des Ananias: wie da durch wohl vertheilte Schatten und
Lichtmassen den Gestalten ein idealer Schein über die Natur
hinaus verliehen worden ist, während bei der Erblindung des
Elymas die Modellirung unter dem Durcheinander von Hell
und Dunkel, wie das Tageslicht die Dinge zeigt, fast verloren
geht. Ein Schein gewöhnlicher Wirklichkeit liegt auf dem
Ganzen, der an Photographien erinnert. Sprechend sind die
Handstellungen, die sich besonders bemerklich machen, weil
jede Figur ihre Hände gebraucht; Elymas am meisten, der
Paulus' Predigt unterbrechen wollte und angstvoll über die
Dunkelheit, von der er sich umfangen fühlt, die Arme wie
gewaltige Fühlhörner tastend, man möchte sagen, zitternd in
die leere Luft vorstreckt. Ohne sich in Gruppen zu scheiden
drängen die Andern heran, Lictoren und Gefolge, die zu
der Erhöbung, auf der des Proconsuls Sessel steht, führenden Stufen besetzt haltend und mit lebhaften Gesten den
Anhängern des falschen Propheten die Folgerungen dar-
legend, die aus diesem Anblick auch ihnen sich ergeben.
Man fühlt, wie der Beredsamkeit des Paulus durch die unerwartete Wendung der Dinge ein entscheidender letzter
Accent zugewachsen sei.

Vergleichen wir alle die bis hierher beschriebenen Cartons nun aber —: immer die Darstellung einer gespannten
Situation, wo ein gesprochenes Wort eine grosse Entscheidung
plötzlich herbeiführt. Das Resultat der Lebenserfahrung Raphael's scheint gewesen zu sein, dass dem im rechten Momente ausgesprochenen Worte die die Menschheit vorwärts-
bewegende Kraft innewohne. Raphael's Zeiten waren darin
noch verschieden von der unseren, in der die fruchtbaren Ge-

danken uns meist gedruckt zugetragen werden. Denn wie
sehr wirkt auch das Gesprochene heute oft nur als sei es
von unsichtbaren Blättern abgelesen, während die Schriften
Luther's, gleich den Episteln des Paulus, uns wie festgehaltene
lebendige Sprache anmuthen. Das Emporkommen der Kirche
beruhte auf dem, was mündlich weitergegeben wurde. Die
Compositionen, in denen Raphael Paulus verherrlicht hat,
zeigen ihn als Prediger: es scheint als habe Raphael sich
darin nicht genugthun können. Auf die Predigt des Paulus
vor dem Proconsul Sergius folgt sein Auftreten in Lystra,
wo er die Priester und das Volk zurückdonnert, die seinem
Begleiter Barnabas und ihm als Göttern opfern wollen. Am
mächtigsten aber steht Paulus predigend dann auf dem letzten
Carton vor uns, der die schon einmal illustrirte Scene der
Predigt vor den athenischen Philosophen wiederholt.

Das Opfer von Lystra giebt die Darstellung eines heidnischen Opfers als Mitte und Hauptsache. Raphael hat (oft
nachgewiesene) antike Basreliefs dafür benutzt. Auch diesmal aber ist, wie bei andern ähnlichen Entlehnungen Alles
zu seinem Eigenthum geworden. Von rechts her kommen
die Priester im dichten Volksgedränge mit dem Opferthier
heran. Der Eifrigste und Gläubigste darunter ist der
mit erhobenen Händen anbetende geheilte Krüppel; neben
ihm, sich tiefgebeugt an ihn herandrängend ein Alter, der
mit der Hand das geheilte Bein berührend die Wunde zu
suchen scheint. Vor dem Tempel, auf dessen Stufen links
Paulus und Barnabas stehen, hat der Zug Halt gemacht, ein
Altar ist aufgestellt mit dienenden Knaben dabei, von denen
einer flötet, während der andre ein Kästchen trägt. Von den
Schlächtern des Opferthieres, deren Oberkörper von den Gewändern befreit ist, drückt der eine, vorn kniend, mit der
einen Hand dem Stier das Haupt zu Boden, dem er mit der
andern beruhigend spielend in's Maul fasst. Auf der andern

Seite des Thieres steht mit kraftvoll geschwungener Axt der
zweite und will den Schlag eben auf die Stirn niedersausen
lassen. Aber Paulus zerreisst seine Gewänder und aus der
Menge sucht ein Jüngling sich vordrängend mit weitvorge-
streckter Hand den ausholenden Arm des Zuschlagenden zurückzuhalten; man fühlt: ein paar Augenblicke weiter und
der Apostel selbst thut dem Beginnen Einhalt. Man bemerke,
wie Raphael dadurch, dass er den Moment zur Darstellung
wählt, wo Paulus durch seine Bewegung den Einspruch, den
er erheben will, nur erst vorbereitet, sich die Möglichkeit
schafft, die Opferhandlung ungestört vor unsern Blicken
auszubreiten. Und auch, wie unschuldig einfach er durch
die im Hintergrunde aufgestellte Mercurstatue daran erinnert,
dass die Einwohner von Lystra Paulus für Mercur ansahen.
Raphael's Bestreben ist, stets recht deutlich zu sein.

Wir werden sehen, wie einfach auch auf dem folgenden
Carton von ihm daran erinnert wird, dass die Scene auf dem
Forum von Athen spiele, (wie die Vulgata den Areopag in
ihrer Weise übersetzt): Raphael lässt unter den den athenischen Marktplatz umgrenzenden Gebäuden links in mächtiger
Architektur das das römische Forum abschliessende Colos-
seum aufsteigen. Gewaltiger als auf der ‚Predigt von Athen‘
hat Raphael den predigenden Paulus nicht dargestellt; ein-
dringlicher ist Predigen überhaupt nie künstlerisch dargestellt worden.

Hier endlich ist Paulus in jeder Richtung die Hauptperson. Es ist auch nicht ein Moment der Predigt nur,
sondern die ganze Rede in ihrem ganzen Umfang dargestellt.
Das Verhalten der Zuschauer spiegelt den Eindruck der verschiedenen Gedanken gleichsam wieder, aus denen sie besteht.
Raphael fasst das siebzehnte Capitel der Apostelgeschichte
diesmal anders als auf der Schule von Athen, wo die Dinge aus-
gedehnter und mehr symbolisch gegeben wurden. Für die Wand

der Camera della Segnatura lieferte ihm die Erzählung die grossen Gegensätze des griechischen Geisteslebens, dessen eignen Gedanken Paulus die Gründe entnahm, mit denen er seine neue Lehre entwickelte. In umfangreichen Gruppen hatte Raphael die Repräsentanten der geistigen Arbeit des Alterthums hier gegliedert und mitten hinein Paulus gestellt, den éinen Mann den Massen gegenüber, der die Macht des Heidenthums zu bekämpfen allein sich aufgemacht hatte. Auf dem Carton zum Teppiche wird das nicht wieder angerührt: Raphael hat das Verhalten nur derer darstellen wollen, die, wie es in der Apostelgeschichte heisst, mit dem Entschlusse fortgingen, sie wollten noch einmal von diesen Dingen hören. In der Camera della Segnatura war der Zwiespalt des Auditoriums charakterisirt: wie die Einen winken, man möge kommen und hören, während die Andern unbefriedigt sich davon machen; wie, es wurde bereits erwähnt, der Eine die Stufen emporsteigt, während der Andre herabkommt. Auf dem Carton halten sie Alle still, jeder in seiner Weise aufgefasst. Die ganze Stufenleiter vom scharfen, skeptischen Auffangenwollen jedes Wortes, das sich in der äussersten Figur links ausprägt, bis zur rückhaltslosen begeisterten Hingabe der beiden letzten Gestalten rechterhand, ist den verschiedenen Figuren aus der Seele zu lesen und es darf uns nicht wundern, wenn vielfache Versuche dieses Gedankenlesens gemacht worden sind. Freilich braucht man ihre Resultate nur zu vergleichen (von Dubos bis zu den Neuesten), um die Unmöglichkeit zu sehen, zu etwas Sicherem zu gelangen. So wenig man im Leben den Leuten die Gedanken vom Gesichte lesen kann, ist dies Gemälden gegenüber möglich. Gewisse geistige Zustände und Richtungen prägen im Auftreten und Mienenspiel der Menschen sich aus und werden danach auch in Kunstwerke übertragen; aber nur bis zu einer bestimmten Grenze wird das möglich sein und auch in der Absicht der Künstler liegen.

Und so darf auch Paulus, wie er mit erhobenen Händen dasteht, seinem eignen Gefühl nach, wie dem, das er in seine Hörer einströmen lässt, wohl charakterisirt werden. Die in der auf's höchste gesteigerten Energie der Predigt in gespreizten Fingern zitternd sich aufstreckenden Hände. Die sich vordrängende Stirn als wolle sie unmittelbar ihre Gedanken abgeben. Das felsenhaft feste Dastehen. Und in den Zuschauern das Vertretensein aller Altersstufen, jede in der ihr eigenthümlichen Art sich verhaltend. Immer beutet Raphael diesen natürlichen und schönen Gegensatz aus, um seine Darstellungen allen Altersstufen lieb und verständlich zu machen.

Wir haben gesehen, wie die Cartons zu den Teppichen für Raphael's historische Stellung von entscheidender Wichtigkeit geworden sind. Wie nach ihrem Wiederbekanntwerden erst Raphael durch die für ihn begeisterten Engländer und Deutschen der Rang gegeben wurde, der ihm zukommt. Wie aus dem die Romanen nur entzückenden Madonnenmaler, der die Germanen in ihrer Auffassung des Evangeliums bekräftigende Darsteller der höchsten geschichtlichen Ereignisse wird. Zugleich zeigt sich nun, wie gering die Wirkung der Teppiche ihrer Zeit in Rom war, wo, als sie aus den Niederlanden fertig ankamen, nur ihre Pracht und ihr technischer Werth gewirkt zu haben scheinen, während vom Inhalte der Darstellungen sich nichts gesagt findet.

Die Cartons wurden successive, wie Raphael sie ablieferte, nach den Niederlanden geschickt, um dort erst die volle Farbenwirkung zu empfangen, die wir, da die Stoffe sehr ungleich verschossen sind, heute nicht mehr beurtheilen können. Einige der am besten erhaltenen Stellen zeigen, dass man möglichst bunte und leuchtende Farben wählte.

Als Raphael die Teppiche sah, muss es ein seltsames Wiedersehen gewesen sein. Niemand wird diesen Stücken den Anspruch auf hohen Kunstwerth streitig gemacht haben, keinenfalls aber war für die, die sie so prächtig herzustellen hatten, die vollendetste Wiedergabe, dessen was sie geistig enthielten, der leitende Gedanke gewesen. Lassen Arbeiten, die Raphael's Schüler nach seinen Zeichnungen, unter seinen Augen in seinem Atelier auszuführen hatten, sofort erkennen, dass er selber das beste Theil daran nicht gethan habe, wieviel mehr musste dies hier der Fall sein. Heute enthalten diese Teppiche selbst auch auf den besseren Stellen keine Linie, die sie neben den Cartons aufkommen liessen. All die feinen Accente, die Raphael in die Antlitze gelegt hatte, waren den niederländischen Arbeitern unverständlich, die damals noch im Naturalismus ihrer einheimischen Schule drinsteckten[1]). Und ausserdem hat keine Farbe mehr den richtigen Werth behalten.

Wie wir sagen dürfen: was würde Rom sein, wenn Lionardo sein Abendmahl, statt es für das abgelegene Speisezimmer eines Klosters in Mailand zu malen, in Rom ausgeführt hätte (sagen wir, an der Stelle der Sistina, etwa wo Perugino's Malerei des Abendmahles wohlerhalten sichtbar ist), so dürfen wir sagen: was würde Rom gewonnen haben, wenn Raphael die Darstellungen der Cartons dort

---

[1]) Erst Mitte der zwanziger Jahre des Cinquecento ging den Niederländern (nicht zu ihrem Vortheil) die italienische Kunst auf. Auch an den Cartons hatte Raphael sich, wie Vasari berichtet, von seinen Schülern helfen lassen, dennoch erscheinen sie heute so sehr als sein Werk, dass man für jeden Strich seine Hand beanspruchen möchte. Sicherlich ist keiner ohne ihn gemacht worden. Keins seiner Werke, nur die letzten ausgenommen, von denen im letzten Capitel die Rede sein wird, erscheint so sehr als Denkmal seines persönlichsten Gefühles. Wie sehr dies zutreffe, zeigen andere nebenherlaufende Arbeiten, welche anderen Zwecken dienend, diesen angepasst werden mussten.

mit eigner Hand in fresco hätte ausführen dürfen, an denselben Stellen derselben Capelle, wo sie an hohen Festtagen in der immer doch verzerrten Gestalt der Teppiche aufgehangen wurden.

DIE SISTINISCHE MADONNA
und die
TRANSFIGURATION.

I. Die Sistinische Madonna.

Von Raphael's sämmtlichen Madonnen soll jetzt die Rede sein, um zu der zu gelangen, die die letzte und schönste ist, die Dresdner, die Sistinische.

Raphael's Madonnen sind bis zu den Zeiten Leo's X mehr Nebenarbeiten gewesen. Das heisst, keins dieser Werke wurde von ihm so völlig aus innerer persönlicher Nöthigung heraus geschaffen, dass es als ein umfassendes Selbstbekenntniss erschiene. Madonnen bedurfte man in Italien stets und überall. Jedes Haus, jedes Zimmer hatte die seinige, in den Kirchen war ihre Anzahl unbegrenzt. Alle nur denkbaren Stellungen für Mutter und Kind waren vor Raphael längst erschöpft. Erfindung, im heutigen Sinne, ausgeschlossen.

Die Entwicklung der Madonnentypen folgte im Fortschritte der Jahrhunderte den übrigen der heiligen Personen. Aus der starr, dann ruhig thronenden Himmelskönigin wurde, aus allen Lebensaltern heraus, die zärtliche, trauernde, ver-

zweifelnde Mutter. Jede Nüance des Frauenlebens von der
Geburt bis zum Tode fand in Maria ihr verklärtes Spiegelbild.
Jeder Künstler durfte hier, trotz der unendlichen Vorbilder,
neu empfinden, wie jeder neue Mensch neu den ganzen Umfang menschlicher Gefühle durchzumachen hat. Durch die
legendenhafte Geschichte der Maria war ihr Dasein zu nicht
zählbaren Variationen von Scenen inneren und äusseren
Lebens ausgedehnt worden. Wollte man den heute noch
vorhandenen Vorrath an Marienbildern statistisch zusammenbringen und ordnen, so würde mit Recht von einer Unend-
lichkeit von Darstellungen gesprochen werden können. Unter
‚Madonna‘ im engeren Sinne wird Maria mit dem Kinde,
oder mit beiden Kindern, verstanden, auch Joseph und Anna
und Heilige dürfen noch dabei sein: oft aber pflegt auf
letzteren Darstellungen Maria schon nicht mehr die Mitte
des Gemäldes zu bilden, das in etwas den Charakter eines
Cultusbildes verlierend, den legendarer Darstellung annimmt.
Hier nun ist zu unterscheiden: es giebt figurenreiche Marienbilder, die dem Anscheine nach auf irgend ein Erlebniss der
Jungfrau Bezug zu nehmen scheinen und doch nur Zusammenstellung von heiligen Personen sind, zwischen denen, auch
wenn sie sich bewegen, trotzdem eine wirkliche Handlung
fehlt. Für einige der Madonnen Raphael’s wohl zu beachten,
die, wenn man sie nicht von diesem Gesichtspunkte aus beurtheilte, aufgezwungene Erklärungen empfangen würden.

Raphael’s Madonnen aus seinen Jugendzeiten bis zum
Sposalizio hatte ich, was die Eigenthumsfrage anlangt, für
problematisch erklären müssen. Die älteste ihm zugeschriebene ist die kleine, miniaturhaft fein ausgeführte Madonna Staffa Connestabile, die, bis in neuere Zeit in Perugia
verblieben, von da nach Russland verkauft wurde. Sie hatte
in Perugia ihr altes Originalrähmchen noch. Es giebt eine
Federzeichnung für sie, in gleicher Grösse, die wir in

Berlin besitzen. Auf diesem Blatte hat sie eine Granate in
der Hand, auf dem Bilde ein offenes Buch. Als das Gemälde
in Russland vom Holz auf Leinwand übertragen wurde, kam
zum Vorscheine, dass auch hier ursprünglich eine Granate
hatte gemalt werden sollen. Ich habe seiner Zeit dem An-
kaufe dieses herrlichen Blattes selber zugestimmt, auch denen
später widersprochen, die es Perugino zuschreiben wollten,
darf es aber kaum noch für Raphael's Werk halten. Auch
unsre kleine Madonna mit dem Heiligen Franciscus und
Hieronymus zur Rechten und Linken, dies entzückende Bildchen, über dem noch der blonde ursprüngliche Firniss liegt,
gehört, wie ich nun überzeugt bin, Perugino an, und auch
die Madonna Terranuova ist nicht von Raphael, von anderen
Madonnen zu schweigen, die, meist aus der Sammlung Solly
stammend, bei uns Raphael's Namen tragen. Nicht als ob
ich an der Schönheit und Aechtheit dieser Arbeiten zweifelte:
aber sie haben, neben den dazugehörigen Zeichnungen, etwas
in Behandlung und Auffassung, von dem aus ich zum Sposalizio und zu den zu der Krönung der Maria gehörigen,
vorn besprochenen Silberstiftzeichnungen keinen organischen
Uebergang zu finden weiss [1]).

---

[1]) Perugino kann sie, wie Morelli richtig geltend macht, ebensogut
gemalt haben als er die Taufe Christi im Belvedere in Wien gemalt und
das dazugehörige (Frankfurter) Blatt gezeichnet hat. Wenn wir Perugino
eine Anzahl dieser Raphael zugeschriebenen Werke zurückgeben, gewinnen wir eine bessere Meinung von seinen späteren Jahren. Diese früheste
Thätigkeit Raphael's, an die ich also nun nicht mehr glaube, ohne
mit denen streiten zu wollen, die an ihr festhalten, hat etwas von
der eines älteren Meisters an sich. Besonders bei der Krönung der
Maria im Vatican und den drei Predellen hat sich mir dies fühl-
bar gemacht. Bei der Madonna di Terranuova läugne ich die Schönheit des Antlitzes der Maria und der drei Kinder nicht: mag sie gemalt
haben wer da will, die Tafel gehört zu den herrlichsten Besitzthümern
der Berliner Gallerie: dass Raphael hier aber den Pinsel geführt haben
müsse, dafür habe ich keine genügenden Gründe mehr. Es hat jahre-

Raphael's frühstes Madonnenbild, als für den Cultus bestimmtes Gemälde, wäre also jene Madonna di Perugia, die ohne Aengstlichkeit kräftig und charaktervoll gemalt ist. Sie geht den Florentiner Madonnen voran, unter denen die Madonna del Granduca als die frühste gilt. Zwar erwähnt Vasari sie nicht, noch trägt sie Raphael's Namen, und auch ist die dazu gehörige (Florentiner) Skizze nichts als eine Fälschung, das Zeichen ihrer Beglaubigung aber bleibt ihr Antlitz, dessen seelenvolle Milde darzustellen Raphael allein doch nur vermochte. Man lese in Vischer's Roman[1]) die ergreifende Tagebuchnotiz, wie beschwichtigend dieses Gemälde auf das Gemüth eines Mannes wirkte, der in höchsten Seelenkämpfen davor trat. Und diese Wirkung übt es, obgleich es so mannigfach durch Verderbniss und Wiederherstellung einzelner Theile beeinträchtigt ist.

Besser erhalten ist die (Münchner) Madonna aus dem Hause Tempi: bewegter, lebendiger, frischer, und doch ohne jene an das Herz greifende, mit verwandtschaftlichem Gefühl–beinahe berührende Schönheit, die wie ein sanfter Schleier über der Madonna del Granduca liegt. Unter Raphael's übrigen Florentiner Madonnen muss auf diese innere Anziehungskraft hin unterschieden werden. Sie besitzen sie nicht in gleicher Stärke, einigen fehlt sie beinahe, wie der (jetzt in München befindlichen) Madonna Canigiani und wie

---

langer Betrachtung bedurft, bis ich zu dieser Ueberzeugung gelangt bin. Freilich handelt es sich nur um persönliches Gefühl, das ich dem anders Urtheilender entgegensetze ohne Beweise dafür zu haben, ohne dass aber auch Beweise dagegen gesetzt werden könnten, da die Tafeln keine Inschrift tragen und nirgends erwähnt werden. Hat Raphael sie gemalt, so müsste es unter Umständen geschehen sein, die ich mit Hilfe des heute vorhandenen Materials nicht verstehen kann. Ueber diese Dinge wird in den ‚Ausführungen‘ in ausgedehnterer Weise gehandelt werden.

[1]) Auch Einer, II, S. 256.

sogar der berühmten (Pariser) Giardiniera, während der
Wiener Madonna des Belvedere dies Element stärker eigen
ist als Stiche und Photographien ahnen lassen. Bei keiner
von allen aber kommt uns das Gefühl, als habe Raphael die
Tafel durchweg mit der gleichmässigen Sorgfalt gearbeitet,
die seine Werke höchsten Ranges bekunden, oder habe er
das Gemälde um seiner selbst willen zum höchsten Ausdrucke
des eignen Gefühls machen wollen. Einer von Raphael's
Briefen bezeugt, dass er in seiner Florentiner Zeit für den
Export nach Frankreich zu bestimmten Preisen Gemälde anfertigte. Vielleicht damals schon mit Gehilfen, denen minder
wichtige Theile der Tafeln zufielen[1]). Zumal jene Wiener Madonna lässt erkennen, wie ungleich Raphael arbeitete. Während das gesenkte Antlitz und der nackte Fuss mit meister-
hafter Leichtigkeit geschaffen sind, zeigt die Hand in Zeichnung
und Malerei geringere Behandlung, und wiederum sehen
wir bei der Madonna Canigiani und der Giardiniera die
Füsse vernachlässigt[2]). Schon dass Raphael bei seinem Fortgange nach Rom, wenn Vasari recht erzählt, eine unvollendete Madonna einem Freunde zur Beendigung überliess,
zeigt, wie wenig ihm diese Art Malerei am Herzen lag. Ohne
Hilfe scheint er das Werk durchgeführt zu haben, das unter
dem Namen ‚Madonna mit dem Stieglitz‘ noch in Florenz
steht: die einzige von diesen Arbeiten, die Vasari be-
spricht. Die Jungfrau hat eine hoheitvoll thronende Mütter-
lichkeit und ihr liebliches Antlitz ist mit unbeschreiblicher

---

[1]) Fast alle die, welche über Raphael neuerdings geschrieben haben,
heben diese Mitarbeiterschaft bei Beurtheilung der einzelnen Werke
hervor. Für eine Anzahl Madonnen scheinen überhaupt nur die Zeichnungen von Raphael angefertigt worden zu sein. Ich verweise auf die
‚Ausführungen‘.

[2]) Man bemerke, wie auf der Grablegung die Füsse der einzelnen
Gestalten verschiedenfach behandelt worden sind.

Sorgfalt durchgeführt. Man könnte sie, die Madonna del
Granduca und die della Sedia die Königinnen von Florenz
nennen, denn es sind wenig Strassen dort, wo sie uns nicht
in Copien hinter irgend einem- Fenster vor Augen ständen. Die (Madrider) Madonna mit dem Lämmchen, die
Raphael in der Nachahmung Lionardo's malte, und die
unvollendete Madonna al Baldacchino, die so sehr in den
Formen des Fra Bartolomeo gehalten ist, dass man sie ihm
immer wieder zuschreiben möchte, stehen uns ferner.

Es scheint, als ob die endliche Uebersiedelung Raphael's
nach Rom auch für die Madonnenmalerei eine Veränderung
mit sich gebracht habe. Die Jungfrau mit dem Diadem, deren
Hintergrund römische Ruinen zeigt, ist ein bezeichnender Beweis dafür. Das Schönste darauf ist für mein Gefühl das mit
dem Aermchen hinten unter dem Kopfe schlafende Kind, von
dem die davor kniende Jungfrau die schleierhafte Hülle hoch
aufhebt. Hier wird der staunend anbetende Johannesknabe
von Einigen Raphael's Pinsel nicht zugetheilt. Jetzt auch
entstand die, seit den Kriegen der französischen ersten Republik vermisste und nur in Copien noch vorhandene Madonna di Loreto (zu Vasari's Zeit in Santa Maria del Popolo),
deren Antlitz, und deren Haltung sogar, von Raphael der
allegorischen Göttin der Gerechtigkeit an der Decke der
Camera della Segnatura verliehen worden sind. Die letzte
in der Reihe dieser ersten römischen Madonnen ist die von
Foligno, zuerst in Ara Coeli in Rom, der uralten Kirche, (die
heute von der Höhe des Capitols verschwinden soll, wie
man sagt, um dem Denkmale Vittorio Emanuele's dort
Platz zu schaffen), dann in Foligno, dann in Paris und
heute im Vatican. Herder hatte sie 1788 noch in Foligno vor Augen. ‚Wir sahen einen Raphael‘, schreibt er
an seine Frau, ‚viel schöner als den in Loreto, eine Maria
mit dem Kinde auf den Wolken. Das Kind steigt aus ihrem

Schoosse und tritt mit dem einen Füsschen auf die Wolken. Unten ein vortrefflicher Johannes der Täufer: ein Mensch, der eine Welt in sich hat, — — Ein herrliches Stück, nur leider beschädigt, die Nonnen lassen es verderben[1].' Ich kann Herder nur was die Figuren unten anlangt beistimmen, während mir bei der Madonna eine gewisse bewusste Eleganz auffällt, die auch andern römischen Madonnen dieser ersten Zeit eigen ist. Die Wünsche des Bestellers mögen daran Schuld gewesen sein, die eine ‚Königin des Himmels' vom Künstler verlangten. Für fürstliche und vornehme Besteller bedurfte es andrer Madonnen als für Bürgerhäuser. In dieser ihrer Hoheit ist die Jungfrau das liebenswürdigste Bild der Herablassung. Einen Gegensatz zu ihr aber, dem sie fast erliegt, bildet der unten rechts kniende, mit betend zusammengelegten Händen zu ihr aufblickende Besteller des Gemäldes, eins der grossartigsten Porträts, das Raphael gemalt hat.

Ueber all diese Production, die nebensächlicher Natur war, erheben nur drei Madonnen sich: die mit dem Fisch, die della Sedia und die Sistinische, und zwar die letzte wieder auch über die ersteren beiden so· weit, dass, wenn diese und alle übrigen Madonnen auf die andre Wagschale gelegt werden würden, sie sie in die Höhe zöge. Alle drei Werke in die Zeiten Leo's X. fallend.

Die Madonna mit dem Fisch, eine Composition mit mehreren Figuren, ist in nur scheinbarer legendarer Handlung begriffen. Die Jungfrau sitzt in der Mitte uns zugewandt auf einem Throne, zu dem nur eine Stufe aufführt. Sie hält das Kind mit beiden Händen nach rechts hin von sich ab frei empor. Von links her nahen sich der

---

[1] Briefwechsel S. 80.

junge Tobias und der ihn geleitende Engel Raphael.
Tobias, fast noch ein Knabe, mit auf die Schultern fallen-
den lichten Locken, beugt das Knie am Throne und bietet
den Fisch dar (dessen bescheidene Grösse der Erzählung des
Alten Testamentes nicht entspricht), während der Engel, wenn
auch grösser als Tobias, doch ebenfalls noch in den Formen
blühender erster Jugend, gleich ihm sich vorneigt, als wolle
er seinem Schützlinge Muth machen und ihn der Madonna
empfehlen. Das Christkind streckt das Händchen eifrig vor,
als verlange es nach dem Fische, wie Kinder nach einem
Spielzeug fassen; mit der andern Hand aber zugleich rückwärts greifend legt es sie in ein offenes grosses Buch hinein,
das der auf dieser Seite neben der Madonna stehende heilige
Hieronymus vor sich hält als lese er darin. Was geschieht,
scheint ganz klar. Hieronymus hat Maria und dem Kinde
vorgelesen, als Raphael mit Tobias erscheinen und die Lectüre
unterbrechen. Während das Christkind beiden nun sich zuwendet, will es zugleich, mit fürstlicher Höflichkeit, dem
Heiligen andeuten, es betrachte diese Vorstellung des Tobias
nur als eine vorübergehende Störung und die Lectüre werde
später ihren Fortgang nehmen. In dieser Richtung ist das
Gemälde denn auch erklärt worden. Es liegt eine kleine
Literatur dieser Erklärungen vor [1]).

Ich will nicht sagen, dass das Bild, so wie es dasteht, diese Handlung nicht enthalte, im Gegentheil, die
Dinge sind so lebendig einfach dargestellt, dass am Inhalte der Scene nichts umzudeuten wäre. Trotzdem aber ist
diese Handlung von Raphael nicht beabsichtigt worden, enthält nichts also, dessen Darstellung, wie Manche annehmen,
ihm in Auftrag gegeben sein konnte, sondern es ergiebt
sich, dass Raphael erst im Verlaufe der Arbeit die zu-

---

[1]) Ausführungen.

sammengestellten Figuren zu einer Handlung gelangen
liess. Dies beweist die den früheren Zustand der Composition zeigende Skizze, auf der für das Kind eine andere Stellung angedeutet ist und der Erzengel Raphael mit
Tobias in bedeutenderem Maasse hervortreten als auf dem
Gemälde. Aus ihrer Behandlung ist ersichtlich, wie es Raphael auf diese beiden Figuren anfangs zumeist ankam,
während Hieronymus hier fast nur eine ornamentale Stellung einnimmt. Die Art, wie Raphael bei der Ausführung
Hieronymus dann vorgeschoben und in die Hauptverhand-
lung verflochten hat, zeigt recht, wie er überall die Darstellung blosser Zustände zu der dramatisch fruchtbarer Momente zu erhöhen trachtet. Man hat das Gemälde auch dahin gedeutet, als sei Raphael der Auftrag gegeben gewesen,
die Aufnahme des Buches Tobias in die Reihe der canonischen
Bücher zu symbolisiren. Die Skizze zeigt, wie wenig auch
das beabsichtigt gewesen sei. Die Malerei des Werkes,
das in Madrid steht, soll der Schönheit und dem sanften
Flusse der Composition wohl entsprechen, der eine besondere
Kraft innewohnt, in der Phantasie der Betrachtenden zu haften
und eine klare Erinnerung darin zurückzulassen. —

Auch bei der Madonna della Sedia ist eine Legende zu
beseitigen.

Die kreisrunde Gestalt der Tafel, auf die sie gemalt
ist, passt sich dem Anblicke der auf einem niedrigen Stuhle
mit den beiden Kindern sitzenden Mutter so durchaus an,
dass ein andres Format für das Gemälde kaum denkbar erschiene. Die Legende, Raphael habe sie auf den Boden eines
Weinfasses gemalt, weil der Anblick der Frau im Vorüber-
gehen ihn fesselte, beruht auf dieser Empfindung. In der That,
wie sehr verstärkt das Rund den Inhalt der Darstellung!
Maria scheint ihr Kind, über das ihr einer Arm gelegt ist, mit
dem ganzen Körper decken und umfangen zu wollen. Dieses

sanfte sich Vorbeugen, an dem auch der Kopf theilnimmt, verleiht ihr bei aller Ruhe eine Art Handlung gleichsam: alles was mütterliche Liebe zu gewähren im Stande ist, scheint von ihr auszugehen. Sie blickt von der Seite als wolle sie fragen, ob sie genug gethan für das Kind, aus dessen Antlitz die Sicherheit herausleuchtet, mit der es sich im Schoosse der Mutter geborgen fühlt. Seine Beinchen strecken sich uns entgegen, an dem Hacken des einen, wie Kinder thun, arbeitet es mit den Zehen des andern herum, und schlägt die Augen gross auf, als suche es nach den Träumen, aus denen es erwacht ist[1]). Der kleine Johannes mit betend erhobenen Händchen hält sich ganz nahe, aber doch auch ein wenig im Hintergrunde.

Maria ist von Raphael in verschiedenen Standesverhält- nissen gemalt worden: die Maria della Sedia streift an das Vornehme. Nur im Aeusseren aber. Die ärmste Mutter könnte so dasitzen. Gold und bunte Farben sind nicht gespart wor- den. Ein heitrer feiertägiger Glanz ist dem Bilde verliehen worden, mehr als irgend einem andern Raphael's das ich von ihm kenne. Lichtblau ist der Rock der Frau; grün, mit rothen und weidengrünen Streifen und goldgestickter Borte das Tuch, das sie sich um die Schultern gezogen hat; roth der Aermel der darunter herauskommt mit Gold am Handgelenk. Ein graubräunlicher Schleier mit Rothbraun in den Streifen ist ihr um's Haar gewunden; das Röckchen des

---

[1]) Im ersten Gedanken war die Anlage des Gemäldes quadratisch: in einer kleinen hingekritzelten Federzeichnung haben wir sie so vor uns, die Raphael auf ein Studienblatt zu der in gleicher Zeit entworfenen, kaum aber von ihm selbst ausgeführten Madonna Alba hinwarf.

Auf der Madonna der Familie Dei hat das Christkind den grossen Zehen des Füsschens in der Hand. Dieser Zug würde, was das Eigen- thumsrecht am Bilde anlangt, für Raphael vielleicht entscheidend sein. Fra Bartolomeo hätte das schwerlich gemalt, so sehr die Tafel, wie schon bemerkt worden ist, im Ganzen, wie in Einzelheiten, als sein Werk er- scheint.

Kindes ist orange; der Rückhalt des Stuhles rother Sammt.
Um das Haupt des Kindes bilden in's Kreuz ausstrahlende
goldne Linien den Heiligenschein, über der Mutter und
Johannes schweben leichte goldne Reife. Blumenhaft und
klar sind alle Töne. Der Beschreibung nach möchte man
glauben, sie müssten unruhig durcheinander zittern, oder
wenigstens, das Gemälde sei auf Farbenwirkung angelegt.
Aber Umriss und Modellirung sind ebenso wichtige Factoren
als das Colorit: die reine verklärte Natur glaubt man doch
nur zu erblicken. Dem Zusammenwirken unberechenbarer
künstlerischer Mittel ist die Wirkung des Werkes zuzu-
schreiben, die keiner von den Stechern, die sich ihm
gegenüber abgemüht haben, seiner Platte zu verleihen
im Stande war. Nur Boucher-Desnoyers, der unter den
Eindrücken des Musèe Napolèon nach Raphael arbeiten
durfte, hat in dem bescheidensten von allen Stichen
sich dieser Madonna zwar nur von weitem, immer aber
doch ihr genähert, während weder Schäfer, der die Farbenwirkung geben, noch Mandel, der die Modellirung darstellen wollte, etwas neben dem Gemälde Zureichendes zu
Stande brachten. Ein Schimmer reinster Harmonie liegt darauf, der, geistiger und materieller Natur zu gleicher Zeit,
nur dem Werke selbst eigen ist und jedes Versuches einer
Wiedergabe spottet. Die bildende Kunst hat wenig solcher
Werke hervorgebracht, die wirklicher in ihrer Schönheit dastehen als die Natur selber, die soviel Vorzüge auf éiner
Stelle nicht vereinigen zu wollen scheint. —

Das Bestreben der Florentinischen Schule, ihre idealen
Gestalten bis zum Porträthaften glaubwürdig erscheinen zu
lassen, war bei der Madonna della Sedia am weitesten gelangt.
Man würde vor ihr auf den Gedanken kommen, ein bestimmter Kopf sei in ihr idealisirt worden. Raphael hat in

jeden Theil des Gemäldes soviel intime Naturbeobachtung
hineingelegt, dass man künstlerischer Phantasie allein nicht
zutrauen möchte, es hervorgebracht zu haben. Hierin übertrifft es alle andern Madonnen Raphael's, nur die Sistinische
nicht. Erstaunlich ist, wenn wir beide Gemälde im Geist
nebeneinander stellen, der Unterschied dessen, was Raphael
beim einen und beim andern gewollt und welche Mittel er
angewandt hat, sein Ziel zu erreichen.

Die Sistinische Madonna!

Hat Raphael bei der Madonna della Sedia das Irdische zur
höchsten Reinheit erhoben, so scheint er bei der Sistina den
Versuch zu machen, das Göttliche in irdische Gestalt herab-
zuziehen. Jeder empfindet vor dem Gemälde, dass eine solche
Frau nur auf dem Gewölk wandle. Das Werk ist, wie alle
Welt weiss, der Stolz Dresdens. Diese Madonna auch ist
die einzige von allen Madonnen Raphael's, die, in Semper's
schönem Museum, völlig ihrer Würde entsprechend aufgestellt worden ist.

Wenn wir das Einzelne zu bedenken beginnen, fragen
wir zuerst, wie Maria auf der in der Ferne sich verlierenden, aus weissen Wolken bestehenden Strasse heran-
komme: sie berührt sie nicht und scheint doch darauf hin-
zuschreiten: Raphael hat gemalt was nicht darstellbar
scheint: ein Schweben und Gehen zugleich auf etwas,
das nicht fest ist und das doch einen Weg bildet. Dass
Maria von der Luft getragen werde, deutet der sie in sanfter
Rundung umgebende, aufgeblähte Schleier an: die Form des
Gewölkes unter ihr aber, dass sie es mit den Füssen be-
rühre. Ich habe oben gezeigt, welches Mittel Raphael
brauchte, Maria's Gewandung zu etwas so Unscheinbaren
hier zu machen, dass man, neben dem prachtvollen Auftreten der beiden Heiligen zu ihrer Rechten und Linken,
ihre einfache Umhüllung gar nicht bemerkte: in ähnlicher

Weise hat Raphael durch einen Gegensatz Maria's Dahin-
wandeln über die Gewölke hin zum Eindrucke höchster
Leichtigkeit erhoben. Auch der zu ihr aufsehende heilige
Sixtus links, sowie die auf uns die Blicke, herabsenkende
heilige Barbara rechts stehen auf den Wolken beide, aber
nicht darauf, sondern vielmehr darin, denn mit den Füssen
und dem unteren Theil ihrer schweren, kostbaren Gewänder
sind sie eingesunken, als seien sie, zwar immer Bewohner
des Himmels wie Maria, doch aus wuchtigerem, irdischerem
Stoffe gebildet. Verfolgen wir diesen Gegensatz weiter, so
gewahren wir, wie sorgfältig er durchgeführt wird. Mit
welcher Grandezza weiss Sixtus sich in dem ihn fast belasten-
den pontificalischen Mantel zu bewegen. Mit der einen Hand
deutet er auf die Brust, um seine Ergebenheit im Dienste
Maria's zu bezeugen, mit der anderen abwärts auf die Krone,
die auf der das Gemälde nach unten hin abschliessenden
Schwelle steht. Dieser mächtige Querbalken deutet die Erde
an, zu der Maria herabzusteigen im Begriffe steht, während
die beiden ihr Nahen verkündenden Engel, als seien sie an Ort
und Stelle schon angelangt, sie erwarten. Mit aufgelegten und
aufgestützten Aermchen haben sie es sich bequem gemacht.
Sie bilden den Vortrab Maria's gleichsam, während Sixtus
und Barbara vergönnt war, einige Stufen höher in die Gewölke selber aufzusteigen und die Königin des Himmels zu
empfangen. So blickt Barbara auf die ganz in der Tiefe
unsichtbar sie erwartenden Menschen herab, die sie dem
Schutze der Himmelskönigin anzuempfehlen scheint[1]).

Nun aber Maria selber. Aufrecht schwebt, mit grossge-
öffneten Augen, sie uns entgegen, und doch als bemerkte sie

---

[1]) Eine Besprechung der Sistinischen Madonna von H. von Brunn,
die mir bekannt war, wird beim Herauskommen dieses Buches in der
Deutschen Rundschau wohl bereits erschienen sein. Vgl. auch das im
L. M. Gesagte.

nicht, wie die der gesammten Menschheit auf sie gerichtet
sind. Sie sieht gerade aus vor sich hin, als strömten ihre
Blicke wieder in sie zurück, und in noch höherem Maasse ist
dem Kinde dieser wunderbare in sich selbst zurückkehrende
Blick eigen. Es ist als läse es aus der freien Luft wie in sie erfüllenden Bildern sein zukünftiges Schicksal und überlegte, was
ihm doch noch ferne bevorsteht, als ob es schon gelitten und
vergangen sei. Nicht, wie bei dem Christkind der Madonna
della Sedia, scheinen die kindlichen Träume der letzten Nacht
es zu umschweben, sondern die Voraussicht einer unabwend-
baren furchtbaren Zukunft es schon zu erfüllen und der Entschluss, was sie enthält über sich zu nehmen. Wie das Kind aber
dasitzt, als beschwerte es die Mutter gar nicht, obgleich es in
Formen gehalten ist, die über die frühester Kindheit weit hin-
ausgehen, wie es die Hand auf den Fuss des übergeschlagenen
Beines legt, scheint es fast die Haltung eines denkenden
Mannes zu haben. Auch hier hat Raphael mit einem Gegensatze diesen Eindruck zu verstärken gewusst: die beiden
Engel in der Tiefe repräsentiren das gedankenlose Wohlsein
reinmenschlicher Kindheit. Sie thun nichts, sie wissen noch
nichts von Vergangenheit und Zukunft, sie flattern umher
im Sonnenschein des Daseins, um mit ihren Lächeln anzu-
zeigen, dass Glück und Wohlsein bevorstehe, oder mit ihren
Thränen das Gegentheil. Für den Augenblick aber nur;
während in der Stirn des Christkindes das Ueberdenken von
Jahrtausenden zu wohnen scheint. —

Das Gemälde ging als Altarbild nach Piacenza: in Rom
also haben es seiner Zeit vielleicht nur die gesehen, die es
in Raphael's Atelier zufällig sahen. Man meint, es müsste
sich die Sage von der Entstehung dieses Werkes und von seinem Verschwinden dann in Rom erhalten haben, oder es habe
in Piacenza, als die kostbare reinste Perle der italienischen

Kunst, Verehrung genossen und die Menschen dahin gezogen. Aber erst als die Madonna in der Mitte des vorigen Jahrhunderts nach Dresden kam, begann sie ihren Rang einzunehmen, und auch da noch Anfangs unter dem Widerspruche einer auf niederländische Kunst geschulten, in Dresden mächtigen Partei. Man urtheilte, das Jesuskind sei gemeine Natur und die Engel unten habe ein Schüler hineingemalt. Noch in unserem Jahrhundert konnte ausgesprochen werden, das Ganze rühre vielleicht nur von Timoteo delle Vite her. Man würde das nicht für möglich halten, lägen die betreffenden Schriften nicht vor. Heute wird Niemand vor das Gemälde treten ohne von seiner Schönheit sich im Herzen getroffen zu fühlen.

Wir sehen, dass auch zum Verständnisse und Genusse des Herrlichsten die Menschheit erzogen werden müsse. Wollte man eine Sammlung der Aeusserungen machen, die über das Gefühl vorliegen, das diese Madonna in den vor sie Tretenden erweckte, so würde sich zeigen, in welchem Maasse Individualitäten der verschiedensten Anlage in ihrer Bewunderung zusammenstimmten. Und zwar scheint diese Empfänglichkeit, wie bei den Cartons zu den Teppichen, meist von Protestanten repräsentirt zu werden, die, — weil den Evangelien ja die Marienlegende fremd ist — weit entfernt von den der katholischen Kirche geläufigen Gefühlen, nur die Schönheit des Werkes bewundern. Raphael, obgleich er ein Cultusbild lieferte, hat zugleich das geschaffen, was jedem Menschen nahe treten musste. Auch uns sind ja die Mütter derer, die wir verehren, besonders verehrungswürdig: und wie die Mutter Christi nun gewesen sein mag: als seine Mutter steht sie in einer Höhe neben ihm, die auch wir anerkennen. Raphael's Madonnen haben das Eigene, dass ihnen die nationale Besonderheit fehlt: es sind keine Italienerinnen die er in ihnen darstellt, sondern Frauen die sich über das Nationale erheben. Lionardo's, Correggio's, Tizian's, Murillo's, Rubens' Madonnen halten sich immer irgendwie in den Grenzen der Nationalität ihrer Meister: ein letzter Anflug italienischen, spanischen, flamländischen Wesens liegt über ihren Gestalten: Raphael allein hat seinen Madonnen die allgemein menschliche Schönheit zu verleihen gewusst, die den europäischen Völkern, gegenüber andern Rassen, als Gemeingut eigen ist. Seine Sistinische Madonna schwebt als ein Ideal weiblicher Schönheit über uns und, wunderbar: trotz dieser Allgemeinheit wird sie Jedem individuell erscheinen, als sei, aus besonderer Verwandtschaft heraus, gerade ihm das Vorrecht verliehen, sie ganz zu begreifen. Dasselbe Gefühl, das Shakespeare's und Goethe's Frauengestalten uns einflössen.

Es ist nicht denkbar, das Jemand heute lebte, dem die Sistinische Madonna nicht in irgend einer Gestalt vor Augen getreten sei und in dem ihr Anblick nicht, wie Viele schon empfunden und ausgesprochen haben, ein Gefühl dessen erweckt hätte, was Goethe allein mit dem Worte des ‚Ewig weiblichen‘ bezeichnen konnte [1]).

[1]) Die Sistinische Madonna gehört in's Jahr 1517. Studien für sie sind nicht vorhanden. Daher die Legende, Raphael habe sie ohne Studien rasch in einem Zuge vollendet. Sie ist, unähnlich seinen übrigen Werken, auf Leinwand gemalt und Rumohr hat die Vermuthung darangeknüpft, sie habe als Processionsfahne dienen sollen. Daher die neuere Legende wieder, sie sei factisch zu diesem Zwecke gemalt worden. Crowe und Cavalcaselle setzen sie auf verschiedene Indicien hin früher an. Meine Gründe gegen diese Meinung werde ich in den ‚Ausführungen‘ geben. Die Sistinische ist Raphael's letzte Madonna, die er ohne fremde Hilfe geschaffen hat. Die grosse Madonna des Louvre bildet vielleicht, chronologisch genommen, hier den Abschluss, diese aber hat Giulio Romano ausgeführt. Es sind schöne Zeichnungen für diese erhalten, die die Liebe bekunden, mit der Raphael die Arbeit angriff: drei Studien nach der Natur für die Madonna selbst: eine besonders (die an das Modell erinnert, das er für die Farnesina brauchte) eine sanfte Rothstiftzeichnung von grossem Reize, ein Blatt, das die Gestalt nur in nothdürftiger Bedeckung ihres zarten

Nur einem einzigen Kupferstecher ist es gelungen, dem
Gemälde nahe zu kommen, Friedrich Müller, dessen Werk
als das Beste gilt, was die neuere Kupferstichkunst überhaupt
hervorgebracht hat. Was auch gesagt werden möge: die
Andern haben Müller nicht erreicht. —

II. Persönliches.

Alle Werke Raphael's sind Jugendwerke geblieben. Nach
Vollendung der Sistinischen Madonna hatte er noch drei Jahre
zu leben.

Innerhalb der Dreissiger, die er nicht überschritt, liegt
für uns die grössere Masse der menschlichen Jahre noch in
der Zukunft. Die Erlebnisse überraschen noch und erscheinen
als Abenteuer. Raphael lebte noch in diesen Erwartungen
als er hinwegmusste. Seine letzten Arbeiten bezeugen dieselbe jugendliche Freude an den Dingen, wie seine ersten.
Seine Naturstudien sind jetzt von einer Frische und Anmuth,
die sie, als persönliche Kundgebungen seines Talentes an-

Gliederbaues zeigt, während ein anderes dem vollen Faltenwurfe gewidmet ist, der sie auf dem Gemälde dann umgiebt. Möglich wäre, dass
Raphael auch die Sistinische Madonna mit Hilfe dieses Modells ausführte, und auf ihrem Antlitze ein Schimmer von Aehnlichkeit mit diesem
Wesen geblieben wäre.

Im Palaste Pitti befindet sich ein (von einem der späteren bolog-
nesischen Künstler gemaltes) weibliches Porträt, das auf eine gewisse
Aehnlichkeit mit der Sistina hin (die ihm, nach Maassgabe der Sistina
vielleicht, künstlich verliehen worden ist) für ein Werk Raphael's und
zwar für seine Geliebte gehalten wird. Nehmen wir aber jene Zeichnungen zusammen, in denen ich das stets gleiche weibliche Modell
wiederzuerkennen glaubte und die sich auch durch ausnahmsweise sorg-
fältige Wiedergabe der Gesichtszüge auszeichnen, so ergeben sie ein
Antlitz, aus dem das der Sistina wohl in Raphael's Phantasie entstanden
sein könnte, das aber mit jenem Bildnisse des Palastes Pitti ausser Verwandtschaft steht.

gesehen, den Gemälden gleichstellt. Er war in voller Fortentwicklung begriffen.

Vergleichen wir seine letzten Naturstudien, mit denen Michelangelo's: wie dieser sorgsam und objectiv den Aufbau des Körpers verfolgt, während Raphael das zufällig sich Darbietende der Erscheinungen festhält. Er wollte nicht als Gelehrter untersuchen, sondern als Künstler wiedergeben was ihm schön erschien. Das was man in späteren Jahren die täuschende Oberfläche der Dinge nennt, entzückte ihn. In Allem war das so. Das sorglose Treiben am Hofe des Papstes kann bis zuletzt romantischen Schimmer für Raphael bewahrt und die Bewunderung derer, die nichts als ihm schmeicheln wollten, ihm süss geklungen haben, selbst wenn er sie durchschaute. Alles diente ihm noch. Die Zeit der inneren Niederlagen war noch ferne.

Dürfen wir also nicht von Gedanken sprechen, die ihn beunruhigt hätten, wenn er sich ihnen überliess, so könnte die Richtung, in der solche Gedanken lagen, doch genannt werden: dies und jenes, aus dem später eine Belastung seiner Seele vielleicht sich ergeben hätte.

Raphael war Michelangelo gegenüber endlich zu einem Ruhme gelangt, der ihn nöthigen musste, seine Leistungen, Alles in Allem, mit denen Michelangelo's in Vergleich zu bringen. Wenn Raphael im Stillen selbst die Wage hielt, wie schwer wog er dann? Und auch daran pflegt schon früh gedacht zu werden, was die Nachlebenden einmal sagen werden [1]): auf was hin würden diese einmal ihr Urtheil abgeben? Raphael war jung. Er war reich. Er war umgeben von Schülern und Gehülfen, die für ihn arbeiteten. Er gehörte zu den höheren Beamten des päpstlichen Hofes. Er hatte sich einen Palast erbaut und die Wahl stand ihm frei zwischen der Heirath mit der Nichte eines der mächtigsten

Cardinäle und, wenn Vasari und Andere recht berichten,
dem Emporsteigen zum Cardinalate. Er genoss und liéss
Andere mitgeniessen, ausgestattet mit unverwüstlich schei-
nender Lebenskraft. Diese Güter aber hätten auch Andere
erringen können. Nur Eins gehörte ihm allein: sein Ruhm.
Und worauf beruhte der?

Sagen musste er sich, dass sein erstes entscheidendes
Gemälde abseits in Città di Castello stehe, dass die Grablegung, fast ebensosehr im Verborgenen, für eine Seiten-
capelle des Domes von Perugia gemalt worden sei und dass
die Camera della Segnatura nebst den andern Gemächern
des Vaticans, für deren Wände er soviel geistige Kraft auf-
wandte, doch nur eine der unzähligen Stuben des grossen
Palastes sei, in die Niemand gelangte ausser den Päpsten
und ihrer nächsten Umgebung. Und so waren auch die
Zeichnungen für die Teppiche verschwunden. Die Teppiche
selbst aber durfte er so wenig doch als sein eignes Werk anerkennen, als er gethan hätte, auch wenn sie unter seinen
Augen in Rom, nicht von niederländischen Handwerkern
nach deren eigner Farbenauswahl gewebt, sondern von seinen Schülern gemalt worden wären. Wie sehr was Andre
nach seinen Angaben arbeiteten, sich von dem unterschied,
was er selbst that, wusste Raphael nur zu gut. Und diese
Teppiche nun gar würden doch nur an hohen Festtagen in
der Sistina sichtbar sein. Das muss ein trüber Tag für Raphael gewesen sein als er von diesen Zeichnungen für immer
Abschied nahm, und ein eben so trüber, als er sie in der
neuen Gestalt wieder vor sich hatte.

Und zugleich musste ihm, wenn er das Dauernde seiner
Thätigkeit so in der Stille abwog, aufsteigen, wie seine Kunst
im Dienste des Hofes zu unnützen und gleichgültigen Dingen
verbraucht werde, und wie der Einspruch der Gewalten, um
deren Gunst er immer von Neuem zu kämpfen hatte (gleich

den Uebrigen um ihn her, die des Papstes Umgebung waren), ihm seine Werke entstellte, bei denen er zusetzen und fortlassen musste jenachdem die Laune sich wandte. Weder Lionardo, noch, wie schon gesagt worden ist, Michelangelo würden da nachgegeben haben. Hätten diese grossen Meister die dunklen Fensterwände der vaticanischen Zimmer, wo das Auge, vom einbrechenden Lichte wie betäubt, kaum zu unterscheiden vermag was dasteht, mit so mühevollen, herrlichen Werken bedeckt? Würden sie Vorzimmern oder Duchgängen, wie dem Gemache, in dem der Burgbrand gemalt ist, ihre Arbeit zugewandt haben?

Und jetzt, musste Raphael sich weiter sagen, war ohne dass Jemand die Hand dagegen erhob, die grosse letzte Madonna, die Sistinische, nach Piacenza gegangen! Dem Volke sichtbar, was man so nennt, waren in Rom nur die Sibyllen und Propheten in Santa Maria della Pace und der Esaias in San Agostino. Sichtbar wohl auch, wenn man sich Mühe gab, die Loggien der Farnesina. Zweifelhaft dagegen, ob die Madonna di Foligno in Araceli, wie die von Loreto und das Porträt Papst Giulio's II. in Santa Maria del Popolo, nicht vielleicht nur an hohen Festtagen enthüllt wurde. Doch kamen diese Madonnen weniger in Betracht: der Ruf eines Meisters wurde auf die Fresken gegründet. Die Sibyllen und Propheten waren wohl Schuld an dem Durchschnittsurtheil, das der Papst selber wiederholte: Raphael sei von der Nachahmung Perugino's zu der Michelangelo's übergegangen.

Wie anders hatte das Schicksal Michelangelo begünstigt. Auch von ihm verlor sich allerlei in's Ausland, aber die seinen Ruf in Rom begründende Pietà stand in der Peterskirche wie an freier Luft, sein David in Florenz vor der Thüre des Palastes. Sogar von seinen vernichteten Werken wusste Jeder. Der Carton der 'badenden Soldaten', auch wenn er unausgeführt zu Grunde ging, und seine Statue Giulio's II.

in Bologna, auch wenn sie herabgestürzt und eingeschmolzen
wurde, hatten die Blicke von Italien auf sich gezogen. Das
Wunderwerk der Sistinischen Capelle war für Rom und Jeden
der dahin gelangte sichtbar. Mochte Leo X. Michelangelo
jetzt von Rom fernhalten: Michelangelo ging Schritt für
Schritt vorwärts, jedes Werk ein neues Denkmal seines
Daseins.

Und selbst wenn Sposalizio und Grablegung in Rom
offen dagestanden hätten und die Camera della Segnatura
eine öffentliche Halle und die Cartons der Teppiche als
Fresken in der Sistinischen Capelle sichtbar gewesen wären,
wer denn hätte, musste Raphael weiter fragen, Angesichts
dieser Werke in Rom ein Urtheil über ihn abgegeben?

Michelangelo kamen Raphael's Arbeiten längst gar nicht
mehr zu Gesichte. Michelangelo sah Rom damals als verlorenen Posten an. Wir haben einige von den Briefen, in
denen man ihm von Raphael's neuesten Werken erzählte:
Michelangelo's römische Anhänger müssen wohl geglaubt
haben, ihm angenehm zu sein wenn sie Raphael herunter-
rissen[1]). Wie gehässig in Rom von denen wiederum, die
ohne Zweifel als die Freunde Raphael's galten, über Michelangelo geurtheilt wurde, zeigt unter anderen jene in Giovio's
Papieren gefundene Biographie Michelangelo's, die gleich
nach den Tagen Leo's X aus dem unverholenen Gefühle
bitterer Abneigung heraus geschrieben zu sein scheint.

Was aber vermochte Rom Raphael an urtheilsfähigen
Männern zu gewähren wenn Michelangelo fehlte und der
Einzige, der daneben noch hätte in Frage kommen können,

---

[1]) lm Januar 1518 schreibt man Michelangelo über die Farnesina
(Gotti II, 55): chosa vituperosa a un gran maestro, peggio che l'ultima
stanza del palazo. Man unterschied also damals bereits sehr wohl die
eigne Arbeit Raphael's von der seiner Schüler. Und so weitere Urtheile
über seine damaligen Werke. Michelangelo ist nie darauf eingegan-
gen. L. M.

Sebastian del Piombo, sich ebenso von ihm abwandte[1])? Bramante war nicht mehr da. Der würde nicht geduldet haben, dass Raphael so in Nebensachen sich abnutzte. Zwei Männer hätten Bramante vielleicht ersetzen können: Giuliano da San Gallo und Fra Giocondo, beide neben Raphael in die Bauleitung der Peterskirche eintretend. Aber auch die waren längst fort. Giuliano, der auf Seiten Michelangelo's stand, verliess Rom bald. Von Fra Giocondo spricht Raphael in einem Briefe an seinen Oheim in Ausdrücken der Ehrerbietung und Liebe. Fra Giocondo wohl verdankte er, was Bramante ihm nicht hatte geben können, die Richtung auf das Wissenschaftliche, die Neigung zum Studium des Vitruv, die Ehrfurcht vor den Alterthümern und die Sorge für sie. Aber Fra Giocondo war uralt und wirkte nur kurze Zeit noch neben Raphael, der als alleiniger Architekt dann den Bau der Kirche leitete.

Auch Lionardo, der in der Voraussicht vielleicht, dass seine Zeit gekommen sei, in Leo's Anfangszeiten sich nach Rom aufgemacht, hatte die Stadt wieder verlassen, um sich nach Frankreich zu wenden, von wo er nicht zurückkehrte. Dieser umfassende Geist wächst immer noch vor unsern Augen. Warum war er, dem Alles was mit Bauen zusammenhing geläufig war, nicht an Bramante's Stelle berufen worden, nicht wenigstens, nach Fra Giacondo's Tode, für diesen am Sanct Peter eingetreten? Auch Lionardo war es wie Bramante Bedürfniss, Jüngere um sich zu haben. Er streute Leben und Gedanken aus. Er war unermüdlich. Vielleicht aber, dass Raphael damals doch schon zusehr für sich stand, um sich auch dem Bedeutendsten unterzuordnen. Ich wüsste nicht, dass in Lionardo's Notizen Raphael's Name sich fände. Er war zu alt schon, als er den Versuch machte, in Rom festzuwachsen.

---

[1]) Ueber Sebastian's Briefe an Michelangelo L. M.

28*

Auch Fra Bartolomeo gelang das nicht, der unter dem neuen Papste dort erschien. Raphael hatte einmal in Florenz unter seinem Einflusse gestanden. Seinem alten Lehrer konnte er nun vertrauen, was ihm jetzt etwa in seinen Arbeiten gelungen und verfehlt erscheine, und Bartolomeo auf die Stellen deuten, die ihm selber zusagten oder nicht[1]).

Als nun auch Fra Bartolomeo wieder gegangen war, blieben Raphael nur noch die Bewundrer und die Schüler übrig. Von den Schülern, so hoch er einige selbst gestellt zu haben scheint, reichte keiner mit Gedanken und Fähigkeiten an ihn heran. Giulio Romano, sein Lieblingsschüler, dem in erster Linie er sein Atelier vermachte, war ein decoratives Talent; nach Raphael's Tode, in späteren Zeiten, der offenen Nachahmung Michelangelo's hingegeben. Ich wüsste kein Werk von Giulio's Hand, das auch nur einen Anklang des Gefühls in mir zu erwecken vermöchte, das aus Raphael's Arbeiten in uns einströmt. Sollte Raphael es nicht gefühlt haben wie wir? Und doch liess er durch Giulio soviel ausführen und ernannte ihn zum Vollstrecker seines künstlerischen letzten Willens! Von den übrigen Malern um ihn her nicht zu reden, deren funfzig, wie Vasari erzählt, Raphael's Gefolge bildeten wenn er zum Vaticane ging. ‚Tutti valenti e buoni, fügt er hinzu. Dass die funfzig sich selbst für ‚höchst leistungsfähige Künstler‘ ansahen, glaube ich; wie aber dachte Raphael in der Stille über sie?

Sollte er nicht gewusst haben, was dahinter steckte? Vasari rühmt, dass alle Schüler Raphael's so vortreffliches Unterkommen später gefunden hätten. Darauf kam es den Leuten wohl auch zumeist schon an solange Raphael lebte. Warum, wenn ihrer so viele waren und sie ihn so sehr

---

[1]) Ich habe in den Ufficien zu Florenz Raphael's Madonna da Pescia jetzt wiedergesehen: sie ist von Raphael; zugleich aber so, als hätte, möchte man sagen, Fra Bartolomeo ihm die Hand geführt.

liebten, ist keiner aus dem grossen Kreise bei Raphael's Lebzeiten aufgetreten, um darauf hinzuweisen, Raphael müssten
andre Stellen angewiesen werden, um sein Talent zu zeigen,
grosse monumentale Aufträge müssten ihm zu Theil werden,
im Auge von ganz Rom auszuführen? Schüler und Verehrer
sind oft sehr bescheiden wenn sie für ihre Meister etwas verlangen. Ich meine nicht, dass es böser Wille gewesen sei.
Aber ich glaube auch, dass Raphael klug genug war, um zu
verheimlichen, wie er über all diese Liebe tief im Innern zu
urtheilen habe, und wie er wohl erkannte, worauf sie schliesslich doch hinauslaufe. Aus den wenigen Briefen, die von Raphaels Hand erhalten blieben, leuchtet die kühle Lebensklug-
heit heraus, die das Erbtheil aller Italiener ist, die Abwesenheit
von Sentimentalität bei Mein und Dein. Zugleich aber musste
der überströmende Reichthum des eigenen Talentes Raphael
milde machen gegen die mühevolle Armuth, die er um sich
her sich abarbeiten sah. Und so liess er seine Schüler sammt
und sonders als seine Collegen gern gelten und räumte ihnen
soviel Plätze an der Tafel seines Ruhmes ein als sie bean-
spruchten. Ich wiederhole, mir ist nicht denkbar, dass Raphael über den Umfang des Talentes seiner Umgebung im
Unklaren gewesen sei. An der Decke der Camera della
Segnatura sind zwei Darstellungen: das Urtheil des Marsyas
und die Gestalt der Astronomie, beide nach Raphael's Zeichnungen ohne Zweifel, beide aber, gemeinhin zu sagen, schlecht
gemalt: sah Raphael das nicht? Oder wollte er es nicht sehen?
Die einzige sehr unschuldige Rache, die er geübt hat, bestand
darin, dass, wenn er eine Arbeit einmal einem seiner Gehülfen
übergeben hatte, er sie diesen dann auch ganz allein vollenden liess ohne hineinzuarbeiten [1]).

---

[1]) So erkläre ich das Aussehen einer Reihe von Sachen seiner
späteren Zeit, für welche Zeichnungen und Skizzen von ihm vorliegen,
denen die ausführende Hand seiner Schüler aber in ihren feineren Thei-

So wären nun die Verehrer noch zu mustern, wieweit sie Raphael den Genuss verständiger Kritik zu schaffen im Stande waren. Unter ihnen mögen manche nicht unbedeutende Männer gewesen sein, deren Anerkennung ihm etwas galt. Kunstliebhaber, die ein gutes Auge haben, urtheilen immer sowohl sicherer als auch angenehmer für einen Meister, dem nicht entgehen kann, wie sehr die Collegen vom Handwerk einseitig gestimmt seien.

Es scheint, dass Raphael nichts von dem mächtigen (ich möchte sagen, brutalen) Gefühl seines Werthes besessen habe, von dem Michelangelo erfüllt und getragen war; dass er, wie die schaffende Natur selber, Blüthen und Früchte brachte, ohne sich darum zu kümmern, wem sie zu Gute kämen. Wir sehen, wie Goethe als die Aufgabe des Menschen hinstellt: es sei den Anforderungen des Tages zu genügen. Raphael liess sich das angelegen sein. Gleich Goethe, vielleicht, flösste er Jedem das schöne Gefühl ein, nur für ihn auf der Welt zu sein, und fand sein Glück darin, dem zu genügen. Er liess jede Arbeit stehen, wenn Einer etwas von ihm wollte. Er wusste doch wohl, dass seine Arbeit wichtiger sei als die jedes Andern, aber er gab der zwingenden Freundlichkeit nach, der zu genügen ihn nun einmal froh machte. Eins aber kann auch eine so glücklich ausgerüstete Natur im Leben nie gelernt haben: selbst die besten Geister zweiter Ordnung für voll zu nehmen. Wer mit Männern ersten Ranges einmal verkehrt hat, wer bringt die und den Maasstab, den sie verlangen, aus seiner Erinnerung?

In der Reihe seiner Bewunderer müssen Leo X. und dessen Vetter, Giulio dei Medici, voranstehen. Billig betrachtet,

---

len nicht gerecht geworden ist, eine Beobachtung, die auch für die Wandgemälde der späteren vaticanischen Zimmer gilt. Ich werde in den ‚Ausführungen‘ die einzelnen Fälle erörtern.

hat Keiner Raphael soviel Dank zu sagen als der Papst und der Cardinal. Ganz überzeugend wirken sie auf dem Porträt im Palaste Pitti als Männer von Geist und Charakter. Wie sie beide da vor uns stehen, traut man ihnen nichts Kleinliches zu. In diesem Bildnisse hat Raphael mehr für seinen Herrn gethan als der brillanteste Historiker hätte thun können. Zumal jetzt, wo das Gemälde eine andre Stelle bekommen hat, ist es von unbeschreiblicher Wirkung. Es erscheint als das Höchste was Raphael in dieser Richtung geleistet hat und es kommt kein historisches Poträt irgendwelcher Zeit dagegen auf. Vasari's Lob war auch hier vollberechtigt. Will man wissen, wie der Papst in Wahrheit aussah, so betrachte man seine Colossalstatue, die jetzt in Araceli steht: ein mürrisch geschwollenes Antlitz mit hängenden Zügen. So mag Leo ausgesehen haben, als er dem Bildhauer gelegentlich einmal ein paar Augenblicke schenkte.

Von Rumohr ist dem Papste vorgeworfen worden, dass er Raphael nicht der vollen Höhe seines Genius würdig beschäftigt habe. Rumohr citirt dafür die Loggien, die allerdings einem Manne wie Raphael gegenüber Spielereien genannt werden dürften. Indessen Raphael hat wenig an ihnen gethan und unter seine Schüler die Arbeiten vertheilt, zu denen er die Zeichnungen anfertigte. Dagegen muss heute gefragt werden, wie es möglich gewesen sei, dass man den unschätzbaren Werth der Compositionen für die Teppiche seiner Zeit in Rom so wenig erkannt habe. Denkbar wäre ein Papst, der auf diese Schöpfungen die Hand gelegt und Raphael genöthigt hätte, sie in Rom selbst auszuführen. Vielleicht wäre Giulio II. der Mann gewesen, dies zu befehlen. An dieser Stelle rächte sich jetzt, dass Michelangelo aus Rom verstossen worden war. Er, wenn er die Cartons gesehen, würde zum zweitenmale vielleicht jetzt bewiesen haben, dass er Raphael besser würdigte als alle Andern.

Der Cardinal Giulio dei Medici, der auf dem Porträt
im Palaste Pitti neben und hinter Leo X. sichtbar ist,
hat es sich beim Regieren später sauer genug werden
lassen. Doch waren die zwanziger Jahre allzu böse vom
Schicksal bedacht, in denen er als Clemens VII. zu seinem und Roms Unglück Papst sein musste. Zwar hat er
Michelangelo und Benvenuto Cellini beschäftigt: näher als
beide aber stand ihm Bandinelli. Dieses elende Subject
war sein Mann und was heute von dessen Werken in
Florenz noch sichtbar ist, gereicht Clemens mit zur Unehre.
Zu erkennen, was ein Künstler vermöge und was man seinem
Talente bieten müsse, verstanden beide Medici nicht.

Auf höherer Stufe als sie sehen wir den Banquier der
Päpste, den prachtliebenden Agostino Chigi stehen. Für
diesen war Raphael stets beschäftigt und in seinen letzten
Zeiten in solchem Umfange, dass Chigi's Aufträge allein ihn
hätten voll in Anspruch nehmen können.

Banquiers müssen, wenn sie höher steigen, Männer von
Ueberblick und Energie sein. Sie spielen durch die Mittel,
die sie in Händen haben, in der Kunstgeschichte eine Rolle
und feine Kenner und Sammler sind aus ihnen hervorgegangen: wie hoch wir Chigi innerhalb dieser Gesellschaft zu
stellen haben, ist nicht klar. Ich meine, wie weit Prachtliebe oder Eitelkeit oder wirkliches Verständniss das Motiv
seiner Aufträge war, darüber müsste etwas Sicheres vorliegen.

Auch der Cardinal Bibbiena, (dessen Nichte Maria Raphael heirathen sollte und dem er ein Zimmer im Vaticane
gemalt hat), gehörte zu denen, die etwas von den Dingen
verstanden. Aus dem Palaste der Medici war Bibbiena an
den Hof Leo's übergegangen und hatte es bis zum Cardinal
gebracht, ein Emporkömmling und gescheuter Mann wie
Giovio und Bembo, aber gewiss kein Charakter, um dessen
Urtheil Raphael besorgt gewesen wäre. Es giebt so Leute,

die, so lange sie jung sind, als belustigend und kenntniss-
reich mitlaufen weil sie brauchbar und immer zu haben
sind, dann von Stufe zu Stufe steigen und sich endlich
unter den Ersten befinden, sodass ein Schimmer von Würdig-
digkeit nun auf sie fällt. Bibbiena's Porträt (im Palazzo
Pitti) sagt uns wenig. Nicht einmal, wieweit Raphael selbst
daran malte. Das geistreichste aller Cardinalporträts von
Raphael's Pinsel, das ich kenne, ist das in Madrid, dessen
Namen aber nicht genannt werden kann und das ich hier
anführe, weil es zuweilen auch Bibbiena betitelt worden ist.
Für diesen jedoch ist es viel zu geistig und auch zu jung.
Dem Cardinal Bibbiena sandte Raphael das Bildniss der Giovanna von Arragonien nach Frankreich, als er im Dienst des
Papstes dort verweilte, und die Qualität auch dieses, über
seinen Werth berühmten Gemäldes, zu dem Raphael, wie
wir bestimmt wissen, weder die Zeichnung machte, noch das
er selber gemalt hat, lässt den Cardinal als künstlerische
Autorität, vor der Raphael sich gefürchtet hätte, kaum dastehen.

Am berühmtesten unter den Freunden Raphael's ist der
Graf Castiglione, der Verfasser des ‚Cortigiano‘ (‚Des Hof-
mannes wie er sein soll‘) und mannigfacher Gedichte und
Briefe, meist für den heutigen Geschmack inhaltloser Druck-
waare. Dass Castiglione Raphael mit besonderer Liebe an-
hing, zeigen Stellen seiner Briefe und die Elegie auf Raphael's Tod. Einen Brief Raphael's haben wir an ihn, worin er dem Grafen für Freundliches dankt, das dieser über
die ‚Galatea‘ ausgesprochen hatte [1]).

.   [1]) Der Brief ist nicht im Originale vorhanden, kann aber echt sein.
Raphael entwickelt darin, dass er, weil eine einzige Frau die Vorzüge
der Schönheit nicht alle in sich zu vereinigen pflege, sich in der Erinnerung an viele schöne Frauen eines ‚gewissen Ideales‘ bediene, welches
er darstelle. Diese Erklärung war ein den damaligen Künstlern geläufiger Schulbegriff. Es würde, was Raphael's letzte Jahre anlangt, praktisch

Auch Bembo und Ariost sollen Raphael nahe gestanden haben. Ohne Zweifel waren sie beide mit ihm in Verkehr. Welcher Art aber war dieser? An Höfen steht Alles sich nahe und ist befreundet: viele Dichter und Gelehrte und Geistliche in Leo's Umgebung werden sich zu Raphael's speciellen Bekannten gerechnet haben. Dazu Fürsten und Adlige und Künstler. Viele Namen liessen sich hier zusammenbringen, wenn man allein nur die heranziehen wollte, die in Vasari's Buch zerstreut stehen: Herren jeder Art, für die Raphael malte, baute, Entwürfe machte, die ihm theuer, die seine ‚amici' und Gönner waren. Sie können ihm bei noch so wohlklingenden Namen und Titeln doch nicht mehr gegolten haben, als jeder von ihnen an seiner Stelle werth war. Aus dem, was überliefert wird, geht eben nur hervor, dass sie mit Raphael irgendwie in Verbindung standen.

Einer von denen, die sich an die Medici damals herandrängten, wäre wichtiger als alle übrigen zusammen, wenn wir zwischen ihm und Raphael eine Verbindung nachweisen könnten: Machiavelli, der unter Leo X. an ein einiges, sich selbst regierendes Italien dachte. —

Das etwa hätten die Gedanken sein können, die Raphael an trüben Tagen aufsteigen mussten, wenn er sich klar

---

für ihn nicht mehr zutreffen, da er gerade damals, als er die Farnesina malte, sich an den Formen einer bestimmten Frau auch für das Antlitz gebunden zu haben scheint. Vielleicht aber, dass Raphael eben deshalb den Fragen des Grafen, denen etwas Bestimmtes zu Grunde liegen konnte, mit allgemeinen ästhetischen Ausflüchten aus dem Wege ging. Je mehr ich an Erfahrung gewinne, um so bedenklicher wird mir der Gebrauch von Privatbriefen als historisches Material. Briefe setzen fast immer Hauptsachen voraus, von denen man meist nichts weiss. Der in dem Briefe erwähnte Plan der Peterskirche ist wahrscheinlich nicht der erste, sondern der zweite Plan, über den Geymüller nachzusehen ist. Dies wäre für die Datirung des Briefes wichtig. Das Weitere in den ‚Ausführungen'.

vorrechnete, wie er stand und was er an Menschenmaterial um sich habe. Es können aber doch nur seltene Momente gewesen sein, in denen ihm dergleichen in die Seele trat. Raphael strebte im Drange wachsender Arbeit vorwärts. Er stand in den Jahren, wo Alles im Leben nur etwas Vorläufiges hat, wo das Entscheidende noch in der Zukunft liegt. Welche Werke hegte er noch ungeboren in seiner Phantasie! Welch ein Reichthum von Gedanken umgab ihn zu Rom, von allen Seiten unaufhörlich sich erneuend! Immer frische Fragen wichtigster Art, die dort ihre Entscheidung empfingen. Keine andre Stätte der Welt würde Raphael eine Wirksamkeit gegeben haben wie er sie in Rom inne hatte: den Rang, die Macht, die Gunst und, neben dem allen, die Unabhängigkeit. Keine andere Stadt gewährte ihm den Umgang mit der Antike. Die in wachsender Fülle hervortretenden Elemente der antiken Cultur, deren Ueberlegenheit Jeder empfand und an deren Wiederherstellung Jeder betheiligt sein wollte, mussten Raphael in eine Welt versetzen, in der er für die Verluste, die der Tod ihm zugefügt hatte, oder für das was das Leben ihm vorenthielt, im höchsten Maasse entschädigt war. Rom war der Vorort grossartigen gelehrten Betriebes, an dem wir Raphael als betheiligt anzunehmen haben. Bedeutender aber noch als diese beiden Elemente, die sich bestimmt bezeichnen lassen, war ein drittes, allgemeineres, unbestimmteres, darum aber eben so sicher vorhanden als sie.

Das zweite Jahrzehnt des Cinquecento, in welches Leo's Pontificat fällt, war vom ersten, der Regierungszeit Giulio's II. sehr unterschieden.

Das Charakteristische jenes ersten Jahrzehnts ist, dass die, welche später in gemeinsamem Wirken zusammenarbeitend den Umschwung der Dinge herbeiführten, damals noch ohne rechte Kenntniss voneinander sich für die spätere Zeit erst vorbereiteten. In diesem Sinne kann man die Tage Giulio's II.

fast noch zum Quattrocento rechnen: je nachdem wir unseren
Standpunkt wählen, sind sie der Beginn der neuen, oder nur
der Abschluss der alten Zeit. Unter Giulio II. war Italien,
mochte die französische, spanische und Deutsche Politik sich
noch so mächtig in die italienischen Dinge einmischen, immer
nur ein Theil Europa's für sich gewesen, wo die Mächte, aus
denen die Halbinsel bestand, sich selbst überlassen, mit eignen
Kräften untereinander kämpften, während es in den übrigen
Ländern Europa's nicht anders zuging: jede Nation mit
dem, was innerhalb ihres eigenen Umfanges geschah, zumeist
beschäftigt. Die letzten Kriege Giulio's II. aber schon und
die Leo's X. dann hatten andre Tragweite. Es ist als begön-
nen die Völker weitere Ziele in's Auge zu fassen. Ihre Geschicke verwickeln sich im Grossen zu gemeinsameren Schicksalen. Neue Factoren machen sich bei dem grossen Spiele des
menschlichen Fortschrittes geltend. Die Gedanken der kirchlichen Reform lassen die nationalen Sondergelüste der Städte
überall mehr zurücktreten, denen es sich nur um augenblick-
lichen kleinlichen Gewinn und Verlust gehandelt hatte. Die
Weisheit der städtischen Politiker war aufgebraucht. Die
Druckschriften beginnen als Agitationsmittel jetzt erst ihre
Macht zu entfalten. Charaktere und Individualitäten, denen
früher die Möglichkeit fehlte, sich Gehör zu verschaffen, versuchen von den Punkten aus, auf denen sie stehen, die Welt
(so gross sie damals war) zu bewegen; die Fürsten empfinden, dass sich neue Gelegenheiten bieten, ihre Machtansprüche
zu erweitern, und Rom ist die Börse, an der diese neuen Werthe
gehandelt werden. Leo's X. und Franz' I. Zusammenkunft in
Bologna im Jahre 1515 war so betrachtet ein Congress, auf
dem das Schicksal der Völker im Grossen zur Sprache kam [1]).

---

[1]) Raphael sammelte damals Material für seine Darstellung der
Krönung Karl's des Grossen im Zimmer des Burgbrandes, wo er den
Kaiser unter der Gestalt Franz' I. darstellte, dem Leo X. die Kaiser-
krone aufsetzt. Siehe vorn.

Doch die Ereignisse der äusseren Politik der Fürsten und der Städte geben für den Inhalt der Zeit nur die äusseren Daten: auf die innere Entwicklung der Männer kommt es an, die damals die eigentlichen Motoren waren. Wenn wir die Briefe und Schriften der Humanisten lesen, ergiebt sich, dass während der Regierungszeit Leo's X. bei den bedeutendsten dieser Männer eine man kann sagen plötzliche Ausbreitung beginnt. Bis dahin hatten Luther, Erasmus, Hutten und die Reihe der Anderen, die unter dem Einflusse dieser drei standen, sich innerhalb engerer Kreise bewegt: diese erweitern und schneiden sich jetzt, und das Bedürfniss wird rege, nicht die näheren Freunde, sondern die Völker als Publicum um sich zu haben, an die man sich wendete. Man kann die Jahre Leo's die Sturm- und Drangperiode der Reformation nennen. Die Anschauungen, die in Rom unter Giulio II. noch das Eigenthum bevorzugter Weniger waren, zu denen ich Raphael rechne, gingen unter Leo X. in allgemeineren Besitz über. Unmöglich, einen Mann von so feinen Organen wie Raphael anders zu denken, als auch ihn durchdrungen vom Gefühl dieses neuesten Aufblühens, das das gesammte Europa zu innerer Erhebung fortriss. Der Reuchlin'sche Process, der in Rom ausgefochten wurde, enthüllt uns, mit welcher Freiheit und auch Ungewissheit, zum Theil noch unbeirrt vom Einflusse der Parteien, die höchsten Dinge in Rom verhandelt wurden, wo, wie überall, neben der Erörterung der geistlichen Fragen das Studium der antiken Autoren die Geister erfüllte. Diese Dinge flossen so gänzlich ineinander über, dass sie sich nicht trennen liessen.

Diese Mischung politischer, kirchlicher und gelehrter Interessen war das an dritter Stelle zu nennende geistige Element, das Raphael förderte.

Wir bedürfen Angesichts solcher Verhältnisse kaum Namen, um uns zu sagen, Raphael habe in Rom an Menschen kei-

nen Mangel gelitten in den Zeiten Leo's X. Die Annahme
wird nothwendig, Raphael sei durch die Berührung mit dem
was die Gemüther aufwühlte, zu eignem Eintritt in diese Bewegung geführt worden. Unsere Zeugnisse sind leider so
beschränkt, dass es sich bei Besprechung dieser Dinge nur
um sehr ärmliches Material handelt, völlig aber verlässt es
uns auch hier nicht.

Raphael scheint sich zu Zeiten vom Verkehre mit dem
Hofe völlig zurückgezogen und den Büchern zugewandt zu
haben. So sehr, dass er in den Ruf eines ‚Melancholikers'
kam, der sich in seinem Hause einschliesse und, wenn man ihn
sehen wolle, nicht zu finden sei. Jener Brief Calcagnini's, aus
dem eine Stelle oben mitgetheilt wurde, enthält Nachrichten
über die Natur des Verhältnisses, in dem Raphael in seinen
letzten Jahren zu einem in Rom weilenden uralten Philolo-
gen stand, dessen er sich liebevoll angenommen hatte.
Fabius von Ravenna, schreibt Calcagnini, lebt in den hohen
Jahren, in denen er steht, wie einer von den alten Stoikern,
als Mensch und Gelehrter gleich verehrungswürdig. Was der
Papst ihm monatlich auszahlen lässt, gehört seinen Freunden oder Verwandten. Kränklich und achtzigjährig sitzt
er in seinem Kämmerchen wie Diogenes im Fasse. Diesen
Mann lässt Raphael wie ein Kind nähren und pflegen. Raphael — und nun folgt die vorn schon gegebene Charakter-
schilderung Raphael's: seiner Meisterschaft in der Malerei in
technischer wie theoretischer Beziehung; seines Reichthumes;
seiner hohen Stellung; seiner Bescheidenheit im Umgange
mit Gelehrten, wo es sich um Meinungsverschiedenheiten
handelte. Raphael's angeboren liebenswürdiges Wesen hatte
gewiss den grössten Theil daran, dass man ihm so freundlich
entgegenkam, wirkte gewiss aber nicht allein. Raphael
konnte sich nicht verschliessen, dass wenn er aus der
Freundschaft gelehrter Männer wirklichen Vortheil ziehen

wolle, dieser nur unter der Form feinster Unterwürfigkeit zu erlangen sein werde. Vielleicht begann sich die Natur seines Vaters jetzt in ihm zu wiederholen. Möchte der Zufall noch Material an's Licht bringen, das ihn uns in diesem Verkehre deutlicher zeigt.

Raphael focht nichts an. Die unbeschreibliche Harmonie die aus seinen Werken uns anfliegt, kann nur aus seinem Charakter heraus ihnen mitgetheilt worden sein. Dies zumeist überrascht bei seinen Gemälden. Zehn Jahre lang hatte ich die Camera della Segnatura nicht gesehen. Jede Figur, jede Bewegung und Gewandfalte trug ich im Gedächtnisse, nichts war mir unbekannt als ich zu den Wänden wieder aufsah: das aber war wie eine ganz neue Erfahrung, als hätte ich es nie empfunden: die Beruhigung die von ihnen ausging. Dies Element fehlt keinem der eignen Werke Raphael's: wo es zu fehlen scheint, ist der Mangel nur ein Zeichen, dass er hier seine Gehülfen arbeiten liess. Auch ist dies persönliche Empfinden schliesslich der letzte Grund, woraufhin seine Werke erkannt und bestätigt werden: die schweigende Bewunderung, in der man vor ihnen steht. Ich kannte die Madonna di Foligno so gut. Von frühester Kindheit an hatte ich auch ihren Stich vor Augen gehabt[1]), in späteren Jahren das Gemälde oft gesehen: und nun, da ich in der Pinakothek des Vaticans wieder davor stehe, strömt als erster Eindruck, wie etwas Neues, dieses Besänftigende mir daraus entgegen, das nur vor dem Gemälde selbst empfunden werden kann.

Die Welt erschien Raphael schön und das Dasein genussreich. Wir sehen Goethe neben seinen grossen Dichtungen, bei denen er unermüdlich im Vollenden war, Carnevalscherze, die nur einen einzigen Abend dienen sollten, und was sonst

---

[1]) Von Boucher-Desnoyers.

in Weimar verlangt wurde, schreiben und mit in Scene setzen.
Aber auch Goethe war zu Zeiten für Niemand zu haben: die
Tage, an denen er, wie er sagt, verlangte, ‚dass man ihn
bei seinem Glase Wein allein lasse‘. Und so Raphael. Meist
aber doch wohl traf man ihn immer. Nicht nur den Künstlern stand er gleich zu Diensten, ‚die er kannte‘, sagte Vasari,
sondern auch denen, ‚die er nicht kannte‘. Er brauchte
Menschen. Man durfte ihn stören. Wir sehen ihn an der
ewigen Abwechslung betheiligt, in der Leo X. sich glücklich
fühlte. Zu den lustigen Comödien, die den Papst in's Lachen
brachten, stellte Raphael die Scene her. Wir haben Berichte,
die dergleichen beschreiben. Denn Leo X. liess sich bis
zum letzten Tage nicht irre machen. Bald genug waren die
von Giulio II. ersparten Summen ihm durch die Finger ge-
ronnen. Auch die Kleinodien endlich versetzt. Dazu die
Verschwörung der Cardinäle, in so massenhafter Gestalt eines
Tages an's Licht kommend, dass dem Papste nur Thränen und
Verzeihung übrig blieben. Die Sammlungen für die Peterskirche unterbrochen, so dass der Bau in's Stocken kam. Der
geistige Aufruhr in Deutschland. All das aber nicht mächtig
genug, um Leo die gute Laune und den Wunsch zu nehmen,
sie gut zu erhalten. ‚Godiamoci della vita, perchè Dio ci la
data‘, sagte er seinem sterbenden Bruder, auf dem die Hoffnungen der Medici zumeist beruhten [1]). Seiner Herrschaft
wollte er geniessen. Sorglos sein. Das Gefühl sollte ihm
Keiner stören, dass Zeiten angebrochen seien, die allen Glanz
des Alterthums wiederaufleben liessen, vielleicht überboten.
Der Anschein des Vertrauens auf die Güte der Schicksals-
mächte wurde niemals aufgegeben. Das war die Stimmung,
von der die letzten Jahre Raphael's umfangen waren. —

Das liebenswürdigste Denkmal dieser Zeit steht in der
Villa Chigi's am Ufer der Tiber heute noch da, in den Gärten

---

[1]) L. M.

die diesen Theil Roms erfüllten. Raphael hat freilich nur
die Zeichnungen für die Wandgemälde im Erdgeschosse des
Hauses geliefert. Schon Vasari will sie nicht recht loben und
von den Reizen, die nähere Betrachtung sonst bei Raphael's
Werken gewährt, enthalten sie wenig, aber im Ganzen sind
sie eins der anmuthigsten Geschenke von Künstlerhand, die
das Schicksal uns aufbewahrt hat. Das Leben in Gärten und
Gartenpalästen war in Rom, wo der grösste Theil des heute
mit Häusern wieder bedeckten inneren Areals wüst und überwuchert dalag, ein Theil der städtischen Existenz. Auf den
Ruinenfeldern wurden die Villen der Päpste und Cardinäle
und der mächtigen Familien gebaut[1]). Raphael's eignes
Gartenhaus, vor Porta del Popolo gelegen, mit Gemälden
die er leicht auf die Wände gemalt hatte, stand bis beinahe heute in der Villa Borghese, als die dort lagernden
Garibaldiner es dem Boden gleich machten. Der Parnass
der Camera della Segnatura repräsentirte mehr die Zeit
Giulio's II., wo antikes Wesen dem eignen, mächtigeren Dasein sich nur anschloss und noch unterordnete: die Malereien
der Farnesina dagegen sind ein wahres Denkmal der Tage
Leo's, wo die übermächtig gewordene Antike das Herrschende
war und die neuen Römer die Götterwelt der Griechen und
alten Römer in dauernden Maskeraden des täglichen Daseins
wiederbeleben zu können vermeinten. Ich habe im Leben
Michelangelo's die einzelnen Darstellungen aus der Geschichte
der Venus beschrieben, die Raphael für die Wände der Villa
Chigi's erfand: nun eine directe Nachblüthe der antiken

---

[1]) Rom war erfüllt von diesen Gartengefilden, die bis auf heute
dauernd, jetzt aber den unbarmherzigen Anforderungen der neuesten
Zeit geopfert werden. Herrn von Geymüller zufolge soll Raphael die Farnesina gebaut haben. Es hatte mir der Gedanke Anfangs eingeleuchtet,
ist nun aber von mir aufgegeben worden. Es liegt kein Grund vor,
Peruzzi, den Vasari als Architekten nennt, hier auszustreichen.

Kunst, deren Formen die seinige sich unbefangen anzueignen trachtete [1]).

Ein Gang durch die Farnesina macht uns heiter und erfüllt mit angenehmen Bildern und mit Dankbarkeit gegen ihren Schöpfer. Raphael hatte die Scenen des Psychemärchens von Apulejus so ausgewählt, dass verschiedene Götter und Göttinnen jedesmal als Hauptpersonen erscheinen. Nicht fort-

---

[1]) Man erlaube hier einen Excurs. Nenne ich Hutten jetzt in Rom, so nenne ich die Gärten des Gorizius mit, wo er zu denen gehörte, die dort sich zu versammeln pflegten, wie er auch unter denen war, die das von Gorizius in die Kirche von San Agostino gestiftete Marienbild in Distichen mit besangen. Ueber diesem Marmorwerke des Sansovin hatte Raphael in derselben Kirche damals den colossalen Esaias auf die Wand gemalt (von dem heute fast nichts Ursprüngliches mehr zu sehen ist) mit den beiden schönen Engeln oder Amoren, die volle Frucht- und Blumenkränze tragen.

Die völlige Aufnahme der Engel in das Reich der Genien ist eines der Merkmale jener Zeit. Michelangelo hatte in der Sistinischen Capelle die Vermischung heidnischer und christlicher Formen auf dem Gebiete der heiligen Malerei begonnen und Raphael sie aufgenommen. Auf der Madonna da Foligno ist der die Schrifttafel tragende Engel von einem antiken Genius nicht mehr zu unterscheiden. Auch die Personificationen an der Decke der Camera della Segnatura zeigen die Vermischung beider Elemente: aus einem der der ,Poesie' Anfangs beigegebenen Genien war das Christkind der Madonna da Foligno in seiner ersten Gestaltung hervorgegangen.

Hutten kann Raphael damals in dem Garten des Gorizius begegnet sein, wenn auch in seinen Schriften keine Zeile darauf anspielt. Man denke sich einen Mann wie Hutten 20 Jahre früher! Unmöglich wäre eine Laufbahn damals gewesen wie die seinige nun. Man denke Morus' Utopia oder Erasmus' ,Lob der Narrheit' 10 Jahre früher! Diese Schriften waren auf ein europäisches Publicum berechnet, wie es unter Leo X. erst sich bildete.

Hutten's gesammte geistige Existenz zeigt uns neben dem Drange auf das Neue, Unbekannte, Rettende, die Abwesenheit aller Organisation im heutigen Sinne, das Verharren im Allgemeinen. Die Behaglichkeit des Daseins wurde nirgends unterbrochen, sondern steigerte sich. Man sah, umfangen von der Hoffnung auf naherreichbare Zustände hoher Befriedigung, im Empfang alles dessen was der wachsende geistige Verkehr darbot, ruhig die Dinge sich weiter entwickeln.

laufende Illustrationen der Dichtung, sondern an sie nur er-
innernde Momente sind zum Schmuck der grösseren Loggia
so zusammengebracht worden. In der Loggia daneben beim
‚Triumphe der Venus‘ zeigt sich, wie Raphael aus den Gedichten
der eignen Zeitgenossen schöpfte. Der Umstand, dass Vasari
das Gemälde eine von den Seegöttern geraubte Galatea nennt,
hat die Meinung hervorgerufen, als sei die mittlere Figur, die
im Muschelwagen fahrende Venus, vielmehr Galatea. Galatea
aber hat Raphael, indem er zu Apulejus' Beschreibung der
über das Meer dahinfahrenden Mutter Amor's den Inhalt eines
Gedichtes des Pontanus hinzunahm, vorn links dargestellt,
wie sie von dem sie verfolgenden Polyphem erreicht und ihr
ein Kuss geraubt wird. Pontanus, der neapolitanischen
Dichterschule angehörig und Raphael möglicherweise bekannt, hatte das Abenteuer in der Form seiner antiken Ode
anmuthig ausgesponnen [1]). —

[1]) Galatea neckt Polyphem, der ihr in die Fluthen nachstürzt und
sie in rasendem Wettschwimmen endlich einholt. Nun schreit sie laut
um Hilfe und die Meergötter eilen herbei ihr beizustehen. Aber schon
hat Polyphem sie erfasst, umschlungen und einen Kuss von ihren Lip-
pen geraubt. Dann reisst sie sich los und taucht in die Tiefe unter.
Den Moment des Ergreifens hat Raphael gewählt, wie Venus mit den
Ihrigen zu ihrer Rettung herankommt. Von Pontanus wird dem Polyphem Tritonengestalt verliehen. XV Ess. III. F. 380 ff. Auch zum
‚Parisurtheil‘, das nur in dem Stiche Marcanton's erhalten blieb, scheint
Raphael den Text eines neapolitanischen Dichters benutzt zu haben,
Sannazar's, noch berühmter als Pontanus. In einem seiner prosaischen
Stücke beschreibt Sannazar die von Raphael dargestellte Scene. Dass
Sannazar's Gedichte Raphael bekannt waren, bestätigen seine eigne
dichterische Versuche, ein paar fertige und ein paar begonnene Sonette,
in denen wir Wendungen Sannazarischer Sprache finden. Raphael hat
gewiss nicht gedacht, es würden diese Verse jemals bekannt werden.
Ich theile sie hinten mit. Verwandt dem ‚Parisurtheil‘ ist die ‚Hochzeit der Roxane‘, zu der
Raphael's prachtvolle Röthelzeichnung heute in Wien ist. Sodoma
hat in Anlehnung daran sein Fresco im oberen Stocke der Farnesina
ausgeführt. Wie man Sodoma auch jene Zeichnung aber zuschreiben
könne, ist mir unbegreiflich. Das Weitere in den ‚Ausführungen‘.

Wenn wir nach der Frau fragen, von der Raphael, wie Vasari erzählen hörte, nicht getrennt sein wollte als er an der Farnesina malte, so erfahren wir weder ihren Namen, noch sonst Glaubwürdiges über sie. Nur eine Beobachtung wäre zu machen. Von 1517 etwa ab finden wir auf Raphael's Studienblättern immer wieder denselben, ebenso kräftigen als feinen, frischgebauten jugendlichen Körper bald als Grazie, bald als Venus. Und auch im Antlitze ist auf diesen Zeichnungen eine Wiederkehr der Aehnlichkeit zu beobachten: bei über der Stirn getheiltem Haar die etwas voller ausgestattete eine Hälfte, als stände das Haar auf dieser Seite dichter, so dass die über der Stirn auseinandergehenden Theile auf der einen Seite tiefer nach unten geschweift sind. Die Gesichtszüge scheinen ebenfalls sich zu wiederholen. Wäre das die Frau, von der Vasari erzählt, Chigi habe sie mit allerlei Mitteln herbeigeschafft, weil Raphael ohne sie nicht habe arbeiten können? Auch ein Studienblatt zur grossen Madonna des Louvre zeigt diese Gestalt, hier am lieblichsten und, wenn ich mich offen ausspreche, mir mehr werth in der leichten Zeichnung als das Gemälde selbst. Wollten wir uns auf diese Daten hin zu weiteren Vermuthungen verleiten lassen, so würden deren eine Fülle sich darbieten, ohne dass eine darunter mehr Wahrscheinlichkeit als die andre in Anspruch nehmen dürfte. —

Am auffallendsten aber ist persönlicher Antheil in ein Porträt eingeflossen, das im Palaste Sciarra, leider unsichtbar heute, in Rom steht.

Musik war die unter den Künsten, an der Leo den meisten Genuss hatte, und zu denen, die dafür zu sorgen hatten, muss wohl der junge Mann gehört haben, der, mit der Jahreszahl 1518, als Raphael's spätestes Porträt erhalten blieb. Das einzige zudem, das in der letzten Manier gehalten ist, zu der Raphael noch überging. Der junge Mensch sieht uns mit

sanftem, melancholischem Blicke an. Die eine Hand nur ist
sichtbar, in der er zugleich einen Violinbogen und einen Lor-
beerzweig hält. Ein Hauch ganz zarten bläulichen Rauches
scheint über den Farben zu liegen. So erfüllt von Raphael's
Wesen ist das Bildniss, dass Einige es für sein eigenes gehalten haben[1]).

III. Die Verklärung Christi. (Transfiguration.)

Das Gemälde der Transfiguration bedeutet für Raphael
den Abschluss seiner Bemühungen, ein Bild Christi zu gestalten.

Raphael und Michelangelo schienen, gleich im Beginne
ihrer Laufbahn ein jeder, in Pietà und Grablegung das geschaffen zu haben, was am dringendsten von den bildenden
Künstlern ihrer Zeit gefordert wurde: das Christusideal, bei
dessen Anblick man sich beruhigen könnte. Die Aufgabe
aber verlangte bald eine andere Lösung. Neue Ansprüche erhoben sich aus neuen Anschauungen. Ihr Leben lang haben
Michelangelo und Raphael ihnen gerecht zu werden versucht.
Von Michelangelo jedoch ist überhaupt nichts Befriedigendes
mehr geschaffen worden, so oft er auch von frischem an-
setzte; Raphael dagegen hat für den über das Irdische hinaus
erhöhten Christus in der Transfiguration den abschliessenden
Typus gefunden. Für den irdisch-lebenden Christus gelang
es auch ihm nicht.

Die Gründe, aus denen das Christusideal der im Quattrocento arbeitenden und der mit ihren Anfängen in diesem

---

[1]) Die Jahreszahl MDXVIII könnte aufgefrischt sein. Ich sah das
Gemälde zuletzt 1876 und hatte meine Freude auch an der vorzüglichen
Erhaltung. Heute soll es in demselben Palaste noch verborgen sein.
Von den Verpflichtungen, den ein solcher Besitz dessen Inhaber den
Zeitgenossen sowohl als dem Andenken Raphael's gegenüber auflegte,
weiss man im Palaste Sciarra nichts.

Jahrhundert wurzelnden Künstler dem Cinquecento immer weniger genügten, lagen in Verhältnissen, deren Einfluss auf die bildenden Künste im Cinquecento ebenso sicher sich geltend machte, als eine andre Gestaltung dieser Dinge im Quattrocento ihn einst hatte hervortreten lassen. Es handelt sich um die Manifestation historischer Gesetze. Geistigen Umschwüngen allgemeiner Art entspringen materielle Umwälzungen, die, Anfangs nebenherlaufend, bald die Oberhand gewinnen und auch in den geistigen Dingen dann den Ausschlag geben. Die Männer des geistigen Ueberganges finden die rechten Wege nicht mehr: die materielle Bewegung erzieht diejenigen erst, von denen die Bewegung überhaupt dann getragen wird. Diese Leute sprechen nun das letzte Wort und geben den Ausschlag. Im Quattrocento, wie wir sahen, waren die Bürgerschaften der beste Boden für die fortschreitenden Gedanken gewesen, deren die Städte sich bemächtigten und sich zum Vortheil ausnutzten. In den Städten wurde die Reform der Kirche vorbereitet. In der Fortentwicklung des Cinquecento aber kamen die Fürsten empor: die, welche ihre Umgebung bildeten, von ihnen abhingen, an den Höfen ihre Carrière machten, sind nun die Träger der Gedankenkämpfe, in die die Streitigkeiten und Kriege des Zeitalters der Reformation ausliefen. Der jungen Generation des Cinquecento ward es zu enge in den Städten. Die bürgerlichen Verfassungen hatten etwas stark Egoistisches in den Rangverhältnissen, etwas Unbarmherziges in den Gesetzen, etwas Grausames in ihrer Durchführung. Wer städtischem Gerichtsverfahren anheimfiel, ging furchtbaren Erlebnissen entgegen. Collegien, die objectiv zu urtheilen haben, dürfen der Menschlichkeit wenig Gehör geben, auch wenn die einzelnen Mitglieder gütige Naturen sind: mit dem Eintritt der Fürstenherrschaft war dem persönlichen Ermessen, der Gunst freilich, aber auch der Gnade Raum gegeben. Unter verständigen

Fürsten entfalteten die Jndividualitäten sich freier und fruchtbarer. Talentvolle Männer hatten, wenn ihnen die Vaterstadt fehlte, im Dienste der Fürsten das Vaterland als
festeren Halt unter den Füssen.

Diese Verhältnisse waren es, die im neuen Jahrhundert
die alte Florentinische Freiheit unmöglich und die unbe-
schränkte Herrschaft der Herzöge, obgleich sie die bürgerliche Organisation der Stadt, nun ihrer Residenz, zerstörten, in
Toscana, ja in Florenz selber endlich populär machten. Eine
einzige von den selbstherrlichen Städten Italiens aber bildete
hier eine Ausnahme: das von einer Anzahl fürstlicher Familien
regierte Venedig. In Venedig ist der bürgerlich arbeitenden mittleren Schichte zu keiner Zeit gelungen, obenauf zu
kommen. Venedig hatte, unter der Tyrannei einer erleuch-
teten Aristokratie stehend, zu Anfang des Cinquecento, als
man in Rom selber noch zum Theil an eine freiwillige Wieder-
geburt der Kirche in Gestalt der sie repräsentirenden Geistlichkeit glaubte, den Schutz der freien Ideen in Italien über-
nommen. In Venedig wurden die kirchlichen und politischen Dinge am meisten staatsmännisch beurtheilt[1]). Und
nun sehen wir, welches Echo diese Verhältnisse im Reiche

---

[1]) Es sind im zweiten Theile des L. M. diese Verhältnisse eingehend
geschildert worden. Die grosse Erwartung der ersten Hälfte des Jahrhunderts war, ob Frankreich oder Habsburg den Sieg in Europa davon-
tragen würde und ob die Macht, welche siegte, mit Hülfe der liberalen
Ideen emporkommen und sich halten würde, ja, ob die liberalen Ideen
nicht in Rom selber die Obermacht gewönnen. Dies waren Bewegungen,
die ohne nationale Unterschiede ganz Europa gleichmässig angingen und
an denen Raphael und das Rom Leo's X. mit vollem Interesse betheiligt waren. Zu Raphael's Zeiten bekämpften sich die beiden Parteien
am Hofe des Papstes und die liberale glaubte nicht, dass sie unterliegen
werde. Der beste Gradmesser für diese Dinge ist die Correspondenz des
Erasmus, weil dieser mit allen Parteien in Verbindung stand und ihm
über alle berichtet wurde. Die Briefe müssen freilich in ihrer echten
Gestalt und der richtigen Datirung erst noch herausgegeben werden.

der bildenden Kunst finden. Hatte das demokratische Florentiner Quattrocento seinen bürgerlichen Christus einst geschaffen und Raphael und Michelangelo hier ihr Bestes gethan, so glückte es Tizian, emporgekommen zwischen den hohen Familien Venedigs, nun in einer Ahnung dessen, was die katholische Welt begehrte, den irdisch-lebenden Christus zu malen, den das Jahrhundert gebrauchte, (soweit von den romanischen Völkern freilich allein nun die Rede sein muss): Tizian's ,Christus mit dem Zinsgroschen' ist von dem aristokratischen Wesen durchdrungen, das für die Darstellung der himmlischen Personen bald unerlässlich ward. Das ausgewachsene Cinquecento verlangte Vornehmheit, sogar Eleganz. Aus demselben Gefühle heraus, dass nichts als das Selbstverständliche geschehe, aus dem die Städte früher die himmlischen Heerschaaren und ihre Führer als zu ihren Bevölkerungen gehörig geformt hatten, begehrte der hohe Adel, dass der Himmel nun von seinesgleichen bewohnt werde und was ihm speciell ideal däuchte in neuem Spiegelbilde zeige. Die Religion ward auf dem Concil von Trient in andere Formen gebracht. Das aber, was dort seine schliessliche Abstempelung empfing, hatte lange vorher schon, zu Raphael's Zeiten bereits, in der Luft gelegen.

So war immer der Gang der Dinge gewesen. Aus dem Heliand ersehen wir, wie in uralten Carolingischen Zeiten für Deutschland ein besonderer nationaler Christus hingestellt worden war: der ,gewaltige Herr', der wie ein fahrender Held mit seinen Aposteln durch das Land zog. Ein Abglanz dieser Anschauung kehrte jetzt wieder. Das die Fürsten umgebende streitbare Element, der Adel, dem seine gute Klinge durchhilft, war das maassgebende in Europa geworden und die Gemälde zeigen Christus unter der Gestalt etwa eines incognito durch die Länder pilgernden Königssohnes, dem überall, wo er einkehrt und vorspricht, ein glänzender Empfang zu Theil wird, den er auch keineswegs abweist. Wenn Christus früher, mit den Armen und Niedrigen zu Tische sitzend, arm selber erschien, werden sogar diese Elenden jetzt zu hohem Range und höfischer Sitte erhoben, und wenn sie Tafel mit ihm halten, sitzt Christus in den Manieren eines vollendeten Edelmannes obenan. Tizian bringt das noch in bescheidner Weise vor: seinen Christus mit dem Zinsgroschen umgiebt dies Wesen nur erst wie ein sanfter Parfum, Paul Veronese und Rubens haben seine Auffassung dann voll ausgebeutet. Der einzige Meister, der im Laufe des 17. Jahrhunderts den Christus der Evangelien echt aus eignem Gefühle darzustellen versucht hat, ist endlich nur noch der protestantische Rembrandt, in dessen Phantasie sich die Ereignisse des Neuen Testamentes wiederspiegelten wie in der Shakespeare's die Weltgeschichte. An Rembrandt wenden sich die Künstler heute, die im national-germanischen Sinne die Ereignisse des Neuen Testamentes in Bildern zu geben versuchen, während die, welche sie photographisch-historisch gestalten wollen, den Anblick Christi aus dem national-jüdischen Typus entwickeln [1]).

Wenn wir diese Fortentwicklung in realistischem Sinne überschlagen, ergiebt sich, wie wenig Raphael und Michelangelo damit zu thun gehabt haben. Was nach ihrer Zeit und ausserhalb ihres Kreises zur Entstehung kam, steht ausser Verbindung mit ihren Anschauungen. Die dem Realismus nachgehenden Künstler des Quattrocento hatten das Natürliche in Christus durchaus anders darzustellen gesucht als Tizian und seine Leute. Immer erscheint im Quattrocento Christus so, dass zwischen ihm und denen, mit denen er verkehrt, eine Kluft bleibt, die seine Gedanken in eine Höhe über die der anderen Menschen erhebt, die keinen Vergleich zuliess. Die Venezianer und ihre Nachfolger

---

[1]) K. u. K. I.

aber scheinen auch diesen Unterschied aufzuheben. Hierin
liegt das Entscheidende: nicht nur ist Christus in seinem Auftreten jetzt Mensch wie andre Menschen, sondern er denkt
auch wie sie. In Form und Bewegung wird er zu vollende-
tem irdischen Adel erhoben und hat in geistiger Beziehung
nun auch den Vortheil grösseren Machtumfanges für sich.
Der gleiche Process wurde mit Gottvater, Maria und den
Heiligen vorgenommen, die menschlich, auch in Neben-
dingen, als Fürstlichkeiten besonderer Art über den irdischen
Fürsten, aber mit ihnen in naher Verwandtschaft stehend,
die Gewölke innehaben, eine Existenz, für die, wie Rubens
z. B. Gottvater darstellt, der Ausdruck von ‚Behaglichkeit
alleridealster Art‘ geduldet werden müsste.

Raphael und Michelangelo dagegen, und die römisch-
florentinische Schule empfanden wohl, dass das Quattrocento
abgethan sei, und ihre noch kaum übersehbaren Versuche
haben wir vor uns, den neuen Ansprüchen zu genügen. Niemals aber haben sie die Wege der Venezianer zu gehen versucht. Der Natur sich unbefangen zuzuwenden, war in Rom
deshalb unmöglich und ist es geblieben, weil die antike Kunst
Künstler und Publicum dort gleichmässig beherrschte. Wenn
wir von Raphael aus den Jahren seiner Meisterschaft so wenig
Gemälde haben, auf denen Christus erscheint: kein Abendmahl, kein Weltgericht, keine Kreuzigung, so lag der Grund
vielleicht darin, dass Raphael empfand, er werde für das, was
er den Geboten seiner eigensten Phantasie nach hervorgebracht haben würde, bei dem Publicum, das ihn umgab,
kein Verständniss finden. Den Raphael einst geläufigen
Naturalismus des Quattrocento wollten die Römer nicht mehr
und auch ihm selbst war er fremd geworden. Die Aufnahme
der Antike aber ohne weiteres lag ausserhalb der Anschauungen Raphael's. Beim Teppichcarton ‚der Berufung Petri‘
haben wir gesehen, wie er sich nachträglich den Anforderun-

gen anbequemen musste, die im Geschmacke des Vaticans
und wohl auch der Römer lagen.

Auf der Disputa schon hatte er, nach der Grablegung,
Christus darzustellen gehabt: in thronender Stellung, als
dritte Person der Dreifaltigkeit. Wir gewahren den Einfluss der Antike besonders in dem in die Breite gehenden, ver-
allgemeinerten Antlitze. Vielleicht liess ein besonderer Umstand Raphael gerade hier zu dieser, das Individuelle ver-
wischenden Auffassung greifen. Ueber Christus emporragend
erhebt sich Gottvater: ihm musste auf dem Gemälde die
höchste Bedeutung gegeben werden. In der Gestalt eines mit
der Macht seines Blickes das Weltall in Bewegung haltenden
kraftvollen Greises, dessen feierlich erhobene Hand die Harmonie des Weltgetriebes im Takt zu halten scheint, ist diese
Figur nicht aller individuellen Form bar, sondern hält in
der gleichen Art menschliche Realität fest, die uns bereits
bei dem Gottvater über der Madonna di Perugia auffiel.
Christus, darunter, durfte durch nichts Individuelles die Wirkung dieser Gestalt beeinträchtigen und Raphael verlieh
Christus deshalb die allgemeineren Formen, die die Antike
ihm zur Verfügung stellte.

Er verfährt hierbei wie Michelangelo. Auch dieser hat
das Antlitz und die Gestalt Gottvaters, die erhabenste Schöpfung seiner Phantasie wie die der modernen Kunst überhaupt,
aus dem Real-menschlichen allein entwickelt. Männliche
Antlitze gewinnen im höchsten Alter nicht selten etwas
grossartig Allgemeines. Wie sie sich über das Maass der
Jahre erheben, scheinen sie, im Besitz erhabenster Erfahrung und Weltbetrachtung, sich der Individualität zu ent-
äussern. Bei der Gestaltung Christi dagegen, der als ewig
jugendlich gewisse Eigenschaften der Jugend nicht entbehren
durfte, der schön und kraftvoll erscheinen musste, lehnte
Michelangelo sich an die Antike an, die die höchste Idee

blühender Vollkommenheit auszudrücken nur allein fähig
schien. Er hat im Laufe seiner siebzigjährigen Thätigkeit
viele Darstellungen Christi geschaffen, meist nur in Zeichnungen, nicht für grössere Kreise also [1]). In diesen sämmtlichen Werken hat er den von den Quattrocentisten sowie
von ihm selbst in der Pietà beschrittenen Weg verlassen,
statt der Auffassung der Venezianer aber von anderer Seite
her eine eigene neue zu schaffen gesucht. Es ist auf den
Unterschied hingewiesen worden, der bei der Auffassung
der Erscheinung Christi längst waltete: aus seinem Sarge
erhob er sich in den Formen eines riesenhaften Helden an
Kraft und Schönheit, um so in die Hölle hinabzusteigen, die
von den Teufeln vertheidigten Thore der unterweltlichen
Gefängnisse aus den Angeln zu reissen und die höchsten
Personen des Alten Testamentes, Adam und Eva an der
Spitze, zu befreien. So nun zeigt Christus sich stets wenn
er nach seinem Tode erscheint. Für diese riesenmässige
Gestaltung waren die antiken Vorbilder willkommen und
natürlich. Bald aber wurde sie auch für die Scenen des
Lebens Christi vor seinem Tode verlangt, drang zuerst in
die Passion ein und wurde endlich für seine Erscheinung
vom ersten Auftreten an maassgebend. Das Heldenmässige
des Ghiberti trat wieder in sein Recht. Michelangelo formte
in dieser Richtung ein neues Ideal. Sein Christus, den er
für Sebastian del Piombo für die Capelle Borgherini in San
Pietro in Montorio zeichnete, hat die tadellosen Glieder eines
Halbgottes, der seinen Peinigern beinahe freiwillig still hält
und der, wenn er wollte, sich frei machen und sie in die
Flucht jagen würde. Nicht bloss in Bezug auf Ghiberti

---

[1]) Einige dieser Blätter aber, von sorgfältiger Durchführung, sind
nicht als Studien oder Skizzen, sondern als Kunstschöpfungen anzusehen,
denen die Form einer Zeichnung gegeben war.

aber nur beobachten wir jetzt hier, wie spätere Generationen zuweilen zu Entwicklungspunkten früherer zurückkehren. Das byzantinische Christusideal, die in starrer
Grossartigkeit in die Länge gestreckten Züge, war im Laufe
von Jahrhunderten aus dem antiken Jupiterkopfe entstanden. Die römisch - christlichen Sarkophage zeigen noch
ein Schwanken zwischen Apollo und Jupiter: die Byzantiner
gaben dem letzteren den Vorzug[1]). Wieder nun boten zu Anfang des Cinquecento Apoll- und Jupiterbilder sich zur Auswahl: für Michelangelo war die Anlehnung an den Apollotypus eine Rettung als er das Weltgericht malte. In der
Gestalt dieses Gottes, den er bis auf den Haarschmuck nachahmt, fungirt Christus an der Wand der Sistinischen Capelle
als Richter der Menschheit[2]).

---

[1]) Ein römischer Sarkophag des vierten Jahrhunderts im Lateran
zeigt in zwei verschiedenen Darstellungen beide Typen zu gleicher Zeit.

[2]) Der Kopf des Christus in S. Maria sopra Minerva könnte ebensogut einem Johannes angehören. Der colossale Marmorkopf in der
Engelsburg, den Montelupo vielleicht unter Michelangelo's Einfluss arbeitete, bietet in gleicher Weise eine Vermischung realer und idealer
Elemente. Nur im höchsten Alter hat Michelangelo in jener Gruppe, die
als hinterlassene unvollendete Arbeit im dämmernden Lichte des florentiner Domes steht sein allerletztes Wort gesprochen, indem er den vom
Kreuze genommenen Christus zugleich als elenden Todten und als von
höchster Schönheit übergossen zu meisseln unternahm: die einzige Figur,
die unter den vieren, aus denen die Gruppe besteht, in einzelnen Theilen
völlig vollendet ist. Die alten Anschauungen seiner Jugend, zu denen
er zurückkehrte.

Kein innerhalb der florentinisch-römischen Kunst arbeitender Künstler vermochte das Richtige hier zu treffen. Wir fragen neben Raphael
und Michelangelo zunächst nach Lionardo. Der Sage nach hätte dieser
den die Mitte des Abendmales in Santa Maria delle Grazie zu Mailand
einnehmenden Christus überhaupt nie vollendet. Zu sehen ist nichts
mehr und auch die Handzeichnung der Ambrosiana gewährt wenig mehr
als die naturalistischen Anfänge eines Antlitzes. Ich glaube, dass Lionardo
den Kopf fertig malte und zwar anders als die Zeichnung andeutet. In
der Kirche von Capriasca bei Lugano findet sich eine verdorbene, in
vielen Theilen aber erhaltene Copie des Abendmahles. Christus' Antlitz

Zu gleicher Zeit etwa mit der Disputa malt Raphael die
‚Vision des Ezechiel‘, auf der Christus wie Vasari schon sagte,
in der Art eines Jupiter dargestellt wird.

Das Gemälde [1]) ist von kleinem Formate, aber colossal
gedacht. Längere Zeit davorstehend glaubt man eine Malerei,
die eine Wand bedeckt, wie aus der Ferne zu betrachten.
Denn es haben, wie schon oft bemerkt worden ist, Kunstwerke
neben dem wirklichen ein inneres, ideales Maass, das besonders dann hervortritt, wenn wir uns ihrer erinnern, und das
überhaupt nur selten mit dem wirklichen übereinstimmt.

Ich weiss nicht, ob Raphael die Bibel hier nachgelesen
hat, darf die Möglichkeit aber nicht abweisen. Jedenfalls
liegt uns ob, Text und Gemälde zu vergleichen. Das Alte
Testament giebt Ezechiel's Vision als eine Folge von in plötzlichem Wechsel sich ablösenden Erscheinungen. Ein Wirbel-
wind bringt von Norden her eine ungeheure finstre Wolke,
goldnes Feuer um sie her und aus ihr hervorbrechend. In ihrer
Mitte vier beseelte Wesen mit einem Menschenantlitze da-

---

ist völlig durchgeführt und erinnert an den grossen Bronze-Christus der
Gruppe des Verrocchio (der Lionardo's Lehrer war und der immer wieder bei
ihm durchbricht) an der äussern Wand der Kirche Or San Michele in Florenz.
Am schönsten wird das was Lionardo gewollt hat durch den wunderbaren
Ecce Homo des Berliner Museums dargestellt, den ich ihm zuschreibe, und
der, wenn er durchaus nur als namenlose Arbeit der Mailänder Schule gelten
soll, wenigstens Lionardo's Anschauung in Reinheit wiederzugeben scheint.
Gleichfalls aber auf Lionardo ist wohl das Christusantlitz zurückzuführen,
das Solari verschiedenfach wiederholt hat und als das eigenthümlichste
von allen gelten muss. Aber es bot nicht das, was man bedurfte: die
aus der Schule des Quattrocento hervorgegangenen Meister vermochten
das nicht zu schaffen was die neue, damals ‚moderne‘ Generation brauchte.
Man darf sagen, dass die innere Kraft der römisch-florentinischen
Schule die kirchlich-conservative Richtung stärkte, die in Rom ihr Centrum hatte. Michelangelo's in den höchsten Jahren sich frisch erhaltende
schöpferische Arbeit gehörte zu den Elementen, an denen die alten Anschauungen Halt fanden.

[1]) bei dem zwei Exemplare, das eine in Florenz, das andere in
England, für ächt gelten.

zwischen. Jedes hat vier Antlitze und vier Schwingen; die Füsse sind ausgestreckt; ihre Sohlen sind wie die eines Kalbes; Menschenhände haben sie unter den Flügeln nach vier Seiten hin; mit den Flügeln stossen sie aneinander; jedes aber schreitet dahin vor, wohin sein Antlitz gerichtet ist. Eins scheint ein Mensch, eins ein Löwe, eins ein Stier, eins ein über allen schwebender Adler. Diese Thiere schweben vorwärts, kehren zurück, Flammen sprühend in der Schnelligkeit eines Blitzes. Nun erscheint ein Rad mit vier Antlitzen. Dieses Rad ist wie das Meer und seine Bewegung mischt sich in die der Thiere, bis endlich, nachdem die Beschreibung dieses Kreislaufes in gewaltigen Vergleichen so weitergeführt worden ist, ein friedlicher Regenbogen das ungeheure Ereigniss abschliesst[1]). Wer Ezechiel's Kapitel durchliest, wie Raphael es gelesen haben mag, wird den Eindruck empfangen, als sei ein Gewitter in symbolisch mystischen Bildern vor seiner Phantasie vorübergegangen, und wenn ein Künstler heute den Auftrag erhielte, das zu malen, würde vielleicht eine phantastische Landschaft daraus werden in colossalen Maassen, von einem Maler wie Rembrandt oder, heute, Böcklin etwa auszuführen. Das Charakteristische der Vision ist, entsprechend dem grossen Naturereignisse, dass das plötzlich Neue von Scene zu Scene immer betäubender über uns einbricht.

Auf Raphael's Gemälde dagegen schwebt eine künstlerisch ineinander gefügte Gruppe von Menschen und Thiergestalten über einer Landschaft ganz in der Tiefe, sanft getragen von der Luft, die keine Falte der Gewänder aus ihrer Lage bringt. Allerdings bildet der Glanz des offnen Himmels, umgeben von einem dunklen Wolkenkranze den Hintergrund, aus dem die Gestalten uns wie eine Vision entgegenkommen, ihre Beleuchtung aber ist eine so natürliche, mässige, wie

---

[1]) Ich gebe hier im Auszuge, was die Phantasie eines einfachen Lesers etwa aufnehmen und zurückbehalten wird.

nur ein heitrer Himmel sie liefern kann, und die Details der Figuren lassen sich betrachten als hielten sie still. Ein auf das Gewölk wie auf eine Wiese hingestrecktes Rind blinzelt mit halb emporgewandtem Haupte zu Christus behaglich auf. Aus der Gestalt ‚des Menschen‘, der in unserer Phantasie ungeheueren Wolkenbildern verwandt scheint, wurde ein schlanker Mädchenengel mit demüthig vor der Brust gekreuzten Händen. Dem Frieden dieser beiden Geschöpfe entspricht der des Löwen und der des Adlers, und Christus selbst scheint wie von einem im Aether schwimmenden Throne seine Augen auf die Erde herabzusenken, etwa wie Zeus vom Ida herunter Asien und das Meer zu seinen Füssen liegen sah. Die Verbindung antiken Kunstgefühls und christlicher Vorstellungen ist eine volle Thatsache in dieser Composition. Wie die gemalten Propheten Michelangelo's hat sie etwas Bildhauermässiges, während das Eigenthümliche des biblischen Berichtes von der Vision des Ezechiel in der Umrisslosigkeit besteht [1]).

Um dieselbe Zeit, wo Raphael an den Cartons für die Teppiche arbeitete, hatte er eine Kreuztragung (Spasimo) zu malen. Wäre mit einem Vergleiche zu bezeichnen, was diese Composition von der der Teppiche unterscheidet, so liesse sich sagen, diese seien in der herrlichsten historischen Prosa erzählt, die Kreuztragung als Tragödie in heroischem Versmaasse gedichtet. Ein Uebermaass innerer und äusserer Bewegung macht sich geltend. Zwei Gestalten sind besonders geeignet, erkennen zu lassen was ich mit diesem Vorwurfe meine: links am Rande die äusserste Figur: der uns

---

[1]) Das Aeusserste in antik-bildhauermässiger Darstellung heiliger Begebenheiten lieferte Raphael endlich in den Zeichnungen für die Capelli Chigi in Santa Marie del Popolo, wo Gottvater als Schöpfer des gestirnten Himmels durchaus jupitermässig die Mitte hält und die Planeten als heidnische Gottheiten dargestellt sind, denen er durch Engel seine Befehle zukommen lässt.

den Rücken voll zuwendende athletisch gebaute Mann, der den hingesunkenen Christus an dem ihn umgürtenden Stricke empor- und weiterreissen will; und rechts, die äusserste Figur: die mit gestreckten beiden Armen auf den Knien sich vorbeugende Maria, in deren Anblicke Christus niederbrach. Beide Gestalten haben wir, was das malerische Motiv anlangt, auf dem Urtheil Salomonis (an der Decke der Camera della Segnatura) schon vor Augen gehabt. Dem Manne entspricht hier der Henkersknecht, der das Kind zertheilen soll, und Maria eine der Mütter, die es als das ihrige in Anspruch nehmen. Das zur Schau Tragen brutaler unbarmherziger Kraft und mütterlicher Verzweiflung wäre beim Urtheil Salomonis nicht minder berechtigt gewesen: in wie gemässigter Form aber liess Raphael es erscheinen! Woher floss dies theatralisch-pathetische Wesen in einige seiner späteren Werke so auffällig hinein? Es ist nöthig, etwas ausführlicher Antwort zu geben.

Wenn wir bei Raphael's ersten Werken mit einer gewissen Sicherheit untersuchen durften, wie weit Fremdes und Eigenes darin sich vereinige, so wird dies für die letzten Werke schwierig. Je weiter Raphael fortschreitet, um so mehr dehnt seine Erfahrung sich aus: wie wollten wir den Kreis dessen überblicken, was er gesehen und was bei der gestaltenden Arbeit seiner Phantasie mehr oder weniger stark und mehr oder weniger bewusst miteintrat? Erinnerungen, die bis in seine früheste Jugend hereinreichen konnten, neu erfahrene Eindrücke, die bis zur Nachahmung gingen, mussten bei ihm wie bei jedem productiven Künstler ihre Macht bewähren. Am wenigsten aber ist ihm da nachzurechnen, wo es am leichtesten erscheinen möchte: bei dem Einfluss, den die Antike auf ihn hatte. In den ersten römischen Zeiten liess sich verfolgen, woher Raphael einzelne Motive genommen und in seine eignen Formen zu bringen versucht hatte, von

Bramante's Tode aber an, von der Zeit ab also, wo er in
erweiterte Thätigkeit und in amtliche Fürsorge für die Werke
der antiken Zeit eintrat, erweitert sich deren Einfluss in zu
bedeutendem Umfange. Ohne Zweifel begann Raphael damals damit, zu constatiren, was an Beständen antiker Werke in
Rom überhaupt vorhanden sei, und aus gelegentlicher Kennt-
nissnahme ward eindringendere Untersuchung. Ihm sicher
nachzurechnen aber, was dabei in Besitz seiner Phantasie
überging, ist kaum möglich.

Neuerdings finde ich die Behauptung ausgesprochen, für
den Christus der Kreuztragung habe Raphael der Laocoonkopf
vor Augen gestanden. Natürlicherweise hat Raphael den
Laocoon gekannt. Die Zeichnung, nach der Marcanton die
Gruppe stach, ist aus Raphael's Schule hervorgegangen[1]).
Beim Antlitze des Christus der Kreuztragung dagegen finde
ich nichts heraus, das eine nahe Verwandtschaft bekundete.
Von Andern ist, länger schon, herausgefunden worden, Raphael habe sich das betreffende Blatt der Grossen Dürer-
schen Passion beim Spasimo als Vorbild genommen, und von
wieder Andern wird Martin Schön's grosser Stich der Kreuztragung genannt. Raphael hat jedoch vielmehr die Kreuztragung der Kleinen Dürer'schen Holzschnittpassion zumeist
vor Augen gehabt[2]). Wichtig ist aber weniger dies, als der

---

[1]) Mir scheint, dass der Adam des Sündenfalls an der Decke der
Camera della Segnatura das im Vergleich zur ersten Skizze so ganz ver-
änderte Motiv der Beinstellung dem Laocoon verdanke. Ich werde die
Frage in den ‚Ausführungen‘ erörtern. Ich habe die Beobachtung schon
vor Jahren gemacht, bisher aber nur in meinen Vorlesungen, wo mir das
Material zu Hand war, gelegentlich davon gesprochen.

[2]) Unter den vier Passionen Dürer's ist diese die reifste, am meisten
aus éinem Gusse herrührende. Ueber das Dürer'sche Christusideal habe
ich in meiner Besprechung des Berliner Handzeichnungswerkes (Ess.)
gehandelt. In den ‚Ausführungen‘ wird die Frage, wieweit Raphael hier
der Deutschen Kunst verpflichtet sei, in den Meinungen der verschiedenen Kunstforscher, die hier das Wort ergriffen haben — Thausing,

Umstand überhaupt, dass Raphael sich für die Gestalt Christi diesmal an einen Deutschen Meister wandte.

Vielleicht kam auf diesem Wege das Raphael's Wesen Fremde in das Gemälde hinein: ein Element von Grausamkeit, das keine Auflösung findet. Mit gestrafftem Arme sich auf einen am Wege liegenden Stein stützend, sieht Christus in der Qual des höchsten Leidens zu seiner, ihm machtlos die Arme entgegenhaltenden Mutter herüber und zugleich uns an, als suche er mit den Augen angstvoll im Ungewissen Jemand, der ihm zu Hülfe käme. Das einzige Beruhigende bei dem trostlosen Anblicke ist das Zugreifen des Mannes hinter ihm, der ihm den Kreuzbalken stark von der Schulter hebt und der in der Anstrengung seiner nackten nervigen Arme die Last bekundet, von der Christus zum Sturze niedergedrückt worden war. Dürer besass alle Mittel, das darzustellen. Nicht bloss in seinen Passionen, sondern auf besonderen Blättern hat er den Ausdruck des Leidens Christi uns vor die Blicke gebracht und die Naivität dieser Arbeiten, aus denen, so grausam die Bilder sind, doch so tiefes Mitgefühl spricht, macht sie erträglich. Raphael aber war für dergleichen nicht geschaffen. Er hat ausser jener ganz frühen, von Perugino so gut wie abgeschriebenen Kreuzigung, kein Bild des leidenden Christus zu geben vermocht und würde ohne Anlehnung an fremde Muster die Kreuztragung aus eigner Phantasie allein, glaube ich, nicht hervorgebracht haben. Vielleicht ist eben deshalb, weil man mit Recht etwas von anderswo Hereingetragenes in dem

Dehio, Springer — eingehend besprochen werden. Dass Raphael die Blätter der übrigen Passionen Dürer's (soweit er sie erlangen konnte) nicht gekannt habe, behaupte ich nicht, ebensowenig, dass ihm Martin Schön's Stich unbekannt gewesen sei. Im Gegentheil, die Werke der Deutschen Stecher und Holzschneider kannte er wohl zum grössten Theile, für die Kreuztragung aber ist die Kleine Holzschnittpassion in erster Linie entscheidend gewesen.

Werke empfand, an den Laocoon gedacht worden. Das Uebertriebene der dem ‚Urtheil Salomonis‘ entnommenen Gestalten, zeigt, wie bewusst Raphael äussere Mittel anwandte, das Gewaltsame der Handlung zu verstärken, da sein Talent ihm die inneren hier versagte. Er lässt ebenso bewusst den hohen tragischen Styl wirken, der ihm wohl bekannt war, wie er bei einer Anzahl von Madonnen, aus Rücksicht auf deren Besteller, eine gewisse kalte Eleganz walten liess. Auch hat er sich im Erfolge nicht getäuscht. Der Christuskopf der Kreuztragung ist zum Typus für diese Gattung von Darstellungen geworden. Guido Reni zumal hat ihnen seinen so einflussreichen Schaustellungen des gequälten Christus zu Grunde gelegt.

Dies der Verlauf der Versuche Raphael’s, eine Gestalt und ein Antlitz Christi zu bilden, weniger wie es seinen eigenen innersten Ansprüchen genügte, als wie sein Publicum es verlangte. Hätte ich die Handzeichnungen, sowie Marcanton’s Stiche heranziehen wollen, so würde die Untersuchung breiter, in ihren Resultaten aber nicht anders geworden sein. Das Gefühl, Raphael gebe was er empfinde, das uns aus der Grablegung ansprach, wird von keinem dieser späteren Versuche hervorgerufen. Dass es eben nur Versuche gewesen seien, ging aus Raphael’s Schwanken bei den Cartons für die Teppiche ja deutlich hervor. Wenn wir uns erinnern, wie er auf der anfänglichen Skizze zur ‚Berufung Petri‘ Christus in menschlich-natürlicher Weise darzustellen suchte und ihm hinterher dann heroische Stellung verlieh, so wissen wir nun den Grund, warum er in Christusbildern, die ihm selber genügt hätten, nicht vorwärts kam.

Einige Jahre hatte Raphael’s Arbeit in dieser Richtung ganz geruht, als er den Auftrag empfing, der ihn zum letztenmale die Aufgabe angreifen und jetzt ein Werk hervor-

bringen liess, das zu den erhabensten Schöpfungen der neueren Kunst gehört. Die Transfiguration. Raphael's Kraft
zeigt sich hier in ihrer weitesten Ausdehnung. Endlich fand
er was er suchte. Seine Principien sind bei dieser Composition bis zu den letzten Consequenzen getrieben.

Treten wir vor das Gemälde, wie es in der Pinakothek
des Vaticans dasteht. Von bedeutendem Flächeninhalte, ist die
Tafel um ein Drittheil beinahe mehr hoch als breit. Zwei Darstellungen übereinander: die untere, uns nähere, in einem Gedränge von äusserst bewegten Figuren, bunt, mit starken
Lichtern und dunklen, fast finstern Schatten modellirt; die andre,
auf und über einem den Hintergrund erfüllenden Hügel, in lich-
teren Tönen, uns ferner. Die untere, trotz der sie erfüllenden
lebhaften Handlung, auf den ersten Blick unverständlich,
nöthigt uns nur durch eine gewisse von ihr ausgehende
Gewalt, sie zuerst zu betrachten, und für den Augenblick
vergessen wir die obere ganz. Zwei Massen von Menschen drängen einander entgegen. Von rechts sind Männer
und Frauen herangekommen mit einem von Krämpfen er-
griffenen Knaben in ihrer Mitte, den einer von ihnen mit
äusserster Mühe aufrecht hält. Man sieht, sie haben ihn
herbeigebracht, weil sie bei denen, die ihnen auf der andern Seite dicht gegenüberstehen, Hülfe zu finden hoffen.
Diese, Männer aus allen Lebensaltern hatten, einige im Gespräch, andere •meditirend, noch andere lesend, ruhig bei
einander gesessen und werden durch die lamentirende, heftig
gesticulirende Schaar aufgeschreckt. Sie betrachten den
Knaben mit der Zurückhaltung und wehmüthigen Neugier,
die in solchen Fällen einzutreten pflegt, sie geben ihr Mitleid
zu erkennen, zugleich aber fühlt man ihnen die Bedrängniss
an, nicht helfen zu können. Zwei wenden sich ab, weil sie
das leidende Kind nicht länger ansehen konnten. Einer unter
ihnen, der ihre Mitte hält, (wie ihm gegenüber der Knabe die

Mitte der Andern bildet) scheint im Namen seiner Genossen auszusprechen, wie sie ausser Stande zu helfen seien, da der, der allein helfen könne, nicht bei ihnen weile, sondern den Berg hinaufgegangen sei, zu dessen Höhe er empordeutet. Und so: der Punkt, um den die Handlung sich dreht, ist, dass stürmisch und vorwurfsvoll ein Wunder verlangt wird und dass man, nichts als Mitleid und Bedauern zu gewähren im Stande ist.

Was uns an dieser Darstellung zunächst fesselt, ist nicht im stricten Sinne das Ereigniss, das erst allmälich klar wird, sondern die Art, wie jede von den zahlreichen Figuren für sich handelt. In jeder scheint ein besonderer Mensch drinzustecken, man möchte die Bekanntschaft jedes Einzelnen bis zur genauesten Kenntniss der Gedanken treiben, die ihn erfüllen. In Shakespeare's besten Tragödien erscheinen alle Figuren sosehr als Inbegriff wirklicher Existenzen, dass der Antheil, den sie an den Scenen haben, (in denen sie, man möchte sagen, zufällig nur vor uns auftreten), wie ein beschränkter Abschnitt eines Daseins uns anmuthet, das wir in seiner Totalität durchaus zu kennen und seiner Individualität nach durch und durch zu empfinden glauben. In diesem Sinne scheint jede der Gestalten auf dem unteren Theile der Transfiguration erklärbar. Wir sagen uns bald, dass diese neun Männer die zwölf Apostel Christi seien, von denen drei, die ihn begleiteten, aber fehlen. Wie wir bei der ‚Berufung Petri‘ die Apostel alle vor uns hatten, jeden in seiner Weise zweifelnd, ob Christus wirklich erschienen sei, oder wie Lionardo sie von dem entscheidenden Worte Christi erschüttert darstellte, so drückt auf der Transfiguration jeder von den Aposteln in seiner Weise das aus, was der Anblick des leidenden Kindes an Mitgefühl in ihm erweckt, während die Freunde oder Verwandten des Kindes auf der linken Seite ihnen gegenüber, nicht weniger jeder in seiner Weise die ungestüme Erwartung repräsentiren. Was wird geschehen? fragt man sich. So völlig hat der Anblick des Ereignisses uns hingenommen, dass wir selber endlich im Gefühl, die Lösung zu suchen, mit den Blicken höher steigen und sie hier nun vor Augen haben: den zum Gewölk aufschwebenden Christus, der mit emporgewandten Augen und mit halb segnend halb bittend erhobenen Armen und Händen die Lösung giebt: von ihm allein kann die Hilfe ausgehen.

Nun plötzlich ist, was unten am Berge geschieht, wie versunken und wir haben nichts als die neue Scene vor uns. Beim ersten Ueberblicke des Ganzen schien dieser obere Theil, lichter in der Farbe und kleiner in den Gestalten, den Hintergrund einzunehmen; nun, wo wir ihn allein sehen, schwebt der Anblick wie auf uns zu. Wir sehen Christus in weisse Gewänder eingehüllt, die ein sanfter Sturm mit ihm selbst emporzuheben scheint. Zu beiden Seiten zwei Greise, im Profil jeder von seiner Seite ihm zugewandt, schwebend beide wie er. Ein glänzendes, sich eröffnendes Wolkenmeer scheint sich aufzuthun, um sie zu empfangen. Unter ihren Füssen, auf den flachen Boden des Berggipfels hingestreckt, drei Männer, die aus dem Schlafe erwachend, sich vor dem, was über ihnen in der Höhe geschieht, zu schützen suchen: es ist ihnen unmöglich, den plötzlichen Lichtglanz zu ertragen. Dann bemerken wir, dass, verglichen mit diesen dreien, die auf dem Boden ausgestreckt sind oder knien, die drei schwebenden Gestalten, Christus mit Moses und Elias, etwas übermenschlich Grosses haben, etwas maasslos Gewaltiges wie Wolkenbilder.

Was hier geschehe, bedarf keiner Deutung. Und wenn wir endlich mit den Blicken zu der Scene am Fusse des Berges wieder herabsinken, hat auch diese nun ihre Erklärung gefunden.

Ich gebe den biblischen Bericht.

Das Ereigniss wird ziemlich gleichlautend in drei Evangelien erzählt. Ich übersetze nach der Vulgata die Erzählung des Lucas, Cap. X. „— und er nahm Petrus und Jacobus und Johannes und stieg auf den Berg um zu beten. Und während er betete veränderte sich sein Antlitz und seine Kleidung wurde weiss und leuchtend. Und siehe, zwei Männer sprachen mit ihm. Es waren aber Moses und Elias, in Majestät erscheinend, und sie sagten ihm seinen Ausgang, wie es sich in Jerusalem erfüllte. Petrus aber und die mit ihm waren schliefen. Und erwachend sahen sie seine Majestät und zwei Männer, die mit ihm standen. Und geschehen ist: da sie von ihm gingen, sagte Petrus zu Jesus: Lehrer, es ist gut, dass wir hier sind, wir wollen drei Zelte machen: eins dir, eins Moses und eins dem Elias. Er wusste nicht, was er sagte. Da er dies aber sagte, entstand eine Wolke und umhüllte sie; und sie fürchteten sich, als jene in die Wolke eintraten. Und eine Stimme kam aus der Wolke: dies ist mein geliebter Sohn, höret ihn. Und als die Stimme kam, wurde Jesus allein gefunden. Und sie selbst schwiegen und sprachen zu Niemand damals von dem was sie gesehen hatten. Aber es geschah am folgenden Tage: da sie vom Berge herabstiegen, kam ihnen eine grosse Menge entgegen. Und siehe, ein Mann aus der Menge rief aus: Meister, ich beschwöre dich, siehe meinen Sohn an, weil er mein einziger ist, und siehe ein Geist packt ihn, und er schreit sofort, und schüttelt ihn und er schüttelt ihn mit Schaum und lässt ihn kaum los und zerfleischt ihn. Und ich bat deine Schüler, dass sie ihn vertrieben, und sie konnten es nicht. Antwortend aber sagte Jesus, o treuloses und verkehrtes Geschlecht, wie lange werde ich bei euch sein und euch dulden? Führe deinen Sohn her. Und als er herantrat, packte ihn der Dämon und schüttelte ihn. Und Jesus schrie den unreinen Geist an und heilte den Knaben und gab ihn dem Vater zurück.‟

Wenn wir die Berichte des Marcus und Matthäus mit diesem vergleichen, sehen wir, dass Raphael sich an den des Lucas gehalten hatte. Dieser erlaubte ihm wohl, die beiden Scenen gleichzeitig zu geben, denn nicht die Heilung des Knaben stellte Raphael dar, sondern wie die Jünger ihn anfangs zurückwiesen, weil sie ihn ohne Jesus nicht heilen konnten. Und so auch verstand Raphael die Wendung des Lucas, Jesus sei mit Moses und Elias in die Wolke eingetreten, dahin, dass er sie schwebend darstellte. Vielleicht, als er Christus so in vollem Weiss, ‚weiss wie der Schnee' sagen die andern Evangelien, zu malen hatte, kam Raphael der aufschwebende Christus der Himmelfahrt des Luca della Robbia in die Erinnerung zurück, über der inneren Thüre einer der Sacristeien des Domes von Florenz. Denn allerdings, Christus erscheint als ob die Himmelfahrt und nicht die Verklärung dargestellt sei, bei der wir auf anderen Gemälden Christus dastehen sehen. Nur Sebastian del Piombo hatte Christus, nach Michelangelo's Zeichnung, in San Pietro in Montorio so gemalt, als ob er sich, von den Lüften erhoben zu Elias und Moses, die heranschweben, emporschwingen wolle.

An der Transfiguration ist getadelt worden, dass sie zwei nicht zusammengehörige Scenen enthalte. Sollte Raphael in diesem letzten reifsten Werke seiner Hand sich etwas haben zu Schulden kommen lassen, was, wenn es ein Fehler wäre, jeder Stümper ihm hätte vorwerfen dürfen? Ich bin der Meinung, dass in dieser Theilung der Composition das Resultat einer Berechnung liegt, deren wunderbaren Effect Jeder erproben kann.

Wie eine Skizze der Albertina zeigt, wollte Raphael, im Anschluss an die hergebrachte Darstellung, zuerst nur das malen, was sich oben auf dem Berge begiebt. Ich denke mir, dass er, dem die dramatische Fassung seiner Compositio-

nen zum Bedürfnisse geworden war, nach einem Mittel suchte,
dem emporschwebenden Christus völlig den Anblick einer
momentanen Erscheinung zu verleihen, und dass er hier
auf etwas verfiel, das so genial und grossartig ist, wie es
nur einem Raphael in den Sinn kommen konnte: der Be-
trachtende musste gleichsam gezwungen werden, nur auf
begrenzte Zeitdauer zu Christus emporzublicken, der, plötzlich erscheinend, ebenso plötzlich wieder verschwände. Ich
hatte bei der Beschreibung des Gemäldes oben gezeigt, zu
welchem Gange der Betrachtung der vor das Gemälde
Tretende genöthigt ist. In der That, es liegt etwas wie
Zwang vor. Anfangs mag das Auge schwanken, wohin es
sich zu wenden habe: ist es von dem, was sich in der un-
tern Scene aufdrängt, aber einmal gefangen, so giebt es
sich dem Anblick völlig hin. Raphael hat nichts unange-
wandt gelassen, uns hier zu fesseln. Ohne aus den Worten
der Evangelien Erlaubniss dafür zu empfangen, hat er in
die Mitte der beiden sich begegnenden Gruppen, und durch
freien Raum zwischen ihnen noch wirksamer hervortretend,
eine Frau gebracht, die, uns den Rücken breit zukehrend und
mit dem einen Knie auf dem Boden, mit beiden Armen rechtshin auf den sich windenden Knaben weist, während sie das
Haupt nach der andern Seite, den Aposteln zuwendend,
mit einem Blicke fast zornigen Herausforderns Hülfe verlangt. Mit Befehl will sie sie nöthigen, das thatlose Mitleid
ohne Zaudern in thätiges Zugreifen umzuwandeln. Diese
Frau, in prachtvoller Gewandung, während die gewaltigen Arme ohne Hülle sind, wendet den Kopf zugleich
so, dass wir ihn in reinem Profile vor uns haben. Auch
ihr Haar ist geschmückt. Man weiss nicht, was Raphael,
historisch mit ihr wollte; künstlerisch aber erschien sie ihm
wohl deshalb unentbehrlich, weil neben so vielen männlichen
Gestalten und Gesichtern der wirksame Gegensatz weiblicher

Schönheit nicht fehlen durfte. Denn, so mächtig, riesenmässig kraftvoll diese Frau erscheint, so schön ist sie zugleich. Sie erinnert an jene weiblichen Heldengestalten des Michelangelo, die dieser gerade damals in der Phantasie trug, um die medicäischen Särge mit ihnen zu schmücken.

So völlig, wenn wir uns der Bewunderung dieser Scene am Fusse des Berges hingegeben haben, pflegt sie uns zu erfüllen, dass wir den oberen Theil des Gemäldes wirklich vergessen, zu dem die zur Höhe deutenden Hände zweier Apostel nun das Auge emporführen. Raphael lässt sie nicht etwa auf das hinweisen, was sichtbar auf der Höhe sich eben begiebt, sondern die aufzeigenden Hände sollen nur sagen, dass Jesus nicht unter ihnen, vielmehr oben auf dem Berge sei. Hätte Raphael's Meinung nach irgend einer von denen unten sehen sollen was oben vorgehe, so würde dies in verständlicher Art angezeigt worden sein. Wir aber wenden das Auge endlich empor, und was wir sehen, wirkt nun wie eine plötzliche Erscheinung: Christus und die beiden Figuren neben ihm und das Gewölk um sie her: Alles erfüllt von leuchtender weisser Helle, als reiche der Gipfel des Berges, von dem er aufschwebt, in den Aether hinein. Vasari macht Raphael zum Vorwurf, dass er bei der Darstellung der Jünger unten am Berge so tiefschwarze Schatten angebracht habe: ohne diesen Gegensatz aber würde unmöglich gewesen sein, das auf der Höhe sich Ereignende in so schattenloser Klarheit zu halten.

Jedes wahre Kunstwerk hat eine Stelle, wo es unbegreiflich ist: das Wunderbare der Transfiguration ist, dass in der übermenschlichen Grösse Christi nichts Befremdendes liegt. So sehr es Michelangelo gelang, den aus dem Grabe emporsteigenden oder aufschwebenden Christus als den Träger einer unwiderstehlichen übermenschlichen Gewalt erscheinen zu lassen, so wenig stimmt diese Auffassung mit dem, was

die Evangelien zu enthalten scheinen. Das Körperliche waltet
bei Michelangelo's Gestaltung des aus dem Grabe gleichsam
empor donnernden Christus[1]) zu sehr vor: nicht eigentlich
riesenhaft, sondern, wie schon gesagt wurde, athletenartig
erscheint er. Bei der Transfiguration dagegen ist uns, als
ob Christus in demselben Maasse, in dem er zu überirdischen Verhältnissen sich ausdehnt, an Körperlichkeit verlöre,
als könne er grösser und grösser werdend endlich als Gewölk
unsern Blicken entschwinden. *Tò σὰρξ ἐγένετο πνεῦμα.* Aus
diesem Grunde auch fehlt dem Christus der Transfiguration
der Charakter eines Heiligenbildes im Sinne der katholischen
Kirche. Es mangelt der Gestalt Christi alles Naturalistische:
war ein Mensch darzustellen, der zugleich Gott sein soll,
so musste über das Menschliche hinausgegangen werden.
Für Raphael war das nur zu thun, indem er nach Allem
griff, was menschliche Kunst bis dahin in Darstellung gött-
licher Personen mittelst irdischer Formen hervorgebracht hatte.
Dass er auch die Antike zu Hülfe nahm, floss nicht aus seinem
freien Willen, sondern aus einem Machtgebote der Verhältnisse. Er wollte die Verklärung Christi malen. Das einfach Natürliche war hier ausgeschlossen. Und deshalb wiederhole ich: jener Christus, dessen Schöpfer Tizian war, ist
von jetzt ab nur noch der Christus der romanischen Nationen
gewesen, wie sie nach der Scheidung der Kirchen seit der
zweiten Hälfte des Jahrhunderts den protestantischen Völkern
gegenüberstanden: der Christus der Transfiguration Raphael's
dagegen ist noch der Christus der vereinigten europäischen
Völker, die alle zu Raphael's Zeiten, als Luther eben erst
zu wirken begann, im grossen Einklange ihrer Sehnsucht von
einer ‚Reform der Kirche' ihr gemeinsames Heil erwarteten. Raphael's letzte Arbeit. —

---

[1]) Wie Goethe die Sonne durch den Himmel donnern lässt.

Sei auch diese Frage noch einmal berührt:

In welchem Maasse der Wunsch, Christus darzustellen, die heute lebenden Künster noch immer zu neuen Anstrengungen drängt, zeigt, nur statistisch genommen, die Zahl der jährlich wiederkehrenden Versuche.

Die Lehre Christi ist die Grundlage unseres moralischen Daseins: Niemand, möchte er nun in seinen religiösen Gedanken beschaffen sein wie er wollte, wird sich dem Zugeständnisse entziehen, dem sei so. Die Persönlichkeit, die mit ihrer Lehre die Welt beherrscht, als Individualität zu denken, scheint ein berechtigtes Bedürfniss. Auch die werden das behaupten, die es nicht hegen. Nur natürlich müsste demnach sein, dass eine Darstellung Christi vom bildenden Künstler gefordert werde.

Dieser Forderung aber zu genügen, ist unmöglich.

Der Mensch dauert seine Zeit: solange er lebt, wird er, in unserem Sinne, nur als Individualität existiren. Gleich nach seinem Tode aber schon tritt bei der Erinnerung an ihn die Scheidung derer ein, die ihn persönlich gekannt haben und derer, die nur seine Thaten oder Werke kennen. Anfangs scheinen nur jene das Recht zu haben, von ihm zu sprechen, immer kleiner aber wird ihre Zahl und immer grösser die Masse derer, die ein Bild des Mannes verlangen, den sie von Angesicht zu Angesicht niemals gekannt haben, dessen Thaten aber sie zu persönlichster Gemeinschaft mit ihm verbinden. Je länger die Zeit wird, die nach seinem Tode verfloss, umsomehr tritt auch das besondere Costüm der Zeit zurück: man will kein Genrebild, sondern den Mann selber vor allen Dingen: keine Darstellung, die nur zeige, was er für sich und seine Freunde und Zeitgenossen einmal gewesen sei, sondern ein Bild, das auch das enthalte, als was er in seinen, nach seinem Tode sich ausdehnenden Wirkungen dasteht. Immer länger wird die Zeit, dass er fortging, immer

gewaltiger wird die Wirkung seiner Existenz, die vielleicht
nach seinem Tode erst begann, und endlich ist diese das was
wir fast allein im Auge haben. Wir wollen Christus nicht sehen,
genau wie er in den verschiedenen Epochen seiner geistigen
Entwicklung vorschritt, sondern mit einem Blicke ihn von
seiner Geburt nicht nur bis zu seinem Tode, sondern über
diesen hinaus bis heute überspannen [1]).

Eine Erscheinung, von der eine Wirkung ausging wie von
Christus, heute individuell real darstellen zu wollen, ist eine
unnütze Spielerei. Gerade heute wird dergleichen beinahe
Mode: es sind alberne und unwürdige Speculationen auf die
Neugier des Publicums. Christus kann nicht mehr gemalt
werden. Die Verwirrungen des irdischen Daseins, von denen
er Stunde auf Stunde seines wirklichen Lebens umgeben
war, sind nicht wiederzufinden.

Was wir heute in einem Antlitze und der Gestalt Christi
zu erblicken verlangten, überschreitet so sehr das Maass dessen, was ein bildender Künstler zu schaffen vermöchte, dass
es unmöglich ist, diesem Anspruche zu genügen. Der besondere Grund, weshalb (vielleicht) selbst ein Maler wie Raphael heute hier nichts hervorbringen könnte was befriedigte,
liegt darin, dass für unsre Zeit die bildende Kunst die schaf-

---

[1]) Schon heute, wenn eine Statue Goethe's errichtet werden soll,
wird ein allgemeiner Typus zu finden gesucht, dem man all die Züge
zu verleihen bestrebt ist, die die vorhandenen Porträts zufällig verrathen.
Weil Goethe bis zu den Achtzigen kam, darf eine Erinnerung an sein
Alter nicht fehlen; weil er als Jüngling schon begann, muss das Jugendliche seinem Bilde gewahrt bleiben. Alles Zufällige fällt fort. Eben-
mass und Kraft und Schönheit wird ihm verliehen. So entsteht etwas,
das uns befriedigt, weil es dem Urheber dessen zu entsprechen scheint,
dessen Werke wir bewundern.

Sehr seltsam ist, dass neben Christus in Gestalt eines Erwachsenen
seine Kindergestalt herläuft als existire er in beiden zugleich. So ward
die Darstellung möglich, dass Christus als Kind vom Arme der Jungfrau
herab Petrus als uraltem Greise den Himmelschlüssel giebt.

fénde Kraft nicht besitzt wie zu Anfang des Cinquecento. Für
unsere Zeit sind Bildwerke nicht mehr die deutlich lesbare
Schrift, die sie vor drei Jahrhunderten waren. Unsre Phantasie
empfängt beim Lesen heute mehr als beim Sehen. Gemalte und
gemeisselte Bilder genügen uns überhaupt nicht mehr wenn
das erschöpft werden soll, nach dessen Gegenwart wir begehren. · Zwar scheint es, dass wir in eine Epoche wieder-
kehrender Fähigkeit nach dieser Seite eintreten, sicherlich
aber sind wir auf ihrer Höhe noch nicht angelangt. Raphael und die grossen Meister um ihn bezeichnen für das
Cinquecento den Abschied der einen und das Eintreten der
andern Epoche, der litterarischen. Möglich, dass Goethe und
die Männer um ihn als der Höhepunkt dieser letzteren einmal proclamirt werden und dass unserer heutigen Generation
Generationen folgen, denen Gelesenes wieder weniger verständlich sein wird, als was ihnen künstlerisch geformt vor Augen
steht, (so dass unsere heutige Liebhaberei für das Quattrocento dem Gefühl gleichartiger Fähigkeiten und Bedürfnisse
entspränge). Doch es wäre müssig, solche Betrachtungen
weiter auszudehnen. Das aber darf ich wiederholen: — was
das Quattrocento und was das Jahrhundert der Reformation
von einem Bildnisse Christi erwarten durfte, hat Raphael im
Christus der Transfiguration geschaffen, nach dessen Vollendung kaum denkbar ist, dass er selbst weitere Versuche
gemacht haben würde. Mit der Sistina hatte Raphael's
Marienmalerei, mit der Transfiguration seine Darstellung
Christi ihr Ende erreicht. —

Raphael hatte, sahen wir, vorausgewusst, dass die Sistinische Madonna an abgelegener Stelle so gut wie versteckt
stehen werde, und legte doch in ihr sein höchstes Madonnen-
ideal nieder; noch erstaunlicher ist, dass er die Transfiguration, die den Augen der römischen Welt noch weiter entrückt

werden würde, dazu ausersehen hatte, die höchste Verkörperung Christi zu zeigen, deren seine Kunst fähig war. Beides
bekundet eine Unbekümmertheit um das Schicksal seiner
Werke bei ihm, die wir nur verstehen, wenn wir ein starkes
Vorgefühl der schützenden Mächte bei ihm voraussetzen, die
über ihnen wachten. Der Transfiguration kam sein Tod zu Gute.
Man empfand, dass dieses letzte Denkmal seiner Thätigkeit aus
Rom nicht fortgelassen werden dürfe, und es wurde der Kirche
von St. Pietro in Montorio zugewiesen. Raphael jedoch, der
seiner Zeit nichts von diesem Entschlusse geahnt hatte, erhob trotzdem sein Werk zu dem grossartigsten Gemälde,
das er hervorgebracht hat. Offenbar lag in der blossen Arbeit, im Streben nach Vollendung eine Befriedigung für ihn,
die ihm jede andre Genugthuung, wie sie Künstler aus dem
grösseren oder geringeren Werthe ihrer Schöpfungen erwarten dürfen, als Nebensache erscheinen liess.

Und bis in diese letzte erhabenste Schöpfung hinein
verfolgte ihn die unverständige Einmischung der Herren,
deren Dienste er sich verschrieben hatte: neben den auf dem
Boden liegenden drei Aposteln, die sich mit vorgehaltenen
Händen und Armen vor dem herabstrahlenden Glanze des
offenen Himmels zu schützen suchen, erblicken wir, nur um
einige Schritte entfernt, ein paar junge Geistliche, naturalistisch in ihrer modernen Tracht ausgeführt, die knieend als
Zuschauer theilnehmen. Offenbar Zusätze, die anzubringen
Raphael sich bereit finden liess.

Das also war das Letzte gewesen, was er gemalt und beinahe fertig gebracht hatte. Denn dass Giulio Romano nach
seinem Tode noch an der Transfiguration zu malen gehabt, ist
nirgends sichtbar [1]). Nur Eins fehlte der Tafel noch und ist

---

[1]) Alles darüber Gesagte ist nicht beweiskräftig. In den ‚Ausführungen‘ Weiteres. Ich verstehe Angesichts des Gemäldes nicht, wie
Crowe u. Cavalcaselle nur den oberen Theil Raphael's eigner Hand zuschreiben.

ihr auch später nicht gegeben worden: das Uebergehen mit durchsichtigen warmen Tönen, das grössere Einheit in das Werk gebracht und die grellen Farben der Gewandung gemildert hätte. Gerade jetzt steht neben dem Gemälde die fast fertige Zeichnung eines mir unbekannten Künstlers, die, wie es scheint, für einen Stich gemacht wird. Hier, wo die Farben ganz fehlen, tritt die Einheit und Einfachheit der gesammten Composition uns überzeugend vor die Augen. Auch ihr geistiger Inhalt ist nun leichter zu erkennen. In Raphael's Anschauung hatten Verklärung und Himmelfahrt sich vereinigt und andere Gedanken noch waren hineingeflossen: symbolisch genommen zeigt der untere Theil des Gemäldes, wie hülflos und ohnmächtig die Welt ohne Christus sei, der obere ihn in der Fülle seiner Macht. Sein sich emporwendendes Antlitz scheint überirdisches Licht zu empfangen und wiederauszustrahlen.

IV. Ende.

Ich nehme an, dass Raphael mit der Transfiguration die religiöse Malerei einstweilen hätte ruhen lassen, um sich der geschichtlichen zu widmen: er würde jetzt den Sieg Constantin's über Maxentius in dem an die anderen vaticanischen Zimmer stossenden Saale, dessen sämmtliche Wände die Thaten Constantin's zeigen sollten, begonnen haben.

Hätte Raphael diese Gemälde selbst ausführen dürfen, in jener abermaligen Rückkehr zur Darstellung des Wirklichen, die die Verklärung Christi als seine letzte Entwicklungsstufe zeigt, so würde er etwas geschaffen haben, das ihn in neuem Lichte hätte dastehen lassen. So aber ist nur die Generalansicht der Composition seine eigenhändige Arbeit:

die grosse getuschte Federzeichnung (im Louvre). Ausserdem sind Studien erhalten, die er für eine Anzahl Gestalten nach der Natur gezeichnet hat. Mit diesen Hilfsmitteln wurde dann von Giulio Romano das Werk gemalt, das auch in seiner jetzigen Gestalt von ausserordentlicher Wirkung ist. —

Die drei grossen Meister der italienischen Malerei haben jeder ihr Schlachtgemälde unternommen: Lionardo die Reiterschlacht im Regierungspalaste zu Florenz, Michelangelo den Ueberfall der Badenden, der ebendort ausgeführt werden sollte, Raphael den Sieg Constantin's. Allen dreien ist das Geschick nicht günstig gewesen. Zu einer Zeit schon, wo Raphael an seine Arbeit kaum ·dachte, ging Michelangelo's Carton zu Grunde, nach dem nie gemalt worden war, während Lionardo's Wandgemälde auch damals schon nur noch wenige Jahrzehnte der Existenz vor sich hatte, weil bei seiner Herstellung von seinem Meister wieder eins der unglücklichen technischen Experimente gemacht worden war, denen auch das Abendmal in Mailand so früh erlag. Raphael aber ist von ihnen dreien am übelsten dran gewesen. Sein Gemälde hat Zusätze sowohl als Fortlassungen erfahren, die seinen Anblick beeinträchtigen ohne dass man sich, wenn man davorsteht, Rechenschaft ablegt, worin diese Aenderungen bestehen.

Wie anders als die beiden Andern hatte Raphael seine Aufgabe gefasst. Lionardo und Michelangelo stellen bestimmte Episoden der vaterländischen Geschichte dar, keiner von beiden aber in umfassenderem Sinne Ereignisse, aus deren Compositionen sich ergeben hätte, was sie bedeuten. Mag Lionardo's Reiterkampf, wie er uns in verschiedenen Abbildungen heute vorliegt, nur ein Theil des Gemäldes gewesen sein oder Alles geben was darauf zu sehen sein sollte: uns vor Augen steht freilich eine der kunstreichsten Gruppen, die die italiänische Kunst geschaffen hat, trotz der bestialischen Wuth aber, mit der die Menschen und die Rosse sogar el.ander anfallen, fehlt der dramatische Inhalt. Wir sehen, wie zwei Parteien sich die Fahne streitig machen, weder aber ahnen wir, welche siegen wird, noch nimmt die eine oder andere unser Mitgefühl in Anspruch. Wahrscheinlich ist, dass alle zuletzt einander vernichten, und was aus der Fahne dann werde, lässt uns gleichgültig. Ueber Michelangelo's ‚Badende‘ ist vielfach schon gesprochen worden. Wir sehen den Feind nicht, der den Ueberfall ausführt, und die Zuversicht, dass man sich noch zu rechter Zeit waffnen und vertheidigen werde, erwächst aus der Composition nicht. Auch nicht die Frage, um was es sich handle [1]).

Mengen von Menschen darzustellen, die der gleiche Gedanke erfüllt, oder zu erfüllen beginnt, war Raphael's Element: endlich konnte er sich nun in einem Umfange den Wünschen seines Talentes hingeben wie nie zuvor. Zwei Heere, nicht bloss eine grössere oder geringere Anzahl im Kampf begriffener Männer, sondern zwei Armeen waren zu

---

[1]) In der Haltung, in der Michelangelo hier componirte, hat Raphael auf einer seiner ältesten Zeichnungen (die in Perugia noch, wir wissen nicht zu welchem Zwecke, von ihm gemacht worden ist), dargestellt, wie Perugia gestürmt werden soll. Die Inschrift PERUSIA AUGUSTA, die wir heute noch auf der Stadtmauer lesen, zeigt es. Man schiesst mit Pfeilen, man legt Sturmleitern an, aber wir sehen weder, wer die Stadt vertheidigt, noch ob der Angriff gelingen wird. Der Beweis dafür, dass die Zeichnung von Raphael herrühre, liegt darin, dass die Composition später für die Loggien verwendet wurde.

Attila's Umkehr und der Sieg über die Saracenen vor Ostia sind keine Schlachtgemälde. Raphael's Natur war der Darstellung grausamer Scenen abhold. Man sehe, wie gemässigt sein Kindermord gehalten ist. Er hat auch nie Carricaturen gezeichnet wie Lionardo oder organische Verzerrungen wie Michelangelo. Wir haben keine Zeichnung von ihm, die er für sich selbst allein gemacht hätte: immer hat er einen bestimmten Zweck im Auge.

malen, von deren Sieg oder Untergang das Schicksal des
römischen Reiches und, als Folge dieser Entscheidung, das
der römischen Kirche abhing. Der Moment war darzustellen,
wo Constantin zum Sieger wird.

Eine Wand, doppelt so breit als lang, sollte mit dem
Anblicke der Schlacht bedeckt werden: Raphael's Kunst
zeigt sich darin, wie er die kaum zu bewältigende Fläche
dadurch zu einer Einheit macht, dass er sie in drei ideale
Theile theilt, von denen er dem mittelsten so entscheidendes geistiges Uebergewicht über die beiden andern verleiht,
dass diese sich unterordnen und alle drei zu einem einzigen
Anblicke sich zusammenschliessen.

Fassen wir die Mitte der ungeheuren Composition: den
als Sieger einhersprengenden Constantin, nicht zuerst in's
Auge, sondern lassen die Betrachtung links beginnen. Hier,
auch räumlich uns am nächsten, der letzte Widerstand der
Truppen Maxentius, der Rest eines unentschiedenen Ringens
um das Dasein. Dann, nach rechtshin weiterschreitend, der
Sieg: der im Gewässer versinkende Maxentius, dem der an
der Spitze seiner Cavallerie[1]) bis an den Rand des Flusses
nachstürmende Constantin eben seinen Speer nachschleudern
will. Dann rechtshin noch einmal weiterschreitend, Flucht
und Verfolgung: das geschlagene Heer, das sich schwim-
mend oder in Fahrzeugen über den Fluss und über die
Brücke, die ihn, weiter im Hintergrunde, in vielen Bogen
überspannt, zu retten sucht. Diese drei Momente, die,
jemehr wir nach rechtshin weitergehen, in weiter und
weiter in die Tiefe zurückweichenden Ereignissen Vor-
der-, Mittel- und Hintergrund füllen, lassen, so breit sich
das Gemälde ausdehnt, sofort erkennen was sich ereignet.
Und zugleich wirkt, wie gesagt, die Mitte, wo das Ent-

---

[1]) Ich brauche den modernen Ausdruck, weil hier die Reiter als
geschlossene Masse durchbrechen.

scheidende eintritt, so mächtig, dass was rechts und links
sich ereignet dem geistigen Gehalte nach sich dieser Mitte
unterordnet, die den Betrachtenden zuerst anzieht, um ihn
später erst nach rechts und links zu den andern Scenen
sich wenden zu lassen. Auf der Zeichnung hat Raphael
durch kraftvolle Schattenlagen so genau angegeben, wie
er die Dinge zu behandeln beabsichtigte, dass uns der
Unverstand des Giulio Romano, der alle drei Theile zu
einem monotonen Panorama ineinanderwirkte, unbegreiflich
wäre, wenn nicht andre Werke dieses Künstlers verriethen,
wie weit seine Kräfte reichten. Giulio's Unfähigkeit, den
Intentionen seines Meisters hier nachzukommen was die
Massenbildung anlangt, wurde verstärkt durch eine dilet-
tantische Vorliebe für vielfachen Schmuck, mit dem er die
Gestalten behängt. Man sehe, wie sorgsam Raphael alles
Beiwerk dem Gesammteffecte unterordnet und wie thöricht
Giulio von diesem Grundsatze abgeht. Wie er durch Ueberladung der Pferde mit Geschirr und der Soldaten mit Waffenstücken die Kampfscene links im Vordergrunde beeinträchtigt, die aber auch so noch immer die grösste Wirkung
thut; wie er dann durch Auflösung der Mittelpartie in einzelne
Figuren, zwischen die er zuviel Luft bringt, den auf Raphael's
Skizze hier sich bietenden Haupteffect des mit Constantin
durchbrechenden Centrums beinahe aufhebt und das massenhafte und unwiderstehliche Vordrängen der siegenden Armee
sich zum Theil in ein gleichgültiges Getümmel auflösen lässt.
Dieses Vorstürmen der Reiterei mit Constantin an der Spitze
bis dicht an den Fluss und das wahnsinnige Sichhineinstürzen
der Verfolgten zerfällt auf dem Gemälde in einzelne Scenen.
Und endlich auch der gemeinsame Strom der Flüchtenden
und ihrer Verfolger über die Brücke im Hintergrunde rechts,
dem Raphael etwas mit der Landschaft Zusammenfliessendes
verleihen wollte, ist in unnöthiges Detail zergliedert. Raphael

lässt über dem geschlagenen Heere hier eine langgezogene
compacte finstere Wolke hinfliegen, die wie eine Ueberschrift
Tod und Untergang zu besagen scheint: Giulio, ohne Verständniss für diese Schrift, hat sie in allerlei unbedeutendes
Gewölk getrennt. Nirgends hat er die andern symbolischen
Winke, die Raphael's Skizze trägt, verstanden. Um den Sieges-
lauf der Truppen des Constantin anzudeuten, waren nach
rechts vorwärts wehende Fahnen an verschiedenen Stellen
angebracht worden, die Giulio bis auf eine fortgelassen hat.
Die Feldzeichen des Maxentius lässt Raphael sinken: vorn
im Flusse, rechts neben dem ertrinkenden Kaiser, macht
einer seiner Leute einen letzten Versuch, sein Feldzeichen
und sich zu retten: auch diese Gestalt fehlt auf dem Gemälde.
Raphael hatte den untergehenden Maxentius mit genügendem
Raum umgeben, damit er dadurch sichtbarer hervortrete:
Giulio lässt ihn von anderen Gestalten dicht umdrängt erscheinen. Man vergleiche das Einhersprengen Constantin's[1])
auf der Skizze und auf dem Gemälde. Wie energisch die
Skizze den siegenden Kaiser als Kämpfenden zeigt, der
spähend den Kopf vorgebeugt und das in die vor ihm nie-
derstürzenden Feinde mit den Vorderfüssen hineinschlagende
Pferd zurückreissend — das einen Sprung weiter ihn selber
in die Fluten tragen würde — den erhobenen Wurfspiess dem
verlorenen Gegner nachschleudern will, und wie gleichgültig
parademässig hingaloppirend Kaiser und Pferd von Giulio
gemalt worden sind. Wie treten auf Raphael's Zeichnung
die Energie und der suchende Blick Constantin's hervor!
Wie der Kaiser das Pferd im Zügel hat, das sich kaum
halten lassen will! Wie er, Maxentius scharf in's Auge
fassend, seinem Wurfspiesse die entscheidende Richtung zu
geben sucht, deren letztes Ziel die völlige Vernichtung des

---

[1]) Der, wie Brunn zuerst nachgewiesen hat, genau die Mitte der
ganzen Compositon einnimmt.

Gegners ist! Dicht neben Constantin deutet einer der Berittenen, die ihn umgeben, mit der Hand nach Maxentius hin und dieser scheint sich, untergehend, zugleich noch hinter seinem Pferde gegen den drohende Wurfspiess decken zu wollen: man sieht, wie er am aufgereckten Kopfe des Pferdes vorüber nach Constantin hinüberblickt, im Ertrinken noch den drohenden Wurf fürchtend; man sieht — anders als auf dem Gemälde — wie er mit angstvoll und vergebens sich krallenden Händen den Hals des Pferdes umschliesst. Dieses unmittelbare Zusammentreffen der beiden Hauptfiguren dehnt Giulio Romano bis zur Unverständlichkeit auseinander. Die unter Constantin's Rosse zurückstürzenden Krieger reducirt er auf die Hälfte; die Entfernung zwischen den Kaisern verbreitert er; den heransprengenden Krieger, der auf Maxentius deutet, bringt er mehr in den Hintergrund: alles was Drängendes, unmittelbar Entscheidendes im persönlichen Begegnen der beiden Gegner liegen sollte, ist dermaassen abgeschwächt, dass wir fast den Eindruck empfangen, als ob keiner den anderen bemerke und Constantin, an Maxentius vorüber, das Ufer weiter entlang sprengen werde, wenn jener Reiter ihm mit deutender Hand nicht zeige, wo Maxentius sei. Und was die Malerei anlangt, sei dies bemerkt: die Gemälde der anderen Gemächer haben, bei weitem mehr gelitten als die des Constantinsaales: welche Harmonie aber ist trotzdem über sie noch ausgebreitet! Wie schliessen sich die Gruppen zusammen, wie tritt der Vordergrund vor, weicht der Hintergrund zurück! Bei Giulio Romano dagegen, dessen Malerei gut erhalten ist, eine ungeheure öde Masse einzelner Gestalten, keine, möchte man sagen, im Hinblick auf die nächsten andern ausgeführt, sondern jede für sich. Und wie deutlich lässt die Skizze doch erkennen, dass Raphael im Sinne hatte, alles Einzelne den grossen Massen unterzuordnen, in die sein Tableau getheilt worden war. Und trotzdem die

grosse Wirkung des Gemäldes wie es dasteht! Keiner der
späteren Schlachtenmaler in zwei Jahrhunderten hat ohne
Wiederholung dieser Motive arbeiten können.

Eine Gruppe noch will ich aus dem anfangs unübersehbar scheinenden Reichthum der Composition herausheben,
die unter Raphael's eigner Hand gewiss eine der schönsten
geworden wäre: vorn links am Rande der mit dem Feldzeichen in den Händen hinsinkende Jüngling von fast noch
kindlicher Schönheit, den ein älterer, bärtiger Mann zu stützen
oder wieder emporzuheben bemüht ist. Wir sahen, wie gern
Raphael, wenn er Menschenmassen darstellt, jugendliche Gestalten einmischt: hier hat er damit einen herrlichen Gegensatz geschaffen. Die für das Gemälde erhaltenen Naturstudien
Raphael's erlauben uns, einen Unterschied zu machen zwischen den Gestalten, die Giulio Romano nach Raphael's
Zeichnungen ausführte und denen, wo er, leider, nur aus sich
selbst schöpfen durfte: mir ist nicht zweifelhaft, dass diese
Gruppe in Raphael's Zeichnung vorlag[1]). Sie ist die er-
greifendste des gesammten Gemäldes, auch räumlich genommen uns am nächsten und sichtbarsten. Die im Tode kraftlos
hinfliessenden Arme des Jünglings, das machtlos ewig Schlafende der jungen Glieder bewegt uns mit tragischer Gewalt.
Die Legende ist denn auch nicht ausgeblieben: Vater und
Sohn, die bei dem Kampfe von Römern gegen Römer auf

---

[1]) Es scheint, dass besonders für die linke Seite des Gemäldes
Raphael's Studien zu vielen Figuren noch zahlreicher vorhanden waren
als sie auf uns gekommen sind. Giulio Romano hat durch den dicht
hinter dem sterbenden Jünglinge sichtbaren, den Rücken uns zuwenden-
den Krieger, für den eine besondere Vorlage Raphael's wohl nicht vorlag, den Eindruck der Gruppe beeinträchtigt, zu geschweigen von den
auf den Boden gestreuten Waffenstücken, durch die er die Einfachheit
des Anblicks beeinträchtigt. Den ersten Gedanken der Gestalt des Jünglings könnte Raphael das Antike verdankt haben.

verschiedenen Seiten fochten, sollen sich hier wiederfin-
den. Wie oft ist diese Gestalt nachgeahmt worden. Tief
symbolisch wirkt sie als Sinnbild hoffnungsloser Niederlage. Jeder auch, dem Raphael's Thätigkeit in Gedanken
vor Augen steht, sieht, dass diese Gruppe, in einer neuen
Richtung seiner Anschauungen, das Erhabenste sei, was er
hervorgebracht habe. Und nun hat er sie nicht einmal vollenden sollen. Sein eignes Schicksal scheint er in einer Vor-
ausahnung der Dinge dargestellt zu haben. —

In ganz besonderer Weise bin ich durch die Constantinschlacht an Raphael's Person in Rom jetzt noch einmal erinnert worden.

Vor Porta Angelica, an den Abhängen des, Monte Mario
genannten westlichen Höhenzuges, hatte er für den Cardinal
Giulio dei Medici eine Villa zu erbauen begonnen. Auf
halber Höhe des Berges wurden breite Terrassen angeschüttet,
auf deren höchster das Haus steht. Nie völlig ausgebaut
und niemals bewohnt (solche spätere Bewohner ausgenommen,
die sich zigeunermässig darin einrichteten) bietet es den
Anblick der Verwahrlosung. Der verwilderte Garten umher
ist mit Gesträuch bewachsen.

Wieder einmal jetzt den steilen geradegezogenen Weg
dahin emporsteigend und in seiner Mitte Halt machend sah
ich das Schlachtfeld und die Stelle, wo Maxentius im Flusse
versinkt, unter uns sich ausbreiten wie Skizze und Gemälde sie zeigen. Das Gefilde liegt hier noch unberührt
wie zu Raphael's Zeiten. Der herankommende, in flachen
Ufern nach rechts sich wendende Fluss; die Brücke, (Ponte
molle) mit den unregelmässigen Bogen dammartig das
Wasser durchschneidend; die nach allen Seiten hin sich
erstreckende culturlose Ebene und die in der Ferne sie
weit umkränzenden Sabinerberge und anderes Gebirge, das

an diese sich anschliesst: Raphael hätte den Ausblick von
dem Punkte aus wo wir standen eben in sein Buch gezeichnet haben können. Der Cardinal sollte von der Terrasse
seiner Villa aus das Feld, auf dem der Sieg der christlichen
Kirche sich entschied, zu seinen Füssen liegen sehen. Dass
die Schlacht nicht an dieser Stelle stattfand, hat Graf Moltke
in seinen Römischen Studien dargelegt[1]), das Ereigniss aber
ist in der Art wie Raphael es darstellt in die Phantasie des
Volkes eingedrungen.

Nicht bloss dieser Blick auf die Landschaft aber rief das
Gefühl der gleichsam persönlichen Gegenwart Raphael's hier
zurück. Als Bild plötzlicher Unterbrechung eines in be-
schränkten Formen grossartig wirkenden Baues steht die
Villa selbst uns vor Augen. In Pompeji geben die frisch
ausgegrabenen Häuser das seltsame Gefühl, als könne deren
einstmaliger Besitzer aus einer der Thüren leidenschaftlich
hervorbrechen, um uns als den zufällig vorhandenen Ersten-
besten für die Beraubung und Verwüstung seines Eigenthums
verantwortlich zu machen: in ähnlicher Art beschleicht unsere
Phantasie hier die Vorstellung, als könne Raphael mit seinen Leuten erscheinen und wie erstarrt dastehen beim Anblick der Vernachlässigung, der sein Bau anheimgefallen ist.

Die Villa war als die Arbeit liegen blieb im Innern etwas
weiter fertig geworden als draussen. Die Decken und oberen
Theile der Wände der nach dem Garten sich in grossen Bogen
öffnenden Loggia[2]) sind gemalt und mit Stuckornamenten

---

[1]) Deutsche Rundschau, 1879.
[2]) Die Loggia ist heute vermauert. Geymüller giebt ausführliche
Nachricht über den Bau. Es ist Mitte des Jahrhunderts noch versucht
worden, ihn fertig zu stellen, und es wurden, nach verändertem Plane,
Anbauten gemacht, die aber gleichfalls als Ruinen unvollendet dastehen.
Vor zehn Jahren war das Haus, das ein Bauer mit seiner Familie be-
wohnte, in so verwahrlostem Zustande, dass man nur mit Vorsicht darin
umhergehen konnte. Heute dient es in den oberen Stuben als Wohnung
eines Pächters, der die umherliegenden Ländereien ausnutzt.

belegt, der äusseren Architektur dagegen fehlt noch der Be-
wurf. Dieser Umstand aber gerade, dass die Backsteine roh
und rein daliegen, lässt, (wie bei einigen Partien des vaticanischen Palastes, den Bramante baute) die Linien und
Flächen um so klarer sich geltend machen. Man hat gleichsam eine Skizze vor sich, einen Entwurf, die Ahnung des
noch halb im Geiste des Meisters steckenden Werkes, den
persönlich man als schaffende, noch lebendige Kraft unwill-
kürlich hinzudenkt. Wir glauben zu empfinden, was Raphael
hier vorhatte. Nirgends habe ich fast colossal empfundene
Verhältnisse so schön dem Dienste einfach häuslichen Be-
dürfnisses angepasst gefunden, wie hier. Der Cardinal wollte
offenbar nur mit kleinem Gefolge in seiner Villa hausen.
Ein entzückendes Beispiel der Verwerthung antiker Bauweise
bei eigner Schöpferkraft steht uns in ihr vor Augen, ein
Triumph des Geschmackes der Tage, in denen Michelangelo's
gewaltige Formen noch nicht zur Herrschaft gelangt waren,
und in dieser Verwüstung und Verwilderung ein besserer
Repräsentant der Zeit als Peruzzi's Farnesina.

Und in besonderer Weise noch giebt die innere Decoration der Loggia Aufschluss möglicherweise über das, was wir
unter der letzten Thätigkeit Raphael's, den Ausgrabungen
und der Wiederherstellung der Stadt, zu denken haben.

Anzunehmen ist, dass es sich um eine, wie wir heute
sagen, wissenschaftliche Untersuchung der römischen Ruinen:
um Ausmessung des Vorhandenen, Bestimmung der Grund-
mauern und Vergleich mit den Nachrichten der Autoren
gehandelt habe. Zwar rührt ein Raphael zugeschriebener
Bericht darüber an Leo X. nicht von ihm her, die darin enthaltenen Gesichtspuncte aber sind wohl die bei
der Unternehmung leitenden gewesen. Wie nun vereinigen
wir mit diesen gelehrten Untersuchungen das Entzücken der
Römer, die in Raphael ,einen von der Gottheit gesandten

Wiederhersteller ihrer Stadt' erblickten? In dem Briefe des Venetianischen Gesandten, der Raphael's Tod nach Hause meldet, wird dessen ‚Buch' erwähnt, in dem nicht nur die Pläne und die Aufzeichnung der Ruinen, sondern auch deren ideale Herstellung enthalten sei: auf diese waren doch wohl die Augen der Römer zumeist gelenkt, für die die Grösse und Schönheit des antiken Roms in immer höherem Maasse Gegenstand ästhetischer Aufregung wurde. Nun bietet der Plafond der grossen Loggia in den Stuckornamenten, neben vielfachen Scenen aus dem Galatheamythus, eine Reihe architektonischer Darstellungen, die in perspectivisch künstlich verstärkter Vertiefung scharf und vortrefflich erhalten, das Innere antik erscheinender Räume mit Statuen darin, den Einblick in antike Tempel etwa, gewähren. Hatte Raphael aus den Zeichnungen jenes ‚Buches' Einiges hier verwerthet? Zu mehr freilich als der Aufstellung dieser Vermuthung bin ich noch nicht gelangt[1]).

Aus Castiglione's Elegie wird wohl mit Recht herausgelesen, dass Raphael sich bei den Ausgrabungen die tödtliche Krankheit geholt hat[2]).

Weil mit gesegneter Hand Aesculap die zerrissenen Glieder
    Wieder belebt und den Tod, der schon die Beute gepackt,
Fort von dem Haupt Hippolyt's in die Finsterniss wieder verscheuchte,
    Zog ihn die gierige Macht selbst in die Tiefe hinab.

---

[1]) Wie sehr Raphael unter dem Einflusse der Antike damals stand, zeigt auch der breite, in Farben völlig ausgeführte Fries des an die Loggia anstossenden Zimmers mit Spielscenen von Kindern und Eroten zwischen üppig vollen Blumen- und Fruchtfestons, die, gleich jenen Bildern aus den Abenteuern der Galat.hea, die Lectüre des Philostratos bezeugen. Die Verehrung und künstlerische Aufnahme der Antike hatte übrigens auch zu der Zeit wo Raphael starb, ihren Höhepunkt in Rom noch nicht erreicht, sondern ist später zu noch vollerer Entfaltung gekommen.

[2]) K. u. K. I.

So dich! Der du die Stadt, die verwüstete, niedergeworfne,
    Trümmerbegrabne, empor tief aus den Grüften geholt,
Der du mit kundigem Blick die zerstreuten Gebeine geordnet
    Und sie mit Zaubergewalt wieder in's Leben gelockt,
Bis sich der göttliche Leib, als kehrten die lange verrauschten
    Zeiten der Grösse zurück, jung aus dem Staube erhob:
Raphael! Aber es blickte der unersättliche Würger
    Neidischen Sinns und besorgt auf das begonnene Werk:
‚Was ich für immer gestürzt! Was mein ist! Was dem Gesetze
    Ewig verfiel, wagt er wieder dem Lichte zu weihn?
Sink' in den Staub!' — Und Du sankst, voll blühender Kraft. Wir aber
    Denken der Stunde, da er uns dir zu folgen befiehlt.

Dem Geiste der letzten Arbeiten Raphael's entsprach es,
wenn er im Pantheon, dem letzten Reste der antiken Stadt,
der nicht völlig zur Ruine ward, begraben sein wollte. Er
muss frühe schon daran gedacht haben, sich hier eine Ruhestätte einzurichten. Lorenzetto, ein Bildhauer dem er wohl
wollte, hatte die Madonna zu arbeiten, die auf dem Altare
daneben heute noch steht. Auch der Stein mit Bembo's Inschrift verschliesst noch das in die Mauer seitwärts dort ein-
getriebene Grab. In den dreissiger Jahren hat man es ge-
öffnet, das Gebein geordnet und, da der hölzerne Sarg ver-
modert war, es in einen antiken Sarkophag gelegt.

Die von Maratta in das Pantheon gestiftete Büste wurde
zu Anfang dieses Jahrhunderts in den Conservatorenpalast auf
das Capitol versetzt. Nach ihr sind die zahlreichen Büsten
und Bildnisse Raphael's zumeist gearbeitet worden, denen wir
in Italien begegnen, während man sich in Deutschland vorzugsweise an ein in Florenz befindliches unbeglaubigtes und durchweg verdorbenes, der Büste Maratta's an Unzuverlässigkeit
gleichkommendes Porträt zu halten pflegt. Ein Triumph der
Erfindungen unserer Zeit ist es, Raphael's Züge, mit denen er
sich selbst darstellte, wieder an's Licht gebracht zu haben[1]).

---

[1]) Jahrbuch der pr. K. A. VI, S. 141, wo die weitere Litteratur
(auch R.'s Schädel betreffend, von dem neuerdings viel die Rede war)
angegeben ist. Das Weitere in den ‚Ausführungen'.

Die Technik der Frescomalerei bedingt, dass die zu bemalenden Wände stückweise fertig gebracht und die Farben auf den frischaufgetragenen, weichen Mörtel gesetzt werden. Aufzeichnen lassen sich die Umrisse hier nicht, sondern werden mit einem spitzen Instrument rasch in den nachgiebigen Grund eingeritzt. Dies auch hatte Raphael gethan als er bei der Malerei der Schule von Athen zuguterletzt rechts am Rande noch sein eignes Bildniss in die Composition brachte. Keine Stelle des Gemäldes hat im Laufe der Jahrhunderte so sehr gelitten als diese, die man mit besonderer Beflissenheit rein zu halten und wiederherzustellen suchte, und die schlechte Beschaffenheit der Wand tritt nirgends so entschieden hervor als hier. Immer wieder geputzt und aufgefrischt hatte dies Bildniss sich in etwas verwandelt, was mit seinem ersten Aussehen und den wahren Zügen Raphael's ausser Verbindung stand. So oft indessen dies ausgesprochen worden war, ebenso oft wurde es auch verneint, und neuerdings erst ist ein Entscheid möglich geworden. Der Photograph Braun in Dornach war auf jene im Kalk verhärteten, oft überschmierten, immer aber noch sichtbaren Umrisse aufmerksam geworden. Er liess ganz von der Seite her blendendes Licht die Wand streifen, durch das alle Farben und Zeichnung verwischt und nur die Unebenheiten der Mauerfläche mit scharfem Schatten hervorgehoben wurden. So gelang es, jene echten Umrisslinien allein zu photographiren, und es fand sich, dass sie mit keinem der für Raphael's Bildnisse gehaltenen Porträts stimmten, den Holzschnitt ausgenommen, den Vasari der zweiten Auflage seiner Biographie vorgesetzt und den man als unrichtig zu beseitigen versucht hatte. —

Raphael stand im siebenunddreissigsten Jahre als er starb. Das Lebensjahr, in dem Goethe seine Italiänische

Reise antrat, von der ab erst die männliche Meisterschaft in seinen Werken datirt wird. Michelangelo, zehn Jahre älter als Raphael, hat vierzig Jahre länger als er gearbeitet. Nach Raphael's Tod erst hat er die Schöpfungen zu Tage treten lassen, die ihn als Bildhauer und Baumeister auf die volle Höhe seines Ruhmes führten. Auch Lionardo's Meisterwerke begannen erst nachdem er das vierzigste Jahr zurückgelegt hatte. Bedenken wir, dass Alles, was Raphael gethan hat, in weniger als zwanzig Jahren geschaffen worden ist, so stehen wir staunend vor dem ungeheuren Reichthume seiner Phantasie, seiner Thatkraft und seinem Fleisse. Dieser Fleiss ist es gewesen, den Michelangelo Raphael als höchstes Lob rühmte. Michelangelo allein, der selber niemals ruhte, war im Stande, es auszusprechen.

IV.

RAPHAEL'S SONETTE.

ERSTES SONETT.

Erste Fassung.

Studienblatt zur Disputa. Albertina in Wien. Pass. fr. II, 76, o).

unpensar dolce erimembrare ɪ modo
dunbello assalto si bel chel di[1])
pin di dispetti e ricordarsi el dano *del suo partire*
molte speranze nel mio peto stanno
5 lingua ordiparlar disoglio el|
adir diquesto dileto so in gan·
cha mor mi fece p mio gra|
ma lui p ne ringratio elei n|
equesto sol merimasto ancor·
10 pel fisso in maginar quel|
moso tanta letizia che co|

Die Endsilben von v. 5 an sind durch den abgeschnittenen
Rand verloren gegangen. Einiges, das zwischen v. 9—11 zuerst dastand und wieder ausgestrichen worden ist, lasse ich
als unbedeutend aus.

Zweite Fassung.

Studienblatt zur Disputa. Pass II, 97, m). fr. II, p. 75, m). Facsimile
in Pass. Atlas Tab. XII

Un pensier dolce erimembrase i|
di quello asalto ma piu grauo el danno
del partir chio restai como quei cano

---

[1]) Die in Cursivschrift gedruckten Verse sind von Raphael selbst
wieder ausgestrichene.

I mar perso lastella sel uer odo
5 Or lingua di parlar disogli el nodo
adir diquesto inusitato ingano
cha mor' mi fece p mio grauo afanno
ma lui pur ne ringratio e lei nelodo
lora sesta era che locaso un sole
10 aueua fatto elaltro surse inlocho
ati piu da far *patto* fati che parole
maio restai pur uinto ar mio gran focho
che mi tormenta che doue lon sole
disiar di parlar piu riman fiocho

In heutiger Schreibweise.

Un pensier dolce è rimembrare il modo
di quello assalto, ma più grave è'l danno
del partir, ch' io restai como quei ch' hanno
in mar perso la stella, se'l ver odo.

5 Or lingua di parlar disciogli el nodo,
a dir di questo inusitato inganno
ch'amor mi fece per mio grave affanno:
ma lui pur ne ringrazio, e lei ne lodo!

L'ora sesta era, che l'occaso un sole
10 aveva fatto, e l'altro surse in loco,
atto più da far fatti che parole;

Ma io restai pur vinto al mio gran foco
che mi tormenta: chè dove l'uom suole
disiar di parlar, piú riman fioco.

Zuerst publicirt wurde dies Sonett in Richardson's drittem Theile (p. 374) nach einer Lesung des Abbate Rolli. Dieser ergänzt den Schluss von v. 1 — e godo; v. 2 — provo il danno, was beides nicht dasteht, und liest v. 8 — più ne ringratio. Passavant, I, 523, behält godo und più bei. v. 14 hat Pass. diserar di parlar, was weder dasteht, noch Sinn giebt.

Pass. französische Uebersetzung (I, 492) hat v. 1 i' godo; v. 14 desirar.

UEBERSETZUNG.

Erste Fassung.

1 Ein süsses Denken ist, sich zu erinnern an
einen schönen Angriff, so schön, dass —
Erfüllend mit unerträglichen Gefühlen ist, sich zu erinnern an
den Verlust *ihres Fortgehens* —
Viele Hoffnungen sind in meiner Brust —

5 Jetzt, Zunge, löse die Fesseln der Rede [1]),
zu sprechen von jenem entzückenden Betruge,
den die Liebe mir spielte zu meinem grossen Schaden;
aber ihr danke ich trotzdem dafür und preise sie deshalb —
und das allein ist mir noch geblieben —
10 durch ein festgebliebenes Bild der Phantasie, jenes —
erregte so grosse Freude, dass mit —

Zweite Fassung.

Ein süsser Gedanke ist, sich zu erinnern
jenes Angriffes; viel schwerer aber der Verlust
des Fortgehens, dass ich zurückblieb wie jene,
die auf dem Meere den Stern verloren haben, wenn ich
recht berichtet bin.

5 Jetzt, Zunge, löse die Fesseln der Sprache,
zu reden von jenem unerhörten Betruge,
den die Liebe mir anthat zu meinem schweren Schaden:
aber dennoch danke ich ihr dafür und lobe sie darum.
Die sechste Stunde [2]) war es, da eine Sonne untergegangen war
10 und eine andere stieg empor an ihrer Statt,
geschaffen mehr für Thaten als für Worte.

---

[1]) nodo zu ergänzen und so das Uebrige.
[2]) Mitternacht etwa.

Ich aber blieb zurück, überwältigt von meiner grossen Gluth,
die mich quält, weil, wo man
sich sehnt zu reden, man umsomehr die Stimme verliert.

V. 11 würde wenn wir patto festhalten den Sinn empfangen: geschaffen mehr für Unterwerfung als für Unterhandeln.

ZWEITES SONETT.

Erste Fassung.

Studienblatt zur Disputa. Oxforder Sammlung. Pass. fr. II, 75, 1.[1]

  1 Como nō *seppe* podde dir darcana dei
    paul *quando* como diseso fu dal cello
    cosi elmi *peto* cor duno amoroso uello
    aricoperto tuti ipenser mei

  5 *Pero quanto chio uidde equanto Jo fei*
    dir non posso io cuno amoroso zelo
    fa che talor dimorte el crudel felo
    Se gusta ma tu rimedio al mio mal sei.

    Pero *quanto chio uiddi* e quanto io fei
10   pel gaudio taccio che nel petto celo
    eprima cangero nel frote elpelo
    che mai sisoglia che mai lobligo uolga ī penser rei

_____[2]

    Dounqua tepregaro chel peregar qui lice
    p titrouarsi insu sublimo locho
15   *apoter dir nelmondo esar felice*
    Adunqua tu sei sola alma felice
    in cui el cel tuta beleza pose

_____

[1] Ich verdanke diese, sowie die Photographie des nächsten Blattes der Güte des Herrn Prof. Max Müller zu Oxford.

[2] Diese Querstriche, die öfter vorkommen, deuten wahrscheinlich an, dass die bisherige Gedankenreihe abgebrochen sei und das Gedicht mit einer neuen Wendung des Gedankens fortgeführt werden solle.

che riuelarse almondo nō selice
cheltien mio cor come infocho fenice
20 *esebenignia ame tua alma inchina abasso*
mio cor e se quello alter almo ı̄basso cede
non cede a me a uedai che nō fiamme *al mio* ma
almio gran foc|
qual piuche glialtri in la feuentia esciede
e sel pregar *ualesse* mi in te auesse locho
25 gia mai nō restaria chiamar mercede
fi che nel petto fuso el parlar ficho

| uarda alardor mio nō abbi apicho
che sendō io tuo sogetto mi ō cōcede
che p mia fiama ardresti apocho apocho

Auch hier gebe ich von dem mit den Elementen eines
Gedichtes bedeckten Blatte nur dasjenige, was des Gedankens
wegen von Werth war. v. 12 sollte soglia wohl scoglia bedeuten, nach Maassgabe von v. 11 des dritten Sonettes. Raphael lässt öfter Consonanten ausfallen. Von v. 22 an hören
die Verse auf in einer Richtung geschrieben zu sein: v. 22—26
stehen zusammen, v. 27—29 finden sich daneben. Ausserdem giebt das Blatt eine Reihe von Reimen, die, wie es
scheint, in Vorrath zur Benutzung zusammengestellt wurden.
Seltsam ist ein ganz allein stehender Vers:

arno po nil inde e gange

der mit dem Uebrigen in keine Verbindung zu bringen war.

Zweite Fassung.

Studienblatt zur Disputa in Oxford. Bei Pass. unter derselben Nummer.
Hing mit dem vorigen Blatte früher zusammen, dessen andere Hälfte
es bildet.

como nō podde dir darcana dei
paul *quan* como disceso fu del cello
cusi e lmio cor duno amoroso uelo

aricoperto tuti ipenser mei
5 Pero quanto chio uiddi e quanto lo fei
　　pel gaudio taccio che nel petto celo
　　ma prima cangero nel fronto el pelo
　　che mai lobligo uolga in pensir rei
　　E se quello altero almo in basso cede
10　uedrai che nō fia ame ma almio -gra focho
　　qual piu che glialtri in la feruentia esciede

E guarda lardor mio nō abbi apicho
Che sendo io tuo suddito homm huom concede
che sesendo io fiama e tu di giacio . o fede
15　*cha da mia fiama ardresti apocho apocho*

ma homni amima gentil dibasso locho
cercha surger gran cose e impero ofede
che tua virtu mesalta apocho apocho
dunque meglio sia eltacer che dir ne pocho
20　ma pensa chel mio spirto apocho apocho
　　el corpo lasara setua mercede
　　socorso nō li dia atenpo elocho.

In heutiger Schreibweise.

Como non potè dir arcana Dei
　　Paul, como disceso fu dal cielo,
　　cosi el mio cor d'un amoroso velo
　　a ricoperto tutti i pensier mei.
5 Però quanto ch'io viddi e quant' io fei
　　pel gaudio taccio che nel petto celo,
　　ma prima cangierò nel fronte el pelo
　　che mai l'obbligo volga in pensier rei.
　　E se quell' alter' almo in basso cede,
10　vedrai che non fia a me, ma al mio gran foco,
　　qual più che gli altri in la ferventia eccede.
　　Ma pensa ch'el mio spirto apoco apoco
　　el corpo lassarà, se tua mercede
　　soccorso non gli dia a tempo e loco.

Provinzielle Wendungen sind beibehalten worden, wie como u. dergl.

Dies Sonett, sowie das folgende, zuerst mitgetheilt in Wieland's Teutschem Merkur, 1804, I, pag. 8, von Fernow, der die Originale, damals noch im Besitz des Marchese Antaldi, in Rom gesehen hatte. Einiges ist nicht genau. v. 1 larcana; v. 6 faccio; v. 8 cede für rei. Passavant, der von Fernow abgedruckt hat (I. 524) giebt v. 1 d'arcana: v. 8 volger; v. 10 sia.

UEBERSETZUNG.

Erste Fassung.

Wie die Geheimnisse Gottes nicht sagen konnte
Paulus, als er vom Himmel herabgestiegen war,
So hat mein Herz mit einem Schleier von Liebe
alle meine Gedanken bedeckt.
5 *Deshalb, was ich sah und was ich that,*
Kann ich nicht sagen, da ein Eifer der Liebe
bewirkt, dass man zuweilen des Todes Bitterkeit
schmecke, aber du bist Heilmittel meines Leidens.
Deshalb, was ich sah und was ich that,
10 verschweige ich aus Entzücken, das ich in der Brust verberge,
und eher werde ich auf der Stirn das Haar wechseln,
Dass ich mich jemals losrisse ehe ich das Pflichtgefühl
in schuldvolle Gedanken wandle.

Also will ich dich anflehen, weil Flehen hier erlaubt ist,
da du dich an so erhabner Stelle befindest,
15 *um sich auf Erden glücklich nennen zu dürfen.*
Also du allein bist die glückliche Seele,
in welche der Himmel alle Schönheit legte —
da sich der Welt zu enthüllen, nicht erlaubt ist —
dass sie mein Herz wie in Flammen den Phönix festhält —
20 *und wenn deine Seele sich gütig zu mir herabneigt —*
mein Herz und wenn diese hohe Seele sich herablässt,

mir nicht nachgiebt wirst du sehn, dass es nicht mir ge-
    schieht, sondern meiner grossen Gluth —
wie sehr sie mehr als die andern in Brand ausbricht —
und wenn dich anzuflehen *etwas hülfe* erlaubt gewesen wäre,
25 so würde ich niemals ablassen, Gnade zu rufen,
bis mir in der Brust die Sprache versagte —

Siehe zu, ob du an meiner Gluth nicht in Brand ge-
    rathen bist —
denn da ich dein Unterthan bin, gewähre mir nun —
dass du durch meine Flamme allmählich zu brennen be-
    ginnst —

Zweite Fassung.

Wie Gottes Geheimnisse nicht aussprechen konnte
Paulus, als er vom Himmel herabgestiegen war,
so hat mein Herz in einen Schleier aus Liebe
alle meine Gedanken eingehüllt.
5 Und so, was ich gesehn und was ich gethan,
aus Entzücken trag ich es schweigend in meinem Busen:
Eher jedoch soll mir das Haar auf der Stirne erbleichen.
als dass ich schuldvollen Sinnes meinen Schwur bräche.
Und wenn diese hochgeborene Seele sich zur Tiefe neigt,
10 wirst du sehn, dass es nicht mir (zu Theil) werde, sondern
    meiner grossen Gluth,
die alle anderen an brennender Gewalt übertrifft.
Und siehe zu, dass mein Brennen dich nicht erfasse;
Denn wenn ich dein Unterthan bin, gestatte mir nun —
denn wenn ich Feuer und du Eis bist, vertraue ich,
15 *dass du durch meine Flamme langsam in Gluth gerathest —*
Aber ich habe ein edles Herz bei niedrer Geburt,
das zu grossen Dingen emporzusteigen sucht, und deshalb
    vertraue ich,
deine Vortrefflichkeit werde mich allmählich zu sich
    emporziehen —
deshalb besser, zu schweigen, als nicht Alles zu sagen —

Aber bedenke, dass mein Geist langsam, langsam
den Körper verlassen wird, wenn deine Milde
ihm nicht zu Hülfe kommt zur rechten Zeit und am rechten Orte.

Man sieht, wie die Gedanken sein Herz durchwühlen.
Zuletzt spricht er doch nicht aus, was er am liebsten sagen
möchte. Was stehen bleibt von diesen Ansätzen, sind nur
die Klagen: seine Hoffnungen hat er alle ausgestrichen, alles
Persönliche getilgt. Ob ein Unterschied des Standes dabei
betont werden sollte, ist nicht ganz sicher, scheint aber möglich. Raphael nennt sich den Untergebenen, den Unterthan! Er sucht nach Wendungen, dies zu sagen ohne
zu verrathen was geschehen war, da er sich verpflichtet
hatte, die Geliebte selbst niemals an das gewährte Glück
zu erinnern. Seinen Ehrgeiz auch enthüllen die ausge-
lassenen Varianten, da ihm nicht nur durch Herabneigen
von ihrer, sondern auch durch Emporklimmen von seiner
Seite eine Vereinigung möglich erschien.

Der erste Vers könnte eine Reminiscenz der Ottave 108
des zweiten Gesanges von Pulci's Morgante Maggiore sein,
wo es heisst:

E se Paulo già vide arcana Dei
Fu per grazia concesso a qualche fine etc.

Ich würde diesen Anklang nicht anführen, da der Morgante so verbreitet damals war, dass es nicht besonderer
Kenntniss des Buches bedurfte, um sich seiner Wendungen
zu bedienen, erklärte sich aus dem Morgante nicht auch
eine Stelle des Briefes, in welchem Raphael von Domenico
Alfani verlangt, er solle ihm die ‚Strambotti‘ senden, die
von jener tempesta handeln, welche Ricciardo in uno
viaggio hatte.[1]) Passavant übersetzt tempesta mit Leidenschaft und lässt Ricciardo auf sich beruhen.

---

[1]) Recordo auoi menecho che me mandiate le istramboti dericiardo
diquella tenpesta che ebbe andando I uno uiagio e che recordiate a

Nun besteht einer der komischen Effecte des Morgante darin, dass Roland auf seinen Fahrten stets von seinem Bruder Ricciardetto begleitet ist, der, weil er gar nichts thut, überall jedoch dabei ist, eine lächerliche Hauptperson neben ihm wird. Beide Brüder aber haben auf ihrer wunderbaren Heimreise aus dem Morgenlande (im 20. Gesang) einen abenteuerlichen Seesturm zu überstehen, und dieser wohl ist mit der tempesta gemeint gewesen. Strambotti für Ottave rime war ein geläufiger Ausdruck.

DRITTES SONETT.

Auf demselben Blatte mit dem vorigen Sonette in dessen zweiter Fassung, in etwas kleinerer Schrift daneben geschrieben, offenbar als Reinschrift früherer Versuche.

> amor tu men uesscasti *cō doi luce* cō doi be lumi
> de doi be liochi douio mestrugo e face
> da bianca neue e darose uiuace

Cesarino che me manda quella predicha erecomandatemi alui. ancora ue ricoro che solecitiate madoña le atalate che me manda lidenari euedete dauere horo edite acesarino che ancora lui lirecorda e soleciti eseio poso altro p voi auisatemi.

     Der Morgante fand sich in der That damals in Jedermanns Händen. Graf Castiglione schreibt 1508 seiner Mutter (Brief vom 4. Febr. Serassi I, 36), sie habe ihm da einen jungen Menschen geschickt, um ihm als Secretär zu dienen, aber er wisse so wenig, dass er nicht einmal den Morgante oder die Cento Novelle ohne Anstoss lesen könne. Und im nächsten Briefe, wo er die Entlassung des Menschen anzeigt, wird wiederholt: pur non sa leggere il libro di Morgante. Desgleichen berichtet der Bildhauer Montelupo (Gaye Carteggio III, 582) von sich, wie er als Kind in der Schule nebenbei die battaglie del Morgante gezeichnet habe, chè nella scuola vi era chi lo leggeva.

     Der Brief, der in Raphael's Florentiner Zeit fällt, als sein Atelier in Perugia, wie es scheint, noch fortbestand, wird in den ,Ausführungen' näher besprochen worden.

da *bel* un bel parlar *e de oneste* in donessi costumi
5 tal che tanto ardo che ne mar nefiumi
  spegniar potrian quel focho ma nō mispiace
  poichel mio ardor tanto daben miface
  cardendo *piu dal* ogior piu dar der mecon|
  quanto fu doce elgiogo e la catena
10 dotoi canididi braci alcol|
  che sogliendomi io sento mortal p|

---

  ho uangi mei pensir inme riuol|
  considerade pla beltate amena

---

daltre cose in nō dicho che for|
                            m|
15 che soperchia docenza amor|
  e pero tacio ate ipensir riuolti

In heutiger Schreibweise.

1 Amor tu m'invescasti con doi be' lumi
  de' doi begli occhi dov'io me struggo, e face
  da bianca neve e da rose vivace,
  da un bel parlar in donneschi costumi.

5 Tal che tanto ardo che nè mar nè fiumi
  spegniar potrian quel foco, ma non mi spiace,
  poi ch'el mio ardor tanto di ben mi face
  ch' ardendo ognior più d'arder mi consumi.

  Quanto fu dolce el giogo, e la catena
10 de' tuoi candidi bracci al col mio volti,
  che sciogliendomi io sento mortal pena!

  D'altre cose io non dico che fur tolte,
  chè soperchia doglienza a morte mena;
  e però taccio, a te i pensier rivolti.

Fernow lässt v. 1 be' fort (das den Vers zu lang machte),
ebenso v. 2 begli aus demselben Grunde; v. 4 donesti, was
zuerst dastand, aber von Raphael ausgestrichen wurde, um

donneschi daraus zu machen; v. 6 ma piace giebt allerdings
für ma non mi spiace die geringere Zahl Sylben, steht aber
nicht da; v. 9 al giogo wäre prägnanter als el giogo, steht
aber nicht da; ebensowenig v. 10 suoi für tuoi; v. 12 ergänzt
Fernow che son molti; v. 13 löst er docenza in dolcezza auf.

Passavant hat Fernow's Version abgedruckt, wobei einige
Druckfehler mit eingeflossen sind.

Robinson druckt p. 357 beide Sonette ebenfalls ab, wobei
er im ersteren v. 1 d'arcana und v. 8 volger hat, im zweiten
v. 1 und 2 be' und begli fortlässt, v. 9 el giogo giebt, und
sich v. 12 u. 13 Fernow's Ergänzungen anschliesst.

UEBERSETZUNG.

Liebe, du hast mich in's Garn gelockt mit zwei schönen
Lichtern,
zweier Augen, an denen ich vergehe, und mit einem Glanze
aus weissem Schnee und lebendigen Rosen,
schöner Sprache und edelfrauenhaftem Benehmen.
5 So dass ich so in Flammen stehe, dass weder Meer noch
Ströme
diese Gluth zu löschen vermöchten, aber sie bereitet mir
keinen Schmerz,
da dies Brennen mir so wohl thut,
dass ich brennend immer mehr im Brand mich verzehre.
Wie war süss das Joch und die Kette
10 deiner weissen Arme um meinen Hals geschlungen,
dass ich mich losreissend tödtliche Qual empfinde.
Von Andrem sag ich nichts, das mir genommen ward,
da zu grosse Trauer tödtlich ist;
Und so schweig ich, zu dir lenkend die Gedanken.

Wir kennen und ahnen die Reihenfolge dieser Gedichte
nicht, von denen jedes das erste und das letzte sein könnte:
was wir hier ausgedrückt finden, ist wiederum der Inhalt der
vorhergehenden, nur dass die Hauptaccente verlegt worden

sind. Die Begegnung selber ist nun ausgemalt. Das erstemal ward das Kommen und Verschwinden beschrieben, das zweitemal die Qual, nicht aussprechen zu dürfen was geschehen war, das drittemal die Erinnerung des Momentes, 'wo er die Geliebte in seinen Armen hielt.

VIERTES SONETT.

Auf einem Blatte der Oxforder Sammlung. Von Robinson (S. 358) zuerst publicirt nach einer Lesung des Signor di Tivoli. Ich verdanke das Gedicht einem vortrefflichen Facsimile von der gütigen Hand der Mrs. E. F. S. Pattison zu Oxford.

Erste Fassung.

Sate seruir par*che mi sdegni* mi sdegniasi amore
   p liefetti dimostri dame in parte
   Tu sai el perche senza uergarte in carte
5 *chel odimostro el contrario chio nel coro*
   dimostai el contrario del mio
   chi cor ... contario dimostro chio nel core
Jo grido edicho che tu sei el mio signiore
   nē saturno ne Joue mercurio ho marte
10 dal centro alcel piu su che Jove o marte
   e che schermo nō ual ne ingenio ho arte
   a schifar letue forze eltuo furore

---

hor questo piu fia note el focho ascoso
Jo portai nel mio peto ebbi tal gratia
15 *che in teso al fin ful suo spiar dubioso*
e quell alma gentil nō mi dislatia
ondio ringratio amor che ame piatoso

---

   e che quella chel sol uince di luce   conduce
  or p dio   riduce
20   aduce
                              luce

Zweite Fassung.

Auf demselben Blatte, dicht daneben geschrieben. Nur die fünf ersten Verse.

Sate seruir par mi sdegeniase amore
per liefetti dimostro dame inparte
Tu saiperche senza uergarte in parte (sic)
Chel dol ristrisse del ferite core

5 Sesso seuede almarzial furore —

In heutiger Schreibweise.

S'a te servir, parmi, sdegnassi, Amore,
per li effetti dimostro da me in parte
tu sai'l perchè senza vergarti in carte
che'l duol ristrisse del ferito core.

5 Jo grido, e dico che tu sei el mio signore,
dal centro al ciel, più su che Giove e Marte,
e che schermo non val, nè ingegno o arte,
a schifar le tue forze e'l tuo furore.

Das Uebrige ist nicht zu einem Gedichte zusammenzubringen. Bereits der fünfte Vers zeigt, dass die letzten vier hier anders angewandt werden sollten.

Sr. di Tivoli liest v. 1 Sorte für S'a te, was nicht dasteht. V. 2 affetti für effetti; v. 12 quì für più; v. 14 portar für portai; v. 16 disazia für dislacia; v. 17 che m'è für che a me.

UEBERSETZUNG.

Erste Fassung.

Wenn ich dir zu huldigen, o Liebe, verschmähe
durch die Gefühle, die ich hier und da zur Schau trug:
du weisst den Grund, ohne dass ich ihn dir niederschreibe,
5 *dass ich das Gegentheil von dem zeigte, was mein Herz*
empfand —
dass ich das Gegentheil meiner Empfindung zeigte.

Ich ʻsage es und rufe es laut, dass du mein Herr bist —
weder auf dem Saturn, noch Jupiter, Mercur oder Mars —
10 von der Mitte (der Erde) bis zum Himmel, weiter empor
als Jupiter oder Mars,
und dass kein Schutz stark genug ist, keine List oder Kunst,
deine Kraft abzulenken und deine Wuth —

jetzt wird dies mein verborgnes Feuer um so mehr kund
thun —
Ich trug in meiner Brust — Ich empfing solche Gnade,
15 *dass endlich ihr (sein?) gefährliches Erspähen verstanden*
ward —
und diese Seele edler Art, lässt mich nicht aus ihren
Schlingen los —
weshalb ich der Liebe danke, dass sie barmherzig für
mich —

und dass jene, welche die Sonne an Glanz überstrahlt —
jetzt aber, bei Gott! —
Auch das vorhergehende Sonett war an ‚die Liebe‘ gerichtet. Amore mit Amor persönlich zu übersetzen, wäre
falsch; die Italiäner fassen die Liebe allerdings personificirt
und männlich auf, aber nicht als identisch mit ‚Amor‘, was
wir darunter verstehn. Das Gedicht enthält nur zwei prägnante Stellen: die, wo Raphael andeutet, dass er Kälte zu
heucheln gezwungen war, und die, wo er vom spiar dubbioso
redet, das mit dem zweifelhaften suo davor vielfacher Aus-
legung fähig ist. Wohl anzumerken ist, dass er in der zweiten
Fassung deren Gedanken, wohl als zu deutlich, wiederum
änderte.

FÜNFTES SONETT.

Auf dem Studienblatte zur Disputa im Museum Fabre
zu Montpellier, Pass. III, p. 234. fr. II, p. 487, nro 416,
wo sich beidemale ein Abdruck findet. Derjenige, welcher

Passavant die Abschrift besorgte, hat Raphael's Schrift nicht
lesen können, so dass zum grössten Theile Unsinn herausgekommen ist, auf den wir hier nicht weiter eingehen. Ich
verdanke das Facsimile der Güte des Herrn Professor Walter
Twight zu Marseille.

> |Ilo pensier che inrecercar tafanni
> |e dare inpreda el cor p piu tua pace
> |ō uedı tu gliefetti aspri e tenace
> |sculti che misurpa i piu belli anni
>
> 5 |e fatiche euoi famosi a fanni
> |isuegliate el pensier che inotio giace
> |rostateli quel cole alto che face
> |alir da bassi aipiu sublimi scanni

> *,ce hopensier cole che inchinai uolti*
> 10 *|oler se guita la nostra stella*
> *|ruedi tu daluno alatro polo*
> *|alocaso alleuar*
> *|li pensier fache*
> *|iuene alme houoi celesti īgenie*
> 15 *|uene alme celeste acute ingni*
> *,cun ingrche scorze e forde ecoi uergati esassi di*
>   *sprezando leponpe edietrieeregni.*

Die drei letzten Verse sind unverständlich.

In heutiger Schreibweise.

> Fello pensier, che in recercar t'affanni?
> che dare in preda el cor per più sua pace?
> non vedi tu gli effetti aspri e tenace
> sciolti, che m'usurpan i più belli anni?
>
> 5 Dure fatiche, e voi, famosi affanni,
> risvegliate el pensier che in ozio giace,
> mostrategli quel calle alto che face
> salir da' bassi ai più sublimi scanni!

Jules Renouvier giebt im Musèe de Montpellier (De Lyon
à la Méditerrannée, par Mr. J. B. Laurens, II Livraison)
einen Abdruck in folgender Fassung. V. 1 Nello pensier;
v. 2 e dare; v. 4 vincolvo che nusurpa; v. 5 Le fatiche;
v. 6 isvegliate.

UEBERSETZUNG.

Thörichter Gedanke, was quälst du dich ab mit Nach-
forschen?
Wozu dein Herz dahingeben? um grösseren Frieden zu
gewinnen?
Siehst du nicht die herben und hartnäckigen Gefühle
Dahingeschwunden, die mir die schönsten Jahre rauben?
5 Ihr harten Mühen und ihr berühmte Kümmernisse
erweckt den Gedanken, der in Unthätigkeit daliegt,
zeigt ihm jenen erhabnen Weg, der
emporklimmen lässt bis zu den höchsten Stufen.

Von den übrigen Versen ist nur inhaltsvoll v. 17:

Verachtend äussere Pracht und — Königreiche.

Raphael macht den Versuch, sich loszureissen. Er klagt
die eignen Gedanken an, dass sie um das Unerreichbare sich
abmühen, ruft sich selbst zum Nachdenken, und weist sich auf
den Weg des Ruhmes hin, der ihm die höchsten Ziele in
Aussicht stelle. —

Ich verweise noch auf das im L. M. und in den Ess. über
diese Sonette Gesagte. Weder in der Sprache, noch in den
Gedanken tritt Originalität hervor. Auch Raphael's Briefe
zeigen, im Gegensatz zu den schriftlichen Aeusserungen
Lionardo's und Michelangelo's, nichts von individueller Bedeutung.

Die Reihenfolge der Stücke ist eine zufällige. Ich
druckte zuerst die bereits länger bekannten in der hergebrachten Ordnung und fügte die beiden anderen hinzu.

Lightning Source UK Ltd.
Milton Keynes UK
UKHW011416271218
334506UK00014B/1213/P